David Gemmell

Druss la Légende

Traduit de l'anglais (Grande-Bretagne) par Alain Névant

Bragelonne

Collection dirigée par Stéphane Marsan et Alain Névant

Titre original : *The first chronicles of Druss the Legend*
Copyright © 1994 by David A. Gemmell.
© Bragelonne 2002 pour la présente traduction.

Illustration de couverture :
© Didier Graffet

ISBN : 2-914370-29-6

Bragelonne
35, rue de la Bienfaisance - 75008 Paris - France

E-mail : info@bragelonne.fr
Site Internet : http://www.bragelonne.fr

Druss la Légende est dédié, avec beaucoup d'amour et d'affection, à la mémoire de Mick Jeffrey, un paisible chrétien, à la bonté et à la patience infinies. Ceux qui ont eu la chance de le connaître sont bénis. Bonne nuit et que Dieu te garde, Mick !

Je remercie mon éditeur John Jarrold, ma correctrice Jean Maund, et mes lecteurs tests Val Gemmell, Stella Graham, Tom Taylor et Vikki Lee France. Merci également à Stan Nicholls et Chris Baker qui ont ressuscité Druss de façon originale.

Sommaire

Livre premier

La Naissance
d'une légende

Prologue

Il s'agenouilla sur la piste à l'abri des sous-bois. Ses yeux noirs scrutaient les rochers devant lui et les arbres au loin. Vêtu d'une chemise en daim à franges, d'un pantalon et de bottes marron, le gaillard était quasiment invisible, à l'ombre des arbres.

Le soleil était haut dans le ciel d'été, et aucun nuage n'était visible. Les traces dataient de moins de trois heures. Des insectes avaient laissé des croisées dans les empreintes de sabots, mais les bords étaient toujours intacts.

Quarante cavaliers, chargés de butin…

Shadak s'enfonça dans les sous-bois où son cheval était attaché. Il caressa le long cou de l'animal et retira son baudrier accroché au dos de la selle. Il le ceignit à sa taille et dégaina ses deux épées courtes à double tranchant ; elles étaient forgées dans le meilleur acier vagrian. Il réfléchit un moment, puis rengaina ses lames pour empoigner l'arc et le carquois suspendus au pommeau de sa selle. L'arc était en corne vagrianne – une arme de chasse capable d'envoyer des flèches de soixante centimètres de long à plus de soixante pas. Le carquois en daim contenait vingt flèches que Shadak avait taillées lui-même : plumes d'oie en guise de pennes teintées de rouge et de jaune, têtes à pointes de fer rigides, non dentelées, que l'on pouvait donc retirer facilement des cadavres. D'un geste rapide, il tendit la corde et encocha une flèche. Puis, il passa le carquois sur son épaule et remonta prudemment la piste.

Avaient-ils laissé une arrière-garde ? C'était peu probable, car il n'y avait pas un soldat drenaï dans un rayon de quatre-vingts kilomètres.

Mais Shadak était un homme prudent. Et il connaissait Collan. En visualisant son visage cruel et souriant, ses yeux moqueurs, il sentit monter la tension en lui.

Pas de colère, se dit-il. Mais c'était dur, terriblement dur. *Les hommes en colère font des erreurs,* se rappela-t-il. *Le chasseur doit être aussi froid que l'acier.*

Lentement, en silence, il longea la bordure de la piste. À vingt pas sur sa gauche, face à lui, un grand rocher sortait de terre ; sur sa droite, il y avait un amas de petits rochers d'un peu plus d'un mètre de haut. Shadak prit une profonde respiration et sortit de sa cachette.

Un homme apparut de derrière le grand rocher, l'arc bandé. Shadak mit un genou à terre, et la flèche de son agresseur fendit l'air, au-dessus de sa tête. L'archer tenta de sauter en arrière pour se mettre à l'abri derrière le rocher, mais alors qu'il prenait son envol, Shadak décocha une flèche qui alla se planter dans sa gorge, transperçant sa chair par la nuque.

Un autre attaquant se rua vers Shadak, par la droite. N'ayant pas le temps d'encocher une deuxième flèche, celui-ci le frappa en plein visage avec son arc. L'agresseur trébucha. Shadak en profita pour lâcher son arc et dégainer ses deux épées courtes ; d'un coup circulaire, il trancha le cou de l'homme qui était au sol.

Deux nouveaux attaquants arrivaient sur les lieux au pas de course. Shadak bondit à leur rencontre. Les hommes portaient des plastrons en fer, leurs têtes et leurs cous étaient protégés par une cotte de mailles, et chacun brandissait un sabre.

— Tu vas mourir à petit feu, espèce de salaud ! hurla le premier des deux guerriers, un grand gaillard aux épaules larges.

Mais il plissa les yeux en reconnaissant le bretteur qui lui faisait face. La peur remplaça sa rage. Il était trop près de Shadak pour rompre le combat, aussi fit-il une attaque maladroite. Shadak para la lame avec aisance. Sa seconde épée passa à travers la bouche de l'homme et s'enfonça jusqu'aux vertèbres. Le guerrier mourut, et son complice recula.

— On ne savait pas que c'était toi, j't'e l'jure ! dit-il, les mains tremblantes.

— Eh bien maintenant, tu le sais, répondit doucement Shadak.

Sans un mot, l'homme fit volte-face et courut aussi vite que possible pour se fondre entre les arbres. Shadak rengaina ses épées et alla ramasser son arc. Il encocha une flèche et banda la corde. La flèche, fendant les airs, alla se planter droit au but, dans la cuisse de l'homme qui courait. Il hurla, puis tomba à terre. Shadak se rendit à grandes enjambées là où l'homme était étendu. Celui-ci se retourna sur le dos et lâcha son sabre.

— Par pitié, ne me tue pas ! supplia-t-il.

— Tu n'en as pas fait preuve quand tu étais à Corialis, répondit Shadak. Mais si tu me dis où se dirige Collan, je te laisserai la vie sauve.

Un hurlement de loup retentit dans le lointain. C'était un son solitaire qui fut bientôt rejoint par un autre, puis un autre.

— Il y a un village vers le sud-est... à une quarantaine de kilomètres, avoua l'homme, les yeux rivés sur l'épée courte dans la main de Shadak. Nous l'avons repéré. Il y a plein de jeunes femmes. Collan et Harib Ka ont prévu de faire une razzia pour les capturer, et les vendre comme esclaves à Mashrapur.

Shadak acquiesça.

— Je te crois, finit-il par dire.

— Tu vas me laisser la vie sauve, dis ? Tu l'as promis, gémit le blessé.

— Je tiens toujours mes promesses, répliqua Shadak, écœuré par la faiblesse dont faisait preuve cet homme.

Il se pencha et dégagea sa flèche de la jambe du guerrier. Du sang coula de la blessure, et ce dernier poussa un grognement. Shadak nettoya la flèche sur la cape du guerrier puis se releva. Il se rendit ensuite vers le cadavre du premier homme qu'il avait tué. Il s'agenouilla, récupéra sa première flèche. Puis, il alla à grands pas jusqu'à l'endroit où les pillards avaient attaché leurs chevaux. Il monta sur la selle du premier et guida les autres le long de la piste pour rejoindre le lieu où se trouvait son hongre. Il passa toutes les rênes dans sa main et reprit sa route.

— Et moi ? cria le blessé.

Shadak se dévissa sur sa selle.

— Débrouille-toi pour tenir les loups à distance, conseilla-t-il. À la nuit tombée, ils auront flairé l'odeur du sang.

— Laisse-moi un cheval ! Sois clément !

— Je ne suis pas clément, répondit Shadak.

Et il galopa en direction du sud-est, vers les montagnes lointaines.

Chapitre premier

L a hache faisait un mètre vingt de long, sa tête pesait cinq kilos. La lame était immaculée, et aussi tranchante qu'une épée. Le manche était joliment incurvé, taillé dans du bois d'orme de plus de quarante ans. Pour n'importe qui, il s'agissait d'un outil lourd, difficilement maniable et surtout imprécis. Mais dans les mains du jeune homme brun qui se tenait devant le hêtre majestueux, la hache chantait dans les airs et semblait aussi légère qu'un sabre. À chacun de ses amples coups, la tête s'enfonçait un peu plus profond dans la chair de l'arbre, précisément là où le forestier l'avait voulu.

Druss recula et leva les yeux vers la cime de l'arbre. Il y avait plusieurs grosses branches qui saillaient vers le nord. Il fit le tour de l'arbre pour jauger de la direction de sa chute. Puis il se remit à l'ouvrage. C'était son troisième arbre de la journée et ses muscles commençaient à lui faire mal ; de la transpiration luisait sur son dos dénudé. Ses cheveux bruns coupés court étaient trempés de sueur, et des gouttes dégoulinaient le long de ses sourcils, lui piquant les yeux. Il avait la gorge sèche, mais il voulait finir son travail avant de s'accorder un rafraîchissement.

Un peu à l'écart sur sa gauche, les deux frères, Pilan et Yorath, étaient assis sur un tronc abattu. Ils bavardaient et rigolaient, leurs hachettes posées sur le côté. Leur travail consistait à élaguer les arbres tombés pour récupérer les branches qui serviraient de petit bois pour l'hiver, et ôter l'écorce du tronc. Mais ils s'arrêtaient souvent dans leur tâche et Druss pouvait les entendre parler des filles du village, de leurs avantages et de leurs vices. C'étaient les fils de Tetrin, le forgeron. Ils étaient tous les deux jeunes et beaux, grands et blonds, intelligents et spirituels, et avaient beaucoup de succès auprès des filles.

Druss ne les aimait pas.

Sur sa droite, d'autres garçons, plus âgés, sciaient les branches du premier arbre qu'il avait abattu pendant que tout autour des jeunes filles ramassaient du bois mort qu'elles entassaient dans une brouette qu'on descendrait plus tard au village.

À l'orée de la nouvelle clairière se trouvaient quatre chevaux de trait qui, attachés, broutaient de l'herbe en attendant que les arbres soient nettoyés. On attacherait des chaînes aux troncs que les animaux pourraient alors tirer jusqu'à la vallée.

L'automne avançait à grands pas, et les anciens du village étaient bien résolus à ce que le nouveau mur d'enceinte soit terminé avant l'hiver. Sur toute la frontière montagneuse de Skoda, il n'y avait qu'une troupe de cavalerie drenaïe, qui devait patrouiller une zone de plus de mille cinq cents kilomètres carrés. Des pillards, des voleurs de bétail, des esclavagistes, des bandits et autres hors-la-loi traînaient un peu partout dans les montagnes, et le Conseil de Drenaï avait bien fait comprendre qu'il ne pouvait être tenu pour responsable s'il arrivait quoi que ce soit aux nouvelles implantations sur la frontière vagrianne.

Mais les périls qui allaient de pair avec la vie frontalière ne décourageaient pas les hommes et les femmes qui faisaient le voyage jusqu'à Skoda. Ils cherchaient une nouvelle vie, la plus reculée possible vers le sud-est, loin de toute civilisation. Là, ils construisaient leurs maisons sur une terre encore libre et sauvage, où ils n'avaient pas besoin de se découvrir ou de s'incliner lorsqu'un noble passait.

Liberté était le maître mot et il était inutile de leur parler de pillards.

Druss souleva sa hache et, d'un coup assourdissant, l'enfonça dans l'encoche qui s'agrandissait à vue d'œil. Il réitéra le geste une dizaine de fois contre la base du tronc. Puis une autre série de dix, précise et puissante. Trois coups de hache encore, et l'arbre céderait dans un craquement à fendre l'âme. La chute allait être dure.

Il recula d'un pas pour regarder de nouveau l'endroit où allait tomber l'arbre. Un mouvement attira son attention. Une petite fille à la tête blonde était assise sous un buisson, une poupée à la main.

— Kiris ! gronda Druss. Je vais compter jusqu'à trois, et si tu n'as pas décampé d'ici là, je t'arrache une jambe et je te frappe avec le moignon ! Un... deux...

L'enfant ouvrit de grands yeux et sa mâchoire s'affaissa. Elle laissa tomber sa poupée de chiffon et déguerpit du buisson en hurlant pour aller se cacher dans la forêt. Druss secoua la tête. Il marcha jusqu'au buisson et récupéra la poupée, qu'il passa dans sa large ceinture. Il sentit le regard des autres sur lui et sut ce qu'ils pensaient : Druss la brute, Druss le cruel – c'est comme ça qu'ils le voyaient. Et peut-être avaient-ils raison.

Il les ignora et retourna à son arbre. Il souleva une nouvelle fois sa hache. Deux semaines seulement auparavant, il abattait un hêtre lorsqu'on l'avait appelé ailleurs, laissant le travail inachevé. En revenant sur les lieux, il avait trouvé Kiris assise sur l'une des branches les plus élevées de l'arbre, jouant, comme toujours, avec sa poupée.

— Descends, lui avait-il demandé gentiment. L'arbre risque de tomber.

— Nan, avait répondu Kiris. On est bien ici. On peut voir jusqu'à l'infini.

Druss avait regardé autour de lui, espérant pour une fois qu'une des filles du village serait là. Mais non. Il avait examiné la grande entaille à la base du tronc ; une rafale de vent soudaine pourrait faire tomber l'arbre.

— Sois une gentille fille, et descends. Si l'arbre tombe, tu risques de te faire mal.

— Pourquoi tomberait-il ?

— Parce que je l'ai frappé avec ma hache. Maintenant, descends.

— D'accord, avait répondu la petite fille.

Elle entama la descente, mais l'arbre pencha soudainement. Kiris poussa un cri et s'agrippa à l'une des branches. Druss n'avait plus de salive.

— Dépêche-toi, lui dit-il.

Kiris ne répondit pas, et ne bougea pas non plus. Druss poussa un juron et cala son pied sur l'un des nœuds de l'arbre, à la base du tronc. Puis il se hissa jusqu'à la première branche. Lentement, et avec une grande prudence, il escalada l'arbre qui menaçait de tomber. Plus haut et toujours plus haut, vers l'enfant.

Il la rejoignit finalement.

— Passe tes bras autour de mon cou, lui ordonna-t-il.

Ce qu'elle fit. Et Druss put commencer sa descente.

À mi-chemin, il sentit l'arbre frémir – et se rompre. Il sauta le plus loin possible, serrant l'enfant dans ses bras. Il heurta le sol, se recevant maladroitement sur son épaule, qui s'enfonça dans la terre meuble. Son corps avait protégé Kiris, mais lui grogna en se relevant.

— Tu as mal ? demanda Kiris.

Les yeux pâles de Druss se posèrent sur l'enfant.

— Si jamais je te revois près des arbres, je te jette aux loups ! gronda-t-il. Et maintenant, disparais !

Elle s'enfuit à toutes jambes, comme si sa robe avait été en flammes.

En y repensant, Druss gloussa, puis il leva de nouveau sa hache et l'enfonça avec force dans le hêtre. L'arbre poussa un gémissement et une déchirure assourdissante retentit, qui noya les bruits de hachettes et de scies aux alentours.

Le hêtre tomba, se dévissant dans sa chute. Druss se tourna vers l'outre d'eau qui pendait à une branche non loin ; la chute de l'arbre signifiait qu'il était l'heure de déjeuner, et tous les jeunes villageois se rassemblèrent sous le soleil, riant et plaisantant. Mais personne n'approcha Druss. Sa dernière bagarre avec

Alarin, le soldat, les avait perturbés. À présent, ils le regardaient avec encore plus de méfiance qu'auparavant. Aussi mangea-t-il à l'écart, se nourrissant de pain et de fromage, faisant passer le tout avec de grandes gorgées d'eau fraîche.

Pilan et Yorath étaient assis en compagnie de Berys et Tailia, les filles du meunier. Elles souriaient joliment, penchant leurs têtes, appréciant les attentions des garçons. Yorath se rapprocha de Tailia et l'embrassa sous l'oreille. Celle-ci feignit l'outrage.

Mais leurs jeux s'arrêtèrent lorsqu'un homme à la barbe noire arriva dans la clairière. Il était grand et large d'épaules ; ses yeux avaient la couleur des nuages d'hiver. Druss regarda son père approcher et se leva.

— Habille-toi et suis-moi, lui lança Bress en partant d'un bon pas vers les sous-bois.

Druss enfila sa chemise et le suivit. Le grand homme s'assit près d'un cours d'eau torrentueux, hors de portée des oreilles des jeunes. Druss l'y rejoignit.

— Tu dois apprendre à te contrôler, mon fils, dit Bress. Tu as failli le tuer.

— Je ne l'ai frappé… qu'une seule fois.

— Oui, mais cette *seule fois* lui a brisé la mâchoire et cassé trois dents.

— Les anciens ont décidé d'une punition ?

— Oui. Je vais devoir m'occuper d'Alarin et de sa famille pendant tout l'hiver. Je n'avais vraiment pas besoin de ça, mon garçon.

— Il a tenu des propos offensants sur Rowena, et je ne le tolérerai pas. *Jamais.*

Bress prit une profonde respiration, mais avant de parler, il jeta un caillou dans l'eau. Puis il soupira.

— On ne nous connaît pas ici, Druss – à part comme de bons ouvriers et villageois. Nous avons dû faire un long chemin pour ne plus porter l'opprobre que mon père a jeté sur notre famille. Aussi, tire les enseignements de sa vie. Il ne pouvait pas se contrôler – ce qui a fait de lui un paria, un renégat, un boucher sanguinaire. Et comme bon sang ne saurait mentir, je m'inquiète pour nous.

— Je ne suis pas un tueur, se défendit Druss. Si j'avais voulu le tuer, je lui aurais brisé le cou d'une manchette.

— Je sais. Tu es fort ; tu tiens cela de moi. Et fier ; cela doit venir de ta mère – qu'elle repose en paix. Les dieux seuls savent combien de fois j'ai dû ravaler ma fierté.

Bress se caressa la barbe et se tourna pour regarder son fils droit dans les yeux.

— Nous vivons dans une petite communauté, et il ne faut pas qu'il y ait de violence entre nous – nous n'y survivrions pas. Tu comprends ?

— Que t'ont-ils demandé de me dire ?

Bress soupira.

— Tu dois faire la paix avec Alarin. Sache ceci : si tu attaques à nouveau un homme du village, tu seras banni.

Le visage de Druss se rembrunit.

— Je travaille plus que n'importe qui. Je n'embête personne. Je ne me saoule pas comme Pilan et Yorath, et je n'essaie pas non plus de transformer chacune des jeunes filles du village en putain, comme le fait leur père. Je ne vole pas. Je ne mens jamais. Et pourtant, ils voudraient *me* bannir ?

— Tu leur fais peur, Druss. Et à moi aussi.

— Je ne suis pas mon grand-père. Je ne suis pas un meurtrier.

Bress soupira de nouveau.

— J'avais espéré que Rowena, avec toute sa gentillesse, t'aurait aidé à tempérer ton mauvais caractère. Mais le lendemain de ton mariage, tu as à moitié tué un colon. Pour quelle raison ? Ne me raconte pas tes histoires de propos offensants. Tout ce qu'il a dit, c'est que tu étais un homme heureux et qu'il aurait bien voulu être à ta place dans son lit. Par tous les dieux, fils ! Si tu dois briser la mâchoire de tous ceux qui te complimentent sur ta femme, il ne va plus rester beaucoup d'hommes pour travailler dans ce village.

— Il ne l'a pas dit comme un compliment. C'est vrai que je ne peux pas me contrôler, mais Alarin a une grande gueule – il n'a eu que ce qu'il méritait.

— J'espère juste que tu essaieras de faire attention à ce que je t'ai dit, fils. (Bress se leva et s'étira.) Je sais que tu n'as pas beaucoup de respect pour moi. Mais j'espère que tu penseras à Rowena, et à ce qu'elle dirait si vous étiez tous les deux bannis du village.

Druss leva les yeux vers son père, et ravala sa déception. Bress était un géant, plus costaud que tous les hommes qu'avait rencontrés Druss jusqu'ici ; pourtant, il se servait de la défaite comme d'un manteau. Le jeune homme se releva à son tour.

— Je tiendrai compte de tes conseils, finit-il par dire.

Bress sourit d'un air las.

— Je dois retourner au mur. Il devrait être fini d'ici trois jours ; on dormira plus tranquillement après.

— Tu auras le bois à temps, promit Druss.

— Tu te débrouilles bien avec une hache, je ne peux le nier.

Bress s'en alla. Il n'avait pas fait cent pas qu'il se retourna.

— Si jamais ils te bannissaient, fils, tu ne partirais pas seul. Je viendrais avec toi.

Druss acquiesça.

— Cela n'arrivera pas. J'ai déjà promis à Rowena que j'allais me calmer.

— Je parie qu'elle était en colère, fit Bress en souriant.

— Pire. Elle m'a dit que je l'avais déçue. (Druss gloussa.) La *déception* d'une jeune mariée est plus acérée que la dent d'un serpent.

— Tu devrais rire plus souvent, mon garçon. Ça te va bien.

Mais tandis que Bress s'éloignait, le sourire disparut du visage du jeune homme. Il regardait l'ecchymose sur son poing. Il se souvint des émotions qui l'avaient submergé en frappant Alarin. De la colère, d'abord, et une envie sauvage de se battre. Mais quand son poing avait fait mouche et qu'Alarin était tombé, une seule émotion avait remplacé toutes les autres, brève et incroyablement forte.

La joie. Un plaisir à l'état brut, d'un genre et d'une intensité qu'il n'avait encore jamais ressentis. Il ferma les yeux et essaya d'oublier la scène.

— Je ne suis pas mon grand-père, se dit-il à voix haute. Je ne suis pas fou.

Le soir même il répéta ces mots à Rowena, tandis qu'ils étaient tous les deux allongés dans le grand lit que Bress leur avait fabriqué en guise de cadeau de mariage.

Elle roula sur le ventre et posa son visage contre son torse ; ses cheveux longs étaient aussi doux que de la soie sur l'épaule musclée de Druss.

— Bien sûr que tu n'es pas fou, mon amour, le rassura-t-elle. Tu es l'homme le plus doux que j'ai rencontré.

— Ce n'est pas ainsi qu'ils me voient, lui répondit-il en lui caressant les cheveux.

— Je sais. Mais tu as eu tort de briser la mâchoire d'Alarin. Ce n'étaient que des mots – et ce n'est pas grave s'ils n'étaient pas gentils. Rien que des sons vite emportés par le vent.

Il la repoussa gentiment et se redressa dans le lit.

— Ce n'est pas aussi simple, Rowena. Cela faisait des semaines que cet homme me cherchait des noises. Il cherchait la bagarre – parce qu'il voulait m'humilier. Il n'y est pas arrivé. Et personne n'y arrivera jamais.

Elle trembla.

— Tu as froid ? lui demanda-t-il en la prenant dans ses bras.

— *Marche-Mort*, murmura-t-elle.

— Quoi ? Qu'est-ce que tu dis ?

Elle battit plusieurs fois des paupières. Puis elle sourit et l'embrassa sur la joue.

— Rien. Oublions Alarin et soyons simplement heureux d'être ensemble.

— Je serai toujours heureux avec toi, répondit-il. Je t'aime.

Les rêves de Rowena furent sombres et agités. Le lendemain, sur les bords de la rivière, elle n'arrivait toujours pas à chasser les images de la nuit. Druss, vêtu de noir et d'argent, une hache gigantesque à la main, debout sur une colline. Des lames de la hache s'écoulait un flot d'âmes, tourbillonnant en volutes de fumée autour du tueur implacable. *Marche-Mort !* La vision avait été d'une effroyable puissance.

Rowena essora ce qui restait d'eau dans la chemise qu'elle venait de laver avant de l'étendre sur une pierre plate, à côté des draps qui séchaient et de sa robe en laine nettoyée. Elle posa ses mains sur ses hanches et s'étira. Puis, elle se leva, se rendit jusqu'à l'ombre des arbres pour s'y asseoir. Rowena referma sa main sur la broche que Druss lui avait confectionnée dans l'atelier de son père – une pierre de lune, embuée et translucide, enchevêtrée dans du fil de cuivre. Comme ses doigts touchaient la pierre, elle ferma les yeux et fit le vide dans son esprit. Elle vit Druss assis seul au bord d'un ruisseau.

— Je suis avec toi, murmura-t-elle.

Mais il ne pouvait l'entendre. Elle soupira.

Personne dans le village ne connaissait son Talent, car son père, Voren, lui avait fait comprendre que cela devait rester un secret. Rien que l'année passée, à Drenan, quatre femmes avaient été accusées de sorcellerie et brûlées vives par les prêtres de Missael. Voren était quelqu'un de prudent. Il avait amené Rowena dans ce village éloigné de Drenan, parce que, comme il le lui avait dit : « Les secrets font long feu, dans la multitude. Les villes sont pleines d'yeux indiscrets et d'oreilles attentives, d'esprits revanchards et de pensées mesquines. Tu seras plus en sécurité dans les montagnes. »

Et il lui avait fait promettre de ne révéler ses talents à personne. Pas même à Druss. En observant son mari par l'intermédiaire de son troisième œil, Rowena regrettait cette promesse. Elle ne voyait aucune dureté dans ces traits plats et abrupts, aucune tempête dans ces yeux gris-bleu, pas la moindre trace de chagrin dans la linéarité de cette bouche. Il était Druss – et elle l'aimait. Cette certitude venait de son Talent : elle savait qu'elle ne pourrait jamais aimer un homme autant qu'elle aimait Druss. Et elle savait pourquoi... il avait besoin d'elle. Elle avait regardé par la fenêtre de son âme et y avait trouvé une chaleur et une pureté semblables à une île de tranquillité au milieu d'un océan d'émotions en furie. Quand elle était avec lui, Druss était tendre, son esprit turbulent au repos. En sa compagnie, il souriait, même. *Peut-être*, pensa-t-elle, *qu'avec mon aide il trouvera la paix. Peut-être que le tueur implacable ne prendra jamais vie.*

— Encore en train de rêver, Ro, fit remarquer Mari, en venant s'asseoir à côté d'elle.

La jeune femme ouvrit les yeux et sourit à son amie. Mari était petite et dodue, ses cheveux couleur miel et son sourire éclatant.

— Je pensais à Druss, répondit Rowena.

Mari acquiesça et détourna le regard. Rowena pouvait sentir son inquiétude.

Durant des semaines, son amie avait essayé de la persuader de ne pas épouser Druss, étayant ses arguments par ceux de Voren et d'autres encore.

— Est-ce que Pilan sera ton partenaire pour la Danse du Solstice ? demanda Rowena pour changer de sujet.

L'humeur de Mari changea aussitôt et elle se mit à rire.

— Oui, mais il ne le sait pas encore.

— Quand va-t-il l'apprendre ?

— Ce soir.

Mari baissa la voix, bien qu'il n'y ait personne aux alentours.

— Nous avons rendez-vous dans le pré du bas.

— Fais attention, la prévint Rowena.

— Est-ce un conseil de la vieille épouse ? Druss et toi n'avez-vous pas fait l'amour avant de vous marier ?

— C'est vrai, admit Rowena, mais Druss avait déjà prêté serment devant le Chêne. Pilan ne l'a pas encore fait.

— Ce ne sont que des mots, Ro. Je n'en ai pas besoin. Oh, je sais bien que Pilan flirte avec Tailia, mais elle n'est pas pour lui. Tu vois, il n'y a aucune passion. Elle ne pense qu'à la richesse. Elle ne veut pas rester dans la campagne. Elle veut habiter Drenan. Elle ne voudra pas passer sa vie à réchauffer le lit de son montagnard, ni faire la bête à deux dos dans les prés humides, avec de l'herbe qui la chatouille entre…

— Mari ! On peut dire que tu n'as pas ta langue dans ta poche, la gronda Rowena.

Mari gloussa et se rapprocha d'elle.

— Druss est un bon amant ?

Toute la tension et la tristesse de Rowena disparurent dans un soupir.

— Oh, Mari ! Comment fais-tu pour parler de sujets tabous et les rendre aussi… merveilleusement anodins ? Tu es comme le soleil après la pluie.

— Ils ne sont pas tabous, ici, Ro. C'est le problème avec vous autres, les filles nées dans des villes, entourées de murs en pierre, en marbre et en granit. Vous avez perdu le contact avec la terre. Pourquoi es-tu venue habiter ici ?

— Tu le sais bien, répondit Rowena avec gêne. Père voulait vivre dans les montagnes.

— C'est ce que tu as toujours dit – mais je n'y ai jamais cru. Tu mens très mal – tu deviens toute rouge et tu détournes les yeux.

— Je… ne peux pas te le dire. J'ai promis.

— Formidable ! s'exclama Mari. J'adore les mystères. C'est un criminel ? Il était comptable, non ? Il a volé un riche marchand ?

— Non ! Cela n'a rien à voir avec lui. C'est moi ! Ne m'en demande pas plus. Je t'en prie.

— Je croyais que nous étions amies, dit Mari. Je croyais qu'on pouvait se faire confiance.

— Mais c'est le cas. Vraiment !

— Je ne le dirai à personne.

— Je sais, fit tristement Rowena. Mais cela gâcherait notre amitié.

— Rien ne le pourrait. Depuis combien de temps es-tu ici – deux saisons ? Nous sommes-nous jamais battues ? Oh, allez, Ro. Où est le mal ? Dis-moi ton secret, et moi je te dirai le mien.

— Je le connais déjà, murmura Rowena. Tu t'es donnée au capitaine drenaï quand lui et ses hommes étaient ici en patrouille l'été dernier. Tu l'as emmené dans le pré du bas.

— Comment as-tu découvert cela ?

— Je ne l'ai pas découvert. C'était en évidence dans ton esprit lorsque tu as dit que tu partagerait ton secret avec moi.

— Je ne comprends pas.

— Je peux voir ce que les gens pensent. Et parfois, je peux prédire ce qui va arriver. Voilà mon secret.

— Tu as le Don ? J'y crois pas ! À quoi est-ce que je pense là, tout de suite ?

— À un cheval blanc avec une guirlande de fleurs rouges.

— Oh, Ro ! C'est formidable. Dis-moi la bonne aventure, la supplia-t-elle en tendant sa main.

— Tu ne le répéteras à personne ?

— Je te l'ai promis, non ?

— Parfois, ça ne marche pas.

— Essaie quand même, l'encouragea Mari qui brandissait sa main potelée.

Rowena referma ses doigts fins sur la paume de Mari, mais soudain, elle tressaillit, et le sang reflua de son visage.

— Qu'y a-t-il ?

Rowena se mit à trembler.

— Je... Je dois trouver Druss. Peux... pas... parler...

Elle se leva et partit en titubant, abandonnant son linge.

— Ro ! Rowena, reviens !

Sur la colline surplombant la ville, un cavalier regardait les femmes au bord de la rivière. Puis il partit au galop en direction du nord.

Bress referma la porte de sa maison et se rendit à l'atelier. Il sortit un petit gant en dentelles d'une boîte. Il était vieux et jauni ; plusieurs perles qui se trouvaient jadis autour du poignet manquaient. Bress s'assit à son établi et contempla le gant, caressant les dernières perles de ses gros doigts.

— Je suis un homme perdu, dit-il doucement en fermant les yeux pour mieux visualiser le doux visage d'Alithae. Il me méprise. Et, par les dieux, je me méprise aussi.

Il se renfonça dans sa chaise et son regard erra le long des murs et sur les étagères où se trouvaient son fil de cuivre, ses outils, ses jarres de teinture, et ses boîtes de perles. Aujourd'hui, il était rare que Bress ait le temps de confectionner des bijoux ; d'ailleurs, il n'y avait pas de demande dans ces montagnes. À présent, c'était en tant que charpentier qu'on appréciait sa valeur ; il était devenu un simple fabricant de portes, de chaises, de tables et de lits.

Tout en continuant de caresser le gant, il s'en alla dans la pièce du foyer.

— Je crois que nous sommes nés sous une mauvaise étoile, dit-il à la défunte Alithae. Ou alors, le Mal qui rongeait Bardan a déteint sur nous. Druss est comme lui, tu sais. Je peux le lire dans ses yeux, dans ses colères soudaines. Je ne sais pas quoi faire. Je n'ai jamais réussi à convaincre Père. Et je n'arrive pas à communiquer avec Druss.

Ses pensées vagabondèrent – des souvenirs sombres et douloureux se déversèrent dans son esprit. Il revit le dernier jour de Bardan, couvert de sang, entouré par ses ennemis. Six hommes étaient déjà morts, et sa satanée hache tailladait toujours de droite et de gauche… Puis une lance lui avait transpercé la gorge. Du sang bouillonnait à grands flots de la blessure, pourtant Bardan avait eu le temps de tuer le lancier avant de tomber à genoux. Un homme était arrivé en courant dans son dos et lui avait asséné un terrible coup à la tête.

Du haut de sa cachette, dans l'arbre, le jeune Bress, âgé de quatorze ans seulement, avait regardé son père mourir. Puis il avait entendu un des tueurs lancer ces mots :

— Le vieux loup est mort – au tour du louveteau.

Il était resté toute la nuit dans l'arbre, au-dessus du corps décapité de Bardan. Puis, dans la froideur de l'aube, il était descendu pour aller voir le cadavre. Il n'était pas triste. Il éprouvait seulement un étrange sentiment de soulagement et de remords à la fois. Bardan était mort : Bardan le boucher. Bardan le tueur. Bardan le démon.

Il avait parcouru près de cent kilomètres à pied jusqu'à un village où il avait trouvé un emploi comme apprenti charpentier. Mais alors qu'il allait enfin s'installer, le passé était revenu le tourmenter lorsqu'un rétameur itinérant l'avait reconnu : il était le fils du diable en personne ! Une foule en furie armée de gourdins et de pierres s'était rassemblée devant l'échoppe du charpentier.

Bress s'était enfui par la fenêtre de derrière pour ne jamais revenir. Les cinq années qui avaient suivi, il avait été contraint de fuir par trois fois – et puis il avait rencontré Alithae.

La chance venait enfin de lui sourire. Il se souvint du visage du père d'Alithae, le jour du mariage, qui lui tendait un gobelet de vin.

— Je sais que tu as souffert, mon garçon, lui avait confié le vieil homme. Mais moi, je ne crois pas que les fautes d'un père retombent sur ses enfants. Je te connais, Bress. Tu es quelqu'un de bien.

Oui, da, pensa Bress à côté du foyer. *Quelqu'un de bien.*

Il leva le gant et l'embrassa tendrement. Alithae le portait le jour où les trois hommes étaient arrivés du sud dans le village où Bress, sa femme et son nouveau-né avaient emménagé. Bress avait un petit commerce florissant de confection de broches et autres babioles pour les riches. Un matin, alors qu'il marchait dans la rue au côté d'Alithae, qui portait son fils dans ses bras, il entendit quelqu'un crier.

— C'est le fils de Bardan !

Il se retourna.

Les trois cavaliers s'étaient arrêtés et l'un d'entre eux le montrait du doigt. Ils éperonnèrent aussitôt leurs bêtes et chargèrent. Alithae fut renversée par l'un des chevaux et tomba lourdement sur le sol. Bress se jeta sur le cavalier et le fit tomber de selle. Les deux autres sautèrent de leurs montures. Bress frappa à gauche puis à droite. Ses énormes poings les assommèrent net.

La poussière retomba et il regarda Alithae…

Elle était morte, et le bébé criait dans ses bras.

À compter de ce jour, il avait vécu comme un homme désespéré. Il souriait rarement, et ne riait jamais.

Le fantôme de Bardan pesait sur ses épaules. Il avait voyagé avec son fils, traversant tout Drenaï. Il acceptait tous les travaux qu'il pouvait : laboureur à Drenan, charpentier à Delnoch, constructeur de ponts à Mashrapur, dresseur de chevaux à Corteswain.

Cinq ans plus tôt, il avait épousé une fille de fermier nommée Patica – une fille simple et pas très maligne. Bress tenait beaucoup à elle, mais il n'avait pas de place dans son cœur pour l'aimer ; Alithae avait tout emporté avec elle, dans la tombe. Il avait épousé Patica pour donner une mère à Druss, mais le garçon ne l'avait jamais acceptée.

Il y a deux ans, alors que Druss venait d'avoir quinze ans, ils étaient partis pour Skoda. Mais même là le fantôme les avait suivis – sous les traits du garçon.

— Qu'est-ce que je peux faire, Alithae ? demanda Bress.

Patica entra dans la maison, portant trois miches de pain frais. C'était une femme plutôt grosse, avec un agréable visage rond et des cheveux auburn. Elle vit tout de suite le gant, mais essaya de dissimuler son chagrin.

— Tu as parlé à Druss ? demanda-t-elle.

— Oui, c'est fait. Il dit qu'il va essayer de se calmer.

— Laisse-lui le temps. Rowena le calmera.

Bress entendit un martèlement de sabots dehors et replaça le gant dans sa boîte. Puis, il alla jusqu'à la porte. Des hommes en armes venaient de faire irruption dans le village, l'épée à la main.

Bress vit Rowena courir au milieu des maisons, sa robe relevée au niveau des cuisses. Elle vit les pillards et essaya de faire demi-tour, mais un cavalier l'attrapa. Bress courut à l'extérieur et se jeta sur l'homme, le tirant au sol. Le cavalier chuta durement et lâcha son épée. Bress la ramassa quand une lance se planta dans son épaule. Il poussa un rugissement de colère et se retourna d'un bond, brisant la lance en deux. Il donna un coup d'épée. Le cavalier tomba et le cheval rua.

Un groupe de cavaliers l'encercla aussitôt, lances baissées.

À cet instant précis, Bress sut qu'il allait mourir. Le temps s'arrêta. Il regarda le ciel et ses nuages bas. Il respira l'odeur de l'herbe fraîchement coupée dans les prés. D'autres pillards traversaient le village au galop. Il entendit les hurlements des villageois qu'on tuait. Tout ce qu'ils avaient bâti en vain. Une rage terrible monta en lui. Il agrippa fermement l'épée à deux mains, et poussa le cri de guerre de Bardan.

— Sang et Mort ! beugla-t-il.

Et il chargea.

Druss était appuyé sur sa hache, au fond des bois ; un rare sourire illuminait son visage habituellement triste. Au-dessus de lui, il vit un aigle passer devant le soleil qui perçait entre les nuages ; ses ailes dorées avaient l'air en flammes. Druss retira son bandeau trempé de sueur et le posa sur un rocher afin qu'il sèche. Il souleva une outre remplie d'eau et but une longue gorgée. Non loin de là, Pilan et Yorath avaient de nouveau mis leurs hachettes de côté.

Bientôt, Tailia et Berys arriveraient avec les chevaux de trait et le travail pourrait reprendre. On attacherait les chaînes aux troncs qu'on tirerait ensuite jusqu'au village. Mais pour l'instant, il n'y avait rien d'autre à faire que de s'asseoir et d'attendre. Druss ouvrit le balluchon que Rowena lui avait donné le matin ; à l'intérieur, reposaient une part de tourte à la viande et une tranche de gâteau au miel.

— Ah, les joies de la vie maritale ! lança Pilan.

Druss se mit à rire.

— Tu aurais dû insister davantage pour l'épouser. Il est trop tard pour être jaloux à présent.

— Elle ne voulait pas de moi, Druss. Elle m'a dit qu'elle se réservait pour un homme avec un visage à faire tourner le lait. Et puis, si jamais elle m'avait épousé, elle aurait passé sa vie entière à se demander laquelle de ses jolies amies essaierait de m'enlever à elle. Visiblement, son rêve était d'épouser l'homme le plus laid du monde.

Mais son sourire se figea lorsqu'il aperçut l'expression sur le visage du bûcheron et l'éclat glacé que prenaient ses yeux pâles.

— Je plaisantais, ajouta-t-il rapidement, le sang refluant de son visage.

Druss prit une profonde inspiration et, se souvenant des paroles de son père, essaya de calmer sa colère.

— Je ne… suis pas très à l'aise avec les plaisanteries, finit-il par dire.

Mais les mots avaient un goût de bile dans sa bouche.

— Ce n'est pas grave, déclara le frère de Pilan en venant s'asseoir à côté du géant. Mais, sans vouloir t'offenser, Druss, il faut absolument que tu développes ton sens de l'humour. Tout le monde fait des plaisanteries sur ses… amis. Cela ne veut rien dire.

Druss se contenta d'opiner du chef et reporta son attention sur sa tourte. Rowena avait prononcé exactement les mêmes mots, mais il était plus facile d'accepter les critiques qui venaient d'elle. Avec elle, il se sentait apaisé, et le monde était joyeux et en couleurs. Il termina son repas et se leva.

— Les filles devraient être déjà là, dit-il.

— J'entends des chevaux, fit remarquer Pilan, se levant à son tour.

— Ils arrivent vite, ajouta Yorath.

Tailia et Berys débouchèrent en courant dans la clairière. Leur visage exprimait la peur. Elles regardaient derrière elles les cavaliers qui les poursuivaient. Druss attrapa sa hache d'un geste brusque et courut à leur rencontre. Tailia, qui ne regardait pas devant elle, trébucha et tomba.

Six cavaliers surgirent des arbres, leurs armures brillant sous les rayons du soleil. Druss aperçut des heaumes ornés d'ailes de corbeaux, des lances et des épées. Les chevaux étaient couverts d'écume. Les guerriers, en voyant les trois jeunes gens, poussèrent des cris de bataille et éperonnèrent leurs montures.

Pilan et Yorath s'enfuirent vers la droite. Trois cavaliers les prirent en chasse, et les trois autres chargèrent Druss.

Le jeune homme s'arrêta et les attendit patiemment, la hache posée négligemment contre sa poitrine nue. Droit devant lui, il y avait un arbre abattu. Le premier cavalier, un lancier, s'allongea sur sa selle et son hongre sauta par-dessus l'obstacle. Ce fut le moment que choisit Druss pour réagir. Il bondit en avant, balançant sa hache en un arc de cercle meurtrier. Lorsque le cheval atterrit, la hache passa au-dessus de sa tête et se planta dans la poitrine du lancier, transperçant son plastron et broyant ses côtes. Le choc éjecta l'homme de sa selle. Druss essaya de dégager sa hache, mais les lames étaient prises dans l'armure fracturée. Une épée passa à côté de sa tête, et il dut plonger dans l'herbe. Comme un cavalier fonçait sur lui, Druss s'arracha du sol et agrippa la patte avant droite de l'étalon. D'une poussée impressionnante, il renversa le cheval et son cavalier. Puis, il sauta par-dessus l'arbre et courut jusqu'à l'endroit où les deux jeunes avaient abandonné leurs hachettes. Il saisit la première et se retourna. Un pillard galopait vers lui. Druss arma son bras, et le lança brusquement en avant. La hachette fendit les airs et les lames s'écrasèrent contre les dents de l'assaillant, qui vacilla sur sa selle. Druss se précipita pour le désarçonner. Le pillard, qui avait sous le coup laissé tomber sa lance, essaya de dégainer une dague. Druss la lui fit sauter des mains et balança un coup à briser les os sous le menton du guerrier. Il rattrapa la dague et l'enfonça d'un coup sec dans la gorge découverte de l'homme.

— Attention, Druss ! hurla Tailia.

Druss se retourna à temps pour voir une épée se diriger dangereusement vers son ventre. Il para la lame avec son avant-bras, et décocha une droite terrifiante dans la mâchoire de l'assaillant qui fut soulevé de terre sous l'impact. Druss lui sauta dessus. D'une main, il lui attrapa le menton et de l'autre son front. D'un geste vif, il lui tordit le cou. Il entendit les os craquer comme des brindilles sèches.

Il fonça vers le premier adversaire et dégagea sa hache. Tailia sortit en courant de sa cachette dans les buissons.

— Ils attaquent le village, dit-elle les larmes aux yeux.

Pilan réapparut dans la clairière, un lancier à ses trousses.

— Écarte-toi de là ! beugla Druss.

Mais Pilan était trop terrifié pour obéir et il continua de courir – jusqu'à ce que la lance lui transperce le dos, ressortant de l'autre côté dans un jet de sang. Le jeune homme poussa un hurlement et s'effondra. Druss rugit de colère et se précipita vers le cavalier. Le lancier essayait désespérément de retirer son arme du dos du garçon mort. Druss balança un grand coup de hache qui ricocha contre l'épaule du cavalier et alla se planter dans le dos du cheval. L'animal poussa un long hennissement de douleur et se cabra avant de tomber, les quatre fers en l'air. Le cavalier se dégagea. Du sang coulait de son épaule. Il tenta de s'enfuir mais le second coup de Druss lui arracha à moitié la tête.

Entendant un cri, Druss courut en direction du son pour découvrir Yorath qui luttait avec l'un des pillards ; un autre était agenouillé sur le sol – du sang coulait abondamment d'une blessure à la tête. Le corps inanimé de Berys était à côté de lui, une pierre ensanglantée à la main. L'épéiste engagé avec Yorath lui balança soudainement un grand coup de tête qui renversa le jeune homme plusieurs pas en arrière. L'épée se leva.

Druss poussa un cri, essayant de distraire le guerrier. Mais rien n'y fit.

L'arme transperça Yorath entre les côtes. Le pillard dégagea son épée et se retourna pour affronter Druss.

— C'est ton tour, fermier !

— Dans tes rêves ! rétorqua le bûcheron.

Druss fit tournoyer sa hache au-dessus de sa tête et chargea. L'épéiste fit un pas de côté sur sa droite – mais Druss s'y attendait. S'aidant de toute la force de ses épaules, il fit changer la hache de trajectoire, d'un mouvement brusque. Elle alla se ficher dans la clavicule de l'homme, lui transperçant l'épaule et lui déchirant le poumon. Druss dégagea sa hache et se retourna, laissant le corps de son ennemi s'effondrer derrière lui. Le premier guerrier qu'il avait blessé se relevait à grand-peine ; Druss fit un bond en avant et lui asséna un coup meurtrier à la nuque.

— Aide-moi ! le supplia Yorath.

— Je t'envoie Tailia, répondit Druss en s'élançant à toute allure entre les arbres.

Il atteignit le sommet de la colline et observa le village. Il y avait des corps étendus un peu partout, mais aucun signe des pillards. L'espace d'un instant il pensa que les villageois les avaient repoussés… mais rien ne bougeait plus.

— Rowena ! hurla-t-il. Rowena !

Druss dévala la pente. Il trébucha et tomba, roulant sur lui-même. Il perdit sa hache mais ne chercha pas à la récupérer en se relevant. Il reprit sa course – à travers les prés, la plaine, et entre les portes à moitié achevées. Il y avait des cadavres partout. Le père de Rowena, Voren le comptable, avait la gorge tranchée. Son sang avait maculé la terre autour de lui.

Druss avait du mal à respirer, aussi s'arrêta-t-il pour contempler la scène qui s'étalait devant lui sur la place du village.

Les vieilles femmes, les enfants, et tous les hommes étaient morts. Druss avança en titubant et vit Kiris, la petite fille aux boucles d'or que tout le village aimait tant. Elle était là, étendue morte sur le sol, sa poupée de chiffon à ses côtés. Le corps d'un autre enfant était adossé à un bâtiment ; une tache de sang sur le mur, au-dessus de sa tête, indiquait la manière dont il avait été tué.

Puis il découvrit le corps de son père, allongé à l'extérieur, les cadavres de quatre pillards autour de lui. Patica était à ses côtés, un marteau à la main ; sa robe de laine marron était couverte de sang. Druss tomba à genoux devant son père. Il avait des blessures terribles au ventre et à la poitrine. Sa main gauche était presque sectionnée au niveau du poignet. Bress grogna et ouvrit les yeux.

— Druss…

— Je suis là, Père.

— Ils ont emporté les jeunes femmes… Rowena… en fait partie.

— Je la retrouverai.

Le mourant jeta un regard vers le cadavre de la femme qui était à ses côtés.

— C'était une brave fille ; elle a essayé de m'aider. J'aurais dû l'aimer plus.

Bress soupira puis s'étrangla comme le sang lui montait à la gorge. Il cracha.

— Il y a… une arme. Dans la maison… le mur du fond, sous le plancher. Elle a un passé effrayant. Mais… tu vas en avoir besoin.

Druss baissa les yeux vers le mourant et leurs regards se croisèrent. Bress leva sa main droite. Druss la saisit.

— J'ai fait ce que j'ai pu, mon garçon, dit son père.

— Je sais.

Bress était en train de s'éteindre, et Druss n'était pas habile avec les mots. Il souleva plutôt son père dans ses bras et l'embrassa sur le front, le serrant contre lui jusqu'à ce que le dernier souffle de vie quitte son corps brisé.

Enfin, il se releva et entra dans la maison de son père – les placards étaient grands ouverts, les tiroirs renversés et les tapisseries avaient été arrachées des murs. Mais le compartiment secret au fond de la pièce était intact. Druss ôta les lattes du plancher et souleva le coffre couvert de poussière. Il était fermé à clé. Druss fouilla l'atelier de son père, revint avec un marteau et un ciseau à bois qu'il utilisa pour forcer les charnières. Puis, il arracha le couvercle du coffre. La serrure de bronze se tordit et céda.

À l'intérieur, dans une toile cirée, se trouvait une hache. Et quelle hache ! Druss la déballa révérencieusement. Le manche en métal noir était aussi long que son bras, et les deux lames de la tête ressemblaient aux ailes d'un papillon. Il en testa le tranchant avec son pouce ; l'arme était aussi affûtée que le rasoir à barbe de son père. Il y avait des runes en argent inscrites sur le manche, et bien que Druss ne pût pas les lire, il connaissait les mots qui y étaient gravés. Car il s'agissait de la hache maudite de Bardan, l'arme qui avait tué des hommes, des femmes, et même des enfants au temps de sa terreur. Ces mots, aujourd'hui, faisaient partie du sombre folklore drenaï :

Snaga l'Expéditrice, les lames sans retour

Il souleva la hache et fut surpris par sa légèreté et son équilibre.

En dessous, dans le coffre, était plié un gilet de cuir noir, dont les épaules avaient été renforcées par des lamelles d'acier ; deux gants de cuir noir, cloutés de métal au niveau des phalanges ; une paire de bottes noires. Sous les habits, se trouvait une petite bourse dans laquelle Druss trouva dix-huit pièces d'argent.

Il retira ses chaussures de cuir mou et enfila les bottes qui remontaient jusqu'aux genoux ainsi que le gilet. Tout au fond du coffre, il dénicha un heaume de métal noir, bordé d'argent ; une petite hache en argent flanquée de deux crânes du même métal était gravée sur le devant. Druss mit le heaume et souleva de nouveau la hache. En contemplant son reflet dans les lames polies, il vit une paire d'yeux d'un bleu glacé, vides et dénués de sentiment.

Snaga : forgée aux Jours Anciens par un maître artisan. Les lames n'avaient jamais eu besoin d'être affûtées, car en dépit de toutes les batailles et autres escarmouches qui avaient jonché la vie de Bardan, elles ne s'étaient jamais émoussées. Pourtant, avant d'arriver en possession de Bardan, les lames avaient déjà bien servi. Bardan avait acquis cette hache de guerre durant les Secondes Guerres vagriannes, lorsqu'il avait pillé un vieux tumulus où reposaient les os d'un ancien roi guerrier, un monstre de légende, Caras, le Roi à la Hache.

— C'est une arme démoniaque, avait confié un jour Bress à son fils. Tous ceux qui l'ont portée étaient des tueurs sans âme.

— Alors pourquoi la gardes-tu ? avait demandé son enfant de treize ans.

— Là où je la garde, elle ne peut pas tuer, avait été la seule réponse de Bress.

Druss contempla les lames.

— Maintenant tu peux tuer, murmura-t-il.

Puis, il entendit un cheval arriver au trot. Lentement, il se leva.

Chapitre 2

L es chevaux de Shadak étaient capricieux. L'odeur de mort énervait les
bêtes. Il avait acheté son hongre de trois ans à un fermier du sud de
Corialis, et l'animal n'avait pas été entraîné pour la guerre. Les quatre
montures qu'il avait prises aux pillards étaient plus tranquilles, pourtant leurs
oreilles étaient retroussées et leurs naseaux dilatés. Il parla doucement pour les
apaiser, et continua sa route.

Shadak avait été soldat la majeure partie de sa vie d'adulte. Il avait vu la
mort en face – et il remerciait les dieux que cela lui fût toujours quelque chose.
Le chagrin rivalisait avec la colère dans son cœur tandis que son regard passait
en revue les corps inanimés des enfants et des femmes âgées.

Aucune maison n'avait été brûlée – la fumée aurait été visible à des kilomètres à la ronde, ce qui aurait pu alerter les lanciers. Il tira doucement sur les
rênes. Une petite fille blonde était adossée à un mur, une poupée à côté d'elle.
Les esclavagistes n'avaient pas le temps de s'embarrasser d'enfants, car il n'y
avait pas de marché pour eux à Mashrapur. En revanche les jeunes femmes
entre quatorze et vingt-cinq ans étaient toujours très populaires dans les
royaumes orientaux de Ventria, Sherak, Dospilis et Naashan.

Shadak éperonna son hongre. Il n'y avait aucune raison de rester ici ; la
piste menait vers le sud.

Soudain, un jeune guerrier apparut sur le seuil d'une maison, effrayant
son cheval qui se cabra et hennit. Shadak le maîtrisa et regarda le jeune homme.
Bien que de taille moyenne, celui-ci était solidement charpenté ; ses épaules
massives et ses bras épais lui donnaient l'air d'un géant. Il était vêtu d'un gilet
noir, d'un heaume et portait une hache effrayante. Shadak balaya rapidement du

regard le campement jonché de cadavres. Il n'y avait pas un seul cheval en vue.

Shadak leva la jambe et se laissa glisser de selle.

— Tes amis t'ont laissé derrière, mon garçon ? demanda-t-il au jeune guerrier.

Le jeune homme ne répondit pas, et sortit sur la place. Shadak scruta les yeux pâles du guerrier, et ressentit un frisson de peur auquel il n'était pas habitué.

Le visage sous le heaume était aplati et impassible, mais il émanait du jeune homme une aura de puissance. Shadak se déplaça prudemment sur sa droite, les mains posées sur les pommeaux de ses épées courtes.

— Tu es fier de toi, je présume ? demanda-t-il afin de forcer l'homme à parler. Tu as tué beaucoup de bébés aujourd'hui, pas vrai ?

Le jeune homme fronça les sourcils.

— C'était… chez moi, ici, fit-il d'une voix grave. Vous n'êtes pas un pillard ?

— Non, je les pourchasse, répondit Shadak, surpris d'être rassuré. Ils ont attaqué Corialis à la recherche d'esclaves, mais les jeunes femmes leur ont échappé. Les villageois se sont battus comme des démons. Dix-sept d'entre eux sont morts, mais l'attaque a été repoussée. Je me nomme Shadak. Et toi, qui es-tu ?

— Je suis Druss. Ils ont capturé ma femme. Je les retrouverai.

Shadak regarda le ciel.

— Il va bientôt faire nuit. Il vaut mieux attendre demain matin, sinon nous risquons de perdre leurs traces.

— Je n'attendrai pas, déclara le jeune homme. J'ai besoin d'un de vos chevaux.

Shadak sourit sombrement.

— Difficile de refuser quelque chose quand c'est demandé si poliment. Mais je crois quand même que nous ferions mieux de parler un moment avant que tu ne te lances à leur poursuite.

— Pourquoi ?

— Parce qu'ils sont nombreux, mon garçon, et ils ont tendance à laisser une arrière-garde pour surveiller la route. (Shadak désigna les chevaux.) Il y en avait quatre qui m'attendaient.

— Je tuerai tous ceux que je trouverai.

— Je suppose qu'ils ont emmené toutes les jeunes filles puisque je n'en vois aucune parmi les cadavres…

— Oui.

Shadak attacha ses chevaux à une rambarde et passa devant le jeune homme pour entrer dans la maison de Bress.

— Tu ne perdras rien à m'écouter quelques minutes, dit-il.

À l'intérieur de la maison, il releva des chaises et s'arrêta net. Sur la table, il y avait un vieux gant fait de dentelles et de perles.

— Qu'est-ce que c'est ? demanda-t-il au jeune homme au regard froid.

— Cela appartenait à ma mère. Mon père le sortait de temps en temps et s'asseyait à côté du feu en le tenant. Bon, qu'avez-vous à me dire ?

Shadak s'assit à la table.

— Les pillards ont deux chefs – Collan, un officier drenaï renégat, et Harib Ka, un Ventrian. Ils se dirigent vers Mashrapur et son marché aux esclaves. Avec tous leurs prisonniers, ils ne pourront pas voyager rapidement ; par conséquent, nous ne devrions pas avoir trop de mal à les rattraper. Mais si nous les suivons maintenant, nous risquons de leur tomber dessus en terrain découvert. Deux contre quarante – des probabilités qui ne jouent pas en notre faveur. Ils vont forcer l'allure cette nuit, afin de traverser la plaine et d'atteindre la longue route dans la vallée qui mène à Mashrapur demain en fin de journée. Là, ils commenceront à se détendre un peu.

— Ils ont ma femme, dit le jeune homme. Je ne vais pas la leur laisser un battement de cœur de plus qu'il n'est nécessaire.

Shadak secoua la tête et soupira.

— Moi non plus, mon garçon. Mais tu connais la région du sud. Quelle chance aurions-nous de la sauver dans les plaines ? Ils nous verraient arriver à plus d'un kilomètre.

Pour la première fois, le jeune homme n'avait plus l'air sûr de lui. Il haussa les épaules et s'assit, posant sa hache sur la table, où elle recouvrit le petit gant.

— Vous êtes un soldat ? demanda-t-il.

— Je l'étais. À présent, je suis un chasseur – un chasseur d'hommes. Crois-moi. Combien de femmes ont-ils emmené ?

Le jeune homme réfléchit un moment.

— Environ une trentaine. Ils ont tué Berys dans les bois. Tailia a réussi à s'échapper. Mais je n'ai pas encore vu tous les cadavres. Peut-être que d'autres ont été tuées.

— Dans ce cas, tablons sur trente. Cela ne va pas être facile de les libérer.

Un son retentit à l'extérieur, et les deux hommes se retournèrent d'un bond. Une jeune femme entra dans la maison. Shadak se leva. La jeune fille était blonde, mignonne. Il y avait du sang sur ses jupons bleus et sa chemise de lin blanche.

— Yorath est mort, lança-t-elle à l'intention du jeune homme. Ils sont tous morts, Druss.

Ses yeux s'emplirent de larmes. Elle se tenait immobile sur le pas de la porte, perdue et désespérée. Druss ne bougea pas, mais Shadak fit rapidement un pas en avant pour la prendre dans ses bras et la conforter.

Il la fit entrer dans la pièce et l'assit d'autorité à la table.

— Il y a quelque chose à manger ? demanda-t-il à Druss.

Le jeune homme fit oui de la tête et partit dans la remise, pour revenir avec un pichet d'eau et du pain. Shadak remplit une coupe en grès et demanda à la fille de boire.

— Es-tu blessée ? s'enquit-il.

Elle fit signe que non.

— C'est le sang de Yorath, murmura-t-elle.

Shadak s'assit à côté d'elle et Tailia s'effondra contre lui ; elle était épuisée.

— Tu as besoin de te reposer, dit-il gentiment.

Il l'aida à se lever et la mena vers une petite chambre de l'autre côté de la maison. Obéissante, elle s'allongea sur le lit et il l'enveloppa d'une épaisse couverture.

— Dors, mon enfant. Je reste là.

— Ne me quittez pas, l'implora-t-elle.

Il lui prit la main.

— Tu es saine et sauve… Tailia. Dors, à présent.

Elle ferma les yeux, mais ne lâcha pas sa main. Shadak resta assis à côté d'elle jusqu'à ce qu'elle relâche sa poigne et que sa respiration devienne plus profonde. Finalement, il se leva et repartit dans l'autre pièce.

— Tu comptais la laisser là ? demanda-t-il au jeune homme.

— Elle n'est rien pour moi. Rowena est tout.

— Je vois. Alors réfléchis à ça, mon ami ; imagine que c'est toi qui es mort et que Rowena a survécu dans les bois. Comment ton esprit aurait-il pris la chose si tu m'avais vu entrer dans le village et repartir aussitôt en l'abandonnant dans la nature ?

— Je ne suis pas mort, rétorqua Druss.

— Non, dit Shadak, c'est vrai. On va emmener cette fille avec nous.

— Non !

— C'est soit ça, soit tu peux y aller à pied, et seul, mon garçon. J'ai bien dit à pied.

Le jeune homme regarda le chasseur et ses yeux s'enflammèrent.

— J'ai tué des hommes, aujourd'hui, dit-il, et je ne me laisserai pas menacer, ni par vous, ni par qui que ce soit. Plus jamais. Si je choisis de partir sur l'un de vos chevaux volés, je le ferai. Et il serait prudent de ne pas essayer de m'en empêcher.

— Je n'essaierai pas, mon garçon. Je le ferai.

Les mots avaient été prononcés doucement, avec une confiance tranquille. Mais au fond de lui, Shadak fut surpris, car c'était une confiance qu'il ne possédait pas. Il vit la main du jeune homme se refermer autour du manche de la hache.

— Je sais que tu es en colère, mon garçon, et que tu es inquiet pour… Rowena. Mais tu ne peux rien faire seul – à moins, bien sûr, que tu ne sois un traqueur, et un expert en chevaux. Si tu chevauches dans le noir, tu risques de les perdre. Ou tu pourrais leur tomber dessus, et essayer de tuer quarante guerriers. Alors, il n'y aurait plus personne pour lui venir en aide, à elle ou aux autres.

Lentement, les doigts du géant se relâchèrent, et sa main s'éloigna de la hache. L'éclat dans ses yeux disparaissait progressivement.

— Ça me fait mal de rester assis là pendant qu'ils l'emmènent toujours plus loin.

— Je comprends. Mais nous les rattraperons. Et ils ne feront pas de mal aux femmes ; elles leur sont trop précieuses.

— Vous avez un plan ?

— Tout à fait. Je connais la région, et je me doute de l'endroit où ils vont camper demain. Nous agirons pendant la nuit. Nous nous occuperons des sentinelles et libérerons les captives.

Druss opina.

— Et après ? Ils vont nous poursuivre. Comment va-t-on leur échapper, avec trente femmes ?

— Leurs chefs seront morts, répondit doucement Shadak. Je m'en occuperai personnellement.

— D'autres les remplaceront. Ils nous poursuivront.

Shadak haussa les épaules et sourit.

— Eh bien, nous en tuerons le plus possible.

— J'aime cette partie du plan, répondit sombrement le jeune homme.

Les étoiles brillaient dans le ciel. Shadak était assis sous le porche de l'abri à bois. Il observait Druss à côté du corps de ses parents.

Tu te fais vieux, se dit-il en lui-même, le regard rivé sur Druss.

— Tu me fais me sentir vieux, murmura-t-il.

Cela faisait vingt ans qu'un homme ne lui avait pas inspiré une telle peur. Il se souvenait bien de ce moment – c'était un guerrier sathuli nommé Jonacin. Un homme aux yeux de glace et de feu, une légende parmi son peuple. Il était le champion du seigneur, et il avait tué dix-sept adversaires en combat singulier, parmi lesquels Vearl, le champion vagrian.

Shadak avait connu le Vagrian – un homme grand et fin, aussi rapide que l'éclair et tactiquement irréprochable. La rumeur disait que le Sathuli s'était joué de lui comme d'un enfant. D'abord, il lui avait tranché l'oreille droite, et l'avait achevé d'un coup d'estoc en plein cœur.

Shadak sourit en se remémorant qu'à l'époque, il avait prié pour ne jamais avoir à se battre contre le Sathuli. Mais, il le savait aujourd'hui, de tels espoirs sont de vraies malédictions. Tous les hommes doivent un jour ou l'autre affronter leurs pires peurs.

Cela avait été une belle journée dans les montagnes de Delnoch. Les Drenaïs négociaient un traité avec le seigneur sathuli et Shadak était présent comme garde de l'ambassadeur. La veille au soir, Jonacin avait été légèrement insultant au cours du dîner. Il parlait avec dédain du talent des Drenaïs à l'épée. Shadak avait reçu l'ordre de l'ignorer. Mais le lendemain matin, le Sathuli à robe blanche était venu à sa rencontre, tandis qu'il marchait le long de la grand-salle pour prendre place à la table du repas.

— Il paraît que tu es un guerrier, avait dit Jonacin.

Le ton de sa voix montrait qu'il n'en croyait rien.

Shadak était resté de marbre devant son regard torve.

— Veuillez vous écarter, s'il vous plaît, je suis attendu.

— Je m'écarterai lorsque tu m'auras embrassé les pieds.

À l'époque, Shadak avait vingt-deux ans, il était à son apogée. Il regarda Jonacin dans les yeux et vit qu'il n'y aurait pas d'échappatoire. Des guerriers sathulis s'étaient approchés, et Shadak se força à sourire.

— T'embrasser les pieds ? Ça me ferait mal. Tiens, embrasse donc ça !

Il balança un grand coup de poing au menton du Sathuli qui valsa par terre. Puis il alla s'asseoir à la table.

Alors qu'il s'asseyait, il regarda le seigneur sathuli, un homme grand, aux yeux noirs et cruels. L'homme lui rendit son regard et Shadak lut dans son visage l'ombre d'un amusement, voire même de triomphe. Un messager murmura quelque chose à l'oreille du seigneur et celui-ci se leva.

— L'hospitalité de ma maison a été bafouée, dit-il à l'ambassadeur. Un de vos hommes a frappé mon champion, Jonacin. L'attaque n'était pas justifiée. Jonacin demande réparation.

L'ambassadeur était sans voix. Shadak se leva aussitôt.

— Il l'aura, mon seigneur. Mais battons-nous plutôt au cimetière. Ainsi, il n'y aura pas à porter son cadavre bien loin.

Le hululement d'un hibou ramena Shadak au présent, et il vit Druss approcher à grands pas. Le jeune homme fit mine de le dépasser, puis s'arrêta.

— Je n'ai pas trouvé les mots, déclara-il. Je n'ai rien trouvé à dire.

— Assieds-toi un moment et parlons d'eux, répondit Shadak. On raconte que les louanges suivent les morts jusqu'au lieu du dernier repos. C'est peut-être vrai.

Druss s'assit à côté du chasseur.

— Il n'y a pas grand-chose à dire. C'était un charpentier et un fabricant de broches. Elle, il l'avait achetée comme épouse.

— Ils t'ont élevé. Ils t'ont rendu fort.

— Je n'ai pas eu besoin d'aide pour ça.

— Tu as tort, Druss. Si ton père avait été un faible, ou un revanchard, alors il t'aurait battu dans ta jeunesse, il aurait brisé ton esprit. À ce que j'en sais, il faut un homme fort pour éduquer des hommes forts. C'était sa hache ?

— Non. Elle appartenait à mon grand-père.

— Bardan, le Tueur à la hache, fit doucement Shadak.

— Comment le savez-vous ?

— L'arme a une sale réputation. Snaga. C'est ainsi qu'elle s'appelle. Ton père a vécu une vie très dure pour échapper à l'empreinte d'une bête malfaisante comme Bardan. Qu'est-il arrivé à ta vraie mère ?

Druss haussa les épaules.

— Elle est morte dans un accident, lorsque j'étais bébé.

— Ah oui, je me souviens de l'histoire, dit Shadak. Trois hommes ont attaqué ton père ; il en a tué deux à mains nues et a presque estropié le troisième. Ta mère a été tuée par la charge d'un cheval.

— Il a tué deux hommes ? (Druss était étonné.) Vous êtes sûr ?

— C'est ce que raconte l'histoire.

— Je n'y crois pas. Bress fuyait à la moindre dispute. Il ne s'est jamais défendu. Il était faible… C'était un mou.

— Je ne le pense pas.

— Vous ne le connaissiez pas.

— Non, mais j'ai vu son cadavre, et les pillards morts autour de lui. Et je connais beaucoup d'histoires sur le fils de Bardan. Aucune d'elles ne parle de sa lâcheté. Quand son père est mort, il a essayé de s'installer dans plusieurs villes, changeant sans cesse de nom. À chaque reprise il a été découvert et forcé de partir. Mais je sais que par trois fois il a été rattrapé et attaqué. À la sortie de Drenan, il a été acculé par cinq soldats. L'un d'eux a tiré une flèche dans l'épaule de ton père. D'après les soldats, Bress portait un enfant dans ses bras. Il l'a déposé derrière un rocher et les a chargés. Il n'avait pas d'arme et eux avaient des épées. Mais il a arraché une branche d'arbre et l'a lancée sur les soldats. Deux d'entre eux sont tombés par terre, les autres se sont enfuis. Je sais que *cette* histoire est vraie, Druss, parce que mon frère était l'un de ces soldats. C'est arrivé un an avant qu'il ne soit tué pendant la campagne sathulie. Il m'avait dit que le fils de Bardan était un géant à la barbe noire, à la force de six hommes.

— J'ignorais cela, dit Druss. Pourquoi ne m'en a-t-il jamais parlé ?

— Pourquoi l'aurait-il fait ? Cela ne devait pas lui plaire d'être le fils d'un monstre. Peut-être qu'il ne se réjouissait pas d'avoir tué des hommes à mains nues, ou de les avoir assommés avec une branche d'arbre.

— Je ne le connaissais pas, murmura Druss. Pas du tout.

— Et d'après moi, il ne te connaissait pas non plus, répondit Shadak dans un soupir. C'est la malédiction classique entre parents et enfants.

— Vous avez des fils ?

— Un. Il est mort il y a une semaine à Corialis. Il croyait qu'il était immortel.

— Que s'est-il passé ?

— Il a affronté Collan ; il a été taillé en pièces.

Shadak se racla la gorge et se releva.

— Il est temps d'aller se coucher. L'aube va bientôt se lever, et je ne suis plus aussi jeune que je l'étais.

— Dormez bien, fit Druss.

— Tu peux me faire confiance, mon garçon. Va voir tes parents et trouve quelque chose à dire.

— Attendez ! lança Druss.

— Oui, répondit le chasseur, s'arrêtant sur le pas de la porte.

— Vous aviez raison. Je n'aurais pas voulu que Rowena se retrouve toute seule dans les montagnes. J'ai dit ça sous le coup… de la colère.

Shadak acquiesça.

— Un homme n'est jamais aussi fort que ce qui le rend furieux. Souviens-t'en, mon garçon.

Shadak ne trouvait pas le sommeil. Il était assis dans un grand fauteuil en cuir à côté du foyer, les jambes tendues devant lui, la tête sur un coussin, le corps au repos. Mais son esprit était chaotique – des images, des souvenirs, venaient troubler ses pensées.

Il revit le cimetière sathuli. Jonacin était torse nu ; il avait un tulwar à lame large dans les mains et un petit bouclier en fer attaché à son poignet gauche.

— Tu as peur, Drenaï ? demanda Jonacin.

Shadak ne répondit pas. Lentement, il retira son baudrier, puis il ôta sa grosse chemise en laine. Le soleil lui chauffait le dos, et l'air frais des montagnes lui emplissait les poumons. *Tu vas mourir aujourd'hui*, dit une voix dans son âme.

Et le duel commença. Jonacin le toucha en premier. Une fine coupure apparut sur le torse de Shadak. Plus d'un millier de Sathulis regardaient le spectacle, encerclant le périmètre du cimetière. Ils acclamèrent dès que le sang commença à couler. Shadak fit un bond en arrière.

— Tu ne vas pas essayer de me couper l'oreille ? demanda-t-il sur le ton de la conversation.

Furieux, Jonacin poussa un grognement et lança une nouvelle attaque. Shadak para le coup d'estoc et balança son poing dans le visage du Sathuli. Le coup fut dévié par la pommette, mais Jonacin tituba tout de même. Shadak enchaîna aussitôt avec un coup d'estoc vers le ventre, et le Sathuli dut esquiver vers la droite ; mais la lame lui entailla la peau au niveau de la hanche. À présent, c'était au tour de Jonacin de bondir en arrière. Le sang coulait à gros bouillons de la blessure profonde qu'il avait au côté ; il toucha la coupure avec ses doigts et les regarda, stupéfait.

— Oui, fit Shadak, toi aussi tu saignes. Allez, approche. Tu vas saigner un peu plus.

Jonacin hurla et se jeta sur Shadak, qui fit un pas de côté ; d'un mouvement de sabre, il trancha le cou du Sathuli. Le mort tomba au sol, et Shadak fut submergé par un sentiment de soulagement, parce que d'un coup il réalisait : il était toujours vivant !

Sa carrière, en revanche, était finie. Les négociations n'aboutirent pas et dès qu'il fut de retour à Drenan, on le révoqua.

C'est alors que Shadak trouva sa vraie vocation : Shadak le Chasseur. Shadak le Traqueur. Hors-la-loi, tueurs, renégats – il les pourchassait tous, les suivant à la trace comme un loup.

Et depuis son combat avec Jonacin, il n'avait jamais connu une telle frayeur. Jusqu'à aujourd'hui, quand le jeune homme était sorti de la maison, la hache à la main.

Il est jeune et inexpérimenté. J'aurais pu le tuer, se dit-il.

Mais il revit les yeux bleus glacés et la hache étincelante.

Druss était assis sous les étoiles. Il était fatigué, mais n'arrivait pas à dormir. Un renard sortit des sous-bois, et se dirigea vers un cadavre. Druss lui lança une pierre, et la bestiole déguerpit… mais n'alla pas très loin.

Dès le lendemain, les corbeaux viendraient festoyer, ainsi que tous les habituels charognards qui se disputeraient la chair des cadavres. Quelques heures auparavant, c'était une communauté pleine d'entrain. Les gens y vivaient dans l'espoir joyeux de voir leurs rêves s'exaucer. Druss se leva et marcha le long de la rue principale du village. Il passa devant la maison du boulanger, dont le corps était toujours dans l'entrée, à côté de sa femme. La forge était ouverte, et la fournaise brûlait encore légèrement. Il y avait trois cadavres. Tetrin, le forgeron, avait réussi à tuer deux des pillards à l'aide de son marteau. Tetrin, lui, était étendu derrière son enclume, la gorge tranchée.

Druss s'éloigna de la scène.

Et pour quelles raisons ? Des esclaves et de l'or. Les pillards se moquaient des rêves des autres.

— Vous allez payer. (Druss contempla le corps du forgeron.) Je te vengerai. Et tes fils aussi. Je vous vengerai tous, promit-il.

Et songeant soudain à Rowena, il eut la gorge sèche et son cœur se mit à battre la chamade. Il repoussa ses peurs et contempla le village.

Comme aucun de ses bâtiments n'était détruit, il semblait étrangement vivant sous le clair de lune. Druss s'interrogea sur le sujet. Pourquoi est-ce que les pillards n'avaient pas mis le feu aux maisons ? Ce qu'il savait de ce genre d'attaques montrait que d'habitude les pillards brûlaient toutes les maisons. Puis, il se rappela la troupe de cavalerie drenaïe qui patrouillait la région. Une colonne de fumée l'aurait alertée, si elle avait été suffisamment proche.

À ce moment précis, Druss sut ce qu'il devait faire. Il alla chercher le corps de Tetrin, et le porta à travers la rue, jusqu'à la salle des fêtes, ouvrant la porte d'un grand coup de pied. Il l'amena à l'intérieur, et le laissa au centre de la salle. Puis, il retourna dans la rue et s'affaira à réunir, un par un, tous les morts de la communauté. Déjà fatigué au début, il fut vite sur les rotules. En tout, il disposa quarante-quatre cadavres dans la salle, s'assurant que chaque mari était placé à côté de sa femme et de ses enfants. Il ne savait pas pourquoi il le faisait, mais cela lui semblait la meilleure chose à faire.

Puis, il apporta le corps de Bress à l'intérieur, qu'il plaça à côté de celui de Patica. Il s'agenouilla près de la défunte et prit sa main dans la sienne, courbant la tête.

— Merci, dit-il doucement. Merci pour toutes ces années où tu t'es occupée de moi, et pour l'amour que tu as donné à mon père. Tu méritais mieux que ça, Patica.

Une fois qu'il eut parlé pour tout le monde, il partit chercher du bois dans les réserves qu'il entassa contre les murs de la salle et par-dessus les cadavres. Enfin, il apporta un grand baril d'huile à lanterne qu'il versa sur le bois et dont il aspergea les murs secs.

Tandis que l'aube zébrait le ciel à l'est, il mit le feu au bûcher qui s'enflamma aussitôt. La brise matinale lécha les flammes sur le palier, qui se jetèrent sur le bois et, affamées, grimpèrent le long du premier mur.

Druss sortit dans la rue. Au début, le brasier ne fit pas beaucoup de fumée, mais comme le feu tournait à l'enfer, une longue colonne noire et graisseuse commença à gravir le ciel matinal, flottant dans le vent léger, s'aplatissant et s'étendant comme un orage naturel.

— Tu as travaillé dur, fit Shadak en se plaçant en silence au côté du jeune homme.

Druss acquiesça d'un signe de tête.

— Je n'avais pas le temps de les enterrer, dit-il. Peut-être qu'on verra la fumée.

— Peut-être, accorda le chasseur, mais tu aurais mieux fait de te reposer. Cette nuit, tu auras besoin de toutes tes forces.

Comme Shadak s'éloignait, Druss l'observa ; les mouvements de l'homme étaient sûrs et souples, confiants et forts.

Druss admirait sa démarche – comme il avait admiré la façon dont Shadak s'était occupé de Tailia dans l'entrée. Il avait agi comme un père ou un frère l'aurait fait. Druss savait qu'elle avait besoin d'être réconfortée, mais il avait été incapable de lui apporter cela. Il n'avait pas la douceur naturelle de Pilan ou Yorath, et il ne s'était jamais senti à l'aise en compagnie de femmes ou de jeunes filles.

À l'exception de Rowena. Il se souvint du jour où son père était venu au village, un jour de printemps, il y avait trois saisons de cela. Ils étaient arrivés avec d'autres familles, et il avait aperçu Rowena à l'arrière d'un chariot, aidant à décharger les meubles. Elle avait l'air si fragile. Druss s'était approché du chariot.

— J'peux vous aider, si vous voulez, avait offert Druss, alors âgé de quinze ans, de manière plus bourrue qu'il ne l'avait souhaitée.

Elle s'était retournée et lui avait souri. Et quel sourire, radieux et amical. Il avait tendu les bras et avait attrapé la chaise que son père était en train de descendre du chariot, puis il l'avait emportée dans la maison à moitié finie. Il les avait aidés à descendre et à installer tous les meubles, puis il s'était excusé afin de partir. Mais Rowena lui avait apporté un verre d'eau.

— C'est très gentil de nous avoir aidés, avait-elle dit. Tu es très fort.

Il avait baragouiné une réponse idiote, l'avait laissée dire son nom et était parti pour de bon, en oubliant de donner le sien. Le soir, elle l'avait aperçu assis près du ruisseau, au sud du village, et était venue s'asseoir à ses côtés.

— La région est magnifique, n'est-ce pas ? avait-elle dit.

Et c'était vrai. Les montagnes étaient gigantesques, comme des géants aux cheveux blancs. Le ciel avait la couleur du plomb fondu, et le soleil couchant ressemblait à une assiette en or. Les collines étaient couvertes de fleurs. Mais Druss n'avait pas vu la beauté de l'endroit avant qu'elle ne la lui fasse remarquer. Il avait senti un sentiment de paix l'envahir, un calme qui venait recouvrir son esprit turbulent comme une couverture bien chaude.

— Je suis Druss.

— Je sais. J'ai demandé à ta mère où tu étais.

— Pourquoi ?

— Tu es mon premier ami ici.

— Comment peut-on être amis ? Tu ne me connais pas.

— Bien sûr que si. Tu es Druss, le fils de Bress.

— Ce n'est pas me connaître. Je… Je ne suis pas très populaire par ici, dit-il, sans savoir pourquoi il admettait cela aussi facilement. Les gens ne m'aiment pas.

— Pourquoi ?

La question était innocente, et il se tourna pour la regarder. Son visage était si près du sien qu'il rougit. Il se détourna pour s'écarter légèrement.

— Je suis plutôt sauvage, je crois. Je ne… parle pas facilement. Et je… parfois… je me mets en colère. Je ne comprends ni leurs blagues ni leur humour.

Je préfère… rester seul.

— Tu veux que je m'en aille ?

— Non ! C'est que… je ne sais pas ce que je raconte.

Il haussa les épaules et rougit de plus belle.

— Alors, amis ? demanda-t-elle en lui tendant la main.

— Je n'ai jamais eu d'ami, admit-il.

— Prends ma main. Il faut un début à tout.

Il tendit sa main à son tour et sentit la chaleur de ses doigts contre sa paume calleuse.

— Amis ? répéta-t-elle en souriant.

— Amis, décida-t-il.

Elle fit mine de retirer sa main, mais il la retint un moment.

— Merci, finit-il par dire doucement en la relâchant.

Elle se mit à rire.

— Pourquoi me remercier ?

Il haussa les épaules.

— Je ne sais pas. C'est juste que… tu m'as fait un cadeau comme jamais on m'en a fait. Et je ne prends pas ça à la légère. Je serai ton ami, Rowena. Jusqu'à ce que les étoiles se consument et meurent.

— Il faut faire attention avec ce genre de promesses, Druss. Tu ne sais pas où elles pourraient te mener.

Le plafond en bois céda et s'écrasa dans le brasier. Shadak l'appela.

— Choisis-toi une monture, jeune guerrier. Il est temps de partir.

Druss récupéra sa hache et contempla l'horizon, en direction du sud. Quelque part par là se trouvait Rowena.

— J'arrive, murmura-t-il.

Et elle l'entendit.

Chapitre 3

Les chariots roulèrent tout l'après-midi et une partie de la nuit. Au début, les captives restèrent silencieuses, sous le choc et incrédules. Puis, le choc fit place au chagrin, et leurs larmes coulèrent. Mais elles furent vite taries par les hommes qui chevauchaient à côté des chariots et qui leur intimèrent de se taire ; et lorsque le silence ne vint pas, ils descendirent de cheval pour grimper à bord des chariots, et rouèrent de coups les prisonnières, leur promettant le fouet si elles n'obéissaient pas.

Rowena, les mains attachées devant elle, était assise aux côtés de Mari. Son amie avait les yeux gonflés, tant par les larmes que par le coup qu'elle avait encaissé sur le nez.

— Comment te sens-tu à présent ? murmura Rowena.

— Ils sont tous morts, fut la réponse. Tous morts.

Mari scruta sans le voir le chariot où d'autres jeunes femmes étaient entassées.

— Nous sommes vivantes, enchaîna Rowena d'une voix douce et apaisante. Ne perds pas espoir, Mari. Druss aussi est vivant. Et il y a un homme avec lui – un grand chasseur. Ils nous suivent.

— Tous morts, fit Mari. Ils sont tous morts.

— Oh, Mari !

Rowena essaya malgré ses mains liées de prendre Mari dans ses bras, mais celle-ci poussa un cri et recula.

— Ne me touche pas !

Elle regarda Rowena en face, les yeux brillants et mauvais.

— C'est une punition. Par ta faute. Tu es une sorcière ! Tout est de ta faute.

— Je n'ai rien fait !

— C'est une sorcière ! hurla Mari. (Les autres femmes la dévisagèrent.) Elle a le don de Clairvoyance. Elle savait que les pillards allaient venir, mais elle ne nous a pas prévenus.

— Pourquoi ne l'as-tu pas dit ? cria une autre femme.

Rowena se retourna et vit qu'il s'agissait de la fille du boulanger, Jarin.

— Mon père est mort. Mes frères sont morts. Pourquoi ne nous as-tu pas prévenus ?

— Je ne l'ai su qu'au dernier moment.

— Sorcière ! hurla Mari. Saleté de sorcière !

Des deux mains, elle frappa Rowena à la tête, qui tomba à la renverse contre une autre femme sur sa gauche. Une pluie de coups s'abattit sur elle. Toutes les femmes du chariot s'étaient levées pour lui asséner des coups de poing et de pied. Des cavaliers galopèrent à la hauteur du chariot, et Rowena se sentit soulevée de terre puis jetée violemment au sol. La chute fut si rude qu'elle en eut le souffle coupé.

— Qu'est-ce qui se passe ici ? entendit-elle crier.

— Sorcière ! Sorcière ! Sorcière ! scandaient toutes les femmes.

Rowena fut relevée et une main sale l'attrapa sèchement par les cheveux. Elle ouvrit les yeux et découvrit un visage lugubre et balafré.

— Alors comme ça, t'es une sorcière ? grogna l'homme. Nous allons voir !

Il dégaina un couteau et lui planta sous le visage, appliquant la pointe contre la chemise en laine qu'elle portait.

— On dit que les sorcières ont trois mamelons, dit-il.

— Laisse-la tranquille ! fit une autre voix.

Un cavalier se rangea à côté d'eux, et l'homme rengaina son couteau.

— J'allais pas la taillader, Harib. Sorcière ou pas, elle devrait nous rapporter un joli petit paquet.

— Plus encore, si c'est vraiment une sorcière, répondit le cavalier. Prends-la en selle derrière toi.

Rowena leva les yeux vers le cavalier. Il avait le visage basané, les yeux noirs, et sa bouche était en partie cachée par les rabats de bronze de son heaume de guerre. Il éperonna sa monture et s'en alla. L'homme qui la tenait toujours par les cheveux grimpa en selle et la hissa derrière lui. Il sentait la sueur rance et la poussière, mais Rowena ne le remarqua presque pas. Elle jeta un regard vers le chariot où ses anciennes amies se tenaient silencieuses. De nouveau, elle ressentit un terrible sentiment de perte.

Hier seulement, le monde était plein de promesses. Leur maison était presque achevée, son mari acceptait de faire un effort pour se contrôler, son père était détendu et ne manquait de rien, Mari se préparait à une grande nuit d'amour avec Pilan.

En l'espace de quelques heures, tout avait changé. Elle toucha du bout des doigts la broche à sa poitrine…

Et elle vit le guerrier que son mari allait devenir. *Marche-Mort* !

Alors, des larmes coulèrent en silence le long de ses joues.

Shadak chevauchait en tête, suivant la piste, tandis que Druss et Tailia allaient côte à côte, elle sur une jument grise, lui sur son hongre alezan. La première heure, Tailia ne dit pas grand-chose, ce qui arrangeait bien Druss, mais, alors qu'ils atteignaient le haut d'une colline surplombant une grande vallée, elle se pencha et lui toucha le bras.

— Qu'est-ce que vous allez faire ? demanda-t-elle. Pourquoi les suivons-nous ?

— Comment ça ? répondit Druss, perplexe.

— Eh bien, il est évident que vous ne pouvez pas vous battre contre eux ; vous vous feriez tuer. Pourquoi n'allons nous pas plutôt jusqu'à la garnison de Padia ? Qu'ils envoient des troupes.

Il se dévissa pour la regarder. Ses yeux bleus étaient cernés de rouge, à force de pleurer.

— C'est à quatre jours de marche. Je ne sais pas combien de temps cela nous prendrait à cheval – deux au minimum, d'après moi. Et si la troupe est bien présente – ce qui n'est pas sûr – il leur faudra au moins trois jours pour retrouver les pillards. Et d'ici là, ils seront déjà en territoire vagrian, près de la frontière de Mashrapur. Les soldats drenaïs n'y ont pas juridiction.

— Oui, mais vous ne pouvez rien faire. Cette poursuite n'a aucun sens.

Druss prit une profonde inspiration.

— Ils ont Rowena, déclara-t-il. Et Shadak a un plan.

— Ah, un plan, dit-elle d'un ton moqueur, avec un sourire méprisant. Deux hommes et un plan. Alors, je suis en sécurité, pour sûr.

— Tu es vivante – et libre, lui répondit Druss. Si tu veux aller à Padia, rien ne t'en empêche.

Son expression se radoucit et elle posa sa main sur le poignet de Druss.

— Je sais que tu es brave, Druss : je t'ai vu tuer les pillards, et tu étais magnifique. Je ne veux pas que tu meures dans une bataille inutile. Rowena ne le voudrait pas non plus. Ils sont nombreux, et ce sont des tueurs.

— Moi aussi, dit-il. Et ils sont moins nombreux qu'avant.

— Bon. Et qu'est-ce que je deviendrai, une fois qu'ils t'auront abattu ? Quelle chance aurai-je ?

Il la regarda un moment avec des yeux glacés.

— Aucune, répondit-il.

Tailia écarquilla les yeux.

— Tu ne m'as jamais aimée, pas vrai ? murmura-t-elle. Tu n'aimais aucun de nous.

— Je n'ai pas de temps à perdre avec de telles absurdités, dit-il.

Il éperonna son hongre et partit en avant. Il ne se retourna pas, et ne fut pas surpris lorsqu'il entendit que le cheval de Tailia partait au galop en direction du nord.

Quelques minutes plus tard, Shadak revint du sud.

— Où est-elle ? demanda le chasseur, relâchant les rênes des deux chevaux qu'il tirait pour les laisser vagabonder et paître dans les hautes herbes.

— En route pour Padia, répondit Druss.

Le chasseur resta muet l'espace d'un instant, mais scruta le nord. Au loin, on pouvait toujours apercevoir la forme minuscule de Tailia qui s'éloignait.

— N'essayez pas de l'en dissuader, dit Druss.

— C'est toi qui l'as renvoyée ?

— Non. Elle pense que nous sommes des hommes morts, et elle ne veut pas prendre le risque de se faire capturer par les esclavagistes.

— Difficile de trouver quelque chose à redire à ça, accorda Shadak en haussant les épaules. Ah, bah… Elle a choisi sa route. Espérons qu'elle n'aura pas à le regretter.

— Et les pillards ? demanda Druss, ayant déjà oublié Tailia.

— Ils ont avancé toute la nuit et vont droit vers le sud. Je pense qu'ils vont monter le camp sur les bords du Tigren, à cinquante kilomètres d'ici. Il y a une vallée qui débouche sur le col étroit d'un canyon en forme de bol. Cela fait des années que les esclavagistes s'en servent – ou les voleurs de chevaux, de bétail et autres renégats. Il est facilement défendable.

— Quand les aurons-nous rejoints ?

— Un peu après minuit. On chevauche encore deux heures, puis on se repose et on mange un peu avant de changer de chevaux.

— Je n'ai pas besoin de me reposer.

— Les chevaux si, rétorqua Shadak, et moi aussi. Sois patient. La nuit va être longue, et lourde de dangers. Je dois d'ailleurs t'avouer que nos chances sont maigres. Tailia avait raison de s'inquiéter pour sa sécurité ; nous allons avoir besoin de plus de chance que deux hommes ont le droit d'espérer.

— Pourquoi faites-vous ça ? demanda Druss. Vous ne connaissez même pas ces femmes.

Shadak ne répondit pas.

Ils continuèrent leur route en silence jusqu'à ce que le soleil approche de midi. Le chasseur repéra un petit bosquet d'arbres à l'est et y dirigea son cheval ; les deux hommes descendirent de selle à l'ombre de plusieurs ormes qui prospéraient au bord d'un petit étang rocailleux.

— Combien en as-tu tué dans les bois ? demanda-t-il à Druss alors qu'ils s'asseyaient sous un arbre.

— Six, répondit le bûcheron, en saisissant un morceau de viande séchée dans la besace qu'il avait au côté et en mordant dedans à pleines dents.

— Tu avais déjà tué un homme avant ?

— Non.

— Six, c'est… impressionnant. Avec quoi les as-tu tués ?

Druss mâcha un moment et déglutit.

— Une hache à bois et une hachette. Oh… et puis, je me suis servi d'une de leurs dagues, ajouta-t-il. Et puis aussi avec mes mains.

— Et on ne t'a jamais entraîné au combat ?

— Non.

Shadak secoua la tête.

— Raconte-moi le combat en détail – tout ce dont tu peux te rappeler.

Ce que fit Druss. Shadak écouta en silence, et quand il eut fini de raconter l'histoire, le chasseur sourit.

— Tu es quelqu'un de rare. Tu as bien fait de te mettre devant le tronc d'arbre. C'était un bon mouvement – le premier d'une longue série, visiblement. Mais le dernier est de loin le plus impressionnant. Comment savais-tu que ton adversaire se déplacerait sur ta gauche ?

— Il a vu que j'avais une hache et que j'étais droitier. En des circonstances normales, j'aurais dû soulever ma hache au-dessus de mon épaule gauche et frapper à droite. Il s'est donc déplacé à droite – ma gauche.

— C'est froidement calculé pour un homme engagé dans un combat. Je pense que tu tiens cela de ton grand-père.

— Ne dites pas ça ! gronda Druss. Il était fou.

— C'était aussi un combattant exceptionnel. Oui, il était mauvais. Mais cela ne diminue en rien son courage ou son habileté.

— Je me suis fait tout seul, déclara Druss. Ce que j'ai est à moi.

— Je n'en doute pas. Mais tu es très costaud, tu as le sens du rythme et tu as l'esprit d'un guerrier. C'est le genre de dons qui se transmettent de père en fils, de génération en génération. Mais tu dois être conscient d'une chose, mon garçon, tu as de fait des responsabilités qu'il te faut accepter.

— Comme quoi ?

— Le fardeau habituel qui distingue le héros de la canaille.

— Je ne comprends rien à ce que vous dites.

— C'est lié à la question que tu m'avais posée à propos de ces femmes. Le vrai guerrier a un code d'honneur. Il est obligé. Pour chaque homme, les perspectives sont différentes, mais le code reste le même : *Ne viole jamais une femme, ne fais pas de mal aux enfants. Ne mens pas, ne triche pas, ne vole pas. Laisse cela aux gens médiocres. Protège les faibles contre les forces du mal. Et ne laisse jamais l'idée de profit te guider sur la voie du mal.*

— C'est votre code ? demanda Druss.

— Oui. Et il y en a encore long. Mais je ne vais pas t'ennuyer avec ça.

— Ça ne m'ennuie pas. Pourquoi avez-vous besoin de vivre en suivant un code ?

Shadak se mit à rire.

— Tu comprendras, Druss, au fur et à mesure que les années passeront.

— C'est maintenant que je veux comprendre, rétorqua le jeune homme.

— Évidemment. C'est la malédiction des jeunes. Ils veulent toujours tout et tout de suite. Non. Repose-toi un moment. Même ta force prodigieuse risque de te faire défaut avec le temps. Dors un peu. À ton réveil, tu seras en pleine forme. La nuit va être longue – longue et sanglante.

Un croissant de lune illuminait la nuit. Le ciel était dégagé. Les montagnes baignaient dans un halo argenté, et se reflétaient dans la rivière en contrebas, si bien qu'on aurait dit du métal fondu. On pouvait apercevoir trois feux de camp, et Druss avait le plus grand mal à distinguer les mouvements à travers les flammes. Les femmes étaient entassées entre deux chariots ; il n'y avait pas de feu de leur côté, mais des gardes patrouillaient non loin. Au nord du chariot, à environ une trentaine de mètres des femmes, il y avait une grande tente. Elle luisait telle une grande lanterne d'or, et des ombres chinoises oscillaient contre les parois ; à l'évidence, il y avait un brasier à l'intérieur, ainsi que plusieurs lampes.

Shadak se déplaça silencieusement au côté du jeune homme et lui fit signe de reculer. Druss rampa le long de la pente et retourna dans la clairière où étaient attachés les chevaux.

— Tu en as vu combien ? demanda Shadak, à voix basse.

— Trente-quatre, sans compter ceux dans la tente.

— Ils sont deux à l'intérieur, Harib Ka et Collan. Mais moi, j'en ai vu trente-six à l'extérieur. Ils ont placé deux hommes au bord de la rivière, pour empêcher les femmes de s'enfuir à la nage.

— Quand est-ce qu'on entre dans le camp ? s'enquit Druss.

— Tu es pressé de te battre, mon garçon. Mais là-bas, je vais avoir besoin que tu gardes la tête froide. Ce ne sera pas une bagarre de rue.

— Ne vous inquiétez pas pour moi, chasseur. Tout ce que je veux, c'est récupérer ma femme.

Shadak acquiesça.

— Je comprends, mais je vais quand même te poser une question. Et si ta femme a été violée ?

Les yeux de Druss étincelèrent, et ses doigts se resserrèrent sur le manche de sa hache.

— Pourquoi me demandez-vous ça maintenant ?

— Il est certain que certaines femmes auront été violées. Ce genre d'homme prend son plaisir où il le trouve. Et maintenant, comment te sens-tu ?

Druss ravala la colère qu'il sentait monter en lui.

— Suffisamment calme. Je ne suis pas un berserk, Shadak. Je suivrai votre plan à la lettre, quitte ou double, à la vie à la mort.

— Bon. Nous passcrons à l'action deux heures avant l'aube. La plupart des hommes seront en train de dormir. Crois-tu aux dieux ?

— Je n'en ai jamais vu un seul – alors, non.

Shadak sourit.

— Moi non plus. Donc, si je comprends bien, ce n'est pas la peine de demander un coup de main divin.

Druss resta silencieux un moment.

— À présent, dites-moi, finit-il par demander, pourquoi avoir besoin d'un code ?

Sous le clair de lune, le visage de Shadak était presque spectral, et son expression sévère et inamicale. Puis il se relâcha et se retourna pour contempler le campement des pillards.

— Ces hommes en bas n'ont qu'un seul code. Il est simple : *Fais ce que tu veux, telle est la loi.* Est-ce que tu comprends ?

— Non.

— Cela veut dire que ce qu'ils pensent obtenir par la force est à eux de droit. Si un autre homme possède quelque chose qu'ils désirent, ils tueront cet homme. Dans leur tête, ils sont dans le bon droit ; c'est la loi que notre monde leur offre – la loi du loup. Mais toi et moi ne sommes pas différents d'eux, Druss. Nous désirons les mêmes choses, nous avons les mêmes besoins. Et si une femme nous attire, pourquoi ne pas la prendre sans lui demander son avis ? Si un autre homme a des richesses, pourquoi ne lui prendrions-nous pas, si nous sommes plus forts que lui, plus dangereux ? C'est un piège dans lequel il est facile de tomber. Collan était un officier des lanciers drenaïs. Il est issu d'une bonne famille ; il a prêté serment, comme nous tous, et quand il a prononcé les mots, je suis presque sûr qu'il y croyait. Mais il a rencontré une femme à Drenan, qu'il désirait par-dessus tout, et elle le désirait aussi. Sauf qu'elle était mariée. Collan a assassiné le mari. Ce fut son premier pas sur le chemin de la perdition ; après cela, les autres pas furent plus faciles. À court d'argent, il est devenu mercenaire – il s'impliquait dans toutes les causes, bonnes ou mauvaises, justes ou non, pourvu qu'il y ait de l'or. Et il ne vit plus que ce qu'il y avait de bon pour Collan. Les villages n'existaient que pour qu'il les pille. Harib Ka est un noble ventrian, parent éloigné de la Maison Royale. Son histoire est comparable. Aucun des deux n'avait ce Code de Fer auquel se raccrocher. Je ne suis pas un homme de bien, Druss, mais le code m'aide à suivre la Voie du Guerrier.

— Je comprends qu'un homme cherche à protéger ce qui est à lui, fit Druss, mais pas qu'il puisse voler ou tuer pour son profit personnel. Mais cela ne m'explique pas pourquoi vous allez risquer votre vie cette nuit pour des femmes que vous ne connaissez pas.

— Ne recule jamais devant un ennemi, Druss. Bats-toi ou rends-toi. Ce n'est pas suffisant de ne pas vouloir *devenir* mauvais. Il faut aussi combattre le mal, où qu'il soit. Si je pourchasse Collan, ce n'est pas seulement parce qu'il a tué mon fils, mais parce qu'il est ce qu'il est. Mais s'il le faut, je mettrai cette chasse de côté cette nuit afin de libérer les filles ; elles sont plus importantes.

— Peut-être, dit Druss. (Mais il n'était pas convaincu.) Pour moi, tout ce que je veux, c'est Rowena et une maison dans les montagnes. Cela ne m'intéresse pas de combattre le mal.

— J'espère que tu changeras, répondit Shadak.

Harib Ka ne trouvait pas le sommeil. Le sol sous la tente était dur, et malgré le brasier, il était gelé jusqu'aux os. Le visage de la fille le hantait. Il se mit sur son séant et attrapa la cruche de vin. *Tu bois trop,* se dit-il. Il tendit le bras et se remplit un gobelet de vin rouge à ras bord, qu'il but en deux gorgées. Puis, il repoussa ses couvertures et se leva. Sa tête lui faisait mal. Il s'assit sur un tabouret en osier et se resservit un verre.

Qu'es-tu devenu ? murmura une voix dans son esprit. Il se frotta les yeux. Ses pensées retournèrent au temps où il était à l'académie, en compagnie de Bodasen et du jeune prince.

— Nous allons changer le monde, disait le prince. Nous donnerons à manger aux pauvres et trouverons du travail pour tous. Puis nous repousserons les pillards jusqu'en Ventria. Nous bâtirons un royaume de paix et de prospérité.

Harib Ka eut un rire amer et avala une gorgée de vin. C'était une époque grisante, celle de sa jeunesse, où tout n'était qu'optimisme. On parlait de chevaliers, d'actes de courage, de grandes victoires et du triomphe de la Lumière sur les Ténèbres.

— Il n'y a ni Lumière ni Ténèbres, dit-il à voix haute. Il n'y a que le Pouvoir.

Puis il repensa à la première fille – comment s'appelait-elle, Mari ? Oui. Conciliante, obéissante à chacun de ses désirs, chaude, douce. Elle avait crié de plaisir à son contact. Non. Elle avait fait semblant d'aimer le rut grossier auquel ils s'étaient adonnés.

— Je ferai ce que vous voudrez – mais ne me faites pas de mal.

Ne me faites pas de mal.

Le vent frais de l'automne balaya les parois de la tente. Quelques heures à peine après s'être rassasié de Mari, il avait eu envie d'une autre femme. Son choix s'était posé sur la sorcière aux yeux noisette. Quelle erreur. Elle était entrée dans la tente en se frottant les poignets, ses grands yeux emplis de chagrin.

— Vous comptez me violer ? lui avait-elle demandé doucement.

Il avait souri.

— Pas nécessairement. À toi de choisir. Quel est ton nom ?

— Rowena, avait-elle dit. En quoi ai-je le choix ?

— Tu peux t'offrir à moi, ou tu peux te débattre. Dans les deux cas, le résultat sera le même. Pourquoi ne pas faire l'amour de ton plein gré ?

— Pourquoi parlez-vous d'amour ?

— Quoi ?

— Il n'y a pas d'amour dans cet acte. Vous avez tué les gens que j'aimais, et maintenant vous voudriez prendre du plaisir au détriment de ce qu'il me reste de dignité.

Il avança à grands pas vers elle et lui agrippa les bras.

— Tu n'es pas ici pour discuter avec moi, petite putain ! Tu es ici pour faire ce que je te dis de faire.

— Pourquoi me traitez-vous de putain ? Cela rend-il vos actions plus simples à vos yeux ? Oh, Harib Ka, que penserait Rajica de tout cela ?

Il recula comme si on l'avait frappé.

— Que sais-tu de Rajica ?

— Seulement que vous l'aimiez – et qu'elle est morte dans vos bras.

— Tu es une sorcière !

— Et vous un homme perdu, Harib Ka. Vous avez vendu tout ce qui avait de l'importance pour vous – votre fierté, votre honneur, votre amour de la vie.

— Je ne te laisserai pas me juger, dit-il, mais il ne fit pas un geste pour l'empêcher de parler.

— Je ne vous juge pas, lui répondit-elle. J'ai pitié de vous. Et je vous dirai ceci : si vous ne me relâchez pas, ainsi que les autres femmes, vous allez mourir.

— Tu es également une voyante ? dit-il, essayant de se moquer. La cavalerie drenaïe approche, sorcière ? Il y a une armée qui menace de fondre sur moi et mes hommes ? Non. N'essaie pas de m'effrayer, fillette. Quoi que j'aie perdu, je suis toujours un guerrier, et à l'exception possible de Collan, je suis le plus grand épéiste que tu pourras rencontrer. Je n'ai pas peur de la mort. Non. Parfois, je l'attends. (Il sentit sa passion s'évanouir.) Alors, dis-moi, sorcière, quel péril me guette ?

— Son nom est Druss. C'est mon mari.

— Nous avons tué tous les hommes du village.

— Non. Il était dans les bois, à couper des arbres pour la palissade.

— J'ai envoyé six hommes là-bas.

— Qui ne sont pas revenus, fit remarquer Rowena.

— Tu dis qu'il les a tous tués ?

— Oui, répondit-elle doucement, et maintenant il vient pour vous.

— Tu parles de lui comme si c'était un guerrier de légende, fit Harib Ka, mal à l'aise. Je pourrais envoyer des hommes l'attendre et le tuer.

— J'espère que vous ne le ferez pas.

— Tu as peur pour sa vie ?

— Non, je pleurerais les leurs, dit-elle en soupirant.

— Parle-moi de lui. C'est un épéiste ? Un soldat ?

— Non, il est le fils d'un charpentier. Mais une fois, j'ai rêvé que je le voyais sur le flanc d'une montagne. Il avait une barbe noire et sa hache était rouge de sang. Et devant lui, des centaines d'âmes. Elles attendaient là, pleurant leur vie. D'autres encore coulaient de sa hache en gémissant. Des hommes de toutes nations, s'envolant en fumée avant que la brise ne les disperse. Tous tués par Druss. Le puissant Druss. Le Capitaine à la Hache. Le *Marche-Mort*.

— Et c'est ton mari ?

— Non, pas encore. C'est l'homme qu'il risque de devenir si vous ne me libérez pas. C'est l'homme que vous avez créé en tuant son père et en me faisant prisonnière. Vous ne pouvez l'arrêter, Harib Ka.

Il la renvoya et donna l'ordre aux gardes qu'on ne la moleste pas.

Collan l'avait rejoint peu de temps après et s'était moqué de lui.

— Par Missael, Harib, ce n'était qu'une gueuse d'un trou perdu, et maintenant c'est une esclave. C'est une propriété. *Notre* propriété. Et son Don fait qu'elle nous rapportera dix fois plus que n'importe quelle autre. Elle est jeune et belle – à vue de nez, elle vaut mille pièces d'or. Il y a ce marchand ventrian, Kabuchek ; il est toujours à la recherche de voyantes et de diseuses de bonne aventure. Je te parie qu'il nous en donnera mille pièces d'or.

Harib soupira.

— Oui, tu as raison, mon ami. Prends-la. Nous aurons besoin d'argent à notre arrivée. Mais ne la touche pas, Collan, conseilla-t-il au bel épéiste. Elle a vraiment le Don, et elle verra jusqu'au plus profond de ton âme.

— Il n'y a rien à y voir, répondit Collan, se forçant à sourire méchamment.

Druss longea le bord de la rivière, à l'abri des sous-bois. Il s'arrêta et dressa l'oreille. Aucun bruit, à l'exception du bruissement des feuilles d'automne dans les branches au-dessus de lui. Aucun mouvement, à part l'occasionnelle chauve-souris ou chouette. Il avait la bouche sèche, mais il n'avait pas peur.

De l'autre côté de la petite rivière, il vit un rocher blanc saillant, fissuré au milieu. D'après Shadak, la première sentinelle était postée exactement à l'opposé. Se déplaçant prudemment, Druss rentra plus profondément dans les bois, puis bifurqua vers la rive, calquant sa progression sur le bruit du vent dans les feuilles ; le bruit des arbres couvrait son approche.

La sentinelle était assise sur un rocher, à moins de trois mètres sur sa droite ; il avait une jambe allongée. Il prit Snaga dans sa main gauche, essuya sa main moite sur son pantalon et chercha du regard la deuxième sentinelle dans les buissons. Il ne la voyait pas.

Druss attendit, adossé à un gros arbre. Un gargouillement brutal se fit entendre un peu plus loin sur sa gauche. La sentinelle l'entendit aussi et se leva.

— Bushin ! Que fabriques-tu, espèce de crétin ?

Druss sortit de sa cachette juste derrière lui.

— Il est en train de mourir, dit-il.

L'homme se retourna, sa main serpentant vers le pommeau de l'épée qu'il avait à la taille. Snaga jaillit, et d'un mouvement transversal de haut en bas, les lames pénétrèrent le cou de l'homme sous l'oreille, emportant au passage l'os et les sinus. La tête tomba à droite, le corps à gauche.

Shadak sortit des sous-bois.

— Bien joué, murmura-t-il. Quand je t'enverrai les femmes, fais-les traverser jusqu'au grand rocher blanc, dirige-les vers le nord, à travers le canyon, jusqu'aux grottes.

— On a déjà répété ça mille fois, fit remarquer Druss.

Ignorant le commentaire, Shadak posa sa main sur l'épaule du jeune homme.

— Et maintenant, quoi qu'il arrive, ne viens pas dans le camp. Reste avec les femmes. Il n'y a qu'un seul chemin qui mène aux grottes, mais plusieurs qui vont vers le nord. Fais-les avancer vers le nord-ouest. Suis la route.

Shadak repartit dans les sous-bois, et Druss se prépara à l'attente.

Shadak se déplaça avec précaution jusqu'aux abords du camp. La plupart des femmes étaient endormies, et il n'y avait qu'un seul garde assis à proximité ; il avait la tête appuyée contre une roue de chariot, et Shadak se douta qu'il somnolait. Il défit son baudrier, puis rampa sur les coudes jusqu'au chariot. Il dégaina le couteau de chasse qu'il avait à la taille et se faufila derrière l'homme – il passa sa main gauche entre les rayons de la roue, et ses doigts de refermèrent sur la gorge de la sentinelle. Il enfonça le couteau d'un grand coup dans son dos ; sa jambe tressaillit une fois et elle ne bougea plus.

Shadak sortit de sous le chariot et s'approcha de la première fille. Elle dormait à côté des autres, regroupées pour se tenir chaud. Il plaqua sa main contre sa bouche et la secoua. Elle se réveilla en sursaut et, paniquée, se débattit.

— Je suis venu te sauver ! siffla Shadak. Un membre de ton village est sur les bords de la rivière, il te guidera à l'abri. Tu comprends ? Dès que je t'aurai libérée, réveille doucement les autres. Allez vers la rivière, en direction du sud. Druss, le fils de Bress, vous attend là-bas. Fais-moi un signe de tête si tu as compris.

Il sentit sa tête bouger contre sa main.

— Bien. Assure-toi que les autres ne fassent pas de bruit. Déplacez-vous lentement. Laquelle d'entre vous est Rowena ?

— Elle n'est pas avec nous, murmura la fille. Ils l'ont emmenée.

— Où ?

— L'un des chefs, un homme avec une cicatrice sur la joue, est parti à cheval avec elle juste après le couchant.

Shadak jura entre ses dents. Pas le temps de concevoir un plan de rechange.

— Comment t'appelles-tu ?

— Mari.

— Alors, Mari, active les autres – et dis à Druss de s'en tenir au plan d'origine.

Shadak s'éloigna de la fille, ramassa ses épées et les passa à sa ceinture. Puis, il traversa le campement comme si de rien n'était, et se dirigea droit vers la tente. Seuls quelques hommes étaient éveillés, et ne prêtèrent aucune attention à la silhouette qui déambulait d'un pas assuré entre les ombres.

Il souleva le rabat de la tente et entra rapidement, tout en dégainant son épée de sa main droite. Harib Ka était assis sur un fauteuil en osier, un gobelet de vin dans la main gauche et un sabre dans la droite.

— Bienvenue dans ma modeste demeure, Homme-Loup, dit-il en souriant.

Il vida son gobelet d'une traite et se leva. Du vin avait coulé entre les poils de sa barbe noire et fourchue, ce qui dans l'éclairage des lampes la rendait brillante comme si elle avait été huilée.

— Puis-je t'offrir un verre ?

— Pourquoi pas ? répondit Shadak, conscient que s'ils commençaient à se battre trop tôt, le bruit des lames s'entrechoquant réveillerait les autres. Et les femmes se feraient reprendre.

— Tu es loin de chez toi, fit remarquer Harib Ka.

— Ces temps-ci, je n'ai pas vraiment de chez moi, lui expliqua Shadak.

Harib Ka remplit un deuxième verre qu'il tendit au chasseur.

— Tu es venu me tuer ?

— Non, je suis venu pour Collan. Mais j'ai cru comprendre qu'il était parti, je me trompe ?

— Pourquoi Collan ? demanda Harib Ka, les yeux brillants dans la lumière dorée.

— Il a tué mon fils à Corialis.

— Ah, le jeune homme blond. Un bon bretteur, mais un peu trop impétueux.

— Un défaut de jeunesse.

Shadak but quelques gorgées de vin, contrôlant sa rage comme un armurier entretient sa forge ; c'était bien chaud, mais sous contrôle.

— Ce défaut l'a tué, fit observer Harib Ka. Collan est très talentueux. Où as-tu laissé le jeune villageois, celui avec la hache ?

— Tu es bien informé.

— Il y a quelques heures, sa femme se tenait là où tu te tiens à présent ; elle m'a prévenu de sa venue. C'est une sorcière – tu savais ça ?

— Non. Où est-elle ?

— En route pour Mashrapur avec Collan. Quand veux-tu que nous nous battions ?

— Dès que… commença Shadak.

Mais Harib Ka avait à peine fini sa phrase qu'il passa à l'attaque, visant son adversaire à la gorge d'un grand coup de sabre. Le chasseur se baissa pour éviter la lame et se pencha sur sa gauche pour donner un grand coup de pied sur la rotule d'Harib. Le Ventrian tomba lourdement sur le sol, et Shadak posa la pointe de son épée sur la gorge d'Harib Ka.

— Boire ou se battre, il faut choisir, lui dit-il doucement.

— Je m'en souviendrai. Et maintenant ?

— Maintenant, dis-moi où loge Collan à Mashrapur.

— À l'auberge de l'*Ours blanc*. C'est dans le quartier ouest.

— Je sais. À présent, dis-moi, à combien estimes-tu ta vie, Harib Ka ?

— Pour les autorités drenaïes ? Environ mille pièces d'or. Personnellement ? Je n'ai rien à t'offrir – du moins jusqu'à ce que je vende mes esclaves.

— Tu n'as plus d'esclaves.

— Je les retrouverai. Trente femmes à pied dans les montagnes ne me poseront aucun problème.

— Ce ne sera pas facile de les traquer avec la gorge tranchée, fit remarquer Shadak, augmentant légèrement la pression de sa lame qui commença à s'enfoncer dans la gorge d'Harib Ka.

— C'est vrai, lui accorda le Ventrian en levant les yeux. Que proposes-tu ?

Alors que Shadak allait répondre, il aperçut l'étincelle de triomphe dans l'œil de Harib Ka et se retourna. Mais trop tard.

Quelque chose de dur, froid et métallique s'écrasa contre son crâne.

Et le monde ne fut plus que ténèbres.

La douleur fit reprendre conscience à Shadak. On le giflait et ses dents s'entrechoquaient. Il ouvrit les yeux. Deux hommes lui tenaient les bras, le maintenant à genoux devant Harib Ka, accroupi devant lui.

– Tu croyais que j'étais suffisamment stupide pour laisser un assassin entrer dans ma tente inaperçu ? Je savais que quelqu'un nous suivait. Quand les quatre hommes que j'avais laissés en arrière-garde ne sont pas rentrés, j'ai deviné que c'était toi. Maintenant, j'ai des questions pour toi, Shadak. Premièrement, où est le jeune fermier à la hache ? Deuxièmement, où sont mes femmes ?

Shadak ne répondit pas. Un des hommes qui le tenaient lui donna un grand coup de poing dans l'oreille ; Shadak vit des lumières défiler devant ses yeux et s'écroula sur sa droite. Il vit Harib Ka se relever et se diriger vers le brasier où le charbon ne brûlait presque plus.

– Emportez-le dehors, près d'un feu, ordonna le chef des pillards.

Shadak fut hissé sur ses pieds et traîné à travers le camp. La plupart des hommes dormaient toujours. Ses ravisseurs le firent s'agenouiller devant un feu. Harib Ka dégaina une dague qu'il enfonça dans les flammes.

– Tu vas me dire ce que je veux savoir, dit-il, ou je te brûle les yeux et t'abandonne dans les montagnes.

Shadak avait un goût de sang dans la bouche et la peur au ventre. Pourtant il persista à se taire.

Un cri inhumain déchira le silence de la nuit, suivi par une cavalcade assourdissante de sabots. Harib se retourna et vit quarante chevaux terrifiés entrer au galop dans le camp. L'un des hommes qui maintenaient le chasseur se retourna également, relâchant un peu son étreinte. Shadak se releva d'un bond et donna un grand coup de tête au pillard, qui recula en titubant. Le deuxième homme, voyant que les bêtes se rapprochaient, libéra Shadak pour courir à l'abri des chariots. Harib Ka dégaina son sabre et sauta sur le chasseur, mais le premier cheval le percuta, l'envoyant tournoyer dans les airs. Shadak se hissa sur les talons et fit face aux animaux en agitant les bras. Bien qu'en proie à la panique, les chevaux l'évitèrent et continuèrent leur course folle à travers le camp. Certains hommes, toujours sous leurs couvertures, furent piétinés. D'autres essayèrent d'arrêter la charge des bêtes. Shadak courut jusqu'à la tente d'Harib Ka et récupéra ses épées. Puis il retourna dehors. Tout n'était que chaos.

Avec leurs sabots, les chevaux avaient éparpillé les feux de camp, et plusieurs cadavres jonchaient le sol. Une vingtaine de bêtes avaient été maîtrisées ; les autres continuaient de galoper dans les bois, poursuivies par les pillards.

Un deuxième cri retentit, et malgré ses années d'expérience de guerres et de batailles, Shadak fut abasourdi par ce qui suivit.

Le jeune bûcheron avait attaqué le camp tout seul. Sous le clair de lune, la hache déjà impressionnante rayonnait de mille feux argentés. Druss taillait en pièces les guerriers médusés. Plusieurs d'entre eux s'emparèrent de leurs épées pour l'arrêter ; ils moururent aussitôt.

Mais il ne pouvait pas s'en sortir. Shadak vit les pillards se regrouper. Une dizaine d'hommes encerclèrent le géant vêtu de noir, et parmi eux, Harib Ka. Le chasseur, ses deux épées courtes à la main, courut vers eux en poussant le cri de guerre des lanciers.

— Ayiaa ! Ayiaa !

Au même moment, des flèches jaillirent des bois. L'une d'elles se planta dans la gorge d'un pillard, une autre rebondit sur un heaume et alla se ficher dans une épaule. Combinée avec le cri de bataille, l'attaque arrêta les pillards. Certains reculèrent en scrutant la frondaison des arbres. À cet instant, Druss chargea au centre des ennemis, frappant de droite et de gauche. Les pillards tombèrent sous ses coups, plusieurs trébuchèrent sur les cadavres des autres. Et la puissante hache ensanglantée s'abattit sur eux, se levant et retombant, dans un rythme sans merci.

Comme Shadak arrivait à leur hauteur, les pillards prirent la fuite. De nouvelles flèches jaillirent.

Harib Ka courut vers l'un des chevaux. Il attrapa la crinière et se hissa en selle. L'animal se cabra, mais ne le désarçonna pas. Shadak lança l'épée qu'il tenait à la main droite, qui se ficha telle une lance dans l'épaule d'Harib. Le Ventrian s'affaissa et tomba au sol tandis que le cheval partait au galop.

— Druss ! hurla Shadak. Druss !

Le jeune guerrier poursuivait les pillards, mais en entendant son nom il s'arrêta à la limite des arbres et fit demi-tour. Harib Ka était à genoux, essayant de retirer l'épée plantée dans son corps. Druss rejoignit Shadak. Il était couvert de sang et ses yeux étincelaient.

— Où est-elle ? demanda-t-il au chasseur.

— Collan l'a emmenée à Mashrapur ; ils sont partis après le coucher du soleil.

Deux femmes armées de flèches et d'un carquois sortirent des arbres.

— Qui sont-elles ? s'enquit Shadak.

— Les filles du tanneur. Elles chassaient souvent pour le village. Je leur ai donné les arcs que les sentinelles avaient sur elles.

La plus grande des deux s'approcha de Druss.

— Ils profitent de la nuit pour s'enfuir. Je ne crois pas qu'ils reviendront. Est-ce que tu veux qu'on les pourchasse ?

— Non. Ramène les autres et rassemblez les chevaux.

Druss se retourna et baissa les yeux vers la silhouette agenouillée de Harib Ka.

— Qui est-ce ? demanda Druss à Shadak.

— L'un des chefs.

Sans dire un mot, Druss trancha la tête d'Harib Ka d'un coup de hache.

— Plus maintenant, ajouta-t-il.

— Effectivement, convint Shadak, dégageant son épée du cadavre qui bougeait encore.

Puis, il regarda autour de lui et compta les corps.

— Dix-neuf. Par tous les dieux, Druss, je n'arrive pas à croire que tu aies fait cela !

— Certains ont été piétinés par les chevaux, d'autres ont été tués par les filles.

Druss se retourna et scruta le camp. Quelque part sur sa gauche, un homme poussa un grognement. La plus grande des filles se rua sur lui et lui enfonça une dague dans la gorge. Druss regarda Shadak.

— Est-ce que tu peux escorter les filles jusqu'à Padia ?

— Tu vas à Mashrapur ?

— Je vais la retrouver.

Shadak posa une main sur l'épaule du jeune homme.

— Je te le souhaite, Druss. Trouve l'auberge de l'*Ours blanc* – c'est là qu'ira Collan. Mais fais attention, mon ami. À Mashrapur, Rowena est sa propriété. C'est leur loi.

— Et voilà la mienne, répondit Druss en brandissant sa hache à double lame.

Shadak prit le jeune homme par le bras et l'emmena dans la tente d'Harib. Il se versa un verre de vin et le descendit d'une traite. L'une des tuniques en lin d'Harib traînait sur un petit coffre et Shadak la lança à Druss.

— Essuie-toi. Avec tout ce sang sur toi, tu ressembles à un démon.

Druss sourit sombrement et s'essuya le visage et les bras, puis il nettoya les lames de sa hache.

— Que sais-tu de Mashrapur ? lui demanda Shadak.

Le bûcheron haussa les épaules.

— C'est un État indépendant, gouverné par un prince ventrian en exil. Voilà.

— Un paradis pour les voleurs et les esclavagistes, oui, compléta Shadak. Les lois sont relativement simples : ceux qui ont suffisamment d'or pour donner des pots-de-vin sont considérés comme de bons citoyens. Et peu importe d'où vient l'or. Là-bas, Collan est quelqu'un de respecté ; il a des propriétés et dîne avec l'émir.

— Et alors ?

— Alors, si tu débarques en ville pour le tuer, tu seras pris et exécuté. C'est aussi simple que ça.

— Que me suggères-tu ?

— Il y a une petite ville à trente kilomètres au sud. Tu trouveras un homme là-bas, un ami. Va le voir et dis-lui que c'est moi qui t'envoie. Il est jeune et talentueux. Tu ne l'aimeras pas, Druss ; c'est un dilettante qui ne cherche que le plaisir. Il n'a aucune morale. Ce qui en fera quelqu'un d'inestimable à Mashrapur.

— Qui est cet homme ?

— Il s'appelle Sieben. C'est un poète, un conteur de sagas, et il joue dans les palais ; en fait, il est même très bon. Il aurait pu être riche. Mais il préfère passer son temps à coucher avec toutes les femmes qui passent dans son champ de vision. Il ne se soucie pas de savoir si elles sont mariées ou non – ce qui lui a attiré beaucoup d'ennemis.

— Je sens déjà que je ne l'aime pas.

Shadak gloussa.

— Il a des qualités. C'est un ami loyal, qui est ridiculement intrépide. Il est doué avec un couteau. Et il connaît Mashrapur. Tu peux lui faire confiance.

— Pourquoi m'aiderait-il ?

— Il me doit une faveur.

Shadak versa du vin dans un deuxième gobelet qu'il tendit à Druss.

Druss en but d'abord une gorgée, et descendit le tout.

— C'est bon. Qu'est-ce que c'est ?

— Du rouge lentrian. Cinq ans d'âge, d'après moi. Ce n'est pas le meilleur, mais il est suffisamment bon pour une nuit comme celle-ci.

— Je comprends qu'on puisse y prendre goût, admit Druss.

Chapitre 4

S ieben s'amusait bien. Une petite foule s'était attroupée autour du tonneau, et trois hommes avaient déjà perdu beaucoup d'argent. Le petit cristal vert était de taille idéale pour aller sous l'une des trois coquilles de noix.

— Je vais y aller doucement, fit le jeune poète au grand guerrier barbu qui venait de perdre quatre pièces d'argent.

Avec ses mains fines, il déplaça les trois coquilles autour de la surface lisse du tonneau et les aligna au centre.

— Laquelle ? Prends ton temps, mon ami, car cette émeraude vaut bien dans les vingt raqs d'or.

L'homme renifla bruyamment et se gratta la barbe avec un doigt sale.

— Celle-là, dit-il enfin, désignant la coquille du milieu.

Sieben retourna la coquille. Il n'y avait rien en dessous. Il déplaça sa main sur la coquille de droite, la couvrit de sa paume et, avec beaucoup de maîtrise, cacha le cristal en dessous en même temps qu'il la retournait à l'intention du public.

— Presque, dit-il avec un grand sourire.

Le guerrier jura, se retourna et se fraya un chemin dans la foule. Le suivant était un petit basané ; il avait une odeur corporelle à tuer un bœuf. Sieben fut tenté de le laisser gagner. L'émeraude était fausse, et ne valait qu'un dixième de ce qu'il avait déjà escroqué à la foule. Mais il s'amusait trop. Le basané perdit trois pièces d'argent.

La foule s'écarta, et un jeune guerrier avança jusqu'au tonneau. Sieben leva les yeux. Le nouveau venu était entièrement vêtu de noir, à l'exception de ses épaulettes brillantes en acier argenté. Il avait un heaume emblasonné de deux crânes de chaque côté d'une hache en argent. Et il portait une hache à deux têtes.

— On veut tenter sa chance ? demanda Sieben, en regardant le géant droit dans les yeux.

— Pourquoi pas ? répondit le guerrier d'une voix grave et froide.

Il plaça une pièce d'argent sur le haut du tonneau. Les mains du poète bougèrent à une vitesse déconcertante, déplaçant les coquilles en traçant des huit. Puis, il s'arrêta.

— J'espère que tu as l'œil, mon ami, déclara Sieben.

— Ça va, répondit l'homme à la hache.

Il se pencha et posa un grand doigt sur la coquille du milieu.

— Elle est là, affirma-t-il.

— Voyons voir, répondit le poète en tendant la main.

Mais le guerrier la repoussa d'un geste.

— Comme tu dis, lança-t-il.

Lentement, le géant retourna les coquilles de gauche et de droite. Toutes deux étaient vides.

— C'est que je dois avoir raison, fit-il en fixant son regard pâle sur le visage de Sieben. Montre-nous donc.

D'un geste du doigt, il intima au poète de s'exécuter.

Sieben se força à sourire, et plaça la pierre dans la coquille du milieu en la retournant.

— Bien joué, l'ami. Tu as un œil de lynx.

La foule applaudit et se dispersa.

— Merci de ne pas m'avoir dénoncé, fit Sieben en ramassant son argent.

— Les idiots et l'argent sont comme la glace et la chaleur, cita le jeune homme. Ils ne font pas bon ménage. Tu es Sieben ?

— C'est possible, répondit l'autre prudemment. Qui le demande ?

— Je viens de la part de Shadak.

— Pour quelle raison ?

— Une faveur que tu lui dois.

— Cela ne regarde que nous. En quoi cela te concernerait-il ?

Le visage du guerrier s'assombrit.

— En rien, dit-il en s'éloignant à grands pas en direction de la taverne de l'autre côté de la rue.

Sieben le regarda partir et une jeune femme s'approcha de lui en sortant de l'ombre.

— As-tu gagné assez pour m'offrir un joli collier ? demanda-t-elle au poète.

Il se retourna et lui sourit. La femme était grande et bien proportionnée, elle avait des cheveux de jais et des lèvres charnues ; ses yeux étaient d'un marron fauve, et son sourire un enchantement. Elle vint dans ses bras l'embrasser et grimaça.

— Pourquoi as-tu toujours autant de couteaux sur toi ? demanda-t-elle en se dégageant.

Elle tapa du bout des doigts le baudrier de cuir noir où pendaient quatre dagues de lancer en forme de diamants.

— Affectation, mon amour. Mais je ne les porterai pas ce soir. Quant à ton collier – je l'apporterai avec moi. (Il lui prit la main et y déposa un baiser.) Mais pour l'instant, le devoir m'appelle.

— Le devoir, poète ? Que sais-tu du devoir ?

Il gloussa.

— Pas grand-chose – mais je paie toujours mes dettes ; c'est le dernier maillon qui me retient à la chaîne de la respectabilité. Je te verrai plus tard.

Il la salua et traversa la rue.

La taverne était une vieille maison de trois étages, avec un balcon au deuxième, surplombant la pièce principale et une cheminée de chaque côté de la salle. Il y avait une dizaine de tables avec ce qu'il fallait de bancs et de sièges, ainsi qu'un bar de vingt mètres de long, incrusté de bronze, derrière lequel six serveuses officiaient. Elles remplissaient les verres de bière, d'hydromel et de vin épicé. La taverne était plus bondée qu'à l'accoutumée, mais c'était jour de marché et tous les fermiers et éleveurs de bétail de la région étaient venus pour la vente aux enchères. Sieben marcha jusqu'au bar, où une jeune serveuse aux cheveux couleur miel lui sourit.

— Tu viens enfin me voir, lui dit-elle.

— Qui pourrait rester longtemps éloigné de toi, mon cœur ? répondit-il tout sourires, essayant de se rappeler son nom.

— Je finis mon service dans deux heures, l'informa-t-elle.

— Où est ma bière ? beugla un fermier trapu, un peu plus loin sur la gauche.

— J'étais là avant toi, face de bouc ! lança une autre voix.

La fille adressa un timide sourire à Sieben et s'en alla à l'autre bout du bar, pour étouffer la querelle qui menaçait.

— Me voici, messieurs, et de grâce, je n'ai qu'une paire de mains. Un moment, je vous prie.

Sieben traversa la foule, à la recherche du jeune guerrier, et le trouva assis tout seul, devant une petite fenêtre ouverte. Sieben s'assit à côté de lui sur un banc.

— Nous ferions mieux de recommencer depuis le début, dit le poète. Laisse-moi te payer une bière.

— J'achète moi-même ma bière, grogna le jeune homme. Et ne t'assieds pas là.

Sieben se releva et alla de l'autre côté de la table, face au géant.

— Comme ça, c'est mieux ? demanda-t-il avec sarcasme.

— Ouais. C'est toi qui sens le parfum ?

— Je mets des huiles parfumées sur mes cheveux. Ça te plaît ?

Le guerrier fit non de la tête, mais se retint de tout commentaire. Il se racla la gorge.

— Ma femme a été capturée par des esclavagistes. Elle est à Mashrapur.

Sieben recula un peu dans son siège et scruta le jeune homme.

— J'en déduis que tu n'étais pas chez toi quand c'est arrivé, dit-il.

— Non. Ils ont emmené toutes les femmes. Je les ai libérées. Mais Rowena n'était pas avec elles ; elle était avec un certain Collan. Il a quitté le camp avant que je ne les rejoigne.

— Avant que tu ne les rejoignes ? répéta Sieben. Que dois-je comprendre ?

— À quoi ?

— Comment as-tu libéré les autres femmes ?

— Qu'est-ce que ça peut bien faire, bon sang ? J'en ai tué quelques-uns et le reste s'est enfui. Mais ce n'est pas important. Rowena n'était pas là – elle est à Mashrapur.

Sieben leva sa fine main.

— Calme-toi, sois gentil. Premièrement, où est-ce que Shadak intervient dans cette histoire ? Et deuxièmement, tu dis que tu as attaqué tout seul Harib Ka et ses tueurs ?

— Je n'étais pas tout seul. Shadak était avec moi ; ils allaient le torturer. J'avais aussi deux filles pour me donner un coup de main ; de bons archers. Enfin, tout ça c'est du passé. Shadak m'a dit que tu pourrais m'aider à retrouver Rowena, et que tu aurais certainement un plan pour la sauver.

— De Collan ?

— Oui, de Collan, gronda le guerrier. Tu es sourd, ou idiot ?

Sieben fronça ses yeux noirs et se pencha en avant.

— Tu as une façon des plus déplorables de demander de l'aide, affreux géant. Je te souhaite bonne chance dans ta quête !

Sur ce, il se leva et se fondit dans la foule, pour ressortir sous le soleil de l'après-midi. Deux hommes attendaient près de l'entrée, et un troisième taillait un bout de bois avec un couteau de chasse affûté.

Le premier des deux hommes se planta devant le poète ; c'était le guerrier qui avait perdu de l'argent au jeu du tonneau.

— Tu as récupéré ton émeraude, je parie ?

— Non, répondit Sieben, toujours furieux. C'est un malappris de la pire espèce !

— Ce n'est donc pas un ami ?

— Pas vraiment. Je ne connais même pas son nom. Mais plus important encore, je ne veux pas le connaître.

— On dit que tu te défends bien avec ces couteaux, déclara le guerrier en désignant les dagues de lancer. C'est vrai ?

— Qu'est-ce que ça peut te faire ?

— Si c'est vrai, il y a des chances que tu puisses récupérer ton émeraude.

— Vous comptez l'attaquer ? Pourquoi donc ? À première vue, il n'a pas l'air d'être riche.

— Ça n'a rien à voir avec sa richesse ! cracha le deuxième guerrier.

Sieben recula devant l'odeur corporelle de l'homme.

— C'est un malade. Il a attaqué notre camp il y a deux jours. Il a paniqué les chevaux. J'ai pas pu retrouver mon gris. Et il a tué Harib Ka. Par les Nichons d'Asta ! Il a bien dû abattre une dizaine d'hommes rien qu'avec sa maudite hache.

— S'il en a tué une dizaine, qu'est-ce qui te fait croire que vous pourrez vous débarrasser de lui à trois ?

Le guerrier se tapota le nez.

— Surprise. Quand il sortira, Rafin lui posera une question. Et dès qu'il se retournera, Zak et moi lui sauterons dessus pour l'éventrer. Mais ton aide ne serait pas de refus. Je suis sûr qu'un couteau dans l'œil le ralentirait, pas vrai ?

— Sans doute, convint Sieben.

Et il se dirigea à quelques pas de là pour s'asseoir sur la rambarde où on attachait les chevaux. Il dégaina un couteau et commença à se curer les ongles.

— T'es avec nous ? siffla le premier homme.

— Nous verrons, répondit Sieben.

Druss était assis à la table et contemplait son reflet dans les lames de sa hache. Ses yeux étaient froids et sombres. Ses traits étaient plats et renfrognés ; sa bouche ressemblait à un trait fin. Il retira son heaume et le posa sur les lames, pour cacher son visage.

« Dès que tu parles, quelqu'un se met en colère. » Les mots de son père lui revenaient en mémoire. Et c'était vrai. Certains étaient doués pour se faire des amis, pour discuter simplement et raconter des blagues. Druss les enviait. Avant que Rowena n'entre dans sa vie, il avait été persuadé de n'avoir aucune de ces qualités. Mais avec elle, il s'était senti apaisé, il arrivait même à rire et plaisanter – et il se voyait comme les autres le voyaient, grand, ours, colérique et terrifiant.

— C'est à cause de ton enfance, Druss, lui avait dit Rowena un matin, alors qu'ils étaient assis en haut de la colline qui surplombait le village. Ton père passait d'une ville à une autre, toujours dans la peur d'être reconnu, et se retenant de fréquenter les gens. C'était plus facile pour lui, parce que c'était un homme. Mais cela a dû être dur pour un garçon qui n'a jamais appris à se faire des amis.

— Je n'ai pas besoin d'amis, avait-il répondu.

— Moi, j'ai besoin de toi.

Le souvenir de ces mots doux lui souleva le cœur. Une serveuse passa à côté de lui et il lui attrapa le bras.

— Avez-vous du rouge lentrian ?

— Je vous apporte un verre, monsieur.

— Plutôt une carafe.

Il but jusqu'à ce que la tête lui tourne. Ses pensées étaient devenues floues et confuses. Il se souvint d'Alarin et du coup qui lui avait brisé la mâchoire. Et puis après la razzia, quand il avait porté le corps d'Alarin dans la grand-salle. Celui-ci avait été transpercé par une lance dans le dos, qui l'avait presque brisé en deux. Il était mort les yeux grands ouverts. Il y avait tellement de morts qui avaient les yeux ouverts… accusateurs.

Pourquoi es-tu vivant et nous morts ? lui demandaient-ils. *Nous avions des familles, des vies, des rêves, des espoirs. Pourquoi vivrais-tu plus longtemps que nous ?*

— Du vin ! hurla-t-il, et une jeune fille aux cheveux de miel se pencha au-dessus de la table.

— Je crois que vous avez suffisamment bu, monsieur. Déjà un litre à vous tout seul.

— Tous les yeux étaient ouverts, dit-il. Les femmes, les enfants. Le pire, c'était les enfants. Quel genre d'homme tue un enfant ?

— Je pense que vous devriez rentrer à la maison, monsieur. Et dormir un peu.

— La maison ?

Il rit, mais le son était dur et amer.

— La maison des morts ? Et qu'est-ce que je leur dirai ? La forge est éteinte. Ça ne sent pas le pain qui sort du four ; aucun rire d'enfant. Rien que les yeux. Non, même pas les yeux. Que des cendres.

— Nous avons appris qu'il y avait eu une razzia dans le nord, dit-elle. C'était chez vous ?

— Apporte-moi du vin, ma fille, cela m'aide.

— C'est un faux ami, monsieur, murmura-t-elle.

— C'est le seul que j'ai.

Un barbu solidement charpenté en tablier de cuir s'approcha.

— Qu'est-ce qu'il veut ? demanda-t-il à la serveuse.

— Du vin, monsieur.

— Alors va en chercher – s'il peut payer.

Druss plongea sa main dans la bourse à sa taille et sortit l'une des six pièces d'argent que Shadak lui avait données. Il la lança d'une chiquenaude au tavernier.

— Mais servez-le ! gronda-t-il la serveuse.

La deuxième carafe rejoignit la première, et une fois vide, Druss se leva lourdement. Il tenta de remettre son heaume, mais il lui glissa des doigts et roula par terre. Il se pencha pour le ramasser et se cogna le front contre le coin de la table. La serveuse se précipita.

— Laissez-moi vous aider, monsieur, dit-elle en ramassant le heaume pour le lui placer sur la tête.

— Merci, fit-il, lentement.

Il farfouilla dans sa bourse et lui donna une pièce d'argent.

— Pour… votre… gentillesse, lui dit-il, articulant les mots avec soin.

— J'ai une petite chambre à l'arrière de la taverne, monsieur. La deuxième porte après l'étable. Elle n'est pas fermée ; si vous voulez, vous pouvez y dormir un peu.

Il prit sa hache, mais elle tomba également ; les lames se plantèrent dans les lattes du plancher.

— Allez dormir, monsieur. Je vous amènerai votre… arme, plus tard.

Il acquiesça et tituba jusqu'à la porte.

*   *   *

Druss ouvrit la porte et fit un pas dans la rue ; le soleil se couchait et son estomac était sur le point de se retourner. Quelqu'un sur sa gauche lui parla ; c'était une question. Druss essaya de faire demi-tour, mais il trébucha et s'écroula sur l'homme. Ils heurtèrent le mur. Il essaya de se redresser en s'appuyant sur l'épaule de l'homme. Dans les brumes de son esprit, il entendit des gens courir. L'un d'eux poussa un cri. Druss tangua en arrière et vit une longue dague tomber devant lui, sur le sol. Son propriétaire était debout à côté de lui, le bras tendu de façon anormale. Druss cligna des yeux. Le poignet de l'homme était cloué à la porte de la taverne par une dague de lancer.

Il entendit un bruit d'épées qu'on dégainait.

— Défends-toi, espèce d'abruti ! fit une voix.

Un homme courut vers lui, une épée à la main, et Druss avança au contact. Il para la lame avec son avant-bras gauche et balança un crochet du droit sous le menton de l'assaillant. L'homme tomba à la renverse. Druss se retourna pour affronter le deuxième assaillant, mais il perdit l'équilibre et s'écroula pesamment. Troublé dans son attaque, l'homme manqua tomber lui aussi. Druss en profita pour lui faucher les talons d'un coup de pied, ce qui l'expédia au sol. Druss fit une roulade et l'attrapa par les cheveux, l'attirant au corps à corps, et lui administra un coup de tête qui lui fracassa le nez. L'homme s'affaissa, inconscient. Druss le lâcha.

Une silhouette s'avança vers lui, et Druss reconnut le jeune et beau poète.

— Par les dieux, tu sens la piquette à plein nez, déclara Sieben.

— Qui... êtes-vous ? marmonna Druss, qui essayait de se concentrer sur l'homme cloué à la porte.

— Des mécréants, répondit Sieben en s'approchant de l'homme pour récupérer son couteau.

Celui-ci hurla de douleur, mais Sieben l'ignora et retourna dans la rue.

— Tu ferais mieux de venir avec moi, mon vieux.

Druss ne se souvint pas du chemin qu'il parcourut dans la ville, seulement qu'il s'arrêta deux fois pour vomir, et que sa tête lui faisait horriblement mal.

Il se réveilla à minuit et se retrouva allongé sous un porche, à la belle étoile. Il y avait un seau à côté de lui. Il se redressa... et grogna, car il avait l'impression qu'on lui martelait la tête. C'était comme si on lui avait mis un étau de fer autour du front. Il entendit du bruit dans la maison, se leva et alla jusqu'à la porte. Puis, il s'arrêta. Les sons étaient reconnaissables entre mille.

— Oh, Sieben... Oh... Oh... !

Druss jura et retourna s'asseoir à l'autre bout du porche. Une rafale de vent toucha son visage, apportant une odeur désagréable. Il baissa les yeux. Son gilet était couvert de vomi, et il puait la sueur accumulée depuis le voyage. Il y avait un puits sur sa gauche. Il se releva avec peine et s'y rendit. Lentement, il souleva le seau. Quelque part, au plus profond de sa tête, un démon lui frappait le crâne au fer rouge. Il ignora la douleur et se mit torse nu. Puis, il se lava à l'eau froide.

Il entendit la porte s'ouvrir et se retourna pour voir une jeune fille aux cheveux bruns sortir de la maison. Elle le regarda, lui sourit et s'enfuit en courant dans les rues. Druss se versa le reste du seau sur la tête.

— Au risque de t'offenser, lança Sieben du pas de la porte, tu aurais besoin d'un coup de savon. Rentre donc. Il y a un feu dans l'âtre et j'ai fait chauffer de l'eau. Bon sang, ce qu'il fait froid dehors !

Druss ramassa ses affaires et suivit le poète à l'intérieur. La maison était petite ; elle ne comprenait que trois pièces et pas d'étage – une cuisine avec une cuisinière en fer, une chambre à coucher, et une salle à manger carrée, avec un foyer en pierre où brûlait un feu. Il s'y trouvait une table et quatre chaises en bois, et de chaque côté de l'âtre, un fauteuil en cuir confortable bourré de crins de chevaux.

Sieben l'amena aux toilettes où il remplit une bassine d'eau chaude. Il tendit un morceau de savon à Druss et une serviette. Puis, il ouvrit un placard et en sortit une assiette de viande de bœuf et une miche de pain.

— Viens manger dès que tu seras prêt, dit le poète en repartant dans la salle à manger.

Druss se frotta avec le savon, qui sentait la lavande, puis il nettoya son gilet et s'habilla. Il trouva le poète assis jambes tendues à côté du feu, un gobelet de vin à la main. Il passait son autre main dans ses cheveux longs, les ramenant en arrière. Il les maintint en place et passa autour de sa tête un bandeau de cuir noir au centre duquel brillait une opale. Le poète leva un petit miroir et se contempla.

— Ah, quelle malédiction d'être aussi beau, dit-il en reposant le miroir. Un petit verre ?

Druss eut un haut-le-cœur et secoua la tête.

— Mange, mon grand ami. Tu vas avoir l'impression que ton estomac se révolte, mais c'est pour le mieux. Crois-moi.

Druss arracha un morceau de pain et s'assit en mâchonnant doucement. Ça avait le goût de cendres et de bile, mais il l'avala vaillamment. Le poète avait raison. Son estomac se calmait. Le bœuf salé passa moins bien, et il dut l'accompagner d'un grand verre d'eau fraîche. Rapidement, il sentit ses forces revenir.

— J'ai trop bu, dit-il.

— Non, vraiment ? Deux litres, à ce qu'on m'a dit.

— Je ne me souviens pas bien. Il y a eu une bagarre.

— Pas vraiment, selon tes critères.

— Qui étaient-ce ?

— Certains des pillards que tu as attaqués.

— J'aurais dû les tuer.

— Peut-être – mais dans l'état où tu étais, tu devrais t'estimer heureux d'être en vie.

Druss remplit une coupe en grès avec de l'eau et la but.

— Tu m'as aidé, ça je m'en souviens. Pourquoi ?

— Un coup de tête. Il ne faut pas que cela te préoccupe. Et maintenant, si tu me racontais à nouveau ce qui s'est passé avec ta femme et les pillards ?

— Pour quoi faire ? C'est du passé. Tout ce qui m'intéresse, c'est de retrouver Rowena.

— Mais tu vas avoir besoin de mon aide – autrement, Shadak ne t'aurait jamais envoyé à moi. Et j'aime connaître le genre d'homme avec lequel je voyage. Tu comprends ? Alors raconte-moi.

— Il n'y a pas grand-chose à dire. Les pillards…

— Combien ?

— Quarante, à peu près. Ils ont attaqué notre village, tué tous les hommes, les femmes âgées et les enfants. Ils ont capturé les jeunes femmes. J'étais dans la forêt, en train de couper du bois. Des tueurs sont arrivés et je les ai tués. Puis, j'ai rencontré Shadak, qui les poursuivait également ; ils venaient d'attaquer une ville et avaient tué son fils. Nous avons libéré les femmes. Shadak a été capturé. J'ai fait paniquer leurs chevaux et attaqué le camp. Voilà.

Sieben secoua la tête et sourit.

— Je crois que tu pourrais raconter toute l'histoire de Drenaï en moins de temps qu'il ne faut pour faire cuire un œuf. Tu n'es pas un conteur, mon ami – ce qui est tout aussi bien, puisque c'est ma principale source de revenus et que je déteste la concurrence.

Druss se frotta les yeux et se renfonça dans sa chaise, reposant sa tête sur le coussin en cuir en haut du dossier. La chaleur du feu était agréable, et jamais il n'avait ressenti une telle fatigue. Les jours passés à traquer les pillards faisaient effet maintenant. Il se sentit flotter sur une mer chaude. Le poète lui parlait, mais ses mots ne l'atteignirent pas.

* * *

Druss se réveilla à l'aube. Il ne restait plus que quelques braises dans l'âtre. La maison était déserte. Druss bâilla et s'étira, puis se rendit jusqu'à la cuisine où il mangea du pain rassis et un morceau de fromage. Il buvait de l'eau lorsqu'il entendit la porte d'entrée grincer. Il sortit de la cuisine, vit Sieben en compagnie d'une jeune fille blonde. Le poète portait sa hache et ses gantelets.

— Une visite pour toi, mon vieux, dit Sieben en posant la hache dans l'entrée et lançant les gantelets sur une chaise.

Le poète sourit et repartit dehors se mettre au soleil.

La femme blonde s'approcha de Druss et lui sourit timidement.

— Je ne savais pas où vous étiez, mais j'ai gardé votre hache.

— Merci. Vous travaillez à l'auberge, n'est-ce pas ?

Elle était vêtue d'une robe en laine de mauvaise qualité qui avait dû être bleue dans le temps, mais qui maintenant était gris pâle. Elle avait un physique accorte, un visage tendre et joli à la fois, et des yeux marron chaleureux.

— Oui. Nous avons parlé hier, dit-elle en prenant place sur une chaise, les mains sur les genoux. Vous aviez l'air… très triste.

— Je… vais mieux, maintenant, lui répondit-il gentiment.

— Sieben m'a dit que votre femme avait été capturée par des esclavagistes.

— Je la retrouverai.

— Quand j'avais seize ans, des pillards ont attaqué mon village. Ils ont tué mon père et blessé mon mari. J'ai été faite prisonnière ainsi que sept autres filles, et nous avons été vendues à Mashrapur. J'y suis restée deux ans. Une nuit, je me suis échappée avec une autre fille, et nous nous sommes enfuies dans la nature. Elle y est morte, tuée par un ours, mais moi j'ai été recueillie par une troupe de pèlerins en chemin pour la Lentria. J'étais sur le point de mourir de faim. Ils m'ont aidée, et j'ai pu rentrer chez moi.

— Pourquoi me racontez-vous ça ? demanda Druss doucement, lisant la tristesse dans ses yeux.

— Mon époux s'était remarié. Et mon frère, Lorix, qui avait perdu un bras pendant la razzia, m'a dit que je n'étais plus la bienvenue. Il a dit que j'étais une femme *perdue*, et que si j'avais encore un tant soit peu de fierté, je m'ôterais la vie. Alors, je suis partie.

Druss lui prit la main.

— Votre mari était une grosse merde, et votre frère aussi. Mais une fois encore, pourquoi me dites-vous ça ?

— Quand Sieben m'a dit que vous étiez à la recherche de votre femme… tout cela m'est revenu en mémoire. Je rêvais que Karsk venait me libérer. Mais, vous savez, un esclave n'a aucun droit à Mashrapur. Ce que les seigneurs désirent, ils l'obtiennent. On ne peut rien leur refuser. Quand vous trouverez votre… dame… il se peut qu'on se soit servi d'elle. (Elle se tut et regarda ses mains.) Je ne sais pas trop comment vous dire cela… Quand j'étais une esclave, on m'a battue, humiliée. J'ai été violée, on m'a fait subir des sévices. Mais rien de tout cela ne fut pire que la façon dont mon mari m'a regardée quand je suis revenue, ou le dégoût dans la voix de mes frères quand ils m'ont bannie.

Lui tenant toujours la main, Druss se pencha vers elle.

— Comment t'appelles-tu ?

— Sashan.

— Si j'avais été ton mari, Sashan, je t'aurais suivie au bout du monde. Je t'aurais retrouvée. Et je t'aurais prise dans mes bras et ramenée à la maison. Tout comme je ramènerai Rowena.

— Vous ne la jugerez pas ?

Il sourit.

— Non, pas plus que je ne te juge, si ce n'est que tu es une femme courageuse que n'importe quel homme – homme véritable – serait fier d'avoir à ses côtés.

Elle rougit et se leva.

— Si les chevaux étaient des souhaits, les mendiants cavaleraient, dit-elle.

Puis elle se retourna et passa la porte. Elle regarda par-dessus son épaule, mais ne dit rien ; elle était partie.

Sieben entra.

— De belles paroles, mon vieux. De très belles paroles. Tu sais, malgré tes mauvaises manières et ton manque de conversation, je crois que je t'aime bien. Allez, en route, allons à Mashrapur retrouver ta dame.

Druss examina le jeune homme maigre. Il était peut-être un peu plus grand que lui de quelques centimètres, ses habits étaient faits dans les meilleurs tissus, ses cheveux longs coupés par un barbier et attachés, pas taillés au couteau ni au bol. Druss le détailla des pieds à la tête et s'arrêta sur ses mains ; la peau était douce, comme celle d'un enfant. Seuls le baudrier et les couteaux indiquaient que Sieben était un combattant.

— Eh bien ? Ai-je passé l'inspection, mon vieux ?

— Mon père m'a dit un jour que le hasard forme des couples bizarres, dit Druss.

— Considère le problème sous mon angle, répondit Sieben. Tu vas voyager en compagnie d'un homme versé en littérature, en poésie ; un conteur sans égal. Alors que moi, je vais devoir chevaucher au côté d'un paysan au gilet couvert de vomi.

Au grand étonnement de Druss, il ne sentit pas monter la colère en lui, ni une envie soudaine de frapper. Il se retrouva à rire, et la tension l'abandonna.

— Je t'aime bien, petit homme, dit-il.

* * *

À la fin du premier jour, ils avaient laissé les montagnes derrière eux et chevauchaient à travers des vallées, des vallons et des plaines verdoyantes parsemées de collines et de cours d'eau. Ils croisèrent beaucoup de hameaux et de villages sur la route ; des maisons de pierre blanchie, et des toitures en bois et en ardoise.

Sieben chevauchait avec élégance, le dos droit et souple sur sa selle. Les rayons du soleil se reflétaient sur sa tunique de soie bleue et sur les revers argentés de ses bottes d'équitation. Ses longs cheveux blonds étaient attachés en queue de cheval, et il arborait sur le front un bandeau d'argent.

— Combien as-tu de bandeaux ? demanda Druss lorsqu'ils se mirent en route.

— Trop peu. Mais ils sont jolis, non ? Celui-ci, je l'ai trouvé à Drenan l'an dernier. J'ai toujours eu un faible pour l'argent.

— Tu as l'air d'un bellâtre.

— Tout ce dont j'avais besoin ce matin, fit Sieben en souriant : un cours d'élégance vestimentaire par un homme dont les cheveux ont apparemment été coupés avec une scie rouillée, et dont la seule chemise est couverte de taches de vin et… non, ne me dis pas ce que sont les autres taches.

Druss baissa les yeux.

— Du sang séché. Mais ce n'est pas le mien.

— Quel soulagement. Je pense que je dormirai mieux ce soir, maintenant que je le sais.

Pendant la première heure du voyage, le poète essaya de donner des conseils pratiques au jeune guerrier.

— N'agrippe pas le cheval avec tes genoux, seulement tes cuisses. Et tiens-toi droit.

Mais finalement il abandonna.

— Tu sais, Druss, mon cher, certains hommes sont faits pour l'équitation. Mais toi, ce n'est pas ton truc. J'ai vu des sacs de carottes qui avaient plus de grâce que toi.

La réponse du jeune homme fut courte et brutalement obscène. Sieben gloussa et leva les yeux vers le ciel sans nuage, d'un bleu magnifique.

— Quelle belle journée pour partir à la recherche d'une princesse en détresse, dit-il.

— Ce n'est pas une princesse.

— Toutes les femmes enlevées sont des princesses, lui expliqua Sieben. Tu n'as jamais écouté les contes ? Les héros sont grands, ils ont les cheveux blonds, et sont merveilleusement beaux. Les princesses sont sages et belles ; elles passent leur vie à attendre le prince charmant qui les libérera. Par les dieux, Druss, personne ne voudrait écouter d'histoire vraie. Tu imagines un peu ? Le jeune héros incapable de partir à la recherche de sa bien-aimée parce qu'il a un furoncle mal placé qui l'empêche de monter à cheval ?

Sieben émit une cascade de rires.

Bien que naturellement sombre, Druss sourit et Sieben enchaîna.

— Tu comprends, c'est le côté romantique de la chose. Dans les histoires, les femmes sont soit des déesses, soit des putains. La princesse, une belle vierge, appartient à la première catégorie. Le héros aussi doit être pur ; il se réserve pour le moment où le destin le jettera dans les bras d'une princesse virginale. C'est d'un charme suranné – et un peu ridicule, bien sûr. L'acte d'amour, comme jouer de la lyre, requiert énormément de pratique. Heureusement, les histoires s'arrêtent toujours avant que les jeunes couples ne trouvent maladroitement leur chemin vers leur premier accouplement.

— Tu parles comme un homme qui n'a jamais été amoureux, fit remarquer Druss.

— Ne dis pas n'importe quoi. J'ai été amoureux des dizaines de fois, cracha le poète.

Druss secoua la tête.

— Si c'était le cas, tu saurais à quel point… l'aspect *maladroit* peut être beau. Encore combien de temps avant d'atteindre Mashrapur ?

— Deux jours. Mais les marchés aux esclaves se tiennent toujours durant Missael ou Manien, donc nous avons le temps. Parle-moi d'elle.

— Non.

— Non ? Tu n'aimes pas parler de ta femme ?

— Pas aux étrangers. As-tu déjà été marié ?

— Non – et je n'en ai jamais eu l'envie. Regarde autour de toi, Druss. Tu vois toutes ces fleurs à flanc de collines ? Pourquoi un homme devrait-il se restreindre à une seule fleur ? Un seul parfum ? J'avais un cheval, Shadira, une bête magnifique, plus rapide que le vent du nord. Elle pouvait sauter par-dessus un obstacle à quatre barres, sans élan. J'avais dix ans quand mon père me l'a donnée, et Shadira en avait quinze. Mais lorsque j'ai eu vingt ans, Shadira ne pouvait plus courir aussi vite, et elle ne sautait plus du tout. Alors j'ai acheté un nouveau cheval. Est-ce que tu comprends ce que je veux dire ?

— Pas un traître mot, grogna Druss. Les femmes ne sont pas des chevaux.

— C'est vrai, admit Sieben. La plupart des chevaux, on a envie de les monter plus d'une fois.

Druss secoua la tête.

— Je ne sais pas ce que tu entends par aimer. Et je ne veux pas savoir.

La piste remontait vers le sud, et les collines se faisaient plus douces alors qu'au loin, derrière eux, les montagnes disparaissaient. Au-devant d'eux, sur la route, un vieil homme approchait. Il portait une robe d'un bleu passé, et s'aidait d'un long bâton pour avancer. Lorsqu'ils furent à portée, Sieben s'aperçut que le vieil homme était aveugle. Celui-ci s'arrêta à leur hauteur.

— Pouvons-nous vous aider, l'ancien ? demanda Sieben.

— Je n'ai pas besoin d'aide, répondit l'homme, d'une voix étonnamment forte et résonnante. Je suis en route pour Drenan.

— Cela risque d'être long, à pied, objecta Sieben.

— Je ne suis pas pressé. Mais si vous avez à manger, et que vous voulez bien divertir un invité pour le déjeuner, je serai ravi de me joindre à vous.

— Pourquoi pas ? fit Sieben. Il y a un ruisseau pas très loin sur votre droite ; nous vous y attendrons.

Sieben indiqua la route à sa monture qui trotta dans l'herbe. Puis, il sauta de selle en souplesse et passa les rênes par-dessus la tête de son cheval. Druss le rejoignit et descendit à son tour.

— Pourquoi l'as-tu invité à se joindre à nous ?

Sieben regarda au loin. Le vieil homme était hors de portée, et avançait lentement à leur rencontre.

— C'est un voyant, Druss. Un mystique. Tu n'as jamais entendu parler d'eux ?

— Non.

— Les prêtres de la Source qui se crèvent les yeux pour accroître leurs pouvoirs prophétiques. Certains d'entre eux sont extraordinaires. Cela vaut bien un peu d'avoine.

Rapidement, le poète prépara un feu sur lequel il plaça une casserole en cuivre remplie à moitié d'eau. Il y ajouta de l'avoine et du sel. Le vieil homme s'assit, jambes croisées, non loin de là. Druss retira son heaume et son gilet, puis s'allongea dans l'herbe pour profiter du soleil. Quand la bouillie d'avoine fut prête, Sieben remplit une assiette qu'il tendit au prêtre.

— Avez-vous du sucre ? demanda le voyant.

— Non, mais nous avons un peu de miel. Je vais le chercher.

Une fois que le repas fut terminé, le vieil homme avança à tâtons jusqu'au ruisseau et lava son assiette, qu'il rendit à Sieben.

— À présent, voulez-vous connaître le futur ? demanda le prêtre avec un sourire tordu.

— Voilà qui serait plaisant, répondit Sieben.

— Pas forcément. Voulez-vous connaître le jour de votre mort ?

— Je vois ce que vous voulez dire, vieil homme. Parlez-moi plutôt de la prochaine beauté qui partagera mon lit.

Le vieil homme gloussa.

— Un talent immense, pourtant les hommes n'en demandent qu'un échantillon infinitésimal. Je pourrais te parler de tes fils, des moments de péril que tu vivras. Mais non, tu veux que je te parle de choses inconséquentes. Très bien. Donne-moi ta main.

Sieben s'assit en face de l'homme et lui tendit sa main. Le vieil homme la saisit et resta silencieux quelques minutes. Finalement, il soupira.

— J'ai parcouru les chemins de ton futur, Sieben le Poète, Sieben le Maître des Sagas. La route est longue. La prochaine femme ? Une prostituée à Mashrapur, qui te demandera sept sous d'argent. Et tu paieras.

Il relâcha la main de Sieben et posa son regard vide sur Druss.

— Veux-tu connaître ton futur ?

— Je forgerai mon propre futur, répondit Druss.

— Ah, un homme de caractère et indépendant. Viens. Laisse-moi au moins regarder, par curiosité personnelle, ce que demain te réserve.

— Vas-y, le supplia Sieben. Donne-lui ta main.

Druss se leva et alla jusqu'au vieillard. Il s'accroupit devant lui et tendit sa main. Les doigts du prêtre se refermèrent autour des siens.

— Une grande main, dit-il. Fort… très fort.

Puis tout d'un coup, il grimaça, et son corps se raidit.

— Es-tu si jeune, Druss la Légende ? As-tu déjà tenu la passe ?

— Quelle passe ?

— Quel âge as-tu ?

— Dix-sept ans.

— Bien sûr. Dix-sept ans. Et tu cherches Rowena. Oui… Mashrapur. Je vois mieux, maintenant. Pas encore Marche-Mort, le Tueur d'Argent, le Capitaine à la Hache. Mais déjà puissant. (Il relâcha sa prise et soupira.) Tu as raison, Druss, tu forgeras ton propre futur ; tu n'as pas besoin que je te dise quoi que ce soit. (Le vieil homme se leva et empoigna son bâton.) Je vous remercie pour votre hospitalité.

Sieben se leva à son tour.

— Dites-nous au moins ce qui nous attend à Mashrapur, dit-il.

— Une prostituée et sept sous d'argent, répondit le prêtre avec un sourire sec.

Puis il tourna ses yeux morts vers Druss.

— Sois fort, guerrier. La route est longue, et il y a des légendes à bâtir. Mais la Mort attend, et elle est patiente. Tu la verras quand tu seras derrière les portes, la quatrième année du Léopard.

Et lentement, il s'en alla.

— Incroyable, souffla Sieben.

— Quoi ? répondit Druss. J'aurais pu te prédire que ta prochaine femme serait une prostituée.

— Il connaissait nos noms, Druss ; il savait tout. Bon, quand tombe la quatrième année du Léopard ?

— Il ne nous a rien dit. Continuons la route.

— Comment peux-tu dire qu'il n'a rien dit ? Il t'a appelé Druss la Légende. Quelle Légende ? Comment vas-tu la bâtir ?

L'ignorant totalement, Druss alla jusqu'à son cheval et grimpa en selle.

— Je n'aime pas les chevaux, dit-il. Dès que nous arriverons à Mashrapur, je le vendrai. Rowena et moi rentrerons à pied.

Sieben scruta les yeux pâles du jeune homme.

— Cela ne t'a rien fait, pas vrai ? Je parle de sa prophétie.

— Ce n'étaient que des mots, poète. Des bruits dans l'air. Allons-y.

Un peu plus tard, Sieben prit la parole.

— L'Année du Léopard tombe dans quarante-trois ans. Par les dieux, Druss, tu vas vivre vieux. Mais je me demande où se trouvent ces portes.

Druss ne l'écouta pas et continua sa route.

Chapitre 5

Bodasen se faufila à travers la foule qui s'agglutinait sur les docks. Il dépassa les femmes vêtues de manière criarde et bariolée aux sourires hypocrites, les marchands qui beuglaient leurs bonnes affaires, les mendiants aux membres difformes et aux yeux larmoyants. Bodasen détestait Mashrapur et répugnait à l'odeur de cette masse grouillante qui se réunissait dans l'espoir de richesses immédiates. Les rues étaient étroites et jonchées de détritus. Les maisons étaient plutôt hautes – trois, quatre ou cinq étages – reliées les unes aux autres par des ruelles, des tunnels et des allées sombres où les voleurs pouvaient plonger leurs dagues dans le dos de victimes insouciantes et s'enfuir dans un dédale de petites rues avant que le guet ne puisse les appréhender.

Quelle ville, pensait Bodasen. *C'est un endroit crasseux aux femmes peinturlurées, un paradis pour les voleurs, les trafiquants, les esclavagistes et les renégats.*

Une femme s'approcha de lui.

— Tu as l'air bien seul, mon chéri, dit-elle avec un sourire fait de dents en or.

Il la toisa de haut et son sourire disparut. Elle recula vivement et Bodasen continua son chemin.

Il arriva finalement dans une ruelle et s'arrêta un instant pour rabattre le capuchon de son manteau noir sur ses épaules. La poignée de son sabre brilla dans le soleil couchant. Bodasen reprit sa route, et repéra trois hommes dans l'ombre. Il sentit leurs yeux se poser sur lui et les observa d'un air de défi ; ils détournèrent le regard, et il continua d'avancer dans la ruelle, jusqu'à déboucher sur une petite place avec une fontaine au centre. Elle avait été construite autour d'une statue de bronze représentant un petit garçon sur un dauphin. Plusieurs prostituées papotaient ensemble, assises sur le bord de la fontaine. Elle l'aperçurent et aussitôt changèrent de posture. Elles rejetèrent leurs têtes en arrière, pour mieux montrer leurs seins, affectant leur sourire habituel. Il les ignora et continua. Il n'avait pas parcouru dix mètres qu'elles avaient repris leur conversation.

L'auberge était quasiment déserte. Il y avait un vieil homme assis au bar qui biberonnait une chope de bière, deux serveuses qui nettoyaient les tables, pendant qu'une troisième préparait le feu dans l'âtre en pierre. Bodasen s'installa à une table près d'une fenêtre et s'assit face à la porte. Une serveuse s'approcha.

— Bonsoir, mon seigneur. Désirez-vous souper comme d'habitude ?

— Non. Apporte-moi un gobelet de bon vin rouge, et une carafe d'eau bien fraîche.

— Oui, mon seigneur.

Elle fit une jolie courbette et s'en alla. Cet accueil calmait son irritation. Il y en avait au moins certains, dans cette saleté de ville, qui reconnaissaient la noblesse en la voyant. Le vin était passable, moins de quatre ans d'âge et un peu rude au palais ; Bodasen le but avec modération.

La porte de l'auberge s'ouvrit et deux hommes entrèrent. Bodasen s'enfonça dans sa chaise et les regarda s'approcher. Le premier était un beau jeune homme, grand et large d'épaules ; il portait une cape pourpre sur une tunique rouge, et avait un sabre ceint à la taille. Le deuxième était un grand lutteur chauve, solidement musclé et d'apparence sombre.

Le premier s'assit en face de Bodasen, tandis que le second restait debout, à côté de la table.

— Où est Harib Ka ? demanda Bodasen.

— Votre compatriote ne sera pas des nôtres, répondit Collan.

— Il a dit qu'il viendrait ; c'est la raison pour laquelle j'ai accepté cette entrevue. Collan haussa les épaules.

— Il avait un rendez-vous urgent ailleurs.

— Il ne m'en a pas parlé.

— Ce n'était pas prévu. Mais vous voulez faire affaires, ou pas ?

— Je ne fais pas d'affaires, Collan. Je cherche à négocier un traité avec les… partisans du libre-échange de la mer Ventrianne. J'avais cru comprendre que vous aviez… comment dire, des contacts parmi eux ?

Collan gloussa.

— Intéressant. Vous n'êtes toujours pas résolu à employer le terme de *pirates*, hein ? Évidemment, ce serait trop demander à un noble ventrian. Eh bien, étudions la situation. La flotte ventrianne a été soit dispersée, soit coulée.

Votre infanterie a été balayée, et votre empereur tué. Votre seul espoir réside chez les pirates ; il n'y a plus qu'eux pour empêcher les armées de Naashan de marcher sur votre capitale. Je me trompe quelque part ?

Bodasen se racla la gorge.

— L'Empire cherche des amis. Les négociants sont en position de nous aider dans notre lutte face aux forces du mal. Nous traitons toujours nos amis avec générosité.

— Je vois, fit Collan, une lueur de malice dans les yeux. Maintenant, nous luttons contre les forces du mal, c'est ça ? Et moi qui croyais que Naashan et Ventria n'étaient que deux empires en guerre. Que j'étais naïf. Néanmoins, vous avez parlé de générosité. Jusqu'où va la générosité du prince ?

— L'*empereur* est réputé pour sa largesse.

Collan sourit.

— Empereur à dix-neuf ans – c'est une prise de pouvoir rapide. Mais il a déjà perdu onze cités face à l'envahisseur, et son trésor s'en trouve fortement réduit. Pourra-t-il trouver deux cent mille raqs d'or ?

— Deux… vous n'êtes pas sérieux ?

— Les négociants ont cinquante vaisseaux de guerre. Avec eux, vous pourriez protéger la côte et empêcher toute invasion par voie maritime ; nous pourrions également escorter les convois qui transportent la soie ventrianne chez les Drenaïs, les Lentrians et n'importe qui d'autre. Sans nous, vous êtes perdus, Bodasen. Deux cent mille est un prix modeste.

— Je ne suis pas autorisé à offrir plus de cinquante. Point final.

— Les Naashanites nous ont offert cent mille.

Bodasen se tut ; il avait la bouche sèche.

— Peut-être pourrions-nous payer la différence en soie et autres marchandises ? proposa-t-il finalement.

— De l'or, répondit Collan. C'est tout ce qui nous intéresse. Nous ne sommes pas des marchands.

Non, pensa amèrement Bodasen, *vous êtes des tueurs et des voleurs, et mon âme se consume d'être assis dans la même pièce que quelqu'un de ton espèce.*

— Je vais devoir demander conseil à notre ambassadeur, dit-il. Il pourra faire passer votre requête à l'empereur. J'aurais besoin de cinq jours.

— Voilà qui est plaisant, fit Collan en se levant. Vous savez où me trouver ?

Sous une pierre, pensa Bodasen, *avec les limaces et la vermine.*

— Oui, dit-il doucement. Je sais où vous trouver. Dites-moi, quand Harib Ka doit-il rentrer ?

— Il ne rentrera pas.

— Où avait-il donc rendez-vous ?

— En enfer, répondit Collan.

— Il faut que tu sois patient, déclara Sieben, comme Druss tournait en rond dans la petite chambre du premier étage de l'auberge de *l'Arbre en Os*.

Le poète était allongé de toute sa longueur sur l'un des deux lits étroits. Druss marcha jusqu'à la fenêtre et regarda, en direction des docks, la mer derrière le port.

— Patient ? gronda le guerrier. Elle est ici, quelque part, peut-être tout près.

— Et nous allons la trouver, promit Sieben, mais cela va prendre un peu de temps. D'abord, il y a les marchands d'esclaves établis. Ce soir, j'irai faire un tour et je trouverai bien où Collan l'a placée. Alors, nous pourrons penser à la libérer.

Druss se retourna brusquement.

— Et pourquoi n'irions-nous pas directement à l'auberge de l'*Ours blanc* pour trouver Collan ? Il saura, lui.

— J'en suis sûr, mon vieux.

Sieben retira ses jambes du lit et se leva.

— Et il aura avec lui un grand nombre de coquins prêts à nous poignarder dans le dos. Et parmi eux, il y aura Borcha. Essaie de te représenter un homme qui semble avoir été taillé dans le granit, avec des muscles à côté desquels les tiens sont ridicules. Borcha est un tueur. Il a battu des hommes à mort dans des pugilats, et même brisé des cous, dans des tournois de lutte ; il n'a pas besoin d'arme. Je l'ai vu écraser des gobelets en étain d'une seule main, et même lever un tonneau de bière au-dessus de sa tête. Et ça, ce n'est qu'un des hommes de Collan.

— Tu as peur, poète ?

— Évidemment que j'ai peur, espèce de jeune crétin ! La peur est sensée. Ne fais jamais l'erreur de la confondre avec la lâcheté. Et il serait insensé d'aller s'en prendre à Collan ; il est connu ici et a des amis très haut placés. Si tu l'attaques, tu seras arrêté, jugé et condamné. Et il n'y aura plus personne pour sauver Rowena.

Druss s'affala, les coudes sur la table déformée.

— Je déteste rester assis à ne rien faire, dit-il.

— Eh bien, faisons un petit tour en ville, proposa Sieben. Nous pourrons peut-être glaner des informations. Combien as-tu tiré de ton cheval ?

— Vingt pièces d'argent.

— C'était presque sa valeur. Tu t'en es bien sorti. Viens, je vais te montrer la ville.

Druss se leva et prit sa hache.

— Je ne crois pas que tu en auras besoin, lui dit Sieben. Porter une épée ou une dague est une chose, mais le guet n'appréciera pas de voir ce genre de monstruosité. Dans la foule, tu risques de couper le bras de quelqu'un par accident. Tiens, je vais te prêter un de mes couteaux.

— Je n'en aurai pas besoin, répondit Druss, en déposant sa hache sur la table avant de sortir à grands pas de la chambre.

Ils descendirent tous les deux dans la grand-salle de l'auberge, et poussèrent la porte d'entrée qui donnait dans la ruelle.

Druss renifla bruyamment.

— Cette ville pue, déclara-t-il.

— La plupart puent – du moins dans les quartiers pauvres. Pas d'égouts. On jette les ordures par les fenêtres. Alors fais attention où tu mets les pieds.

Ils partirent en direction des docks, où l'on déchargeait plusieurs navires. C'étaient des cargaisons de soie venues de Ventria, Naashan et autres nations orientales, des herbes et des épices, des fruits secs et des barriques de vin. Les docks fourmillaient d'activité.

— Je n'ai jamais vu autant de gens dans un même endroit.

— Et ce n'est pas encore très animé, fit remarquer Sieben.

Ils déambulèrent le long des murailles du port, passèrent devant des temples et de grands bâtiments municipaux. Puis ils traversèrent un petit parc avec une fontaine, en empruntant une allée bordée de statues. De jeunes couples marchaient la main dans la main. À gauche, un orateur haranguait une petite foule. Il parlait de l'indispensable égoïsme qu'était la recherche de l'altruisme. Sieben s'arrêta quelques minutes pour l'écouter et repartit.

— C'était intéressant, tu ne trouves pas ? demanda-t-il à son compagnon. Il suggérait qu'au bout du compte, les bonnes actions sont un acte égoïste, puisque les gens qui les accomplissent se sentent mieux après. Par conséquent, ils ne sont pas généreux, mais n'ont agi que pour se faire plaisir.

Druss secoua la tête et lança un regard noir au poète.

— Sa mère aurait dû lui apprendre qu'on ne pète pas avec la bouche.

— Dois-je comprendre que c'est ta manière subtile de m'expliquer que tu n'es pas d'accord avec lui ? rétorqua hargneusement Sieben.

— Cet homme est un idiot.

— Comment vas-tu me prouver ça ?

— Je n'ai pas besoin de te le prouver. Si un homme me sert une assiette de bouse, je n'ai pas besoin d'en goûter pour savoir que ce n'est pas de la viande.

— Explique-toi, insista Sieben. Fais-moi part de cette philosophie de campagne tant vantée.

— Non, répondit Druss en continuant comme si de rien n'était.

— Mais pourquoi ? demanda Sieben en sautillant à côté de lui.

— Je ne suis qu'un bûcheron. Je connais les arbres. Une fois, j'ai travaillé dans un verger. Tu savais qu'on pouvait prendre une pousse de n'importe quelle variété d'arbre et la greffer sur un pommier ? Un arbre peut avoir une vingtaine de variétés. C'est la même chose pour les poires. Mon père m'a toujours dit que c'était pareil avec les hommes et le savoir. On peut toujours en greffer, mais cela doit aller de pair avec le cœur. Tu ne peux pas greffer un pommier avec un poirier. C'est une perte de temps – et je n'aime pas perdre mon temps.

— Tu as cru que je n'avais pas compris tes propos ? demanda Sieben avec un sourire moqueur.

— Il y a des choses que tu sais, et d'autres que tu ne sais pas. Et je ne peux pas te greffer ce savoir. Dans les montagnes, j'ai vu des fermiers planter des rangées d'arbres au milieu des champs ; comme ça, le vent n'emporterait pas les couches arables. Mais il faut une centaine d'années à un arbre pour faire paravent. Donc, ces fermiers travaillaient pour le futur, pour des gens qu'ils ne connaîtraient même pas. Ils l'ont fait simplement parce que c'était la chose à faire – et pas un d'entre eux ne serait capable de débattre avec ce moulin à paroles prétentieux qu'on vient de voir. Ni avec toi. Mais il n'est pas nécessaire qu'ils le fassent.

— Ce moulin à paroles prétentieux est le premier ministre de Mashrapur, un politicien brillant et un poète réputé. Je suis sûr qu'il serait mortellement humilié d'apprendre qu'un jeune paysan inculte n'est pas d'accord avec sa philosophie.

— Il suffit de ne pas lui dire, répondit Druss. On n'a qu'à le laisser là, servir ses assiettes de bouse à des gens qui croient *dur comme fer* que c'est de la viande. Et maintenant, poète, j'ai soif. Est-ce que tu connais une bonne taverne ?

— Cela dépend de ce que tu cherches. Les tavernes sur les docks sont plutôt sommaires, et généralement remplies de prostituées et de voleurs. Si l'on marche encore un petit kilomètre, nous arriverons dans un quartier un peu plus civilisé où nous pourrons boire tranquillement.

— Et là ? demanda Druss en désignant une série de bâtiments sur les quais.

— Ton jugement est infaillible, Druss. Ce sont les quais est, que les habitants du coin appellent la Promenade des Voleurs. Tous les soirs, il y a une dizaine de bagarres – et de meurtres. Personne de qualité n'irait là – c'est donc l'endroit idéal pour toi. Vas-y. Je vais aller rendre visite à de vieux amis qui auront peut-être des renseignements à me fournir sur le trafic d'esclaves actuel.

— Je viens avec toi, dit Druss.

— Oh que non. Tu ne serais pas à ton aise. La plupart de mes amis sont des moulins à paroles prétentieux. Je te retrouverai à minuit à l'auberge de *l'Arbre en Os.*

Druss gloussa, ce qui ne fit qu'accentuer l'agacement de Sieben, qui fit volte-face et s'engagea dans le parc.

La chambre était meublée d'un grand lit aux draps de satin, de deux fauteuils confortables, rembourrés de crin et tapissés de velours, et d'une table sur laquelle étaient posés une carafe de vin et deux gobelets en argent. Il y avait des tapis sur le sol, tissés avec soin et doux pour les pieds. Rowena était assise au bord du lit, sa main droite refermée sur la broche que Druss lui avait confectionnée. Elle le visualisait en train de marcher avec Sieben. Une grande tristesse l'envahit et sa main retomba sur ses genoux. Harib Ka était mort – comme elle l'avait prédit – et Druss approchait à grands pas vers son destin.

Elle se sentait impuissante, seule dans la maison de Collan. La porte n'avait pas de serrure, mais il y avait des gardes dans le couloir. Impossible de s'échapper.

La première nuit, quand Collan l'avait emmenée du camp, il l'avait violée deux fois. La deuxième fois, elle avait essayé de faire le vide dans son esprit, s'égarant dans les rêves du passé. Ce faisant, elle avait ouvert la porte à son Talent. Elle était sortie de son corps qu'on violentait et, flottant dans les airs, s'était enfuie dans les ténèbres et le temps. Elle avait vu de grandes villes, des armées colossales, des montagnes qui crevaient les nuages. Perdue, elle s'était mise à chercher Druss, sans arriver à le trouver.

C'est alors qu'une voix lui était parvenue. Une voix douce, chaude et rassurante.

— Calme-toi, ma sœur. Je vais t'aider.

Elle s'était arrêtée et avait fait du sur-place au-dessus d'un océan de nuit. Un homme était apparu à ses côtés ; il était mince et jeune, peut-être une vingtaine d'années. Ses yeux étaient noirs, son sourire amical.

— Qui êtes-vous ? lui avait-elle demandé.

— Je suis Vintar, des Trente.

— Je suis perdue, avait-elle dit.

— Donne-moi ta main.

Elle avait tendu le bras et avait pu ressentir le contact de ses doigts éthérés ; puis ses pensées avaient submergé les siennes. Au bord de la panique, Rowena s'était enlisée dans les pensées du jeune homme. Elle avait vu un temple de pierre grise, où vivaient des moines en robes blanches. Il s'était dégagé d'elle aussi vite qu'il était entré.

— Ton calvaire est fini, avait-il dit. Il s'est retiré ; il dort à côté de toi, à présent. Viens, je vais te ramener jusqu'à ton corps.

— Je ne le supporterai pas. C'est un être vil.

— Tu survivras, Rowena.

85

— Pourquoi le voudrais-je ? Chaque jour qui passe, mon mari est en train de devenir aussi malfaisant que les hommes qui m'ont enlevée. Que va devenir ma vie ?

— Je ne vais pas te répondre, même si je le devrais peut-être, avait-il confié. Tu es très jeune, et tu viens de vivre de dures épreuves. Mais tu es en vie, pas seulement pour Planer, mais aussi pour Soigner, et pour Savoir. Il n'y a que très peu de gens bénis de ce Don. Oublie Collan ; il ne t'a violée que parce que Harib Ka lui avait demandé de ne pas le faire, et il le refera.

— Il m'a souillée.

— Non, avait fait Vintar gravement. Il s'est souillé lui-même. Il faut que tu admettes cela.

— Druss aurait honte de moi, je ne me suis même pas débattue.

— Mais si, Rowena, à ta manière. Tu ne lui as pas donné de plaisir. Si tu avais essayé de résister, cela n'aurait fait qu'accroître son désir, et sa satisfaction. Ainsi – et tu sais que c'est vrai – tu l'as déprimé et rendu mélancolique. De plus, tu connais son destin.

— Je ne veux plus qu'il y ait de morts !

— Nous mourrons tous. Toi… moi… Druss. Notre mesure n'existe que par rapport à la façon dont nous menons notre vie.

Il l'avait ramenée à son corps et avait pris soin de lui expliquer les bases du voyage de l'Esprit, ainsi que les routes pour qu'elle puisse revenir toute seule dans le futur.

— Est-ce que je vous reverrai ? s'était-elle enquis.

— C'est possible, avait-il répondu.

Et maintenant qu'elle était assise sur le lit aux draps de satin, elle souhaitait vraiment lui parler.

La porte s'ouvrit et un grand lutteur entra. Il était chauve et solidement musclé. Il avait des cicatrices autour des yeux, et son nez était aplati contre son visage. Il vint à côté d'elle, mais elle savait qu'elle ne risquait rien. Il déposa une robe de soie blanche sur le lit.

— Collan veut que tu portes cela pour Kabuchek.

— Qui est Kabuchek ? demanda-t-elle.

— Un marchand ventrian. Si tu te conduis bien, il t'achètera. Et ce ne sera pas une mauvaise vie, ma fille. Il a plusieurs palais et traite très bien ses esclaves.

— Pourquoi sers-tu Collan ?

Il plissa les yeux.

— Je ne sers personne. Collan est un ami. Je l'aide de temps en temps.

— Tu es meilleur que lui.

— C'est bien possible. Mais il y a quelques années, quand je suis devenu le nouveau champion, j'ai été attaqué dans une ruelle par des admirateurs de l'ancien détenteur du titre. Ils avaient des épées et des couteaux. Collan est venu à mon aide. Nous avons survécu. Je paie toujours mes dettes. Maintenant, enfile ta robe, et affûte tes talents. Il va falloir faire bonne impression sur le Ventrian.

— Et si je refuse ?

— Collan ne sera pas content, et je ne crois pas que tu apprécierais la suite. Fais de ton mieux, et tu pourras quitter cette maison.

— Mon mari va bientôt venir me chercher, dit-elle doucement. Quand il sera là, il tuera tous ceux qui m'ont fait du mal.

— Pourquoi me dis-tu cela ?

— Ne sois pas là quand il viendra, Borcha.

Le géant haussa les épaules.

— Le destin en décidera, affirma-il.

Druss déambulait le long des bâtiments sur les quais. Les maisons étaient vieilles. Les anciens entrepôts avaient été transformés en une série de tavernes. Entre presque toutes, il y avait des allées et des alcôves. Des femmes habillées de façon vulgaire étaient adossées contre les murs des maisons, et des hommes dépenaillés étaient assis non loin d'elles, jouant aux osselets ou parlant entre eux.

Une femme s'approcha de Druss.

— Tous les plaisirs que ton esprit peut évoquer pour un sou d'argent, fit-elle d'un air las.

— Merci, mais non, répondit-il.

— Je peux te trouver des opiacés, si c'est ça que tu cherches...

— Non, dit-il de manière plus abrupte, et il continua.

Trois hommes barbus se levèrent à son approche et se plantèrent devant lui.

— Un petit don pour les pauvres, votre seigneurie ? tenta le premier.

Druss était sur le point de répondre lorsqu'il remarqua que l'homme à sa gauche avait la main plongée dans les plis de sa chemise sale.

Cela le fit rire.

— Si ta main ressort avec un couteau, je te le ferai manger, petit homme.

Le mendiant se figea.

— Vous ne devriez pas venir ici menacer les gens, dit le premier. Pas sans arme, en tout cas. Ce n'est pas très prudent, mon *seigneur*.

Il passa sa main dans son dos et en dégagea une dague à longue lame.

Au moment même où la dague fut visible, Druss fit un pas en avant et frappa l'homme d'un revers de la main, comme si de rien n'était. Celui-ci alla valdinguer sur la droite, percutant au passage un groupe de prostituées qui observaient la scène, et finit sa course dans un mur en briques. Il poussa un grognement et ne bougea plus. Ignorant les deux autres mendiants, Druss reprit sa route et entra dans la première taverne.

Le plafond était haut, mais il n'y avait pas une seule fenêtre. La seule source de lumière provenait de lanternes accrochées aux murs. La taverne empestait l'huile et la sueur. Pourtant, elle était bondée, de sorte que Druss dut se frayer un passage jusqu'à une grande table à tréteaux sur laquelle étaient posés plusieurs tonneaux de bière. Un vieil homme dans un tablier graisseux lui adressa la parole :

— Tu ferais mieux de ne pas boire avant les combats ; cela risque de te donner des gaz, le prévint-il.

— Quels combats ?

L'homme le jaugea du regard, et il n'y avait aucune trace de chaleur dans ses yeux brillants.

— Tu te moquerais pas du Vieux Thom, des fois ?

— Je ne suis pas d'ici, répondit Druss. Alors, quels combats ?

— Suis-moi, mon gars, dit Thom.

Et il se faufila à travers la foule jusqu'à une porte à l'arrière de la taverne. Druss lui emboîta le pas et se retrouva dans un ancien entrepôt rectangulaire. Au milieu de la pièce, on avait aménagé un grand cercle de sable sur le sol, entouré par des cordes. Au fond, contre le mur, un groupe d'athlètes faisaient des exercices pour s'assouplir les muscles du dos et des épaules.

— Tu t'es déjà battu ?

— Jamais pour de l'argent.

Thom acquiesça silencieusement, puis souleva la main de Druss.

— Une bonne taille et des phalanges plates. Est-ce que tu es rapide, mon garçon ?

— Qu'est-ce qu'on gagne ? répliqua le jeune homme.

— Ça ne fonctionne pas comme ça – du moins pas pour toi. C'est un tournoi de haut niveau, et les participants ont été sélectionnés à l'avance, de façon à ce que les parieurs puissent juger de la qualité des combattants. Mais juste avant le début de la compétition, on demandera s'il y a des gens dans la foule qui veulent gagner quelques piécettes en affrontant les différents champions. Un raq d'or, par exemple, pour tout homme qui tiendra un tour de sablier. Ils font cela pour permettre aux champions de s'échauffer avec des adversaires médiocres.

— Combien de temps dure un tour de sablier ? s'enquit Druss.

— Aussi longtemps que depuis que tu es entré au *Corsaire Aveugle*.

— Et si jamais l'un d'eux gagne face à un champion ?

— Ce n'est pas possible, mon garçon. Mais dans l'hypothèse, il prendrait la place du perdant pour la durée du tournoi. Le principal, c'est que l'argent vient en majeure partie des paris des spectateurs. Combien as-tu de pièces sur toi ?

— Tu poses beaucoup de questions, vieil homme.

— Bah ! Je ne suis pas un voleur, mon garçon. Je l'ai été, mais je suis devenu vieux et lent. À présent, je me sers de mon intelligence pour vivre. Tu as l'air d'un garçon qui peut se défendre tout seul. Au début, je t'ai pris pour Grassin, le Lentrian – c'est lui, à côté de la porte du fond.

Druss suivit le prolongement du doigt de Thom et vit un jeune homme brun aux cheveux courts, solidement charpenté. Il parlait à un autre colosse, un lutteur blond doté d'une moustache pendante.

— L'autre, c'est Skatha, c'est un marin naashanite. Et le géant, tout au fond, c'est Borcha. Il va gagner ce soir. C'est sûr. C'est un tueur. Il y a de fortes chances qu'il estropie quelqu'un avant la fin de la soirée.

Druss porta son regard sur lui et sentit ses poils se dresser sur sa nuque. Borcha était gigantesque. Des pieds à la tête, il devait bien faire dans les deux mètres dix, peut-être plus. Il était chauve, et son crâne était pointu comme si sa peau avait été tendue sur un heaume vagrian. Ses épaules étaient lourdement musclées, et il avait un cou de taureau où l'on voyait palpiter les veines et saillir les muscles.

— Ce n'est pas la peine de le regarder comme ça, mon garçon. Il est trop fort pour toi. Crois-moi. Il est bon et rapide. Il ne participera même pas aux combats d'échauffement. Personne ne voudra l'affronter – même pas pour vingt raqs d'or. Mais Grassin, par contre, je pense que tu pourrais tenir un tour de sablier contre lui. Et si tu as des pièces à parier, je trouverai des preneurs.

— Combien prends-tu, vieil homme ?

— La moitié de ce que tu gagneras.

— Quelle cote pourrais-tu avoir ?

— Deux contre un. Peut-être trois.

— Et si je combattais Borcha ?

— Oublie ça, mon garçon. On veut gagner de l'argent – pas finir dans un cercueil.

— Quelle cote ?

— Dix contre un – vingt contre un. Les dieux seuls le savent !

Druss ouvrit la bourse qu'il portait à la hanche et en sortit dix pièces d'argent. Nonchalamment, il les déposa dans le creux de la main de Thom.

— Fais savoir que je veux affronter Borcha pendant un tour de sablier.

— Par les Nichons d'Asta, mais il va te tuer !

— Ou alors tu vas gagner une centaine de pièces d'argent. Peut-être plus.

— Oui, bien sûr, c'est tentant, fit le Vieux Thom avec un sourire en coin.

Lentement, la foule entra dans l'entrepôt et se disposa autour de l'arène. Des riches nobles, vêtus de soie et de cuir, et leurs dames à leurs bras, vêtues de dentelles et de satin, s'installèrent en haut des gradins qui leur étaient réservés, en surplomb du cercle de sable. Sur les étages du bas, les marchands et les négociants, emmitouflés dans leurs longues pèlerines et coiffés de chapeaux pointus, prirent place à leur tour. Druss n'était pas à son aise, au milieu de la foule. L'air devenait lourd, et plus les spectateurs rentraient, plus la température de la salle montait.

Rowena détesterait cet endroit, il y a trop de bruit et trop de gens. Comme il songeait à elle, son humeur s'assombrit – prisonnière quelque part, esclave des désirs et des caprices de Collan. Il essaya de faire abstraction de ces pensées et se concentra plutôt sur la discussion qu'il avait eue avec le poète. Cela lui avait fait du bien de le voir s'énerver ; déjà, une partie de sa propre colère avait disparu, une colère suscitée par le refus d'accepter pour argent comptant ce que l'orateur du parc avait dit. Il aimait Rowena, cœur et âme. Mais il avait également besoin d'elle, et s'était souvent demandé si ce besoin n'était pas supérieur à son amour. Était-il parti à sa recherche parce qu'il l'aimait, ou parce qu'il était perdu sans elle ? La question le tourmentait.

Rowena apaisait son esprit turbulent comme personne d'autre n'aurait pu le faire. Elle l'aidait à voir le monde à travers sa gentillesse. C'était une expérience rare et belle à la fois. Si elle avait été là, maintenant, pensait-il, lui aussi aurait détesté cette ambiance, cette foule suante qui attendait de voir du sang et de la douleur. Au lieu de ça, le jeune homme se tenait debout au milieu de la foule, et sentait son cœur battre de plus en plus vite ; l'excitation du combat le gagnait.

Il scruta la foule de ses yeux pâles, et repéra la grosse silhouette du Vieux Thom en grande discussion avec un homme en cape de velours rouge. L'homme souriait. Il laissa Thom et s'approcha de la silhouette imposante de Borcha. Druss vit le lutteur écarquiller les yeux de surprise, et l'homme en rouge éclata de rire. Druss ne pouvait pas entendre ce que les hommes se disaient à cause du brouhaha ambiant, mais il sentit monter sa colère. C'était Borcha, un des hommes de Collan – peut-être même un de ceux qui avaient capturé Rowena.

Le Vieux Thom traversa la foule et emmena Druss dans un coin tranquille.

— J'ai tout mis en branle, dit-il. Écoute-moi – ne le vise pas au visage. Des hommes se sont déjà cassé le poignet sur son crâne. Il a l'habitude de se baisser légèrement quand un coup vient vers son visage, afin que son attaquant se brise les phalanges en percutant l'os. Frappe-le au corps. Et regarde ses jambes – il a le coup de pied facile, mon garçon… Au fait, comment t'appelles-tu ?

— Druss.

— Eh bien, Druss, cette fois-ci tu as attrapé l'ours par les couilles. Si jamais il te fait mal, n'essaie pas de faire face ; il se servira de son crâne pour creuser une caverne dans les os de ton visage. N'hésite pas à reculer, et lève ta garde.

— Attends qu'il recule, lui, cracha Druss.

— Ah, ça, tu es un fanfaron, pour sûr. Mais tu n'as jamais affronté un homme comme Borcha. C'est un marteau vivant.

Druss gloussa.

— Tu sais remonter le moral des troupes. Quelle cote as-tu obtenue ?

— Quinze contre un. Si tu tiens debout, il y aura soixante-quinze pièces d'argent pour toi – plus ta mise de départ.

— Est-ce suffisant pour acheter une esclave ?

— Que ferais-tu d'une esclave ?

— Est-ce suffisant ?

— Cela dépend de l'esclave. Certaines filles vont chercher jusqu'à cent. Tu as quelqu'un de particulier en tête ?

Druss plongea sa main dans sa bourse et sortit ses quatre dernières pièces d'argent.

— Mise cela aussi.

Le vieil homme prit l'argent.

— J'en déduis que c'est toute ta fortune.

— Oui.

— Ce doit être une esclave très particulière, je me trompe ?

— C'est ma femme. Les hommmes de Collan l'ont enlevée.

— Collan enlève beaucoup de femmes. Ta femme ne serait pas une sorcière, par hasard ?

— Quoi ? gronda Druss.

— Je ne voulais pas te vexer, mon garçon. C'est juste que Collan a vendu une sorcière au Ventrian Kabuchek, aujourd'hui. Elle lui a rapporté cinq mille pièces d'argent.

— Non, ce n'est pas une sorcière. Juste une fille des montagnes, douce et tendre.

— Bien, alors une centaine de pièces devraient faire l'affaire, affirma Thom. Mais il faut d'abord les gagner. Est-ce que tu as déjà pris un coup ?

— Non. Mais une fois, un arbre m'est tombé dessus.

— Il t'a assommé ?

— Non. Mais j'ai été un peu sonné.

— Eh bien, imagine que Borcha soit comme une montagne qui te tombe dessus. J'espère que tu auras la force d'encaisser.

— Nous verrons bien, vieil homme.

— Si tu tombes par terre, roule en dessous des cordes, autrement il te piétinera.

Druss sourit.

— Je t'aime bien, vieil homme. Toi au moins, tu ne fais pas passer le médicament avec du miel, pas vrai ?

— S'il a mauvais goût, c'est que le médicament est bon, répliqua Thom en se fendant d'un sourire en coin.

Borcha appréciait les regards admiratifs de la foule – la peur et le respect de la part des hommes, un désir sain de la part des femmes. Il avait ressenti un nombre incroyable d'accolades muettes au cours de ces cinq dernières années. Ses yeux bleus se posèrent sur les gradins et il repéra Mapek, le premier ministre de Mashrapur, Bodasen, l'émissaire ventrian, et une douzaine d'autres notables du gouvernement de l'émir. Tout en passant l'entrepôt en revue, il garda un visage impassible. Il était de notoriété publique que Borcha ne souriait jamais, sauf dans le cercle de sable, lorsque son adversaire commençait à faiblir sous ses poings de fer.

Il jeta un coup d'œil à Grassin, qui enchaînait une série de mouvements de relaxation. Et là, il eut du mal à se retenir de sourire. D'aucuns pouvaient croire que Grassin ne faisait que des étirements, mais Borcha lisait la peur dans chacun de ses mouvements. Il se concentra sur les autres participants pour les étudier. Peu regardaient dans sa direction, et ceux qui le faisaient fuyaient son regard.

Que des perdants, pensa-t-il.

Il prit une profonde inspiration et remplit ses larges poumons. L'air était chaud et humide. Il appela un de ses aides, et lui demanda d'ouvrir les fenêtres en grand, à chaque bout de l'entrepôt. Un deuxième aide s'approcha de lui.

— Il y a un péquenaud qui veut faire un tour de sablier avec vous.

Cela irrita le lutteur qui scruta subrepticement la foule. Tous les regards étaient tournés vers lui. *Ça se sait déjà !*

Sa tête partit en arrière et il se força à rire.

— Et qui est cet homme ?

— Un étranger venu des montagnes. Plutôt jeune – je dirais une vingtaine d'années.

— Cela explique son manque d'intelligence, siffla Borcha.

Aucun homme qui l'avait déjà vu se battre ne se réjouirait à l'idée de passer quatre minutes dans le cercle de sable avec le champion de Mashrapur. Mais cela l'ennuyait quand même.

Gagner demandait bien plus que de savoir se servir de ses poings et de ses pieds. C'était un mélange complexe de courage et de cœur, dont il fallait faire preuve tout en plantant la graine du doute dans l'esprit de ses adversaires. Un homme qui croyait que son ennemi était invincible avait perdu d'avance, et Borcha avait passé des années à se forger une telle réputation.

Pas un homme depuis deux ans n'avait pris le risque de passer un tour de sablier avec le champion.

Jusqu'à aujourd'hui. Ce qui annonçait un second problème. Il n'y avait pas de règles dans les combats d'arène : un lutteur pouvait en toute légitimité crever l'œil de son adversaire, ou, après l'avoir assommé, lui briser la nuque. Les morts étaient rares, mais il y en avait, et beaucoup de combattants finissaient estropiés pour le reste de leur vie. Mais Borcha ne pourrait déployer toutes ses techniques face à un jeune inconnu. Sinon, cela signifierait que le garçon lui faisait peur.

— La cote est de quinze contre un qu'il survit, murmura son aide.

— Qui a négocié pour lui ?

— Le Vieux Thom.

— Combien a-t-il parié ?

— Je vais me renseigner.

L'homme se fondit dans la foule.

L'organisateur du tournoi, un marchand obèse nommé Bilse, pénétra dans le cercle de sable.

— Mes amis, beugla-t-il (ce qui fit gigoter ses double et triple mentons), bienvenue au *Corsaire Aveugle*. Ce soir, vous aurez le privilège de voir s'affronter les meilleurs lutteurs de Mashrapur.

Borcha fit le vide dans son esprit afin de ne plus entendre la voix de cet homme. Il connaissait son discours par cœur. Il y a cinq ans, son humeur était différente. Comme sa femme et son fils étaient atteints de dysenterie, Borcha était venu directement au *Corsaire* après son travail sur les docks, une dizaine de pièces d'argent en poche pour participer aux combats d'échauffement. À sa grande surprise, il avait battu son adversaire, et pris sa place dans le tournoi. Cette nuit-là, après avoir mis une dérouillée à six combattants, il était rentré chez lui avec soixante raqs d'or. En pénétrant dans son logement, fier de lui, il avait trouvé son fils mort et sa femme dans le coma. On avait fait venir le meilleur docteur de Mashrapur. Celui-ci avait insisté pour que Caria fût placée dans le meilleur hôpital du riche quartier nord – mais seulement après que Borcha se fut séparé de tout l'or qu'il avait durement gagné. Là, Caria s'était remise un temps, mais avait été finalement atteinte de la tuberculose.

Les deux années qui avaient suivi, le traitement coûta trois cents raqs d'or. Malgré cela, elle était morte, le corps ravagé par la maladie.

L'amertume de Borcha fut sans égale et il l'expulsa dans chacun de ses combats, concentrant sa haine et sa rage sur les hommes qui venaient l'affronter.

Il entendit qu'on prononçait son nom et leva le bras droit. La foule l'ovationna.

Aujourd'hui, il avait une maison dans le quartier nord, faite de marbre et des meilleurs bois, au toit en tuiles de terre cuite. Il avait une vingtaine d'esclaves sous la main qui obéissaient à ses ordres. Et ses investissements dans le trafic d'esclaves et le marché de la soie lui rapportaient autant de dividendes chaque année que les plus riches marchands de la ville. Et pourtant il se battait toujours, guidé par les démons du passé.

Bilse annonça que les combats d'échauffement allaient commencer. Borcha regarda Grassin entrer dans le cercle pour affronter un docker assez costaud. Le combat ne dura que quelques secondes ; Grassin souleva l'homme de terre d'un uppercut bien senti. L'aide de Borcha s'approcha.

— Ils ont misé environ neuf pièces d'argent. C'est important ?

Borcha fit non de la tête. S'il y avait eu de grosses sommes en jeu, cela aurait signifié qu'il y avait une tricherie quelconque dans l'air, peut-être un lutteur ramené exprès de l'étranger, un combattant sérieux d'une autre ville, un cogneur inconnu à Mashrapur. Mais non. Ce n'étaient que de l'arrogance et de la stupidité à la fois.

Bilse beugla son nom à la foule, et Borcha entra dans l'arène. Du pied, il testa le sable. Trop épais, et on risquait de trébucher, trop fin et on pouvait glisser. Là, il était bien étalé. Satisfait, Borcha posa son regard sur l'homme qui était entré dans le cercle en face de lui.

Il était jeune et un peu plus petit que Borcha, mais ses épaules étaient énormes. Une large poitrine, des muscles pectoraux bien développés, et de gros biceps. Borcha le regarda bouger et vit qu'il était leste et avait le sens de l'équilibre. Il était plutôt large de hanches, mais sans graisse. Son cou était épais et bien protégé par ses trapèzes gonflés. Borcha se concentra à présent sur le visage. Des pommettes saillantes et un menton carré. Un nez large et plat. De gros sourcils. Le champion regarda droit dans les yeux de son challenger ; ils étaient pâles, et ne laissaient transpirer aucune peur. *Tiens donc*, pensa Borcha, *on dirait qu'il me déteste*.

Bilse présenta le jeune homme :

— Druss, des terres drenaïes.

Les deux guerriers s'approchèrent l'un de l'autre. Borcha dominait Druss. Le champion tendit ses mains, mais Druss se contenta de sourire et repartit dans les cordes, attendant le signal.

L'insulte était banale et ne préoccupa pas le champion. Il se mit en garde, de manière très orthodoxe, le bras gauche tendu et le droit relevé au niveau de ses pommettes, et avança sur le jeune homme. Druss bondit en avant, prenant presque Borcha par surprise. Mais le champion était rapide et il envoya un lourd direct du gauche dans le visage du jeune homme, enchaîné avec un crochet du droit qui martela la mâchoire de Druss. Borcha recula d'un pas pour que Druss ait la place de tomber, mais quelque chose explosa sur les côtes du champion. L'espace d'un instant, il crut que quelqu'un dans la foule lui avait lancé une pierre, mais il prit soudain conscience que c'était le poing de son adversaire. Loin d'être tombé, Druss avait encaissé les deux coups et répondu aussitôt. Borcha recula sous l'impact et contre-attaqua aussitôt par une série de coups répétés qui projeta à chaque fois la tête de Druss vers l'arrière. Et pourtant il continuait d'avancer. Borcha feignit un direct au visage, et balança à la place un uppercut au ventre du jeune homme ; Druss grimaça sous l'impact et mit toutes ses forces dans une droite. Borcha l'esquiva, se baissant au moment même où un uppercut du gauche remontait vers son visage. Il eut juste le temps de rentrer sa tête, et le coup le toucha à la joue. Il se redressa instantanément et écrasa sa main droite sur le visage de Druss, lui déchirant l'arcade sourcilière ; puis, il lui mit une gauche.

Druss recula en titubant, déséquilibré. Brocha vint pour le coup de grâce ; mais un coup de marteau le percuta juste sous le cœur ; il entendit une côte se briser. La colère l'emporta, et il envoya une série de coups qui s'écrasèrent contre le visage et le corps du jeune homme – des coups violents et puissants, qui renvoyèrent son adversaire dans les cordes. Une nouvelle coupure apparut, cette fois au-dessus de l'œil droit de Druss. Le jeune homme esquiva, mais avait du mal à tenir sur ses pieds, et de plus en plus de coups l'atteignaient. Sentant la victoire proche, Borcha augmenta la férocité de son attaque et réduisit l'écart entre ses coups. Mais Druss refusait de tomber, et rentrant sa tête, il chargea Borcha. Le champion fit un pas de côté et balança une gauche qui rebondit sur l'épaule de Druss. Le jeune homme retrouva l'équilibre au moment même où Borcha était sur lui. Druss essuya le sang qu'il avait dans les yeux et accepta le corps à corps. Le champion fit une feinte du gauche, mais Druss l'ignora et balança un direct du droit qui traversa la garde de Borcha et alla percuter ses côtes déjà meurtries. Une douleur le lança sur tout le côté gauche et le champion grimaça. Un énorme poing vint s'écraser contre son menton, et lui fit sauter une dent ; il répondit par un uppercut du gauche qui souleva Druss sur la pointe des pieds et un crochet du droit qui faillit bien le faire tomber. Druss répliqua par un nouveau direct du droit aux côtes et Borcha fut contraint de reculer. Les deux hommes commencèrent à se tourner autour, et seulement à cet instant Borcha eut conscience que la foule était en délire. Elle scandait le nom de Druss, comme cinq ans plus tôt elle avait scandé le sien.

Druss passa à l'attaque. Borcha balança une gauche qui manqua son but et une droite qui toucha. Druss bascula sur ses talons mais revint à la charge. Borcha le frappa trois fois, ouvrant davantage les blessures au visage de Druss ; un flot de sang lui coula devant les yeux. Presque aveuglé, Druss mit tout ce qu'il avait dans un dernier coup qui toucha Borcha au biceps droit, le tétanisant, et puis un autre qui cette fois le toucha à l'arcade. À présent, du sang coulait sur le visage du champion, et un rugissement retentit dans la foule.

Indifférent au son, Borcha contre-attaqua, promenant Druss à travers le cercle, le touchant encore et encore avec une série de crochets et de directs.

Puis la corne retentit. Le sablier était passé. Borcha recula, mais Druss l'attaqua. Borcha l'agrippa par la taille, lui bloquant les bras, et le souleva de terre.

— C'est fini, mon garçon, siffla-t-il. Tu as gagné ton pari.

Druss se dégagea d'un coup de reins et secoua la tête, projetant du sang sur le sable. Puis il leva sa main et pointa un doigt vers Borcha.

— Va voir Collan, cracha-t-il, et dis-lui bien que si qui que ce soit a fait du mal à ma femme, je lui arracherai la tête.

Sur ce, il tourna les talons et quitta le cercle.

Borcha se retourna et vit que les autres lutteurs le regardaient.

À présent, cela ne les dérangeait plus de croiser son regard… et Grassin souriait.

Sieben rentra à *l'Arbre en Os* juste après minuit. Il y avait toujours de gros buveurs présents, et les serveuses s'affairaient à les servir. Sieben monta les escaliers jusqu'au balcon qui surplombait la salle et se rendit à la chambre qu'il partageait avec Druss. Alors qu'il allait ouvrir la porte, il entendit des voix à l'intérieur. Il dégaina un de ses couteaux, ouvrit la porte d'un grand coup de pied et bondit dans la chambre. Druss était assis sur un lit, le visage marqué et gonflé, des points de suture au-dessus des yeux. Un gros bonhomme couvert de poussière était assis sur le lit de Sieben, et un noble d'allure fine, vêtu d'une houppelande noire et arborant une barbe en forme de trident était assis à côté de la fenêtre. Le poète était à peine à l'intérieur que le noble s'était levé et avait dégainé un sabre scintillant. Le gros homme hurla et se jeta sous le lit, atterrissant dans un bruit sourd derrière Druss.

— Tu as pris ton temps, poète, fit le jeune guerrier.

Sieben fixait la pointe du sabre tendu dans l'air, à cinq centimètres à peine de sa gorge.

— Tu n'as pas mis longtemps à te faire de nouveaux amis, dit-il avec un sourire contraint.

Avec précaution, il rengaina son couteau, et fut soulagé en voyant que le noble avait remis son sabre dans son fourreau.

— Voici Bodasen ; c'est un Ventrian, annonça Druss. Et l'homme qui est à genoux, derrière moi, c'est Thom.

Le gros bonhomme se releva avec un sourire gêné.

— Ravi de vous rencontrer, mon seigneur, fit-il en s'inclinant.

— Qui diable t'a fait ces coquards ? s'enquit Sieben en s'approchant pour venir examiner les blessures de Druss.

— Personne ne me les a faits. Je me suis battu pour les avoir.

— Il a affronté Borcha, déclara Bodasen, une légère pointe orientale dans son accent. Et quel combat ! Il a tenu toute la durée du sablier.

— Oui, dame, il fallait voir ça, ajouta Thom. Borcha n'avait pas l'air content – surtout quand Druss lui a cassé une côte ! Tout le monde l'a entendu. C'était merveilleux.

— Tu t'es battu avec Borcha ? souffla Sieben.

— Jusqu'à la fin du combat, fit le Ventrian. Il n'y avait pas de chirurgien, alors je me suis occupé des points de suture. Tu es le poète Sieben, n'est-ce pas ?

— Oui. On se connaît, l'ami ?

— J'ai vu une de tes représentations à Drenan, et en Ventria j'ai lu ta saga de Waylander. Remarquablement inventive.

— Merci. J'avais besoin d'inventer. On ne sait presque rien sur lui. Mais j'ignorais que le livre était allé aussi loin. Il n'y a eu que cinquante copies imprimées.

— Mon empereur a fait l'acquisition d'un exemplaire lors d'un voyage, une édition reliée en cuir avec des feuilles d'or. Elle est de très bonne qualité.

— Il n'y a que cinq exemplaires de cette édition, dit Sieben. Vingt raqs d'or chacun. Des ouvrages superbes.

Bodasen gloussa.

— Mon empereur a payé six cents raqs pour l'obtenir.

Sieben soupira et s'assit sur le lit.

— Ah, eh bien, mieux vaut la gloire que la fortune, pas vrai ? Alors raconte-moi, Druss, ce qui t'a poussé à affronter Borcha.

— J'ai gagné une centaine de pièces d'argent. Maintenant, je vais pouvoir racheter Rowena. Et toi, as-tu trouvé où elle est retenue ?

— Hélas non, mon ami. Collan n'a vendu qu'une femme récemment. Une voyante. Il doit garder Rowena pour lui.

— Alors je vais le tuer et la lui reprendre – au diable les lois de Mashrapur.

— Si je puis me permettre, intervint Bodasen. Je crois que je peux vous aider. Je connais ce Collan. Peut-être puis-je me débrouiller pour faire libérer votre dame – sans faire couler de sang.

Sieben ne le fit pas remarquer, mais il avait noté l'inquiétude dans les yeux sombres du Ventrian.

— Je ne veux plus attendre, dit Druss. Tu peux le voir demain ?

— Bien sûr. Vous serez toujours là ?

— J'attendrai d'avoir de tes nouvelles, promit Druss.

— Très bien. Je vous souhaite à tous une bonne nuit, fit Bodasen avec une courbette.

Une fois qu'il fut parti, le Vieux Thom se dirigea à son tour vers la porte.

— Eh bien, mon garçon, c'était une sacrée soirée. Si jamais tu désires te battre à nouveau, je serai honoré d'organiser tout ça.

— Très peu pour moi, répondit Druss. Je préférerais que des arbres me tombent dessus, plutôt que d'affronter à nouveau cet homme.

Thom secoua la tête.

— Si seulement j'avais eu la foi, dit-il. Je n'ai misé qu'une pièce d'argent sur ma part. (Il gloussa et écarta les mains.) Bah, c'est la vie, sans doute. (Son sourire disparut.) Un petit mot de mise en garde, Druss. Collan a beaucoup d'amis par ici. Dont certains sont prêts à trancher une gorge pour une chope de bière. Fais attention à toi.

Il fit demi-tour et quitta la chambre.

Il y avait une carafe de vin sur la petite table. Sieben se servit un verre.

— Il n'y a pas à dire, tu es un étrange personnage, dit-il en souriant. Mais au moins, Borcha a amélioré ton apparence générale. Je crois que tu as le nez cassé.

— Je crois que tu as raison, remarqua Druss. Raconte-moi ta journée.

— J'ai rendu visite à quatre des plus gros marchands d'esclaves. Collan n'a amené aucune femme aux marchés. L'histoire de ton attaque contre le camp d'Harib Ka est sur toutes les lèvres. Certains des survivants ont rejoint Collan, ils parlent de toi comme d'un démon. Mais il y a un vrai mystère, Druss. Je ne vois pas où elle pourrait être si ce n'est dans sa maison.

La blessure au-dessus de l'œil de Druss se mit à suinter le sang. Sieben trouva un morceau de tissu et le tendit au guerrier. Druss refusa d'un geste.

— Ça va cicatriser tout seul. N'y fais pas attention.

— Par les dieux, Druss, tu dois souffrir le martyre. Ton visage est complètement tuméfié et tu as de sacrés coquards.

— Tant qu'on a mal, c'est qu'on est en vie, répliqua Druss. As-tu dépensé ton sou d'argent avec la prostituée ?

Sieben gloussa.

— Oh oui. Elle était très bien – elle m'a dit que j'étais le meilleur amant qu'elle ait connu.

— Quelle surprise, lâcha Druss, ce qui fit rire Sieben.

— Oui – enfin, ça fait toujours plaisir.

Il but son vin à petites gorgées, puis se leva pour ramasser ses affaires.

— Où vas-tu ? s'enquit Druss.

— Pas moi… nous. Nous devons changer de chambre.

— Celle-ci me plaît.

— Oui, elle est pittoresque. Mais il faut que nous puissions dormir et – aussi conviviaux soient-ils – je n'ai aucune raison de faire confiance à des hommes que je ne connais pas. Collan va envoyer des tueurs à ta recherche, Druss. Bodasen travaille peut-être pour lui, et quant au sac à puces qui vient de partir, je crois bien qu'il vendrait sa mère pour une pièce de cuivre. Fais-moi confiance, changeons de chambre.

— Je les aime bien, tous les deux – mais tu as raison. Et j'ai vraiment besoin de sommeil.

Sieben sortit sur le palier et appela une des serveuses. Il lui donna une pièce d'argent et lui demanda que leur déménagement soit tenu aussi secret que possible – même auprès du propriétaire. Elle glissa la pièce dans la poche de son tablier de cuir et emmena les deux hommes à l'autre bout du balcon. Leur nouvelle chambre était plus grande que la première ; il y avait trois lits et une cheminée. Il restait des cendres, et la pièce était froide.

Quand la serveuse fut partie, Sieben alluma le feu et s'assit devant, regardant les flammes lécher le bois. Druss retira ses bottes et son gilet et s'étendit sur le plus grand lit. En l'espace de quelques secondes, il était endormi, sa hache posée sur le sol à côté du lit.

Sieben retira son baudrier à couteaux et le suspendit au dos de la chaise. Le feu commençait à prendre, aussi rajouta-t-il de nouvelles bûchettes prises dans le panier à bois rangé à côté du foyer. Comme les heures passaient, les bruits de l'auberge en bas se firent de plus en plus rares, et bientôt on n'entendit plus que le crépitement des flammes. Sieben était fatigué mais ne s'endormit pas.

Soudain, il entendit des pas feutrés dans l'escalier. Il dégaina un de ses couteaux et alla à la porte, qu'il entrebâilla pour jeter un œil. À l'autre bout du balcon, sept hommes se tenaient devant la porte de leurs anciens quartiers ; le propriétaire était avec eux. La porte fut ouverte d'un grand coup et tous les hommes se ruèrent à l'intérieur. Mais quelques instants plus tard, ils ressortirent dans le couloir. L'un des nouveaux venus attrapa le propriétaire par le col et le plaqua contre le mur. Celui-ci était terrifié ; il haussa la voix et Sieben réussit à distinguer quelques mots :

— Ils étaient… honnêtement… sur la vie de mes enfants… ils… sans payer…

Sieben regarda l'homme se faire jeter par terre. Puis les assassins en puissance descendirent en trombe les escaliers et disparurent dans la nuit.

Sieben referma la porte et retourna à côté du feu.

Et s'endormit.

Chapitre 6

Borcha était assis tranquillement tandis que Collan réprimandait les hommes qu'il avait envoyés à la recherche de Druss. Ils se tenaient honteux devant lui, tête basse.

— Cela fait combien de temps que tu es avec moi, Kotis ? interrogea-t-il l'un des hommes, d'une voix grave et chargée de menaces.

— Six ans, répondit l'homme qui était au centre du groupe.

C'était un grand lutteur barbu aux épaules larges. Borcha se remémora la façon dont il avait détruit cet homme ; il ne lui avait pas fallu plus d'une minute.

— Six ans, répéta Collan. Et durant tout ce temps, as-tu déjà vu ce que je faisais aux gens qui s'attiraient mes foudres ?

— Hélas, oui. Mais nous avons eu l'information par le Vieux Thom. Il nous a juré qu'ils étaient à *l'Arbre en Os* – et c'était vrai. Mais ils se sont planqués après le combat avec Borcha. Des hommes sont toujours à leur recherche ; demain nous les aurons certainement trouvés.

— Tu as raison, fit remarquer Collan. On les aura certainement trouvés ; parce qu'ils seront venus ici !

— Vous n'avez qu'à lui rendre sa femme, proposa Bodasen, allongé sur un divan à l'autre extrémité de la pièce.

— Je ne *rends pas les femmes*. Je les prends ! Et en plus, je ne sais pas de quelle bouseuse il parle. Ce fou a libéré la plupart de celles que nous avions capturées en attaquant notre campement. Je parierais que sa femme en a profité pour échapper à ses griffes.

— Ce n'est pas quelqu'un que j'aimerais avoir à mes trousses, déclara Borcha. Je n'avais jamais frappé quelqu'un avec autant de force – du moins, quelqu'un qui reste debout.

— Repartez dans les rues, tous. Fouillez les tavernes et les auberges près des docks. Ils ne doivent pas être bien loin. Écoute-moi, Kotis, si jamais il vient chez moi demain, je te tuerai !

Les hommes sortirent en traînant des pieds et Borcha prit place sur le divan, étouffant un grognement ; sa côte cassée le lançait terriblement. Il avait été obligé de se retirer du tournoi, et sa fierté s'en trouvait blessée. Mais malgré lui, il avait du respect pour le jeune lutteur ; lui aussi, il aurait affronté une armée pour Caria.

— Tu sais ce que je pense ?

— Quoi ? cracha Collan.

— Je pense qu'il s'agit de la sorcière que tu as vendue à Kabuchek. Comment s'appelait-elle, déjà ?

— Rowena.

— Tu l'as violée ?

— Je ne l'ai pas touchée, mentit Collan. Et de toute façon, je l'ai vendue à Kabuchek. Il m'a offert cinq mille pièces d'argent – comme ça. J'aurais dû en demander dix mille.

— Je crois que tu ferais bien d'aller voir la Vieille Femme, lui conseilla Borcha.

— Je n'ai pas besoin d'un prophète pour m'expliquer comment me débarrasser d'un péquenaud avec une hache. Et maintenant, parlons affaires. (Il se retourna vers Bodasen.) Il est trop tôt pour que vous ayez déjà reçu une réponse sur nos conditions, alors pourquoi êtes-vous venu ce soir ?

Le Ventrian sourit. Ses dents étaient étonnamment blanches au milieu de sa barbe noire en trident.

— Je suis venu parce que j'ai confié au jeune lutteur que nous nous connaissions. J'ai dit que je pouvais peut-être négocier la libération de sa femme. Mais si vous l'avez déjà vendue, alors j'ai perdu mon temps.

— En quoi cette histoire vous concerne-t-elle ?

— Ventria a besoin des négociants et vous êtes mon seul lien jusqu'à eux. Je ne veux pas que vous mouriez tout de suite.

— Moi aussi je suis un guerrier, Bodasen, rétorqua Collan.

— C'est vrai, Drenaï. Mais faisons le point sur ce que nous savons. Harib Ka, d'après les hommes qui ont survécu à l'attaque du campement, a envoyé six hommes dans les bois. Ils ne sont pas revenus. J'ai parlé à Druss ce soir, et il m'a dit qu'il les avait tués. Je le crois. Puis, il a attaqué un camp de quarante hommes en armes. Qui ont fui. Il vient d'affronter Borcha, que la plupart, dont moi-même, croyaient être invincible. La petite meute que vous venez d'envoyer ne fera pas le poids face à lui.

— Vous n'avez pas tort, admit Collan, mais dès qu'il les aura tués, le guet l'arrêtera. Et dans quatre jours, je ne serai plus ici ; je prends un bateau en partance pour les ports des négociants. Néanmoins, j'en déduis que vous avez un conseil à me donner, exact ?

— Tout à fait. Récupérez la femme vendue à Kabuchek et remettez-la à Druss. Rachetez-la, volez-la – mais faites-le, Collan.

Après une révérence sommaire, l'officier ventrian quitta la pièce.

— Je suivrais son conseil, si j'étais à ta place, fit Borcha.

— Tu ne vas pas t'y mettre aussi ! gronda Collan. Par les dieux, est-ce qu'il t'a détraqué le cerveau, ce soir ? Nous savons tous les deux que ce qui nous maintient au-dessus de la pile de crasse, c'est la peur et l'admiration que nous inspirons. Parfois même la terreur. Qu'en serait-il de ma réputation si je rendais une femme volée ?

— Tu n'as pas tort, dit Borcha en se levant, mais une réputation, ça peut toujours se reforger. La vie, c'est autre chose. Il a dit qu'il t'arracherait la tête, et il en est tout à fait capable.

— Je n'aurais jamais cru que je te verrais te défiler un jour, mon ami. Je croyais que tu ne connaissais pas la peur.

Borcha sourit.

— Je suis fort, Collan. Je me sers de ma réputation parce qu'elle m'aide à gagner, mais je ne suis pas vraiment comme ça. Si je me retrouvais face à un taureau qui charge, je m'écarterais de son chemin, ou je m'enfuirais, ou je grimperais à un arbre. Un homme fort doit connaître ses limites.

— Eh bien, il est clair qu'il t'a aidé à voir les tiennes, mon ami, fit Collan avec dédain.

Borcha sourit et secoua la tête. Il quitta la maison de Collan et erra dans les rues du quartier nord. Elle étaient plus larges ici, et bordée d'arbres. Il croisa des officiers de quart, et le capitaine le salua, reconnaissant le champion.

L'ancien champion, pensa Borcha. À présent, c'était Grassin qui recevrait les accolades.

Jusqu'à l'année prochaine.

— Je reviendrai, murmura Borcha. Je n'ai pas le choix. C'est tout ce qu'il me reste.

Sieben reprit conscience doucement, flottant à travers différentes couches de rêves. Il se laissait porter par l'eau d'un lac bleu, et pourtant il était sec ; il se tenait sur une île fleurie, mais ne pouvait pas voir la terre sous ses pieds ; il était allongé sur un lit aux draps de satin, à côté d'une statue en marbre. Il la toucha et celle-ci se transforma en chair, mais resta froide.

Il ouvrit les yeux comme les rêves quittaient sa mémoire. Druss dormait toujours. Sieben se leva de sa chaise et s'étira le dos ; puis, il baissa les yeux vers le guerrier. Les points de suture sur son front étaient serrés et plissés. Il y avait du sang séché dans ses cils, son nez gonflé était de toutes les couleurs. Malgré ces blessures, son visage irradiait de la force, et Sieben fut glacé par la puissance presque inhumaine du jeune homme.

Druss grogna et ouvrit les yeux.

— Comment te sens-tu ce matin ? lui demanda le poète.

— Comme si un cheval m'avait piétiné la tête, répondit Druss en sortant du lit pour se servir un gobelet d'eau.

Quelqu'un frappa à la porte.

Sieben dégaina un couteau.

— Qui est là ?

— Ce n'est que moi, messieurs, parvint la voix de la serveuse. Un homme en bas désire vous voir.

Sieben ouvrit la porte et la serveuse fit une révérence.

— Tu le connais ? s'enquit Sieben.

— C'est le monsieur ventrian qui était ici la nuit dernière, monsieur.

— Il est seul ?

— Oui, monsieur.

— Fais-le monter, ordonna Sieben.

Tandis qu'ils attendaient, il raconta à Druss les événements de la nuit.

— Tu aurais dû me réveiller, fit remarquer Druss.

— J'ai pensé que pour une fois, on pourrait s'en tirer sans carnage, répliqua Sieben.

Bodasen entra et se rendit directement devant la fenêtre où se tenait Druss. Il examina les points de suture du guerrier.

— Ils ont tenu, fit Bodasen avec un grand sourire.

— Quelles nouvelles ? demanda Druss.

Le Ventrian retira sa houppelande noire et la posa sur une chaise.

— La nuit dernière, Collan a envoyé ses hommes à travers toute la ville pour vous trouver. Mais aujourd'hui, il a retrouvé ses esprits. Ce matin il m'a fait parvenir un message à ton attention. Il a décidé de te rendre ta femme.

— Bon. Où et quand ?

— Il y a un quai à un peu moins d'un kilomètre d'ici, à l'ouest. Il t'y retrouvera ce soir, une heure après le coucher du soleil. Il aura Rowena avec lui. Mais c'est un homme inquiet, Druss ; il ne veut pas mourir.

— Je ne le tuerai pas, promit Druss.

— Il veut que tu viennes seul – et sans arme.

— C'est insensé ! gronda Sieben. Est-ce qu'il croit avoir affaire à des idiots ?

— Il est peut-être beaucoup de choses, répondit Bodasen, mais il est toujours un noble drenaï. On doit faire confiance à sa parole.

— Pas moi, siffla Sieben. C'est un renégat, un meurtrier qui a fait sa richesse sur la misère des autres. Noble drenaï, mon œil !

— J'irai, fit Druss. Je n'ai pas d'autre choix.

— C'est un piège, Druss. Les hommes comme Collan n'ont pas d'honneur. Il sera là, c'est sûr – mais avec une dizaine d'assassins.

— Ils ne m'arrêteront pas, insista le guerrier, une lueur inquiétante dans les yeux.

— Un couteau dans la gorge arrête n'importe qui.

Bodasen fit un pas en avant et posa son bras sur l'épaule de Druss.

— Collan m'a assuré que l'échange serait honnête. Je n'aurais pas joué l'intermédiaire si je ne le croyais pas.

Druss acquiesça et sourit.

— Je te fais confiance, dit-il.

— Comment nous as-tu trouvés ? s'enquit Sieben.

— Vous m'aviez dit que vous seriez ici, répondit Bodasen.

— Et précisément, où ce rendez-vous doit-il avoir lieu ? demanda Druss.

Bodasen lui indiqua le chemin exact et s'éclipsa après leur avoir fait ses adieux.

Il était à peine sorti que Sieben toisa le jeune guerrier.

— Tu as vraiment confiance en lui ?

— Bien sûr. C'est un dignitaire ventrian. Mon père m'a dit que c'étaient les pires commerçants au monde, parce qu'ils détestent le mensonge et la tromperie. Ils sont éduqués comme ça.

— Collan n'est pas ventrian, fit remarquer Sieben.

— Non, lui accorda Druss, l'expression sombre. Il ne l'est pas. Il est exactement comme tu l'as décrit. Et tu as raison, poète. C'est un piège.

— Et pourtant, tu vas y aller ?

— Comme je te l'ai déjà dit, je n'ai pas le choix. Mais tu n'as pas à m'accompagner. C'est à Shadak que tu devais quelque chose – pas à moi.

Sieben sourit.

— Tu as raison, mon vieux. Alors, comment va-t-on s'y prendre ?

Une heure avant le coucher du soleil, Collan s'assit dans une chambre qui surplombait le quai. Kotis était avec lui.

— Tout le monde est en place ? demanda le bretteur drenaï.

— Oui. Deux arbalétriers, et six hommes armés de couteaux. Borcha sera des nôtres ?

Le joli visage de Collan s'assombrit.

— Non.

— Il aurait pu faire la différence, observa Kotis.

— Pourquoi ? cracha Collan. Il a déjà pris une correction du paysan !

— Vous pensez vraiment qu'il va venir seul et sans arme ?

— Bodasen le pense.

— Par les dieux, c'est un crétin !

Collan eut un fou rire.

— Le monde est plein de crétins, Kotis. C'est pour cette raison que nous pouvons devenir riches.

Il se pencha par la fenêtre et scruta les bords du quai. Plusieurs prostituées tapinaient devant les maisons, et deux mendiants accostaient les passants. Un docker ivre sortit en titubant d'une taverne, percuta un mur et glissa au sol à côté d'une bitte d'amarrage en pierre. Il tenta de se relever, mais en essayant de soulever son barda, il tomba à nouveau. Il agrippa la pierre comme un coussin et s'endormit dessus. *Quelle ville* ! pensa Collan. *Quelle ville magnifique*. Une prostituée s'approcha du docker endormi et lui fit les poches de façon experte.

Collan se recula de la fenêtre et dégaina son sabre. Il prit une pierre à aiguiser et affûta la lame. Il n'avait aucune intention d'affronter le paysan, mais on n'était jamais trop prudent.

Kotis se versa un gobelet de vin bon marché.

— Ne bois pas trop, le prévint Collan. Même sans arme, notre bonhomme sait se battre.

— Il ne se battra pas si bien que ça avec un carreau dans le cœur.

Collan s'assit dans une chaise en cuir et étendit ses jambes.

— Dans quelques jours nous serons riches, Kotis. De l'or ventrian – suffisamment pour remplir cette chambre. Puis, nous embarquerons pour Naashan où nous achèterons un palais. Peut-être même plusieurs.

— Vous pensez que les pirates vont aider Ventria ? demanda Kotis.

— Non, ils ont déjà accepté l'or naashanite.

— On va garder l'or de Bodasen pour nous ?

— Bien sûr. Comme je te l'ai dit, le monde est rempli de crétins. Et tu sais quoi ? J'en étais un. J'avais des rêves de chevalerie, de galanterie. J'ai gâché la moitié de ma vie. Mon père m'a gavé de ces concepts jusqu'à ce que mon esprit ne pense plus qu'à une chose : devenir chevalier. J'y croyais tellement… (Collan gloussa.) Incroyable ! Mais je suis revenu sur mes erreurs. J'ai compris comment tournait le monde.

— Vous êtes de bonne humeur aujourd'hui, fit remarquer Kotis. Mais il faudra également tuer Bodasen. Il ne sera pas content quand il saura qu'il a été floué.

— Ça ne me dérange pas de me battre contre lui, déclara Collan. Les Ventrians ! Que la peste les emporte. Ils pensent qu'ils sont supérieurs au reste du monde. Bodasen plus que tous ; il croit être un bretteur. Nous verrons bien. Je le découperai par petits bouts, une entaille par-ci, une pique par-là. Je le ferai souffrir. Je briserai son orgueil avant d'en finir avec lui.

— Il est peut-être meilleur que vous, risqua Kotis.

— Personne n'est meilleur que moi, au sabre ou à l'épée courte.

— On dit que Shadak est l'un des meilleurs au monde.

— Shadak est un vieillard ! gronda Collan en se redressant, et même à son apogée il n'était pas de taille face à moi.

Kotis pâlit et marmonna une excuse.

— Tais-toi ! cracha Collan. Sors d'ici. Va t'assurer que tout le monde est bien à son poste.

Kotis disparut de la pièce et Collan se versa un verre de vin qu'il alla boire à la fenêtre. Shadak ! Toujours Shadak. Pourquoi les hommes le révéraient-ils ? Qu'avait-il fait ? *Par les Roustons de Shema, j'ai tué deux fois plus d'adversaires que ce vieil homme !* Mais est-ce qu'ils chanteraient pour autant des chansons sur Collan ? Non.

Bientôt, le paysan serait là. Bientôt, les réjouissances pourraient commencer.

Druss approcha du quai. Un navire était ancré à l'autre extrémité ; des dockers détachaient les amarres et les jetaient sur le pont, tandis que plus haut, des matelots faisaient descendre la grand-voile le long du grand mât. Des mouettes tournaient au-dessus du vaisseau et, au clair de lune, leurs ailes avaient des reflets d'argent.

Le jeune guerrier scruta les quais déserts, à l'exception de deux prostituées et un homme endormi. Il scruta ensuite les bâtiments, mais toutes les fenêtres étaient closes. Il pouvait goûter la peur dans sa bouche, pas pour lui, mais pour Rowena si jamais Collan le tuait. Pour elle, ce serait une vie d'esclavage, et Druss ne pouvait le tolérer.

Les blessures à ses arcades sourcilières le piquaient ; une migraine martelante et lancinante rappelait à ses bons souvenirs sa lutte avec Borcha. Il renifla et cracha, puis se dirigea vers les quais. Dans les ombres sur sa droite, un homme bougea.

— Druss ! fit une voix basse.

Il s'arrêta et tourna la tête pour apercevoir le Vieux Thom à l'entrée d'une ruelle sombre.

— Que veux-tu ? demanda Druss.

— Ils t'attendent, mon garçon. Ils sont neuf. Va-t'en !

— Je ne peux pas. Ils ont ma femme.

— Maudit sois-tu, garçon, tu vas y laisser ta peau.

— On verra bien.

— Écoute-moi. Il y en a deux avec des arbalètes. Longe le mur sur ta droite. Les tireurs sont dans les chambres du haut ; ils ne pourront pas t'avoir dans leur ligne de mire si tu restes contre le mur.

— D'accord, dit Druss. Merci, vieil homme.

Thom disparut dans les ténèbres. Druss prit une grande inspiration et continua son chemin. Devant lui, au-dessus, il vit une fenêtre ouverte. Il changea de route, pour passer du côté des murs des bâtiments éclairés par la lune.

— Où es-tu, Collan ? cria-t-il.

Des hommes en armes sortirent de l'ombre et Druss repéra la grande silhouette de Collan parmi eux. Druss alla à leur rencontre.

— Où est ma femme ? lança-t-il.

— C'est toute la beauté de la chose, répondit Collan en montrant le navire du doigt. Elle est à bord – je l'ai vendue au marchand Kabuchek qui rentre chez lui en Ventria. Avec un peu de chance elle te verra mourir !

— Dans tes rêves ! gronda Druss en chargeant les hommes qui l'attendaient.

Derrière eux, l'ivrogne se releva soudainement, un couteau dans chaque main. Une lame passa devant les yeux de Collan et alla s'enfoncer jusqu'à la garde dans la gorge de Kotis.

Une dague jaillit vers le ventre de Druss, mais celui-ci repoussa le bras de son attaquant et lui asséna un coup de poing dans la mâchoire à lui briser les os. Ce dernier fut projeté sur les autres assaillants qui durent l'éviter. Une dague se ficha dans le dos de Druss, le forçant à se retourner. Il attrapa l'assassin par la gorge et les parties, et le jeta sur les hommes de Collan.

Sieben sortit Snaga de son barda et la lança dans les airs. Druss rattrapa délicatement son arme. La lune se reflétait sur les terribles lames, et les attaquants s'enfuirent en courant.

Druss courut vers le bateau qui s'éloignait lentement du quai.

— Rowena ! cria-t-il.

Quelque chose le percuta dans le dos et il tituba ; puis il tomba à genoux. Il vit Sieben courir vers lui. Le bras du poète se leva et se baissa. Quelque chose brilla. Druss se tourna à moitié pour voir un arbalétrier dans l'embrasure de la fenêtre ; l'homme lâcha son arbalète et tomba par la fenêtre, un couteau planté dans l'œil.

Sieben s'agenouilla à côté de Druss.

— Ne bouge pas, dit-il. Tu as un carreau fiché dans le dos.

— Hors de mon chemin ! hurla Druss en se relevant. Rowena !

Il avança en chancelant, mais le navire s'éloignait du quai. Le vent s'était engouffré dans ses voiles, et il prenait de la vitesse. Druss sentait du sang lui couler le long du dos. Il y avait une grande tache rouge au-dessus de sa ceinture. Une terrible léthargie l'envahit, et il tomba à nouveau.

Sieben le rejoignit.

— Il faut que je t'emmène chez un chirurgien, l'entendit-il dire.

Puis la voix du poète ne fut plus qu'un murmure, et un rugissement emplit ses oreilles. Il se força à ouvrir les yeux et vit le navire virer vers l'est, toutes voiles dehors.

— Rowena ! hurla-t-il. Rowena !

La pierre du quai était froide contre son visage, et les cris des mouettes semblaient se moquer de son angoisse. La douleur l'envahit alors qu'il tentait de se relever…

Et il tomba du bord du monde.

Collan courait le long du quai, jetant un rapide coup d'œil derrière lui. Il vit le géant au sol, son compagnon agenouillé à ses côtés. Il ralentit sa course et s'assit sur une bitte d'amarrage pour reprendre son souffle. C'était incroyable ! Bien que sans arme, le géant les avait chargés et mis en déroute. Borcha avait eu raison. L'analogie avec le taureau était perspicace. Demain, Collan irait se cacher dans un de ses repaires du sud de la ville et, comme Borcha le lui avait conseillé, il irait voir la Vieille Femme. C'était la solution. Il suffisait de la payer pour jeter un sort ou invoquer un démon, ou même obtenir du poison. Tout ce qu'on voulait.

Collan se leva – et vit une silhouette se détacher des ombres de la lune, près du mur. Un homme le regardait.

— Que regardes-tu ? demanda-t-il.

La silhouette mystérieuse vint à sa rencontre, la lune éclairant son visage. Il portait une tunique de cuir souple et deux épées courtes à ses côtés. Ses cheveux longs et noirs étaient attachés en queue de cheval.

— On se connaît ? s'enquit Collan.

— Tu vas apprendre à me connaître, renégat, répondit l'homme en dégainant son épée de droite.

— Tu n'as pas choisi la bonne personne à dépouiller, lui annonça Collan.

Son sabre jaillit et il fendit l'air de droite et de gauche, pour s'assouplir le poignet.

— Je ne suis pas ici pour te dépouiller, Collan, fit l'homme en continuant d'avancer. Je suis venu te tuer.

Collan attendit que son adversaire ne soit plus qu'à quelques pas de lui et il bondit en avant, plongeant son sabre droit vers la poitrine de l'homme. Il y eut un tintement d'acier lorsque les lames s'entrechoquèrent. Le sabre de Collan avait été paré, et une contre-attaque foudroyante manqua de peu sa gorge. Collan dut reculer. La pointe de la lame n'était passée qu'à un centimètre de son œil.

— Tu es rapide, l'ami. Je t'ai sous-estimé.

— Ça arrive, répondit l'homme.

Collan repassa à l'attaque, et cette fois avec une série de coups d'estoc et de taille, en direction du cou et du ventre de son ennemi. Leurs lames brillaient sous la lune et comme le bruit de leur combat résonnait le long du quai, des fenêtres avoisinantes s'ouvrirent. Des prostituées se penchaient au rebord des fenêtres, encourageant les duellistes ; des mendiants sortirent des ruelles ; une taverne non loin se vida et ses occupants formèrent un grand cercle autour des deux hommes. Collan s'amusait bien. Ses attaques forçaient son adversaire à reculer ; à présent il avait bien jaugé l'homme. L'étranger était leste, rapide et d'un grand calme ; mais il n'était plus très jeune et Collan sentait qu'il fatiguait. Au début, il avait fait une série de contre-attaques, mais maintenant, il y en avait de moins en moins, il était trop occupé à parer la lame du jeune homme. Collan feignit un coup de taille mais au dernier moment dévissa son poignet pour le transformer en estoc, prenant appui sur son pied droit. L'étranger était en retard sur ce coup, et la pointe du sabre transperça son épaule gauche.

Collan fit un bond en arrière en dégageant sa lame.

— C'est bientôt l'heure de mourir, vieillard, lança Collan.

— Oui. Qu'est-ce que cela te fait ? répliqua son adversaire.

Collan se mit à rire.

— Tu as du cran, c'est tout à ton honneur. Mais avant de te tuer, j'aimerais bien savoir pourquoi tu t'en prends à moi. J'ai abusé de ta femme, peut-être ? Ou serais-tu un assassin qu'on a payé pour me tuer ?

— Je suis Shadak, répondit l'homme.

Collan se fendit d'un large sourire.

— Eh bien, ma nuit n'aura pas été complètement perdue. (Il jeta un coup d'œil à la foule.) Le grand Shadak ! dit-il en poussant sa voix. Voici le fameux traqueur, le puissant bretteur. Voyez comme il saigne. Eh bien, mes amis, vous pourrez raconter à vos enfants comment il est mort ! Comment Collan a tué la légende.

Il avança sur Shadak impassible et leva son sabre dans une parodie de salut.

— J'ai apprécié ce duel, vieillard, dit-il, mais il est temps d'en finir.

Il sauta en prononçant ces derniers mots, envoyant un revers foudroyant sur le flanc droit de Shadak. Son adversaire para le coup sèchement et Collan donna un petit coup de poignet qui fit passer son sabre par-dessus la lame du vieil homme afin de lui transpercer le cou. C'était un coup meurtrier assez classique, que Collan maîtrisait depuis des années. Mais Shadak se déplaça sur sa gauche et le sabre lui transperça de nouveau l'épaule. Collan sentit une douleur déchirante dans son ventre et baissa les yeux. Horrifié, il vit que l'épée de Shadak y était plantée.

— Va en enfer ! siffla Shadak en dégagea sa lame.

Collan hurla et tomba à genoux, laissant tomber son sabre qui résonna sur les pavés. Il sentait son cœur battre la chamade, et une douleur atroce, acide et brûlante, enflamma son corps. Il cria :

— Aidez-moi !

Mais la foule était silencieuse. Collan tomba face la première contre les pavés.

Je ne peux pas mourir, pensa-t-il. *Pas moi. Je suis Collan.*

La douleur reflua, remplacée par une douce torpeur qui s'empara furtivement de son esprit torturé. Il ouvrit les yeux et put voir son sabre, qui brillait sur la pierre devant lui. Il essaya de l'attraper ; ses doigts touchèrent la poignée.

Je peux encore gagner, se dit-il. *Je peux…*

Shadak rengaina son épée et regarda le cadavre. Déjà, des mendiants lui ôtaient ses bottes et lui arrachaient sa ceinture. Shadak se détourna de la scène et traversa la foule.

Il vit Sieben agenouillé à côté du corps immobile de Druss, et eut un serrement de cœur. Il pressa le pas.

— Il est mort, fit Sieben.

— Dans tes… rêves, siffla Druss. Aide-moi à me relever.

Shadak gloussa.

— Il y a des hommes qui ne veulent pas mourir, dit-il au poète.

Les deux hommes hissèrent Druss sur ses pieds.

— Elle est là, dit Druss, en regardant le vaisseau qui disparaissait lentement à l'horizon.

— Je sais, mon ami, fit Shadak avec douceur. Mais nous la retrouverons. À présent, allons chez un chirurgien.

Livre deuxième

Le Démon
dans la hache

Prologue

Le navire glissa hors du port. La houle du soir venait se briser contre la coque. Rowena se tenait sur le pont arrière, la silhouette menue de Pudri à ses côtés. Au-dessus d'eux, dissimulé par la barre, se tenait le marchand ventrian, Kabuchek. Grand et d'apparence cadavérique, il scrutait le quai. Il avait vu Collan se faire tuer par un épéiste inconnu, et le géant drenaï lutter contre les hommes de Collan. *Intéressant*, pensa-t-il, *ce que les hommes peuvent faire au nom de l'amour.*

Ses pensées le ramenèrent au temps de sa jeunesse à Varsipis, lorsqu'il désirait éperdument la jeune Harenini. *Étais-je amoureux, alors ?* se demanda-t-il. *Ou le temps a-t-il ajouté des couleurs à la grisaille de la jeunesse ?*

À présent, le vaisseau était soulevé par la houle. Il approchait de l'embouchure du port et la marée montante. Kabuchek porta son regard sur la fille. Collan l'avait vendue une bouchée de pain. Cinq mille pièces d'argent pour un Talent comme le sien ? C'était grotesque. Il avait cru avoir affaire à un charlatan ou un escroc. Mais elle lui avait pris la main en le regardant dans les yeux et prononcé un seul mot : *Harenini*. Kabuchek avait essayé de ne pas montrer son trouble. Il n'avait pas entendu prononcer ce nom depuis vingt-cinq ans, et ce pirate de Collan n'aurait jamais pu entendre parler de cette amourette de jeunesse. Bien que déjà convaincu par ses talents, Kabuchek lui avait posé d'autres questions ; finalement, il s'était tourné vers Collan.

— Il semblerait bien qu'elle ait un petit don, dit-il. Combien en demandez-vous ?

— Cinq mille.

Kabuchek s'adressa à son serviteur eunuque, Pudri.

— Paie-le, ordonna-t-il, cachant son sourire de triomphe et se repaissant du regard torturé de Collan. Je vais l'emmener au bateau moi-même.

Avec le recul, en voyant jusqu'où le jeune guerrier était allé, il se félicita de sa perspicacité. Il entendit la douce voix de Pudri qui parlait à la fille.

— Je prie pour que ton mari ne soit pas mort, disait Pudri.

Kabuchek jeta un coup d'œil en direction du quai. Les deux guerriers drenaïs étaient agenouillés autour du corps immobile du géant.

— Il va vivre, répondit Rowena, les larmes aux yeux. Et il va me suivre.

S'il le fait, pensa Kabuchek, *je le ferai tuer*.

— Il a beaucoup d'amour pour toi, *Pahtai*, dit Pudri pour l'apaiser. Et c'est ainsi que cela devrait être entre mari et femme. Mais c'est rare. Personnellement, j'ai trois femmes – et aucune ne m'aime. Mais il faut dire qu'un eunuque n'est pas un conjoint idéal.

La fille regarda les silhouettes sur le quai jusqu'à ce que le navire soit sorti du port, et que les lumières de Mashrapur ne ressemblent plus qu'à de lointaines flammes de bougies. Elle soupira et s'affaissa sur le bastingage, la tête baissée ; des larmes coulaient sur ses joues.

Pudri s'assit à côté d'elle et posa un bras sur ses épaules.

— Oui, dit-il, les larmes font toujours du bien. Beaucoup de bien.

Il lui tapota dans le dos, comme si elle avait été une enfant, et lui soupira des platitudes sans queue ni tête.

Kabuchek descendit du pont supérieur et s'approcha d'eux.

— Amène-la dans ma cabine, ordonna-t-il à Pudri.

Rowena posa les yeux sur le visage dur de son nouveau maître. Son nez était long et crochu, comme un bec d'aigle. Sa peau était la plus sombre qu'elle ait vue, presque noire. Toutefois, ses yeux étaient d'un bleu profond, sous des sourcils broussailleux. Pudri se leva et l'aida à se redresser. Ensemble, ils suivirent le marchand qui descendait dans sa cabine en poupe du bateau. Il y avait là des lanternes allumées suspendues à des poutres de chêne par des crochets en bronze.

Kabuchek s'assit derrière un bureau ciré en acajou.

— Lance des runes pour le voyage, exigea-t-il.

— Je ne sais pas lancer les runes, répondit Rowena. Je ne sais pas ce qu'il faut faire.

Il balaya la réponse d'un geste de la main.

— Fais ce que tu sais faire, femme. La mer est une maîtresse très dangereuse et j'ai besoin de savoir si le voyage se passera bien.

Rowena s'assit face à lui.

— Donnez-moi votre main, dit-elle.

116

Il se pencha vers elle et la gifla, paume ouverte. Ce n'était pas un coup très violent, mais il lui chauffa la peau.

— Quand tu m'adresses la parole, tu dois dire *maître*, expliqua-t-il sans une once de colère dans la voix.

Puis, il posa ses grands yeux bleus sur son visage, à la recherche d'un signe de défi ou de rébellion. Mais en scrutant les yeux noisette de Rowena, il ne trouva qu'un regard calme qui semblait le jauger. Curieusement, il eut presque envie de s'excuser pour l'avoir frappée, ce qui était une idée ridicule. Il n'avait pas voulu lui faire mal, ce n'était qu'une méthode rapide pour établir de fait l'autorité – la propriété. Il se racla la gorge.

— Je souhaite que tu apprennes très vite les manières des maisons ventriannes. Tu seras bien entretenue, et bien nourrie ; tes quartiers seront confortables et chauds en hiver, frais en été. Mais tu es une esclave : il faut que tu comprennes cela. Tu m'appartiens. Tu es une propriété. Comprends-tu ?

— Je comprends… *maître*, répondit la fille.

Le titre avait été prononcé avec une pointe d'emphase, mais aucune insolence.

— Très bien. Passons donc aux choses plus importantes.

Il tendit sa main.

Rowena toucha sa paume offerte. Au début, elle ne perçut que des détails de son passé récent, son accord passé avec les traîtres qui avaient assassiné l'empereur ventrian ; l'un d'entre eux avait une tête de faucon. Kabuchek était agenouillé devant lui, et il y avait du sang sur la manche de cet homme. Un nom souffla dans son esprit – Shabag.

— Qu'as-tu dit ? siffla Kabuchek.

Rowena cligna des yeux et réalisa qu'elle avait dû prononcer le nom à voix haute.

— Je vois un homme assez grand, avec du sang sur sa manche. Vous êtes assis devant lui…

— Le futur, ma fille ! Pas le passé.

Des ponts supérieurs vint un grand claquement, comme si une bête géante fondait sur le bateau en battant des ailes. Rowena sursauta.

— Ce n'est que la grand-voile, affirma Kabuchek. Essaie de te concentrer un peu.

Rowena ferma les yeux et laissa son âme errer. Elle était au-dessus du bateau, flottant sur une mer claire et sous un ciel d'un bleu resplendissant. Puis, un autre navire fut en vue : une trirème, dotée de trois rangées de rames, qui projetait dans son sillage une grande traînée d'écume en fendant les vagues. Elle venait dans leur direction. Rowena se rapprocha… encore. Le pont de la trirème était couvert d'hommes armés jusqu'aux dents.

Des formes grises argentées nageaient autour de la trirème – des grands poissons d'environ six mètres de long, avec des ailerons comme des pointes de lance qui fendaient les flots. Rowena regarda la trirème éperonner leur vaisseau. Elle vit des hommes tomber à la mer, et les grands poissons lisses leur foncer dessus. La mer se mit à bouillonner. Elle vit du sang. Elle vit les rangées de dents pointues dans les gueules des poissons. Elle les vit déchirer, arracher et démembrer les malheureux marins qui étaient tombés à l'eau.

La bataille sur le pont fut courte et brutale. Elle se vit en compagnie de Pudri et de la grande silhouette de Kabuchek passer par-dessus le bastingage arrière et plonger au milieu des vagues.

Les poissons tueurs tournèrent autour d'eux – et les attaquèrent.

Rowena ne pouvait plus regarder, et dans un soubresaut, elle retourna au présent. Elle ouvrit les yeux.

— Alors, qu'as-tu vu ? demanda Kabuchek.

— Une trirème avec une grande voile noire, maître.

— Earin Shad, murmura Pudri, le visage blême et les yeux emplis de terreur.

— Lui échappons-nous ? demanda Kabuchek.

— Oui, répondit Rowena d'un ton neutre, au désespoir, nous lui échappons.

— Bien. Je suis satisfait, annonça Kabuchek. (Il lança un regard à Pudri.) Ramène-la dans sa cabine et donne-lui à manger. Elle est toute pâle.

Pudri conduisit Rowena le long d'un étroit couloir jusqu'à une petite porte. Il l'ouvrit et rentra à l'intérieur.

— Le lit est très petit, mais tu ne prendras pas beaucoup de place. Ce sera suffisant, Pahtai.

Comme assommée, Rowena se contenta d'acquiescer et s'assit.

— Tu as vu davantage que tu ne l'as dit au maître, dit-il.

— Oui. Il y avait des poissons, des poissons énormes, sombres, avec des dents effrayantes.

— Des requins, expliqua Pudri en s'asseyant à côté d'elle.

— Ce bateau va couler, avoua-t-elle. Et toi, moi et Kabuchek allons sauter dans l'eau au milieu des requins.

Chapitre premier

S ieben était assis dans le salon. Les rayons du soleil filtraient par les volets dans son dos. Il pouvait entendre des voix étouffées dans la pièce d'à côté – celle, grave, d'un homme qui suppliait, et celle dure de la Vieille Femme qui répondait. Étouffés par les murs épais de pierre et de chêne, les mots étaient perdus – ce qui était tout aussi bien, car Sieben n'avait aucune envie d'entendre la conversation. La Vieille Femme avait beaucoup de clients ; la plupart cherchaient à tuer leurs rivaux – du moins d'après les ragots qu'il avait entendus.

Il essaya de faire abstraction des voix, et se concentra sur les rayons de lumière et les grains de poussière qui y dansaient. La pièce était dénuée de tout ornement, à l'exception de trois sièges en bois sculpté. Ils n'étaient même pas bien taillés ; Sieben se douta qu'ils avaient été achetés dans le quartier sud, où les pauvres dépensaient le peu d'argent qu'ils avaient.

Pour passer le temps, il glissa sa main dans un rayon de lumière, chassant la poussière tourbillonnante.

La porte en chêne s'ouvrit, et un homme d'âge mûr en émergea. En voyant Sieben, il détourna la tête et se dépêcha de sortir de la maison. Le poète se leva et se dirigea vers la porte ouverte. La pièce de derrière était à peine mieux meublée que la salle d'attente. S'y trouvait une grande table bancale, deux chaises en bois et une fenêtre avec un seul volet. Sieben s'aperçut qu'on avait fourré des bouts de tissu entre les lamelles pour empêcher toute lumière de filtrer.

— Un rideau aurait suffi à bloquer la lumière, dit-il en se forçant à utiliser une légèreté de ton qu'il ne ressentait pas.

La Vieille Femme ne sourit pas ; son visage, éclairé par une lanterne rouge posée sur la table devant elle, était impassible.

— Assis, ordonna-t-elle.

Ce qu'il fit tout en essayant de ne pas penser à sa laideur repoussante. Ses dents étaient multicolores – vertes, grises, et marron de tartre. Elle avait des yeux chassieux, et une cataracte naissante à l'œil gauche. Elle portait une robe rouge passé trop ample, et un talisman en or partiellement caché par les replis mous de son cou.

— Dépose ton or sur la table, dit-elle.

Il piocha un raq d'or de sa bourse et lui lança. Elle ne fit aucun geste pour rattraper la pièce. Elle se contenta de le regarder droit dans les yeux.

— Qu'attends-tu de moi ? lui demanda-t-elle.

— J'ai un ami qui se meurt.

— Le jeune guerrier.

— Oui. Les chirurgiens ont fait ce qu'ils ont pu, mais il y a du poison dans ses poumons, et le coup de couteau qu'il a pris dans le bas du dos ne guérit pas.

— Tu as quelque chose lui appartenant sur toi ?

Sieben opina et tira de sa ceinture un gantelet argenté. Elle le lui prit des mains et, silencieusement, passa la peau calleuse de son pouce sur le cuir et le métal.

— Le chirurgien est Calvar Syn, affirma-t-elle. Qu'a-t-il dit ?

— Seulement que Druss devrait déjà être mort. Le poison se répand dans ses veines ; ils sont obligés de le faire boire de force, mais il continue de perdre du poids et cela fait quatre jours qu'il n'a pas ouvert les yeux.

— Que voudrais-tu que je fasse ?

Sieben haussa les épaules.

— On dit que vous connaissez les plantes. J'ai pensé que vous pourriez peut-être le sauver.

Soudain, elle se mit à rire. C'était un son sec et dur.

— Mes plantes ne servent pas à prolonger la vie, Sieben. (Elle posa le gantelet sur la table et se renfonça sur sa chaise). Il souffre, déclara-t-elle. Il a perdu sa dame, et avec, sa raison de vivre. Sans volonté, il n'y a pas d'espoir.

— Vous ne pouvez vraiment rien faire ?

— Pour sa volonté ? Non. Sa dame est sur un bateau en route pour la Ventria et elle va bien – pour l'instant. Mais la guerre est en train de s'étendre, et qui sait ce qu'il peut advenir d'une esclave quand elle aura posé le pied sur un continent déchiré par la guerre ? Retourne à l'hôpital. Emmène ton ami dans la maison que Shadak a préparée pour vous.

— Alors il va mourir ?

Elle sourit, et Sieben détourna les yeux de cette vision de dents pourrissantes.

— Peut-être… Installe-le dans une chambre où le soleil entre le matin, et pose sa hache sur le lit ; mets ses doigts sur le manche de l'arme.

Ses doigts serpentèrent sur la table, et le raq d'or disparut dans sa main.

— C'est tout ce que vous pouvez me dire pour une pièce d'or ?

— C'est tout ce que tu as besoin de savoir. N'oublie pas, ses doigts sur le manche de la hache.

Sieben se leva.

— J'espérais davantage.

— La vie est faite de déceptions, Sieben.

Il se dirigea vers la porte, mais sa voix l'arrêta.

— Ne touche pas les lames, le prévint-elle.

— Pardon ?

— Porte l'arme avec précaution.

Il secoua la tête et sortit de la maison. À présent, le soleil se cachait derrière des nuages noirs, et la pluie se mit à tomber.

Druss était assis sur le flanc d'une montagne désolée. Il était fatigué. Le ciel au-dessus de sa tête était gris et maussade, la terre en dessous, aride et sèche. Il porta son regard vers les sommets imposants. Il était encore loin ; il se remit en marche. Il avait les jambes flageolantes, et cela faisait tellement longtemps qu'il gravissait cette montagne qu'il avait perdu toute notion du temps. Tout ce qu'il savait, c'est que Rowena l'attendait sur le sommet le plus élevé et qu'il devait la trouver. À vingt pas devant lui, il y avait une corniche saillante et Druss s'y dirigea ; essayant d'oublier que ses muscles le torturaient, il se força à avancer. Du sang coulait de la blessure dans son dos, rendant le sol glissant sous ses pieds. Il tomba. Il rampa.

Il lui semblait que les heures défilaient.

Il leva les yeux, et la corniche était maintenant à quarante pas. Le désespoir montait furtivement, mais une vague de rage le noya aussitôt. Il continua de ramper. Sans fin.

— Je n'abandonnerai pas, siffla-t-il. Jamais.

Quelque chose de froid toucha sa main, et ses doigts se refermèrent sur un objet en métal. Et il entendit une voix :

— Je suis de retour, mon frère.

Quelque chose dans ces mots lui glaça le sang. Il regarda la hache en acier argenté – et il sentit ses blessures se refermer, et sa force lui revenir dans tout le corps.

Il se redressa doucement et leva les yeux vers la montagne.

Ce n'était qu'une colline.

D'un pas rapide, il atteignit le sommet. Et se réveilla.

Calvar Syn tapa Druss dans le dos.

— Vous pouvez remettre votre chemise, jeune homme, dit-il. Vos blessures sont guéries. Il y a encore un peu de pus, mais le sang est frais, et les croûtes ne semblent pas infectées. Je vous félicite pour votre force.

Druss acquiesça d'un signe de tête mais ne répondit pas. Lentement, délicatement, il remit sa chemise de laine grise, et se rallongea sur le lit, épuisé. Calvar Syn posa un doigt sur le pouls du jeune homme au niveau de la carotide. Le rythme était un peu erratique et rapide, mais c'était à prévoir après une infection aussi longue.

— Respirez un grand coup, ordonna le chirurgien, et Druss obéit. Le poumon droit ne fonctionne toujours pas au maximum de ses capacités ; mais cela viendra. Je veux que vous sortiez dans le jardin. Jouissez du soleil et de l'air marin.

Le chirurgien se leva et quitta la pièce, traversant tout le couloir pour sortir dans le jardin. Il aperçut le poète, Sieben, assis à l'ombre d'un orme et qui jetait des cailloux dans un bassin. Calvar Syn s'approcha tranquillement du bord.

— Votre ami va mieux, mais il se remet moins vite que je ne l'avais espéré, dit-il.

— Vous lui avez fait une saignée ?

— Non. Il n'a plus de fièvre. Il est très silencieux… replié sur lui-même.

Sieben hocha la tête.

— On a enlevé sa femme.

— C'est triste, j'en suis sûr. Mais il y a d'autres femmes en ce bas monde, fit remarquer le chirurgien.

— Pas pour lui. Il l'aime, et il est à sa recherche.

— Il va gâcher sa vie, répondit Calvar. A-t-il au moins une idée de la superficie du continent ventrian ? Il existe des milliers et des milliers de petites villes et de villages, et plus de trois cents cités. Sans parler de la guerre ; il n'y a plus de bateau en partance. Comment espère-t-il s'y rendre ?

— Il sait tout ça. Mais il est Druss – il n'est pas comme vous ou moi. (Le poète gloussa et lança un autre caillou.) C'est un héros à l'ancienne. On n'en voit plus beaucoup des comme lui ces temps-ci. Je sais qu'il se débrouillera.

Calvar se racla la gorge.

— Hmmm. Eh bien, votre héros à l'ancienne a autant de force qu'un agneau de trois jours. Il est dans un profond état de mélancolie, et tant qu'il n'en sera pas sorti, je ne pense pas qu'il se remette entièrement. Faites-lui manger de la viande rouge et des légumes verts. Il en a besoin pour son sang.

Il se racla à nouveau la gorge et resta immobile.

— Il y a autre chose ? demanda le poète.

Calvar jura dans sa tête. Les gens étaient bien tous pareils. Dès qu'ils tombaient malades, ils faisaient vite venir le docteur. Mais quand le moment de payer arrivait… Personne n'attend d'un boulanger qu'il offre du pain sans recevoir de l'argent en échange. Mais d'un docteur, si.

— Il reste la question de mes honoraires, dit-il froidement.

— Ah, oui. À combien se montent-ils ?

— Trente raqs.

— Par les Roustons de Shema ! Pas étonnant que tous les docteurs vivent dans des palais.

Calvar soupira mais resta calme.

— Je ne vis pas dans un palais ; j'ai une petite maison dans le quartier nord. Et la raison pour laquelle les chirurgiens prennent si cher est que beaucoup de patients reviennent sur leur parole. Cela fait maintenant deux mois que je m'occupe de votre ami. J'ai dû faire une trentaine de visites dans cette maison, et acheter des plantes qui coûtaient cher. Vous avez déjà promis par trois fois de me régler. Et à chaque fois, vous m'avez demandé le montant de mes honoraires. Alors, vous allez me payer ce que vous me devez ?

— Non, avoua Sieben.

— Combien avez-vous ?

— Cinq raqs.

Calvar tendit la main et Sieben lui donna les pièces.

— Vous avez jusqu'à la semaine prochaine pour me payer le reste. Après, je préviendrai le guet. À Mashrapur, la loi est simple : si vous ne payez pas vos dettes, vos biens sont confisqués. Comme cette maison ne vous appartient pas, ni à votre ami, vous n'avez pas de source de revenu, vous risquez de finir en prison et d'être vendus comme esclaves. À la semaine prochaine.

Calvar se détourna et traversa le jardin ; la colère montait en lui.

Un jour, j'irai vraiment voir le guet, se jura-t-il. Il déambula le long des ruelles étroites, son sac à dos gigotant sur son épaule.

— Docteur ! Docteur ! fit une voix féminine.

Il se retourna et vit une femme accourir dans sa direction.

— Pouvez-vous venir avec moi ? C'est mon fils, il a de la fièvre.

Calvar inspecta la femme. Sa robe était de mauvaise qualité et usée. Elle n'avait même pas de chaussures.

— Et comment allez-vous me payer ? demanda-t-il sous le coup de la colère qui n'était toujours pas passée.

Elle resta interdite.

— Vous… pouvez prendre tout ce que j'ai, répondit-elle simplement.

Il secoua la tête ; sa colère venait de le quitter.

— Ce ne sera pas nécessaire, lui assura-t-il avec un sourire professionnel.

Quand il rentra finalement chez lui, il était minuit passé. Son serviteur lui avait préparé un repas froid composé de viande et de fromage. Calvar s'allongea sur son canapé en cuir et but un verre de vin.

Il défit sa bourse et en versa le contenu sur la table. Trois raqs tombèrent sur la surface en bois.

— Tu ne seras jamais riche, Calvar, dit-il avec un sourire narquois.

Pendant que la mère était partie chercher à manger, il était resté avec le garçon. Elle était revenue avec des œufs, de la viande, du lait et du pain, le visage radieux. *Cette vision valait bien deux raqs*, pensa-t-il.

Druss se déplaça lentement jusqu'au jardin. La lune était haute dans le ciel et la nuit étoilée. Il se souvint d'un poème de Sieben : *Brille, poussière, dans le repaire de la nuit*. Oui, c'est bien à ça que ressemblaient les étoiles. Le temps d'arriver aux sièges construits autour du tronc d'orme, il soufflait comme un bœuf. *Respirez un grand coup*, avait dit le chirurgien. Un grand coup ? Il avait l'impression qu'un éclat de rocher était coincé entre ses poumons, empêchant l'air d'entrer.

Le carreau avait transpercé son corps de façon très propre, malheureusement, il avait entraîné à l'intérieur de la blessure un morceau de chemise. C'était ce qui l'avait empoisonné et privé de ses forces.

Le vent était frais. Des chauves-souris tournaient autour de la maison. *Des forces*. Druss réalisait seulement maintenant à quel point il avait surestimé la puissance colossale de son corps. Un petit carreau de rien du tout et un coup de couteau rapide l'avaient transformé en coquille vide et molle. Comment pouvait-il espérer sauver Rowena dans cet état ?

Le désespoir le frappa tel un coup de poing en plein cœur. La sauver ? Il ne savait même pas où elle était, si ce n'est que des milliers de milles les séparaient. Aucun bateau ventrian en partance, et même s'il y en avait eu, il n'avait pas d'or pour se payer la traversée.

Il reporta son regard sur la maison. Des lumières dorées brillaient à la fenêtre de Sieben. C'était une belle maison, la meilleure que Druss ait visitée. Shadak s'était arrangé pour la louer à leurs noms, son propriétaire étant bloqué en Ventria. Mais il fallait payer le loyer.

Le chirurgien lui avait affirmé qu'il fallait encore deux mois avant que ses forces ne reviennent entièrement.

On mourra de faim avant, pensa Druss. Il se leva et marcha jusqu'au grand mur derrière le jardin. À l'arrivée, il était pantelant et avait les jambes en coton. À présent, la maison semblait à l'autre bout du monde. Druss s'élança, mais il dut s'arrêter au bassin et s'asseoir un moment sur la margelle. Il se passa de l'eau sur le visage et attendit que ses maigres forces lui reviennent. Puis il se releva, et atteignit en titubant la porte de derrière. D'ici, on ne voyait plus le portail en fer, noyé dans l'ombre, de l'autre côté du jardin. Il aurait pourtant voulu y retourner. Mais il n'en avait plus la volonté.

Il était sur le point de rentrer dans la maison quand il aperçut un mouvement du coin de l'œil. Il se retourna lourdement, alors qu'un homme sortait de l'ombre.

— Heureux de te voir en vie, mon garçon, fit le Vieux Thom.

Druss sourit.

— Il y a une porte principale avec un heurtoir, dit-il.

— Je ne savais pas si je serais le bienvenu, répondit le vieil homme.

Druss le conduisit à l'intérieur et tourna sur la gauche, dans une salle meublée de quatre divans et six chaises rembourrées. Thom se déplaça jusqu'à l'âtre. Il enflamma une allumette avec les dernières braises du feu et alluma une lanterne accrochée au mur.

— Sers-toi à boire, lui proposa Druss.

Le Vieux Thom se versa un gobelet de vin rouge, puis un autre qu'il tendit au jeune homme.

— Tu as perdu beaucoup de poids, mon garçon, et tu as l'air d'un vieillard, déclara joyeusement Thom.

— J'ai été en meilleure forme.

— J'ai appris que Shadak a parlé en ta faveur aux magistrats. Tu ne seras pas poursuivi pour la bagarre sur le quai. C'est bon d'avoir des amis, pas vrai ? Et ne t'inquiète pas pour Calvar Syn.

— Pourquoi devrais-je m'inquiéter ?

— Facture impayée. Il aurait pu te vendre en esclavage – mais il ne le fera pas. C'est un tendre.

— Je croyais que Sieben l'avait payé. Je ne serai jamais redevable envers qui que ce soit.

— De jolies paroles, mon garçon. Avec de telles paroles et un sou de cuivre, tu pourras toujours t'acheter une miche de pain.

— Je trouverai l'argent pour le rembourser, promit Druss.

— Je n'en doute pas, mon garçon. Et de la meilleure façon qui soit – dans un cercle de sable. Mais d'abord, il va falloir que tu retrouves ta force. Tu as besoin de travailler – et tant pis si ma langue pourrit pour avoir dit ça.

— J'ai besoin de temps, dit Druss.

— Tu n'en as pas beaucoup, mon garçon. Borcha te cherche. Tu lui as volé sa réputation et il a promis qu'il te flanquerait une volée dès qu'il t'aura mis la main dessus.

— Sans blague ? siffla Druss, un éclat dans les yeux.

— Voilà qui est mieux, beau gosse ! La colère, y a que ça de vrai ! Bon, eh bien, je vais te laisser. Au fait, ils coupent des arbres à l'ouest de la ville. Ils dégagent le terrain pour construire de nouveaux bâtiments. Ils cherchent des ouvriers. Deux sous d'argent par jour. Ce n'est pas grand-chose, mais c'est du boulot.

— Je vais y réfléchir.

— Je te laisse te reposer, mon garçon. Tu as l'air d'en avoir besoin.

Druss regarda le vieil homme partir puis ressortit dans le jardin une fois encore. Ses muscles lui faisaient mal, et son cœur battait la chamade. Mais le visage de Borcha était gravé dans son esprit ; il se força à aller jusqu'au portail et revint.

Trois fois…

Vintar sortit de son lit, sans bruit, afin de ne pas réveiller les quatre prêtres qui partageaient la même petite chambre que lui, dans l'aile sud. Il revêtit sa longue robe en laine blanche et déambula pieds nus sur les pierres froides, le long du couloir. Il monta l'escalier en colimaçon qui menait aux anciens remparts.

De là, il pouvait voir la chaîne de montagnes qui séparait la Lentria des terres drenaïes. Une moitié de lune flottait dans un ciel sans nuage. Derrière le temple, les arbres de la forêt scintillèrent sous cette lumière spectrale.

— La nuit est un moment idéal pour la méditation, mon fils, fit l'abbé en sortant de l'ombre. Mais tu auras besoin de tes forces pendant la journée. Tu prends du retard dans le maniement de l'épée.

L'abbé était large d'épaules ; c'était un homme costaud, qui avait été mercenaire. Il avait une cicatrice sur la joue droite qui descendait en zigzag jusque sous sa mâchoire.

— Je ne médite pas, mon père. Je n'arrive pas à oublier la femme.

— Celle qui a été enlevée par les esclavagistes ?

— Oui. Elle me hante.

— Tu es ici parce que tes parents t'ont confié à moi, mais tu es libre d'agir comme bon te semble. Si tu souhaites partir pour trouver cette fille, tu peux le faire. Les Trente survivront, Vintar.

Le jeune homme soupira.

— Je ne désire pas partir, mon père. Et je ne désire pas cette femme. (Il sourit avec nostalgie.) Je n'ai jamais désiré de femme. Mais il y a quelque chose en elle dont je n'arrive pas à me défaire.

— Viens avec moi, mon garçon. Il fait froid ici, et j'ai un bon feu. Nous serons plus à l'aise pour parler.

Vintar suivit l'abbé dans l'aile ouest, et les deux hommes s'assirent dans le bureau de l'abbé alors que l'aube pointait dans le ciel.

— Parfois, déclara l'abbé en posant une bouilloire sur le feu, il est difficile de définir la volonté réelle de la Source. J'ai connu des hommes qui désiraient partir dans des pays lointains. Ils priaient pour qu'on leur montre la voie. Étonnamment, ils se sont aperçus que la Source leur montrait comment réaliser ce dont ils rêvaient. Je dis *étonnamment* parce que, à ma connaissance, la Source envoie rarement un homme là où il souhaite se rendre. Cela fait partie du sacrifice qu'implique le fait de servir la Source. Je ne dis pas que cela n'arrive pas parfois, tu comprends, je ne voudrais pas passer pour quelqu'un d'arrogant. Non, mais quand on cherche la Voie, on doit le faire avec une ouverture d'esprit qui nécessite d'abandonner ses désirs.

La bouilloire se mit à siffler et un nuage de vapeur s'échappa par le bec verseur. L'abbé protégea ses mains avec un chiffon, puis versa l'eau dans un pot où il ajouta plusieurs cuillerées d'herbes. Il reposa la bouilloire dans l'âtre et se rassit dans son vieux fauteuil en cuir.

— La Source s'adresse rarement à nous directement ; la question est donc : comment savoir ce qu'on attend de nous ? C'est une question très complexe. Tu as choisi d'échapper à tes études pour t'envoler dans les cieux. Ce faisant, tu as sauvé l'esprit d'une jeune femme et l'as ramené à son corps qu'un homme maltraitait. Coïncidence ? Je ne crois pas aux coïncidences. Par conséquent je pense, mais je me trompe peut-être, que c'est la Source qui t'a guidé jusqu'à elle. Et c'est pour cela qu'elle hante à présent ton esprit. Je ne pense pas que tu en aies fini avec elle.

— Vous croyez que je devrais la retrouver ?

— Oui. Va dans la bibliothèque de l'aile sud. Il y a une petite cellule au fond. Je te dispense d'études pour demain.

— Mais comment vais-je la retrouver, seigneur abbé ? C'était une esclave. Elle pourrait être n'importe où.

— Commence par l'homme qui la violait. Tu connais son nom – Collan. Tu sais où il avait projeté de l'emmener – Mashrapur. Que ta quête spirituelle débute par là.

L'abbé versa du thé dans deux tasses en grès. L'arôme était doux et grisant.

— Je suis le moins doué de tous les prêtres, déclara tristement Vintar. Ne serait-il pas plus prudent de prier la Source d'envoyer quelqu'un de plus fort que moi ?

L'abbé gloussa.

— Comme c'est étrange, mon garçon. Beaucoup de gens affirment qu'ils désirent servir le Seigneur de Toutes les Paix. Mais seulement comme conseiller : « Ah, mon Dieu, vous êtes merveilleux, car vous avez créé les planètes et les étoiles. Néanmoins, vous avez tort de me choisir moi. Je suis bien placé pour le savoir, je suis Vintar, et je suis faible. »

— Vous vous moquez de moi, mon père.

— Évidemment que je me moque de toi. Mais je le fais avec un minimum d'amour dans mon cœur. J'étais un soldat, un tueur, un poivrot, un coureur de jupons. Que crois-tu que j'ai ressenti quand Elle m'a choisi pour faire partie des Trente ? Et quand mes frères prêtres se sont retrouvés face à la mort, as-tu seulement idée du désespoir que j'ai éprouvé en apprenant que j'étais celui qui devait survivre ? J'étais devenu le nouvel abbé. Je devais rassembler les nouveaux Trente. Oh, Vintar, tu as encore beaucoup à apprendre. Trouve cette fille. Je pense qu'en la trouvant, tu trouveras également quelque chose pour toi.

Le jeune prêtre termina son thé et se leva.

— Merci, mon père, pour votre bonté.

— Tu m'as dit qu'elle avait un mari qui la recherchait, dit l'abbé.

— Oui. Un nommé Druss.

— Peut-être sera-t-il toujours à Mashrapur.

Une heure plus tard, l'esprit du jeune prêtre planait au-dessus de la ville. De là où il était, et bien que les bâtiments et les palais aient l'air ridiculement petits, tels les jouets d'un enfant, il pouvait ressentir le cœur de Mashrapur qui battait, comme une bête au réveil ; affamée, ne connaissant que l'envie et la luxure. Des émotions sombres émanaient de cette ville, bloquant ses pensées et inondant la pureté qu'il avait tant de mal à défendre. Il descendit de plus en plus bas.

À présent, il pouvait voir les dockers qui partaient au travail, les prostituées qui commençaient leurs premières passes, et les marchands qui ouvraient leurs boutiques et sortaient leurs étals.

Par où commencer ? Il n'en avait aucune idée.

Pendant des heures, il vola sans but précis, touchant un esprit par-ci, une pensée par-là, à la recherche d'une information sur Collan, Rowena ou Druss. Il n'en trouva aucune, seulement des envies, des besoins, la faim, la débauche, la luxure ou parfois, mais trop rarement, l'amour.

Fatigué et vaincu, il était sur le point de s'en retourner au Temple quand il sentit soudain qu'on tirait sur son esprit, comme si on lui avait passé une corde autour du pied. Paniqué, il se débattit, mais il eut beau user de toute sa force, il fut attiré dans une pièce dont les fenêtres étaient toutes obstruées. Une vieille femme se tenait debout devant une lanterne rouge. Elle le contemplait en train de flotter juste en dessous du plafond.

— Ah, mais tu es un régal pour mes vieux yeux, mon mignon, dit-elle.

Sous le choc, Vintar réalisa soudain que sa forme astrale était nue, et il invoqua aussitôt une robe blanche pour se couvrir. Elle eut un rire sec.

— Et modeste, avec ça.

Le sourire s'évanouit, et la bonne humeur de la vieille femme avec.

— Que fais-tu ici ? Hmmm ? C'est ma ville, mon enfant.

— Je suis un prêtre, madame, répondit-il. Je cherche des informations sur une femme nommée Rowena, épouse de Druss, esclave de Collan.

— Pourquoi ?

— Mon abbé m'a demandé de la trouver. Il pense que la Source désire peut-être la protéger.

— Et c'est toi qu'Elle envoie ? (La femme retrouva sa bonne humeur.) Mon garçon, tu n'es même pas capable de te protéger d'une vieille sorcière. Si je le voulais, je pourrais envoyer ton âme rôtir en enfer.

— Pourquoi voudriez-vous faire une chose aussi horrible ?

Elle ne répondit pas tout de suite.

— Parce que j'en ai envie, par caprice. Que vas-tu me donner en échange de ta vie ?

— Je n'ai rien à donner.

— Mais si, dit-elle.

Elle ferma les yeux et il la vit quitter son corps. Elle prit la forme d'une très belle femme, jeune et bien faite, avec des cheveux d'or et de grands yeux bleus.

— Est-ce que cette forme te plaît ?

— Bien sûr. Elle est parfaite. C'est à cela que vous ressembliez, quand vous étiez jeune ?

— Non, j'ai toujours été laide. Mais c'est comme cela que j'ai envie que tu me voies.

Elle glissa jusqu'à lui et lui caressa le visage. Son contact était chaud, et il sentit le désir monter en lui.

— Arrêtez, s'il vous plaît, dit-il.

— Pourquoi ? Ce n'est pas bon ?

Elle toucha la robe blanche du bout des doigts et celle-ci disparut.

— Si, c'est très bon. Mais mes vœux… ne m'autorisent pas à connaître les plaisirs de la chair.

— Imbécile, lui susurra-t-elle à l'oreille. Nous ne sommes pas de chair. Nous sommes d'esprit.

— Non, dit-il sévèrement.

Instantanément, il prit la forme de la vieille femme qui était à la table.

— Petit futé, fit l'apparition angélique. Oui, c'est très malin. Et vertueux, aussi. Je ne sais pas si j'apprécie, mais au moins, il y a le charme de la nouveauté. Très bien. Je vais t'aider.

Il sentit que la corde invisible qui le retenait avait disparu. La belle femme n'était plus là non plus. La sorcière ouvrit les yeux.

— Elle était en mer, en route pour la Ventria, quand son navire a été attaqué. Elle a sauté à l'eau et des requins l'ont dévorée.

Vintar recula et poussa un cri :

— C'est ma faute ! J'aurais dû la chercher plus tôt.

— Retourne à ton Temple, mon garçon. Mon temps est précieux et j'ai des clients qui m'attendent.

Elle le renvoya d'un geste de la main, dans un éclat de rire. Il sentit que son esprit était repoussé, et il se retrouva projeté dans le ciel au-dessus de la ville.

Vintar retourna à la petite cellule du Temple, se fondant une fois de plus avec son corps. Comme à chaque fois, il se sentit nauséeux et fut pris de vertiges ; il resta allongé quelques instants pour reprendre conscience du poids de sa chair, sentant le contact de la couverture sur sa peau. Une grande tristesse l'envahit. Ses talents étaient supérieurs à ceux d'un homme normal, mais ils n'apportaient aucune joie. Ses parents l'avaient traité avec une déférence glacée, effrayés par ses pouvoirs surnaturels. Ils avaient été trop heureux et soulagés quand l'abbé était apparu, un soir d'automne, leur proposant de prendre l'enfant sous sa coupe. Ils se moquaient de savoir que l'abbé venait du Temple des Trente, un endroit où des hommes aux talents extraordinaires étudiaient et s'entraînaient dans un seul but : mourir au cours d'une bataille, une guerre lointaine, et ne faire plus qu'un avec la Source. La perspective de sa mort n'attristait en rien ses parents, car ils ne l'avaient jamais traité comme un être humain, chair de leur chair, issu de leur sang. Ils le voyaient comme un enfant possédé par le démon.

Il n'avait pas d'amis. Mais qui aurait voulu être en compagnie d'un garçon qui pouvait lire dans les esprits, et regarder au plus profond de votre âme pour en connaître tous les secrets ? Même au Temple il était resté seul, incapable de partager une simple camaraderie avec des gens aux mêmes talents que lui.

Et voilà qu'il venait de manquer une occasion d'aider une jeune femme, de lui sauver la vie.

Il se redressa et soupira. La vieille femme était une sorcière ; il avait ressenti toute la malveillance de sa personnalité. Et pourtant, l'image qu'elle avait créée l'avait excité. Il n'était pas capable de résister à un mal aussi insignifiant.

Une pensée lui frappa l'esprit, comme un coup de poing entre les deux yeux. Le Mal ! La méchanceté et la tromperie marchaient main dans la main dans l'obscurité du Mal. Peut-être avait-elle menti !

Il se rallongea et essaya de se décontracter, laissant jaillir son esprit une fois de plus. Il s'envola du Temple et fonça à travers l'océan à la recherche du navire, priant pour qu'il ne soit pas trop tard.

Des nuages s'amoncelaient à l'est, annonciateurs d'une tempête. Vintar passa au ras de l'eau, tout en scrutant l'horizon.

À quarante milles des côtes ventriannes, il aperçut les navires : une trirème avec une grande voile noire et un fin navire marchand qui cherchait à lui échapper.

Le navire marchand vira de bord, mais la trirème continuait de gagner sur lui et réussit à l'éperonner en plein milieu avec son bélier de bronze, fracassant le bois et pénétrant jusqu'au cœur du bateau. Des hommes armés sautèrent par la proue de la trirème sur le pont du navire marchand. Sur le pont arrière, Vintar vit une jeune femme en blanc, et deux hommes – l'un très grand, la peau sombre, et un autre plus petit, mince de carrure. Le trio sauta dans les vagues. Des requins fondirent sur eux.

Vintar vola jusqu'à Rowena, qui surnageait avec les deux hommes accrochés à un morceau de bois, et la toucha à l'épaule.

— Reste calme, lui dit-il mentalement.

Un requin montait vers eux et Vintar prit possession de son esprit, goûtant sa noirceur due à l'absence de pensées, la froideur des émotions, la faim qui le consumait. Il sentit qu'il devenait le requin, et vit le monde à travers ses yeux noirs qui ne cillaient jamais, évaluant l'environnement grâce à un odorat cent fois, peut-être même mille fois supérieur à celui de l'homme. Un autre requin passa sous les trois personnes et remonta vers eux en ouvrant la gueule.

D'un rapide coup de queue, Vintar percuta la bête, qui se retourna pour le mordre sur le flanc, manquant de peu la nageoire.

C'est alors qu'un fumet se répandit dans l'eau, doux et envoûtant ; la promesse de plaisirs infinis et d'un terme à la faim. Presque instinctivement, Vintar se dirigea vers l'odeur, réalisant que les autres requins s'y rendaient également.

Il comprit, et son désir croissant fut étouffé aussi vite qu'il était apparu.

Du sang. Les victimes des pirates étaient jetées aux requins.

Il relâcha son emprise sur la bête et repartit vers Rowena et ses compagnons, accrochés à une poutre.

— Dis à tes amis de battre des pieds. Il faut que vous partiez d'ici, lui dit-il.

Il l'entendit répéter la phrase aux autres, et lentement les trois s'éloignèrent du carnage.

Vintar remonta dans le ciel et scruta l'horizon. Il y avait un autre bateau en vue, un navire marchand, et le prêtre se précipita dans sa direction. Il se posa devant le capitaine à la barre et pénétra son esprit. Il vit défiler toutes ses pensées sur sa femme, sa famille, les pirates et les coups de tabac. Le navire avait un équipage de deux cents rameurs et trente marins ; il transportait du vin de Lentria et se rendait au port naashanite de Virinis.

Vintar se répandit dans le corps du capitaine, essayant d'en prendre le contrôle. Ce faisant, il trouva dans ses poumons une tumeur cancéreuse maligne.

Rapidement, Vintar la neutralisa, en accélérant les mécanismes de guérison du corps, afin d'emporter les cellules corrompues. Il investit son cerveau et ordonna au capitaine de changer de cap, en direction du nord-est.

Le capitaine était un homme bienveillant, et ses pensées étaient douces. Il avait sept enfants, et l'un d'entre eux – sa plus jeune fille – était tombée malade de la fièvre jaune peu de temps avant qu'il n'embarque. Il priait pour qu'elle guérisse.

Vintar insuffla le nouvel itinéraire dans l'esprit de l'homme, qui ne s'en rendit pas compte, et retourna auprès de Rowena, la prévenant qu'un bateau allait bientôt arriver. Puis, il se rendit sur la trirème des pirates. Ils avaient déjà fini de piller le navire marchand, et tentaient à présent de se dégager à la rame. Le bélier se désengagea d'un coup, et le navire éperonné coula.

Vintar pénétra dans l'esprit du capitaine – il recula devant l'horreur de ses pensées. Il lui fit entrevoir le nouveau navire qui arrivait et instilla la peur dans son esprit. Il fit croire au capitaine que le navire était rempli à ras bord de soldats. C'était un mauvais présage qui risquait de signifier sa mort. Puis Vintar l'abandonna, et entendit avec satisfaction Earin Shad beugler des ordres à ses hommes pour virer de bord en direction du nord-ouest.

Vintar flotta au-dessus de Rowena et des hommes jusqu'à ce que le navire marchand arrive et les hisse sur le pont. Puis, il se rendit dans le port lentrian de Chupianin, afin de guérir la fille du capitaine.

Il put enfin retourner au Temple, où il trouva l'abbé assis à côté de lui.

— Comment te sens-tu, mon garçon ? demanda-t-il.

— Mieux que je ne l'ai été depuis des années, mon père. À présent la fille est en sécurité. Et j'ai amélioré deux vies.

— Trois, répondit l'abbé. Tu as aussi amélioré la tienne.

— C'est vrai, admit Vintar, et je suis heureux d'être de retour chez moi.

Druss n'arrivait pas à croire le chaos qui régnait sur l'aire de défrichage. Des centaines d'hommes allaient et venaient dans tous les sens, sans logique apparente. Ils coupaient des arbres, déterraient leurs racines, et déblayaient toute forme de végétation à la hache. C'était une destruction désordonnée. Des arbres abattus tombaient en travers des chemins que les hommes empruntaient avec leurs brouettes afin d'enlever les débris. Alors qu'il attendait de rencontrer le contremaître, il vit un grand pin tomber sur un groupe d'hommes qui déterraient des racines. Personne ne fut tué, mais l'un des ouvriers eut le bras cassé, et les autres avaient tous le visage et les bras éraflés.

Le contremaître, un homme mince mais ventru, l'interpella.

— Eh bien, quelles sont vos qualifications ? demanda-t-il.

— Bûcheron, répondit Druss.

— Tout le monde ici prétend être bûcheron, commenta l'homme avec lassitude. Je cherche des hommes dont c'est vraiment la profession.

— Il est clair que vous en avez besoin, fit remarquer Druss.

— On m'a donné vingt jours pour nettoyer cette zone, et vingt autres pour préparer les fondations des nouveaux bâtiments. La paie est de deux sous d'argent par jour. (Le contremaître désigna un homme barbu et trapu assis sur une souche d'arbre.) C'est Togrin, le chef d'équipe. C'est lui qui s'occupe de la main-d'œuvre et qui engage les ouvriers.

— C'est un crétin, dit Druss. Quelqu'un risque de se faire tuer.

— C'est peut-être un crétin, admit le contremaître, mais c'est un dur. Personne ne se défile quand il est là.

Druss jeta un coup d'œil au site.

— Peut-être bien ; mais vous n'aurez jamais fini à temps. Et je ne vais certainement pas travailler pour quelqu'un qui ne sait pas ce qu'il fait.

— Vous êtes un peu jeune pour faire ce genre de généralités, objecta le contremaître. Mais dites-moi, comment vous y prendriez-vous ?

— D'abord, je déplacerais les bûcherons plus à l'ouest, de façon à ce que les autres puissent déblayer derrière eux. S'ils continuent comme ça, ils vont se bloquer les uns les autres. Regardez par là, dit Druss en désignant sur sa droite.

Des arbres avaient été abattus, créant une sorte de clairière circulaire ; au centre, des hommes essayaient d'enlever des racines monstrueuses.

— Où vont-ils se débarrasser des racines ? demanda le jeune homme. Il n'y a plus de chemin. Ils vont devoir attendre qu'on dégage les arbres. Mais comment allez-vous vous y prendre pour faire passer des chevaux et des chaînes jusque-là ?

Le contremaître sourit.

— Vous n'avez pas tort, jeune homme. Très bien. Un chef d'équipe gagne quatre sous d'argent par jour. Prenez sa place et montrez-moi de quoi vous êtes capable.

Druss prit une profonde inspiration. Ses muscles étaient déjà fatigués par la longue marche jusqu'au site, et ses blessures au dos le faisaient souffrir. Il n'était pas en condition de se battre, et il était venu travailler pour aider sa guérison.

— Comment signale-t-on l'arrêt du travail ? demanda-t-il.

— On sonne la cloche pour le déjeuner. Mais c'est encore dans trois heures.

— Faites-la sonner maintenant, dit Druss.

Le contremaître gloussa.

— Voilà qui devrait briser la monotonie, déclara-t-il. Est-ce que vous voulez que je dise à Togrin qu'il vient de perdre son travail ?

Druss regarda le contremaître droit dans les yeux.

— Non, je lui dirai moi-même, répondit-il.

133

— Bien. Je vais m'occuper de la cloche.

L'homme s'en alla et Druss avança avec précaution à travers le chaos ambiant jusqu'à ce qu'il atteigne l'endroit où était assis Togrin. Celui-ci leva la tête. Il était grand, avait de larges épaules, des bras épais et une mâchoire robuste. Ses yeux étaient sombres, presque noirs, et il avait des sourcils broussailleux.

— Tu cherches du travail ? demanda-t-il.

— Non.

— Alors dégage. Je n'aime pas les paresseux.

La cloche retentit à travers les bois. Les hommes s'arrêtèrent tous de travailler. Togrin jura et se releva.

— Qu'est-ce que… (Il se retourna.) Qui a sonné la cloche ? beugla-t-il.

Les hommes s'attroupèrent autour du chef d'équipe et Druss en profita pour se rapprocher de lui.

— C'est moi qui ai donné l'ordre, dit-il.

Togrin plissa des yeux.

— Et qui es-tu ?

— Le nouveau chef d'équipe, répondit Druss.

— Tiens, tiens, fit Togrin avec un large sourire. Alors il y a deux chefs d'équipe. Je crois que c'est un de trop.

— Je suis d'accord, déclara Druss.

Il fit un rapide pas en avant et balança un énorme coup de poing dans le ventre de l'homme. Togrin expira tout l'air qu'il avait dans les poumons d'un seul souffle, se plia en deux en se tenant le ventre. Le crochet gauche de Druss le percuta à la mâchoire et Togrin tomba au sol, la tête la première. Il eut un soubresaut et ne bougea plus.

Druss respira une grande bouffée d'air. Il se sentait chancelant, et il vit des lumières blanches défiler devant ses yeux. Il regarda cependant les hommes assemblés autour de lui.

— Maintenant, il va y avoir du changement, dit-il.

Jour après jour, Druss reprit des forces ; ses biceps et ses trapèzes souffraient chaque fois qu'il balançait un grand coup de hache, qu'il déblayait une pelletée de terre glaise ou qu'il appliquait une torsion à une racine entêtée qui refusait de sortir du sol. Les cinq premiers jours, Druss dormit sur le site, dans une petite tente en toile que lui avait prêtée le contremaître. Il ne lui restait pas suffisamment d'énergie pour marcher les cinq kilomètres qui le séparaient de la maison qu'il louait. Et chaque nuit de solitude, en s'endormant, il voyait deux visages flotter dans son esprit ; Rowena, qu'il aimait plus que la vie, et Borcha, le lutteur qu'il devrait affronter à nouveau, un jour.

Dans la quiétude de sa tente, des pensées lui venaient par dizaines. Avec le recul, il ne voyait plus son père de la même manière, et il aurait bien aimé le connaître. Il avait fallu avoir du courage pour survivre à un père comme Bardan le Tueur, réussir à élever un enfant et bâtir une nouvelle vie à la frontière. Il se souvint du jour où un mercenaire itinérant s'était arrêté dans le village. Druss était resté en admiration devant les armes de l'étranger : couteaux, épée courte, hache… Il avait même un plastron cabossé et un heaume.

— Lui, il vit vraiment courageusement, avait-il affirmé à son père, en mettant l'emphase sur le mot *vraiment*.

Bress avait vaguement acquiescé. Quelques jours plus tard, alors qu'ils marchaient ensemble dans un pré, Bress avait montré du doigt la maison d'Egan, le fermier.

— Tu veux voir ce qu'est le courage, mon garçon, avait-il dit. Eh bien, regarde-le labourer son champ. Il y a dix ans, il avait une ferme dans les plaines sentrannes, mais une nuit, des pillards sathulis y ont mis le feu. Alors il s'est installé à la frontière ventrianne, où une nuée de sauterelles a détruit ses récoltes pour trois ans. Il avait emprunté de l'argent pour financer sa ferme, et il a tout perdu. Aujourd'hui il est revenu travailler la terre, des premières lueurs du jour jusqu'à la tombée de la nuit. Voilà ce qu'est le courage. Il n'est pas difficile pour un homme de troquer des années de labeur pour une épée. Les vrais héros, ce sont ceux qui persévèrent.

Mais le garçon ne voulait rien entendre. On ne pouvait pas être un héros en étant fermier.

— S'il est si brave que ça, pourquoi n'a-t-il pas repoussé les Sathulis ?

— Il avait une femme et trois enfants à protéger.

— Alors, il s'est enfui ?

— Il s'est enfui, lui avait confirmé Bress.

— Je ne m'enfuirai jamais, avait dit Druss.

— Alors tu mourras jeune, avait rétorqué Bress.

Druss se mit sur son séant et repensa à l'attaque du village. Qu'aurait-il fait s'il avait eu le choix entre combattre les pillards ou s'enfuir avec Rowena ?

Cette nuit-là, il eut un sommeil agité.

La sixième nuit, alors qu'il revenait du site, un grand bonhomme se mit en travers de son chemin. C'était Togrin, l'ancien chef d'équipe. Druss ne l'avait pas revu depuis la bagarre. Le jeune homme scruta les ténèbres, à la recherche d'autres assaillants, mais n'en aperçut pas.

— On peut parler ? demanda Togrin.

— Pourquoi pas ? rétorqua Druss.

L'homme prit une profonde inspiration.

— J'ai besoin de travailler, fit-il. Ma femme est malade. Les enfants n'ont pas mangé depuis deux jours.

Druss observa le visage de l'homme, et y décela l'orgueil brisé ; il ressentit aussitôt ce qu'il avait dû lui en coûter pour demander de l'aide.

— Sois sur le site à l'aube, dit-il, et il s'en alla.

Sur le chemin du retour, il se sentit mal à l'aise. Il se disait qu'il ne serait jamais tombé aussi bas. Mais tout en pensant ces mots, le doute s'installa en lui. Mashrapur était une ville dure, qui ne faisait pas de cadeau. Un homme n'avait de valeur que tant qu'il contribuait au bien-être général de la communauté. Et quel supplice cela devait être, pensa-t-il à présent, de voir ses propres enfants mourir de faim.

Quand il arriva à la maison, la nuit était déjà tombée. Il était fatigué, mais la lassitude qu'il avait ressentie dans ses os jusque-là était partie. Sieben n'était pas là. Druss alluma une lanterne et ouvrit la porte qui donnait sur le jardin, pour laisser entrer un peu d'air frais venant de la mer.

Il retira sa bourse et compta les vingt-quatre sous d'argent qu'il avait déjà gagnés. Vingt sous faisaient un raq. Et c'était le loyer mensuel. À ce rythme, il ne gagnerait jamais assez pour rembourser ses dettes. Le Vieux Thom avait raison : il pouvait se faire davantage dans le cercle de sable.

Il se remémora son combat avec Borcha, et la terrible correction qu'il avait reçue. Le souvenir des coups qu'il avait pris était encore vif – tout comme ceux qu'il avait assénés à son adversaire.

Il entendit le portail métallique du jardin grincer et vit une silhouette sombre avancer vers la maison. La lune se reflétait sur son crâne chauve. Un colosse marchait entre les arbres. Druss se leva de son fauteuil et plissa ses yeux pâles.

Borcha s'arrêta sur le pas de la porte.

— Eh bien, dit-il, vas-tu m'inviter à entrer ?

Druss sortit dans le jardin.

— On ferait mieux de se battre ici, siffla-t-il. Je n'ai pas de quoi rembourser le mobilier.

— Espèce de jeune impudent, lança Borcha de façon aimable, en rentrant dans la maison.

Druss le suivit. Le géant posa son manteau vert sur le dos d'un divan et s'assit sur une chaise en cuir, les jambes croisées. Il appuya sa tête contre le dossier de la chaise.

— C'est une bonne chaise, fit-il. Et maintenant, si tu m'offrais à boire ?

— Qu'est-ce que tu viens faire ici ? demanda Druss, luttant pour garder son calme.

— Fais montre d'un peu d'hospitalité, espèce de garçon d'étable. Je ne sais pas d'où tu viens, mais chez moi, on offre toujours un gobelet de vin quand un invité débarque à l'improviste.

— Là d'où je viens, les gens qui viennent à l'improviste ne sont pas les bienvenus, répondit Druss.

— Pourquoi cette hostilité ? Tu as gagné ton pari et tu t'es bien battu. Collan n'a pas écouté mon conseil – je lui avais dit de te rendre ta femme – et maintenant il est mort. Je n'ai rien à voir avec les pillards.

— Et je présume aussi que tu ne me cherchais pas dans l'espoir de te venger ? Borcha se mit à rire.

— Me venger ? De quoi ? Tu ne m'as rien pris. Tu ne m'as pas battu – et tu n'aurais pas pu y arriver. Tu as la force, mais pas le talent. Si cela avait été un vrai combat, je t'aurais brisé, mon garçon – même si ça m'aurait pris du temps.

Druss s'assit en face du géant.

— C'est pourtant ce que m'a dit le Vieux Thom. Il m'a dit que tu voulais me détruire.

Borcha secoua la tête et sourit.

— Cet idiot de poivrot a mal compris, mon garçon. Et maintenant, dis-moi, quel âge ai-je d'après toi ?

— Hein ? Par l'enfer, qu'est-ce que j'en sais ? gronda Druss.

— J'ai trente-huit ans, et dans deux mois j'en aurai trente-neuf. Et pourtant, je pourrais toujours battre Grassin, ainsi que tous les autres d'ailleurs. Mais tu m'as montré le miroir du temps, Druss. Personne n'est éternel – en tout cas dans le cercle de sable. Mon heure est passée ; les quelques minutes face à toi me l'ont bien fait comprendre. Mais toi, ton heure est venue. Mais elle ne durera pas longtemps si tu n'apprends pas à te battre.

— Je n'ai pas besoin d'instruction de ce côté-là, soutint Druss.

— Tu crois ça ? Chaque fois que tu frappes du droit, ton épaule gauche s'affaisse. Tous tes coups décrivent des courbes. Et ta défense principale, c'est ta mâchoire, qui, si elle donne l'impression d'être en granit, n'est que de l'os. Ton jeu de jambes n'est pas mauvais, mais on peut l'améliorer. Car tu as beaucoup de faiblesses. Et Grassin les exploitera toutes ; il va t'avoir à l'usure.

— C'est un point de vue, contra Druss.

— Comprends-moi bien, mon garçon. Tu es bon. Tu as du cœur et de la force. Mais tu sais aussi ce que cela fait de passer quatre minutes avec moi. La plupart des combats durent dix fois plus longtemps.

— Pas les miens.

Borcha gloussa.

— Avec Grassin, c'est ce qu'il durera. Ne laisse pas ton arrogance t'aveugler,

Druss. On dit que tu étais bûcheron. La première fois que tu as soulevé une hache, est-ce que tu as fait mouche à chaque coup ?

— Non, admit le jeune homme.

— C'est la même chose dans un combat. Je peux t'enseigner différents types de coups, et mieux encore, différentes gardes. Je peux te montrer comment feindre des coups et amener ton adversaire à baisser ses défenses.

— Peut-être bien – mais pourquoi le ferais-tu ?

— Par orgueil, répondit Borcha.

— Je ne comprends pas.

— Je t'expliquerai – mais une fois que tu auras battu Grassin.

— Je ne resterai pas suffisamment longtemps pour cela, dit Druss. Dès qu'un bateau en partance pour la Ventria arrive à quai, je m'embarque.

— Avant la guerre, un tel voyage coûtait dix raqs. Alors, aujourd'hui ? Qui sait… Mais dans un mois, il y a un petit tournoi à Visha, avec un premier prix de cent raqs. Les riches ont des palais à Visha, et on peut se faire beaucoup d'argent avec les paris. Grassin est inscrit, ainsi que plusieurs habitués. Laisse-moi t'entraîner, et j'inscrirai ton nom à ma place.

Druss se leva, et versa du vin dans un gobelet qu'il passa au lutteur chauve.

— J'ai pris un emploi, et j'ai promis au contremaître que j'achèverais le travail. Il y en a encore pour un mois.

— Alors, je t'entraînerai le soir.

— À une condition, dit Druss.

— Laquelle ?

— La même que j'ai posée au contremaître. Si un navire part pour la Ventria et que je peux payer mon passage, alors je m'en vais.

— D'accord.

Borcha tendit sa main. Druss la serra et Borcha se releva.

— Je vais te laisser te reposer. Au fait, préviens ton ami le poète qu'il est encore en train de cueillir le fruit du mauvais arbre.

— Il fait ce qu'il veut, dit Druss.

Borcha haussa les épaules.

— Préviens-le quand même. On se voit demain.

Chapitre 2

Sieben était allongé sur le lit et contemplait le plafond richement orné. Une femme dormait à côté de lui, et il pouvait sentir la chaleur de sa peau contre sa cuisse et ses hanches. Il y avait une peinture au plafond ; c'était une scène de chasse montrant des hommes avec des lances et des arcs, poursuivant un lion à crinière de feu. *Quel genre d'homme pouvait bien faire représenter ce genre de scène au-dessus du lit marital ?* se demanda-t-il. Sieben sourit. Le premier ministre de Mashrapur devait avoir un ego démesuré, puisque quand il faisait l'amour avec sa femme, elle était forcée de regarder un groupe d'hommes tous plus beaux que son époux.

Il se mit sur le côté et regarda la femme endormie. Elle lui tournait le dos, un bras passé sous l'oreiller, les jambes en chien de fusil. Ses cheveux étaient bruns, presque noirs sur l'oreiller blanc. Il ne pouvait pas voir son visage, mais il visualisait bien ses lèvres pulpeuses et son merveilleux long cou. La première fois qu'il l'avait vue, elle se tenait assise au côté de Mapek, au marché. Le ministre était entouré par des sous-fifres et des flagorneurs, et Evejorda avait l'air de s'ennuyer à mourir. Elle n'était pas à sa place.

Sieben était resté immobile, attendant que ses yeux viennent dans sa direction. Quand ils le firent, il lui adressa un sourire. Un de ses meilleurs – rapide et étincelant, qui signifiait : « Moi aussi, je m'ennuie. Je suis une âme sœur. » Elle haussa un sourcil, indiquant son dégoût pour une telle impertinence, et se détourna. Il attendit, sachant qu'elle regarderait de nouveau vers lui. Elle se rendit à un étal proche pour examiner une série de bols en céramique. Il se fraya un chemin dans la foule jusqu'à elle. Elle leva les yeux, surprise de le voir si près.

— Bonjour, ma dame, dit-il. (Elle l'ignora.) Vous êtes très belle.

— Et vous êtes bien audacieux, monsieur.

Sa voix avait un léger accent ronronnant du nord qu'il trouvait irritant d'habitude. Mais pas cette fois.

— La beauté exige de l'audace. Autant qu'être adorée.

— Vous êtes bien sûr de vous, dit-elle en se rapprochant pour le perturber.

Elle ne portait qu'une simple robe d'un bleu éclatant, et un châle de soie blanche. Mais c'est son parfum qui lui fit tourner les sens – un musc riche et parfumé qu'il reconnut : *moserche*, un produit d'importation ventrian qui coûtait cinq raqs d'or les trente centilitres.

— Êtes-vous heureuse ? demanda-t-il.

— Quelle question ridicule ! Qui pourrait y répondre ?

— Quelqu'un d'heureux, répliqua-t-il.

Elle sourit.

— Et vous, monsieur, êtes-vous heureux ?

— À présent, je le suis.

— Je pense que vous êtes un séducteur professionnel, et qu'il n'y a pas une once de vérité dans vos propos.

— Alors soyez juge de mes actions, ma dame. Je me nomme Sieben.

Il murmura l'adresse qu'il partageait avec Druss et lui prit la main pour y déposer un baiser.

Un messager s'était présenté à leur maison deux jours plus tard.

Elle bougea dans son sommeil. Sieben glissa sa main sous les draps de satin pour lui couvrir le sein. Comme elle ne réagissait pas, il continua de caresser sa peau, lui pinçant le téton jusqu'à ce qu'il durcisse. Elle gémit et s'étira.

— Tu ne dors donc jamais ? lui demanda-t-elle.

Il ne répondit pas.

Plus tard, alors qu'Evejorda s'était rendormie, il se colla contre elle. La passion s'était évaporée, il était d'humeur chagrine. C'était sans aucun doute la plus jolie femme avec laquelle il avait couché. Elle était vive, intelligente, dynamique et passionnée.

Pourtant, il s'ennuyait déjà…

En tant que poète, il chantait l'amour, mais ne l'avait jamais connu. Il enviait les amoureux des légendes qui se buvaient du regard pour l'éternité. Il soupira et se glissa hors du lit. Il s'habilla rapidement et quitta la chambre. Il descendit l'escalier de service qui menait au jardin, et attendit d'être en bas pour enfiler ses bottes. Les serviteurs n'étaient pas encore levés, l'aube pointait à peine à l'est. Un coq chanta dans le lointain.

Sieben traversa le jardin et sortit à grands pas dans l'avenue. Il sentit l'odeur du pain frais et s'arrêta dans une boulangerie pour y acheter du pain au fromage qu'il avala en route.

Druss n'était pas là ; il se souvint alors que le jeune homme avait commencé à travailler. *Dieu, comment un homme peut-il passer ses journées à creuser ?* se demanda-t-il. Il se rendit à la cuisine et alluma la cuisinière. Il posa une casserole en cuivre dessus qu'il remplit d'eau à ras bord, et se fit une tisane à la menthe et aux plantes.

Il repartit dans le salon en remuant sa tasse. Il y trouva Shadak, endormi sur le divan. Le gilet noir du chasseur et son pantalon étaient tachés par le voyage ; ses bottes étaient couvertes de boue. Il se réveilla comme Sieben entrait dans la pièce. Il posa ses pieds sur le sol.

— Je me demandais où tu étais, fit Shadak en bâillant. Je suis arrivé la nuit dernière.

— J'étais avec un ami, répondit Sieben en s'asseyant face au chasseur pour boire sa tisane.

Shadak acquiesça.

— Mapek devrait être de retour à Mashrapur dans la journée. Il a interrompu sa visite en Vagria.

— En quoi cela me concerne-t-il ?

— En rien, j'en suis sûr. Mais comme ça, tu es au courant.

— Tu es venu me faire un sermon, Shadak ?

— Ai-je l'air d'un prêtre ? Je suis venu voir Druss. Mais quand je suis arrivé, il était dans le jardin, en train de s'entraîner à la lutte avec un géant chauve. À la façon dont il se déplaçait, je dirais qu'il est remis de ses blessures.

— Seulement les blessures physiques, dit Sieben.

— Je sais, répondit le chasseur. Je lui ai parlé. Il espère toujours pouvoir passer en Ventria. Tu vas le suivre ?

Sieben se mit à rire.

— Pourquoi le ferais-je ? Je ne connais pas sa femme. Par les dieux, je le connais à peine.

— Ce serait peut-être bon pour toi, poète.

— L'air de la mer, tu veux dire ?

— Tu sais ce que je veux dire, fit sérieusement Shadak. Tu as choisi de te faire un ennemi de l'un des hommes les plus puissants de Mashrapur. Et ses ennemis meurent, Sieben. Par le poison, une lame, ou une corde autour du cou pendant le sommeil.

— Est-ce que toute la ville est au courant de mes affaires ?

— Évidemment. Il y a trente serviteurs dans cette maison. Tu espérais pouvoir garder une relation secrète alors que ses cris d'extase résonnent dans tout le bâtiment en plein milieu de l'après-midi, au petit matin ou au beau milieu de la nuit ?

— Ou les trois, fit Sieben en souriant.

— Je ne trouve pas ça drôle, répondit sèchement Shadak. Tu n'es qu'un chien en rut, et tu risques de gâcher sa vie comme tu en as déjà gâché d'autres. Et pourtant, je préfère te savoir en vie que mort – les dieux seuls savent pourquoi !

— Je lui ai donné un peu de plaisir, c'est tout. Et c'est déjà plus que ne peut prétendre son sinistre mari. Mais je vais quand même réfléchir à ton conseil.

— Ne réfléchis pas trop longtemps. Dès que Mapek sera revenu, on lui parlera du… *plaisir* qu'a reçu sa femme. Ne sois pas étonné s'il la fait tuer également.

Sieben pâlit.

— Il n'oserait pas…

— C'est un orgueilleux, poète. Et tu as fait une grossière erreur.

— S'il la touche, je le tuerai.

— Ah, comme c'est noble. Le chien montre les crocs. Tu n'aurais jamais dû la courtiser. Tu n'as même pas l'excuse d'être amoureux ; tu voulais baiser, c'est tout.

— N'est-ce pas ça, l'amour ? contra Sieben.

— Pour toi, sans doute. (Shadak secoua la tête.) Je ne crois pas que tu comprendras un jour, Sieben. Aimer, c'est donner, pas recevoir. C'est partager son âme. Mais je perds mon temps à essayer de t'expliquer cela. Autant enseigner l'algèbre à un poulet.

— Oh, par pitié, inutile d'épargner mes sentiments avec de jolis mots. Crache ce que tu as à me dire !

Shadak se leva.

— Bodasen engage des mercenaires pour se battre dans la guerre ventrianne. Il a affrété un navire qui lèvera l'ancre dans douze jours. Fais profil bas jusque-là, et ne cherche pas à revoir Evejorda – pas si tu veux qu'*elle* vive.

Le chasseur se dirigea vers la porte, mais Sieben l'appela.

— Tu n'as pas beaucoup d'estime pour moi, pas vrai ?

Shadak se retourna à moitié.

— Je t'estime plus que tu ne t'estimes toi-même.

— Je suis trop fatigué pour les charades.

— Tu n'arrives pas à oublier Gulgothir.

Sieben tressaillit, comme foudroyé, et se leva d'un bond.

— C'est du passé. Cela ne veut plus rien dire pour moi. Tu comprends ? Rien !

— Si tu le dis… On se voit dans douze jours. Le navire se nomme la *Fille du Tonnerre*. Il quittera le port depuis le quai numéro douze.

— J'y serai. Ou pas.

— Un homme a toujours deux choix, mon ami.

— Non ! Non ! Non ! gronda Borcha. Tu relèves toujours ton menton et tu mets encore ta tête en avant. (Borcha recula et ramassa une serviette pour essuyer la sueur qui coulait sur son visage et dans sa barbe.) Essaie de comprendre, Druss, que si Grassin voit une ouverture, il va te crever un œil – ou les deux. Il va venir au corps à corps, et dès que tu le chargeras, il te frappera d'un grand coup de pouce ; il s'en sert comme d'une dague.

— Essayons encore, dit Druss.

— Non. Tu es trop en colère et cela brouille tes pensées. Viens t'asseoir un moment.

— La lumière faiblit, fit remarquer Druss.

— Laisse-la faiblir. Il ne reste plus que quatre jours avant le tournoi. *Quatre jours*, Druss. D'ici là, tu dois apprendre à contrôler ta colère. L'important, c'est de gagner. Ce n'est pas grave si un adversaire te nargue ou se moque de toi, ou prétend même que ta mère s'est offerte à des marins. Tu comprends ? Ces insultes ne sont qu'une arme dans l'arsenal des lutteurs. Tu seras provoqué – parce que tous les lutteurs savent que la rage d'un ennemi est sa pire faiblesse.

— Je peux me contrôler, cracha Druss.

— Il y a quelques instants, tu te battais bien – bon équilibre, bonne frappe. Et puis, je t'ai giflé d'une gauche… et une autre. Les coups étaient trop rapides pour ta garde, et ils ont commencé à t'énerver. Tes coups sont redevenus incurvés et ton menton s'est retrouvé exposé, ainsi que ton visage.

Druss s'assit à côté du lutteur et acquiesça.

— Tu as raison. Mais je n'aime pas l'entraînement. Je n'arrive pas à retenir mes coups. Ça ne fait pas vrai.

— Parce que cela ne l'est pas, mon ami, mais cela prépare le corps pour le véritable combat. (Il donna une tape sur l'épaule du jeune homme.) Ne désespère pas ; tu es presque prêt. Creuser dans la terre t'a rendu tes forces. Comment avance le site de défrichage ?

— On a fini aujourd'hui, répondit Druss. Demain, les maçons et les constructeurs prendront la relève.

— Juste à temps. Le contremaître devait être content – en tout cas, moi je le suis.

— Pourquoi ça ?

— Je suis propriétaire d'un tiers du terrain. Sa valeur va augmenter nettement une fois que les maisons seront achevées. (Le lutteur gloussa.) Ton bonus t'a fait plaisir ?

— C'est à toi que je le dois ? s'enquit Druss d'un air soupçonneux.

— C'est la pratique courante, Druss. Le contremaître a reçu cinquante raqs pour avoir fini dans les temps. Le chef d'équipe reçoit généralement un dixième de la somme.

— Il m'a donné dix raqs – en or.

— Eh bien, dis donc, tu as dû l'impressionner.

— Il m'a demandé de rester pour superviser les fondations.

— Et tu as refusé ?

— Oui. Il y a un navire en partance pour la Ventria. J'ai dit à mon assistant, Togrin, qu'il pouvait prendre ma place. Il a accepté.

Borcha resta silencieux un moment. Il était au courant pour la bagarre entre Druss et Togrin le premier jour, et comment il avait accepté que ce dernier revienne travailler sur le site, le formant et lui donnant même des responsabilités. Le contremaître lui avait rapporté, lors des réunions sur l'avancée des travaux, à quel point Druss motivait bien les ouvriers.

— C'est un chef naturel qui inspire l'exemple. Il n'y aucun travail trop subalterne ou trop dur. C'est une vraie trouvaille, Borcha ; je vais lui donner une promotion. Il y a un nouveau site prévu au nord, sur un terrain difficile. Je le nommerai contremaître.

— Il refusera.

— Mais non. Il pourrait devenir riche.

Borcha repoussa ces pensées et revint au présent.

— Tu sais que tu risques de ne jamais la retrouver, dit-il doucement.

Druss secoua la tête.

— Je la trouverai, Borcha – dussé-je traverser tout l'Empire ventrian et fouiller chaque maison.

— Tu es un bûcheron, Druss, alors réponds à ma question : si je marquais d'une croix une feuille dans une forêt, comment ferais-tu pour la trouver ?

— J'entends bien – mais ce n'est pas si difficile. Je sais qui l'a achetée : Kabuchek. C'est un homme riche, un homme important ; je le trouverai, lui. (Il passa la main sous le banc et en sortit Snaga.) C'était la hache de mon grand-père. C'était un homme mauvais, à ce qu'on dit. Mais quand il était jeune, une grande armée est venue du nord, menée par un roi gothir nommé Pasia. La panique régnait partout. Comment les Drenaïs allaient-ils pouvoir lutter face à une telle armée ? Les villes se désertaient, les gens entassaient leurs possessions dans des chariots, des charrettes, des wagons, à dos de cheval ou de poney. Bardan – mon grand-père – a mené une petite troupe au cœur des montagnes où l'ennemi était campé. Lui et une vingtaine d'hommes sont entrés dans le camp pendant la nuit ; ils ont trouvé la tente du roi et l'ont tué. Au petit matin, les envahisseurs ont trouvé la tête de leur roi, plantée sur une pique en plein milieu du campement. Et l'armée est rentrée chez elle.

— Une histoire intéressante, que j'avais déjà entendue, fit Borcha. Et d'après toi, qu'est-ce qu'elle nous enseigne ?

— Il n'y a rien qu'un homme ne puisse accomplir s'il en a la volonté, la force et le courage nécessaires pour essayer, répondit Druss.

Borcha se releva et étira les puissants muscles de son dos et de ses épaules.

— Eh bien, vérifions si c'est vrai, dit-il en souriant. Voyons voir si tu as la volonté, la force et le courage de garder ton menton rentré.

Druss gloussa et remit la hache derrière le banc en se levant.

— Je t'aime bien, Borcha. Que le Chaos m'emporte si j'arrive un jour à comprendre pourquoi tu as pu travailler pour un type comme Collan ?

— Il avait un bon côté, Druss.

— Ah bon ?

— Oui, il payait bien.

Tout en disant cela, sa main jaillit et il gifla Druss en plein visage. Le jeune homme gronda hargneusement et sauta sur Borcha qui esquiva sur la gauche, tout en lançant son poing dans le visage de Druss.

— Le menton, espèce de bœuf ! beugla-t-il. Rentre-le !

— J'espérais avoir des hommes de qualité, fit Bodasen en scrutant la foule qui s'était assemblée sur la place des fêtes.

Borcha gloussa.

— Ne vous laissez pas tromper par leur apparence. Certains de ces hommes sont de *qualité*. En fait, tout dépend de ce que vous cherchez.

Bodasen regarda de mauvaise grâce la plèbe qui était réunie devant lui – certains étaient en loques, mais tous étaient sales. Il y avait déjà plus de deux cents personnes, et un rapide coup d'œil vers les accès qui menaient à la place indiquait que d'autres arrivaient.

— Je crois que nous avons une divergence d'opinion sur ce qui fait une qualité, dit-il d'un air lugubre.

— Regardez par là, lui indiqua Brocha en désignant un homme assis sur une rambarde. C'est Eskodas, l'archer. Il peut toucher une cible pas plus grosse que l'ongle du pouce à cinquante pas. C'est quelqu'un avec qui on peut partir dans la montagne, comme on dit chez moi. Et là-bas, c'est Kelva, le bretteur – sans peur et très talentueux. Un tueur-né.

— Mais comprennent-ils le concept d'honneur ?

Le rire de Borcha fut tonitruant.

— Vous avez écouté trop d'histoires de gloire et de merveilles, mon ami.

Ces hommes sont des guerriers ; ils se battent pour qui les paie.

Bodasen soupira.

— Je suis pris au piège dans cette... pâle copie de ville. Mon empereur est assiégé de tous les côtés par un terrible ennemi, et je ne peux voler à son secours. Aucun vaisseau ne devra lever l'ancre tant que je n'y aurais pas fait monter une troupe de soldats aguerris. Et je dois les choisir parmi la lie de Mashrapur. J'espérais tellement mieux.

— Choisissez-les avec discernement, et ils vous surprendront peut-être, lui conseilla Borcha.

— Commençons par les archers, ordonna Bodasen.

Pendant plus d'une heure, Bodasen observa des archers tirer des flèches dans des mannequins de paille. Quand ils eurent fini, il en sélectionna cinq ; le jeune Eskodas était parmi eux. Chacun reçut un raq d'or avec ordre de se présenter à la *Fille du Tonnerre* pour le jour du départ, à l'aube.

Les épéistes furent plus difficiles à départager. Au début, il leur demanda de se battre entre eux, mais les guerriers se jetèrent avec une telle férocité dans ce test que la plupart se retrouvèrent blessés, il y en eut même un qui se cassa une clavicule. Bodasen demanda une pause et, avec l'aide de Borcha, sélectionna dix hommes. Chaque blessé reçut cinq pièces d'argent en compensation.

La journée continua, et à midi, Bodasen n'avait choisi que trente des cinquante hommes dont il avait besoin à bord de la *Fille du Tonnerre*. Il renvoya le reste des soi-disant mercenaires, et quitta les lieux à grandes enjambées, suivi de Borcha.

— Est-ce que vous allez garder une place pour Druss ? demanda le lutteur.

— Non. Je n'ai de la place que pour les hommes qui se battront pour la Ventria. Sa quête est personnelle.

— D'après Shadak, c'est le meilleur combattant de toute la ville.

— Je ne suis pas bien disposé envers Shadak. Sans lui, les pirates ne combattraient pas aujourd'hui la cause ventrianne.

— Par tous les saints ! grogna Borcha. Comment pouvez-vous croire une chose pareille ? Collan aurait pris votre argent de toute façon, et vous n'auriez rien eu en échange.

— Il m'avait donné sa parole, dit Bodasen.

— Mais comment les Ventrians ont-ils bien pu bâtir un empire ? demanda Borcha. Collan était un voleur, un menteur et un pillard. Pourquoi lui faisiez-vous confiance ? Ne vous avait-il pas dit qu'il rendrait sa femme à Druss ? Ne vous a-t-il pas menti dans l'espoir de tendre un piège à Druss ? Mais à quel genre d'homme croyiez-vous avoir affaire ?

— Un noble, cracha Bodasen. Apparemment, je m'étais trompé.

— Complètement. Vous venez de donner un raq d'or à Eskodas, le fils d'un éleveur de chèvres et d'une pute lentrianne. Son père a été pendu pour le vol de deux chevaux et sa mère l'a abandonné juste après. Il a été élevé dans un orphclinat dirigé par deux prêtres de la Source.

— Y a-t-il un but à cette histoire sordide ? s'enquit le Ventrian.

— Oh que oui. Eskodas se battra jusqu'à la mort pour vous ; il ne s'enfuira pas. Demandez-lui son opinion, et il vous répondra honnêtement. Donnez-lui un sac de diamants et dites-lui de l'apporter à mille lieues de là, il le fera – et à aucun moment il n'envisagera de voler ne serait-ce qu'une des gemmes.

— Mais j'espère bien, observa Bodasen. Je n'en attends pas moins de n'importe quel serviteur ventrian à mon service. Pourquoi faites-vous passer l'honnêteté pour une grande vertu ?

— J'ai connu des rochers qui avaient plus de bon sens que vous, fit Borcha en essayant de garder son calme.

Bodasen gloussa.

— Cette façon de voir les choses que vous avez, vous autres barbares, est vraiment intrigante. Mais vous avez raison pour Druss – j'ai été l'instrument qui l'a conduit à être blessé. Par conséquent, je lui garderai une place sur la *Fille du Tonnerre*. Et maintenant, essayons de trouver un endroit où manger, qui serve un vin passable.

Shadak, Sieben et Borcha étaient en compagnie de Druss, sur les quais. Les dockers s'affairaient autour d'eux, montant et descendant la passerelle en bois, afin d'amener les provisions dans la cale du navire. La *Fille du Tonnerre* avait une ligne de flottaison plutôt basse. Les mercenaires étaient entassés sur le pont, accoudés au bastingage, et faisaient leurs adieux aux femmes massées sur le quai. La plupart étaient des prostituées, mais il y avait aussi des épouses et leurs enfants. Et dans l'ensemble, elles pleuraient toutes.

Shadak serra la main de Druss.

— Je te souhaite une bonne traversée, mon garçon, lui dit le chasseur. Et j'espère de tout mon cœur que la Source te guidera jusqu'à Rowena.

— J'en suis sûr, répondit Druss.

Les yeux du jeune guerrier étaient gonflés, et les paupières décolorées – un étrange mélange de jaune et de pourpre passé –, il avait même une bosse sous l'œil gauche ; la peau était incisée et on l'avait recousue à la hâte.

Shadak sourit.

— C'était un beau combat. Grassin s'en souviendra longtemps.

— Et moi, donc, grogna Druss.

Shadak acquiesça et son sourire disparut peu à peu.

— Tu es un homme précieux, Druss. Essaie de ne pas changer. Et souviens-toi du code.

— Promis, fit Druss.

Les deux hommes se serrèrent de nouveau la main, et Shadak s'en alla.

— Quel code ? s'enquit Sieben.

Druss regarda le chasseur vêtu de noir disparaître dans la foule.

— Il m'a dit une fois que les vrais guerriers suivaient un code d'honneur : *Ne viole jamais une femme, ne fais pas de mal aux enfants. Ne mens pas, ne triche pas, ne vole pas. Laisse ça aux gens médiocres. Protège les faibles contre les forces du mal. Et ne laisse jamais l'idée de profit te guider sur la voie du mal.*

— Très certainement, à n'en pas douter, fit Sieben avec un rire sec et moqueur. Eh bien, Druss, j'entends l'appel des coupe-gorge et des tavernes. Et avec l'argent que j'ai gagné en pariant sur toi, je crois que je vais vivre comme un seigneur pendant plusieurs mois.

Il tendit sa fine main, et Druss la serra.

— Dépense ton argent judicieusement, conseilla-t-il.

— J'y compte bien… femmes, vin et jeu.

Il se mit à rire, et sur ce, s'éloigna.

Druss se tourna vers Borcha.

— Je te remercie de m'avoir entraîné, ainsi que pour toute ta gentillesse.

— Ce n'était pas du temps perdu, et ça m'a fait plaisir de voir Grassin humilié. Mais il a quand même failli t'arracher un œil. Je ne crois pas que tu réussiras un jour à rentrer ton menton.

— Ho, Druss ! Tu montes ? cria Bodasen depuis le pont du navire.

Druss lui fit un signe de la main.

— J'arrive ! hurla-t-il.

Les deux hommes s'agrippèrent les poignets à la façon des guerriers.

— J'espère que nous nous reverrons, déclara Druss.

— Qui sait ce que le destin nous réserve ?

Druss passa sa hache sur son épaule et monta la passerelle ; puis, à mi-chemin, il se retourna.

— Pourquoi m'as-tu aidé ? demanda-t-il soudainement.

Borcha haussa les épaules.

— Tu m'as vraiment fait peur, Druss. Et je voulais voir à quel point tu étais doué. Maintenant, je sais. Tu pourrais devenir le meilleur. C'est ce qui me fait passer la pilule. Mais dis-moi, qu'est-ce ça te fait de partir en champion ?

Druss gloussa.

— Ça fait mal, dit-il en frottant son menton endolori.

— Bouge ton cul, face de chien ! cria un guerrier accoudé au bastingage.

Druss regarda l'homme qui l'avait interpellé et reporta son attention sur Borcha.

— Que la chance te sourie, mon ami, dit-il.

Et il monta à bord.

Dès que les amarres furent larguées, la *Fille du Tonnerre* s'écarta lentement des quais.

Les guerriers paressaient sur le pont, agitant les bras en signe d'adieu à leurs amis et aux gens qu'ils aimaient. Druss trouva une place contre le bastingage bâbord et s'y installa, posant sa hache sur le pont. Bodasen était debout, à côté du second qui tenait la barre ; il vit le jeune guerrier et lui fit un signe de la main, en souriant.

Druss s'adossa et, curieusement, il se sentit en paix. Tous ces mois bloqué à Mashrapur lui avaient fait du mal. Il s'imagina le visage de Rowena.

— Je viens te chercher, murmura-t-il.

Sieben venait de quitter les quais. Il déambulait dans le dédale de ruelles qui menaient au parc. Il ne faisait même pas attention aux prostituées qui se pressaient contre lui. Il était songeur. Le départ de Druss l'attristait. Il en était venu à apprécier sa compagnie ; il n'y avait pas de mauvais côtés cachés, de fourberie ou de ruse chez lui. Et, bien qu'il rît ouvertement de la morale rigide du jeune guerrier, il admirait en secret la force qui lui permettait d'en avoir une. Druss était même passé chez le chirurgien, Calvar Syn, pour régler sa dette. Sieben l'avait accompagné, et il garderait longtemps en mémoire l'expression de surprise sur le visage du jeune médecin.

Mais la Ventria ? Sieben n'avait aucune envie de visiter un pays ravagé par la guerre.

Il se mit à penser à Evejorda, et éprouva du regret. Il aurait bien aimé la revoir une dernière fois, rien que pour sentir ses cuisses fines lui enlacer la taille. Mais Shadak avait raison ; c'était trop dangereux, pour eux deux.

Sieben tourna à gauche et gravit les cent marches qui montaient jusqu'à l'entrée du parc. Mais Shadak avait tort pour Gulgothir. Il se remémora les rues jonchées d'immondices, les mendiants estropiés et les cris des miséreux. Mais il s'en souvenait sans aucune amertume. Était-ce sa faute, si son père s'était ridiculisé auprès de la duchesse ? La colère monta en lui. *Espèce d'idiot*, pensa-t-il. *Idiot, idiot !* Elle l'avait d'abord dépossédé de sa fortune, puis de sa dignité, pour finir avec sa virilité. On la surnommait la Reine Vampire, et c'était une bonne description, à part qu'elle ne buvait pas de sang. Non, elle se repaissait de la force vitale des hommes, les pompant jusqu'au trognon, jusqu'à ce qu'ils la remercient et lui demandent de recommencer.

Le père de Sieben avait été rejeté – une coquille vide, sans intérêt, l'ombre d'un homme. Pendant que sa mère et lui mouraient de faim, son père faisait le pied de grue comme un mendiant devant la maison de la duchesse. Il était resté assis là pendant un mois, puis s'était lui-même tranché la gorge avec un couteau rouillé.

L'idiot, l'idiot !

Mais je suis pas aussi idiot que mon père, pensa Sieben en montant les marches. *Je ne suis pas comme mon père.*

Il leva les yeux et vit deux hommes qui descendaient les marches dans sa direction. Ils étaient vêtus de longs manteaux qu'ils tenaient serrés contre leur corps. Sieben s'arrêta dans son ascension. Il faisait plutôt chaud ce matin, alors pourquoi étaient-ils habillés ainsi ? Il entendit un son dans son dos et regarda par-dessus son épaule. Un homme habillé de la même manière montait à sa rencontre.

D'un seul coup, la peur s'empara du cœur du poète. Il tourna les talons pour descendre vers l'homme. Alors qu'il arrivait à sa hauteur, celui-ci ouvrit son manteau ; il avait un long couteau à la main. Sieben lui sauta dessus à pieds joints. Ses bottes percutèrent l'homme au niveau du menton, ce qui le fit dégringoler dans l'escalier. Sieben atterrit lourdement, mais se redressa d'un bond et se mit à dévaler les marches quatre à quatre. Il entendit que les hommes derrière lui faisaient de même.

Arrivé en bas de l'escalier, il se précipita à travers les ruelles. Un cor de chasse retentit, et un grand guerrier lui barra la route, une épée à la main. Il bifurqua sur la droite, puis la gauche. Un couteau siffla à son oreille, et alla percuter un mur.

Il accéléra sa course et traversa une petite place pour emprunter l'allée qui était en face. Devant lui, il apercevait les quais. L'allée était bondée, et il dut se frayer un chemin de force. Plusieurs personnes protestèrent ouvertement et une femme tomba à la renverse. Il jeta un coup d'œil derrière lui – il y avait au moins une demi-douzaine d'hommes à ses trousses.

Sur le point de céder à la panique, il s'engagea sur les quais. Il vit un groupe d'hommes émerger d'une ruelle sur sa gauche ; ils portaient tous des armes. Sieben jura.

La *Fille du Tonnerre* longeait les quais. Sieben prit son élan sur les pavés. Il sauta pour attraper une des amarres qui pendaient du navire. Ses doigts se refermèrent autour de la corde, et il s'écrasa contre la coque en bois. Manquant lâcher prise, il serra l'amarre de toutes ses forces. Un couteau se planta dans une des planches de bois juste au-dessus de sa tête. La peur lui donna des ailes, et il commença à grimper.

Un visage familier apparut au-dessus du bastingage. Druss se pencha et l'attrapa par la chemise pour le hisser sur le pont.

— Je vois que tu as changé d'avis, fit le jeune guerrier.

Sieben lui adressa un sourire sans conviction et regarda en direction du quai. Ils étaient plus d'une douzaine à présent.

— Je me suis dit que l'air de la mer me ferait du bien.

Le capitaine, un homme barbu d'une cinquantaine d'années, se fraya un chemin jusqu'à eux.

— Qu'est-ce qui se passe ? Je ne peux pas transporter plus de cinquante hommes. C'est la limite.

— Il ne pèse pas lourd, répondit Druss d'une façon naturelle et agréable.

Un autre homme avança : grand et large d'épaules, il arborait un plastron cabossé avec deux épées courtes à la taille et un baudrier garni de quatre dagues de lancer.

— D'abord tu nous fais attendre, face de chien, et maintenant tu ramènes ton petit ami à bord. Eh bien, Kelva le Bretteur refuse de voyager avec des gens de ton espèce.

— Tant mieux !

La main gauche de Druss jaillit et ses doigts se refermèrent sur la gorge de Kelva ; sa main droite empoigna les parties génitales du guerrier. Druss souleva l'homme qui se débattait d'un seul effort, et le balança par-dessus bord. Ce dernier heurta les flots en faisant un plat, et dut batailler pour garder sa tête hors de l'eau à cause du poids de son armure.

La *Fille du Tonnerre* continuait sa route. Druss se tourna vers le capitaine.

— Et voilà, nous sommes de nouveau cinquante, fit-il, se fendant d'un grand sourire.

— Alors je n'ai plus rien à dire, accorda le capitaine. (Il se tourna vers les matelots au pied du mât.) Abattez la grand-voile ! beugla-t-il.

Sieben s'accouda au bastingage, et vit qu'on avait jeté une corde à la mer pour remonter le guerrier.

— Il a peut-être des amis sur ce bateau, fit remarquer le poète.

— S'ils veulent le suivre, ils sont les bienvenus, répondit Druss.

Chapitre 3

Tous les matins, Eskodas arpentait le pont. Il partait de la poupe et longeait le flanc bâbord du bateau jusqu'à la proue, puis il revenait par tribord, terminant son exercice par les six petites marches qui montaient jusqu'à la barre en chêne massif, à côté de laquelle se tenait le second.

L'archer avait peur de la mer. Il regardait avec une crainte non déguisée les vagues, et pouvait ressentir la puissance qui soulevait le bateau comme si ce n'était qu'un vulgaire bout de bois. Le premier matin du voyage, Eskodas était monté à la barre pour parler avec le capitaine, Milus Bar.

— Pas de passager ici, avait dit sévèrement le capitaine.

— J'ai des questions, monsieur, lui avait répondu poliment Eskodas.

Milus Bar avait passé un bout de corde en chanvre autour d'un des bras de la barre, pour l'immobiliser.

— À quel propos ? avait-il demandé.

— À propos du bateau.

— Du navire ! avait rétorqué sèchement le capitaine.

— Oui, du navire. Excusez-moi, je ne suis pas versé dans les termes nautiques.

— Elle tient bien la mer, avait dit Milus. Cent cinq mètres de bois bien séché. Elle ne fuit pas plus qu'un homme transpire, et peut affronter n'importe quelle tempête que les dieux pourraient nous envoyer. Elle est élégante. Elle est rapide. Besoin de savoir autre chose ?

— Vous parlez du… navire… comme s'il s'agissait d'une femme.

— Elle est supérieure à bien des femmes que j'ai connues, avait déclaré Milus en souriant. Elle, elle ne m'a jamais laissé tomber.

— Mais elle a l'air si petite comparée à l'immensité de l'océan, avait fait remarquer Eskodas.

— Nous sommes tous infiniment petits comparés à l'océan, mon garçon. Mais il n'y a pas beaucoup de tempêtes à cette période de l'année. Le danger principal, ce sont les pirates. C'est la raison de votre présence à bord. (Il avait fixé son regard aux sourcils gris et broussailleux sur le jeune homme.) Excuse-moi de te dire ça, mon garçon, mais tu fais un peu tache au milieu de tous ces brigands et ces tueurs.

— Ça ne me dérange pas que vous le fassiez remarquer, monsieur, lui avait confié Eskodas. Toutefois, je pense que ça les dérangerait, eux, s'ils vous entendaient. Merci pour votre temps et votre courtoisie.

L'archer redescendit sur le pont principal. Des hommes étaient allongés un peu partout ; certains jouaient aux dés, d'autres discutaient. À bâbord, il y en avait même qui faisaient un tournoi de bras de fer. Eskodas se fraya un chemin jusqu'à la proue.

Le soleil était éblouissant, le ciel d'un bleu éclatant. Une bonne petite brise fraîche venait du large. Des mouettes tournaient au-dessus du navire, et on pouvait deviner les côtes de Lentria au nord. À cette distance, la terre avait l'air brumeuse, irréelle, un lieu de fantômes et de légendes.

Il y avait deux hommes assis à la proue du navire. Le premier était le jeune homme racé qui était monté à bord de façon si spectaculaire. Blond et plutôt beau garçon, ses cheveux étaient maintenus par un bandeau d'argent et ses vêtements valaient cher – une chemise en soie bleu pâle, des braies en laine d'agneau tressées avec du cuir. L'autre homme était colossal ; il avait soulevé Kelva comme si celui-ci n'avait pesé que quelques grammes, et l'avait balancé à l'eau comme un harpon. Eskodas s'approcha. Le géant était plus jeune qu'il ne l'aurait cru, mais un début de barbe sombre lui donnait un aspect adulte. Eskodas croisa son regard. Des yeux bleus et froids, aussi durs que des silex et peu accueillants.

L'archer sourit.

— Bonjour, dit-il.

Le géant grogna quelque chose, et le jeune bellâtre blond se leva en lui tendant la main.

— Bien le bonjour. Mon nom est Sieben. Et voici Druss.

— Ah, oui. Il a battu Grassin lors du dernier tournoi – il lui a cassé la mâchoire, si je ne me trompe pas.

— En plusieurs morceaux, confirma Sieben.

— Je me nomme Eskodas.

L'archer s'assit sur un rouleau de corde et s'adossa à une balle recouverte de toile. Il ferma les yeux et goûta la chaleur du soleil sur son visage. Le silence dura quelques instants, puis les deux hommes reprirent leur conversation.

Eskodas écouta quelques bribes… à propos d'une femme et d'assassins, mais n'y prêta pas plus d'attention.

Il pensait au voyage qui l'attendait. Il n'avait jamais vu la Ventria, qui d'après les livres de contes était une terre de richesses, peuplée de dragons, de centaures et autres bêtes sauvages. Il n'était pas certain pour les dragons ; il avait beaucoup voyagé, et dans chaque pays qu'il avait traversé il y avait toujours des histoires à leur sujet, mais Eskodas n'en avait jamais vu un seul. En Chiatze, il y avait un musée où étaient exposés les os d'un dragon rassemblé. Le squelette était gigantesque, mais il n'avait pas d'ailes et son cou faisait plus de deux mètres de long. Aucun feu n'aurait pu jaillir d'une telle gorge, s'était-il dit alors.

Mais dragons ou pas, Eskodas attendait avec plaisir de découvrir la Ventria.

— Tu ne parles pas beaucoup, pas vrai ? fit remarquer Sieben.

Eskodas ouvrit les yeux et sourit.

— Si j'ai quelque chose à dire, je le dirai, répondit-il.

— Tu n'en auras pas l'occasion, grommela Druss. Sieben parle autant que dix hommes réunis.

Eskodas sourit poliment.

— Tu es le Maître des Sagas, dit-il.

— Oui. Comme il est gratifiant d'être reconnu.

— Je t'ai déjà vu à Corteswain. Tu donnais une représentation de la *Chanson de Karnak*. C'était très bien ; j'ai particulièrement apprécié le passage du siège de Dros Durnol, même si j'ai moins aimé l'arrivée des dieux de la guerre, et la mystérieuse princesse capable de contrôler la foudre.

— Licence dramatique, dit Sieben avec un mince sourire.

— Le courage de ces hommes ne nécessite pas de licence, déclara Eskodas. Cela diminue l'héroïsme dont ont fait preuve les défenseurs que de suggérer qu'ils ont bénéficié d'une intervention divine.

— Ce n'était pas une leçon d'histoire, fit remarquer Sieben. (Il n'y avait plus de sourire sur son visage.) C'était un poème – une chanson. L'arrivée des dieux n'était qu'un artifice artistique pour souligner que le courage favorise parfois la chance.

— Hmmm, fit Eskodas.

Il se réadossa en refermant les yeux.

— Qu'est-ce que cela veut dire ? s'enquit Sieben. Tu n'es pas d'accord ?

Eskodas soupira.

— Je ne souhaite pas provoquer de dispute, monsieur le poète, mais je pense que l'artifice était plutôt moyen. Tu affirmes que c'était pour renforcer l'effet dramatique. La discussion est donc close ; je ne désire pas te mettre plus en colère que tu ne l'es déjà.

— Je ne suis pas en colère, bon sang ! cria Sieben.

— Il n'apprécie pas trop les critiques, expliqua Druss.

— Très drôle, cracha Sieben, venant d'un homme qui jette ses compagnons de route à l'eau au premier mot désobligeant. Et maintenant, explique-moi pourquoi l'artifice était moyen.

Eskodas se pencha en avant.

— J'ai été dans bien des sièges. C'est à la fin, lorsque tout semble perdu, que le courage joue un rôle primordial ; c'est le moment où les faibles s'enfuient en priant pour leur vie. Et toi, tu fais apparaître les dieux, juste avant le moment crucial, qui offrent leur aide divine afin de balayer les Vagrians. Par conséquent, on perd le plus grand moment d'intensité dramatique, car dès que les dieux apparaissent, on sait que la victoire est acquise.

— Si j'avais supprimé ce passage, j'aurais perdu mes meilleurs vers. Surtout à la fin, où les guerriers se demandent s'ils reverront un jour les dieux.

— Oui, je me souviens… *les vers venus d'ailleurs, les sorts des mages, et le carillon des cloches elfiques.* Celui-ci.

— Précisément.

— J'ai toujours préféré le côté réaliste et rugueux de tes premières œuvres :

« Mais vient le jour où la jeunesse s'use,
Malgré les certitudes forgées dans le feu et l'acier,
Tous deux éphémères et irréels,
Face aux attaques du temps.
Comme les jeunes ont tort de croire aux secrets
Ou aux bois enchantés. »

Il se tut.

— Tu connais toutes mes œuvres ? demanda Sieben, visiblement ébahi.

Eskodas sourit.

— Après ta représentation à Corteswain, j'ai cherché tes livres de poésie. Il y en avait cinq. J'en ai acheté deux – les œuvres de jeunesse.

— Je reste sans voix.

— Si seulement… grogna Druss.

— Oh, tais-toi ! Pour une fois que nous rencontrons quelqu'un avec un peu de discernement, il faut que ce soit sur un navire peuplé de coquins. Enfin, peut-être ce voyage ne sera-t-il pas aussi sinistre que prévu. Alors, dis-moi, Eskodas, pourquoi as-tu signé pour partir en Ventria ?

— J'aime tuer les gens, répondit Eskodas.

Le rire de Druss résonna longtemps sur le pont.

Les premiers jours, le dépaysement d'être en mer amusa la majorité des mercenaires. Ils restaient assis jusqu'au coucher du soleil à jouer aux dés et à se raconter des histoires. La nuit, ils dormaient sous une bâche tendue entre les deux bastingages.

Druss était fasciné par la mer et l'illusion d'un horizon infini. Au mouillage à Mashrapur, la *Fille du Tonnerre* lui avait semblé colossale, insubmersible. Mais en mer, elle avait l'air aussi fragile qu'un nénuphar. Sieben s'était ennuyé très vite. Mais pas Druss. Le gémissement du vent, le roulis du bateau, les cris des mouettes dans le ciel – tout ceci enflammait le sang du jeune guerrier.

Un matin, il escalada le gréement jusqu'à la traverse qui tenait la grand-voile. Il l'enjamba et s'assit. Aucune terre n'était en vue, rien que le bleu de la mer qui s'étendait à l'infini. Un matelot, pieds nus, marcha le long de la traverse jusqu'à lui. Il resta là, debout, immobile, en équilibre, les mains sur les hanches. Puis il baissa les yeux vers Druss.

— Les passagers ne doivent pas monter ici, dit-il.

Druss sourit au jeune homme.

— Comment fais-tu pour rester debout là-dessus, comme si tu étais sur un chemin ? Une rafale de vent pourrait te faire tomber.

— Comme ça ? demanda le matelot.

Et il se jeta dans le vide. Il se retourna en vol et agrippa une des cordes qui maintenaient la voilure. Il resta suspendu un instant et se hissa aux côtés de Druss.

— Impressionnant, déclara le géant.

Soudain, un éclat bleu-gris dans l'eau attira son attention. Le matelot gloussa.

— Les dieux de la mer, dit-il au passager. Des dauphins. S'ils sont de bonne humeur, vous devriez voir un spectacle magnifique.

Une forme brillante jaillit de l'eau et bondit dans les airs, avant de replonger presque sans faire d'éclaboussures. Druss descendit le gréement, déterminé à voir de plus près ces animaux superbes qui donnaient un spectacle aquatique. Des cris perçants résonnèrent sur tout le bateau quand les créatures sortirent leurs têtes de l'eau.

Tout à coup, une flèche partit du navire et se ficha dans l'un des dauphins qui jaillissaient des flots.

En l'espace de quelques secondes, toutes les créatures avaient disparu.

Druss regarda l'archer ; des hommes en colère lui criaient dessus : ils semblaient de sale humeur.

— Ce n'était qu'un bête poisson ! contra l'archer.

Milus Bar se fraya un chemin dans la foule.

— Espèce d'imbécile ! dit-il, le visage livide malgré le bronzage. Ce sont les dieux de la mer ; ils viennent nous rendre hommage. Parfois, ils nous guident même à travers les eaux dangereuses. Pourquoi as-tu tiré dessus ?

— C'était une bonne cible, répondit l'homme. Et pourquoi pas ? C'était mon choix.

— Oui, mon garçon, fit Milus, mais si jamais cela nous porte la poisse, mon choix sera de te couper les entrailles et de les donner en pâture aux requins.

L'imposant capitaine retourna à sa barre. La bonne humeur avait disparu, et les hommes reprirent leurs occupations sans entrain.

Sieben s'approcha de Druss.

— Par les dieux, ils étaient magnifiques, déclara le poète. D'après la légende, le chariot d'Asta est tiré par six dauphins blancs.

Druss soupira.

— Qui aurait pu penser que quelqu'un allait vouloir en tuer un ? Tu sais si c'est bon à manger ?

— Non, répondit Sieben. Dans le nord, il arrive que certains se prennent dans des filets. J'ai connu des hommes qui ont essayé de faire cuire leur chair ; ils m'ont dit que le goût était horrible et que c'était impossible à digérer.

— Alors, c'est encore pire, grommela Druss.

— Ce n'est pas différent de n'importe quel autre type de chasse, Druss. Est-ce qu'une biche n'est pas aussi belle qu'un dauphin ?

— On peut manger de la biche. Et le chevreuil est une viande délicieuse.

— Mais la plupart des chasseurs ne le font pas pour manger, pas vrai ? Pas les nobles, en tout cas. Ils chassent pour le *plaisir*. Ils aiment la chasse, la terreur de la proie, le moment du coup de grâce. Il ne faut pas en vouloir à cet homme pour son geste stupide. Comme nous, il vient d'un monde cruel.

Eskodas les rejoignit.

— Il n'était pas très inspiré, hein ? fit l'archer.

— Qui ?

— L'homme qui a tiré sur le poisson.

— Justement, on en parlait.

— Je ne savais pas que tu t'y connaissais en tir à l'arc, fit Eskodas surpris.

— Tir à l'arc ? De quoi tu parles ?

— De l'archer. Il a encoché sa flèche et tiré dans le même mouvement. Sans hésitation. Il est vital de faire une pause et de viser sa cible ; il était trop pressé de tuer.

— Peut-être bien, mais quoi qu'il en soit, fit Sieben dont l'irritation grandissait, nous parlions de la moralité de la chasse.

— L'homme est un tueur par nature, déclara Eskodas de façon aimable. Un chasseur-né. Comme lui, là ! (Druss et Sieben se retournèrent à l'unisson et aperçurent un aileron blanc argenté qui fendait l'eau.) C'est un requin. Il a senti le sang du dauphin blessé. À présent, il va le suivre à la trace comme le ferait un éclaireur sathuli.

Druss se pencha au-dessus du bastingage et regarda la forme chatoyante longer le navire.

— C'est une grosse bestiole, dit-il.

— Il y en a de plus gros, affirma Eskodas. Une fois, j'ai voyagé sur un bateau qui a coulé dans une tempête le long des côtes lentriannes. Quarante personnes ont survécu au naufrage, et se sont mises à nager en direction de la terre ferme. Puis les requins sont arrivés. Nous ne sommes que trois à nous en être sortis – et l'un de nous avait la jambe droite arrachée. Il est mort trois jours plus tard.

— Une tempête, dis-tu ? hasarda Druss.

— Ouais.

— Comme celle-ci ? demanda Druss en désignant l'est.

De gros nuages noirs s'amoncelaient. Un éclair lacéra le ciel, suivi d'un coup de tonnerre retentissant.

— Oui, exactement comme celle-ci. Espérons qu'elle ne vienne pas dans notre direction.

Quelques minutes plus tard, le ciel s'était assombri et des creux s'étaient formés dans la mer. La *Fille du Tonnerre* roulait et tanguait. Elle s'élevait à la crête de vagues gigantesques, et glissait au fond de vallées d'eau encore plus inquiétantes. Puis la pluie se mit à tomber, de plus en plus fort ; des pointes de glace tombaient du ciel telles des flèches.

Accroupi derrière le bastingage bâbord, Sieben regarda où le malheureux archer se tenait. L'homme qui avait tué le dauphin était seul, et s'agrippait à une corde. Un éclair zébra le ciel au-dessus du bateau.

— Je pense que la chance nous a abandonnés, fit observer Sieben.

Mais ni Druss ni Eskodas ne pouvaient l'entendre par-dessus le vent qui hurlait.

Eskodas passa les bras autour du bastingage bâbord et se cramponna de toutes ses forces. La tempête se déchaînait. Une vague énorme percuta le navire, délogeant plusieurs hommes de leur prise précaire. Un mât se brisa, mais personne ne l'entendit ; le bruit était couvert par le grondement du tonnerre qui retentissait dans le ciel plus noir que la nuit. La *Fille du Tonnerre* escalada une nouvelle vague géante, et fondit dans une vallée d'éléments en furie. Un matelot qui portait un rouleau de cordes courut le long du pont pour rejoindre des guerriers entassés derrière le bastingage tribord. Mais une deuxième vague l'enveloppa, le projetant dans la rangée d'hommes. Le bastingage céda – et en l'espace d'un battement de cœur, vingt hommes furent balayés du pont. Le vaisseau se cabra comme un cheval effrayé. Eskodas sentit que sa prise sur le bastingage faiblissait. Il essaya de la rajuster quand le navire se cabra de nouveau. Il fut arraché de sa position et, flottant sur un matelas d'eau, fut attiré vers le gouffre béant de l'autre côté du pont.

Une grosse main se referma autour de sa cheville et il se sentit tracté en arrière. Druss lui sourit et lui tendit un bout de corde. Rapidement, Eskodas la passa autour de sa taille et s'attacha au mât. Il jeta un coup d'œil à Druss. Le géant *appréciait* la tempête. À présent en sécurité, Eskodas scruta le pont. Le poète était accroché à une partie du bastingage tribord qui n'avait plus l'air bien solide. À la barre, l'archer aperçut Milus Bar qui se débattait avec le gouvernail, essayant de faire traverser la tempête à son navire.

Une autre vague de grande envergure balaya le pont. Ce qui restait du bastingage tribord céda et Sieben glissa par-dessus bord. Druss défit sa corde et se leva. Eskodas lui cria de revenir, mais soit il ne l'entendit pas, soit il l'ignora. Druss traversa le pont en courant. Le navire se levait et s'abaissait inlassablement ; Druss chuta. Il se releva, atteignit l'endroit où était tombé Sieben, et s'agenouilla. Il passa la tête de l'autre côté du pont pour ramener Sieben par la peau du cou.

Derrière eux, l'homme qui avait tué le dauphin essayait d'attraper une corde avec laquelle s'accrocher à l'un des anneaux d'amarrage du pont. Le navire se souleva une fois de plus. L'homme trébucha et partit à la renverse, percutant Druss qui tomba lourdement à son tour. Tenant toujours Sieben d'une main, le jeune guerrier essaya d'attraper l'archer maudit de l'autre, mais l'homme disparut dans la mer déchaînée.

Presque aussitôt, le soleil réapparut au milieu des nuages, la pluie cessa et la mer commença à se calmer. Druss se redressa et contempla l'eau. Eskodas détacha la corde qui le maintenait au mât et se leva, les jambes flageolantes. Il marcha jusqu'à l'endroit où se trouvaient Druss et Sieben.

Le visage du poète était toujours livide sous le choc.

— Je ne mettrai plus jamais les pieds sur un bateau, répétait-il. Jamais !

Eskodas tendit la main.

— Merci, Druss, tu m'as sauvé la vie.

Le géant gloussa.

— J'étais obligé, mon gars. Tu es le seul à bord de ce navire qui peut faire fermer son clapet à notre Maître des Sagas.

Bodasen apparut sur le pont.

— Ce n'était pas très prudent, mon ami, dit-il à Druss. Mais tu t'en es bien sorti. J'aime voir le courage des hommes qui se battent à mes côtés.

Le Ventrian continua son chemin.

Eskodas compta les hommes qui restaient et eut un frisson.

— Je crois que nous avons perdu près de trente hommes, dit-il.

— Vingt-sept, précisa Druss.

Sieben rampa jusqu'au bord du pont et vomit dans la mer.

— Disons vingt-sept et demi, conclut Eskodas.

Chapitre 4

Le jeune empereur descendit des remparts et se rendit sur les quais, suivi de son état-major ; son aide de camp, Nebuchad, marchait à ses côtés.

— Nous pouvons tenir des mois, mon seigneur, dit Nebuchad en plissant les yeux. (Le soleil qui se réverbérait sur le plastron doré de l'empereur l'aveuglait.) Les murs sont hauts et épais, et les catapultes empêcheront toute intrusion dans le port par la mer.

Gorben secoua la tête.

— Les murs ne nous protégeront pas, dit-il au jeune homme. Nous avons moins de trois mille hommes dans la place. Les Naashanites sont vingt fois plus nombreux. As-tu déjà vu des fourmis-tigres attaquer un scorpion ?

— Oui, mon seigneur.

— Elles l'assaillent de toute part – et c'est ainsi que l'ennemi s'emparera de Capalis.

— Nous nous battrons jusqu'à la mort, promit un officier.

Gorben s'arrêta et se retourna.

— Je le sais bien. (À présent ses yeux noirs étaient emplis de colère.) Mais mourir ne nous apportera pas la victoire, n'est-ce pas, Jasua ?

— Non, mon seigneur.

Gorben reprit sa route, le long de rues presque vides ; il passa devant des boutiques barricadées et des tavernes désertes. Finalement, il atteignit l'entrée du Magistère. Les Doyens avaient fui depuis longtemps, et maintenant, ces vieux bâtiments étaient devenus le quartier général de la milice de Capalis. Gorben entra dans le hall et se dirigea vers ses appartements, écartant d'un geste les officiers et les deux serviteurs qui venaient à sa rencontre – le premier portait du vin et un gobelet en or, le deuxième une serviette chaude et parfumée.

Une fois chez lui, le jeune empereur retira ses chausses puis lança son manteau blanc sur une chaise. Il y avait une grande fenêtre qui donnait à l'est, et en dessous un bureau en chêne sur lequel étaient étalés différentes cartes et des rapports de ses éclaireurs et espions. Gorben s'assit derrière son bureau, pour contempler la plus grande carte qui représentait l'Empire ventrian. Elle avait été commandée par son père six ans plus tôt.

Il défroissa la peau et contempla la carte avec une fureur visible. Les deux tiers de l'Empire étaient tombés. Il se cala au fond de sa chaise, se remémorant le palais de Nusa où il était né et avait grandi. Il était situé en haut d'une colline surplombant une cité luisante de marbre blanc, au milieu d'une vallée verdoyante. Il avait fallu douze années pour le construire, et plus de huit mille ouvriers ; l'empereur les revoyait tirer les blocs de granit et de marbre, les grands troncs de chênes, de cèdres et d'ormes dont avaient besoin les maçons et les charpentiers royaux.

Nusa – la première cité qui était tombée.

— Par tous les dieux de l'enfer, Père, sois maudit ! siffla Gorben.

Son père avait réduit la taille de l'armée nationale, comptant sur la richesse et la puissance de ses satrapes pour protéger les frontières. Mais quatre des neuf satrapes l'avaient trahi, permettant aux Naashanites d'envahir le pays. Son père avait rassemblé une armée pour les combattre, mais il n'avait aucune expérience militaire. Il s'était battu bravement, à ce qu'on lui avait dit – mais pouvait-on dire autre chose au nouvel empereur ?

Le nouvel empereur ! Gorben se leva et marcha jusqu'au miroir argenté à l'autre bout de la pièce. Il y vit un beau jeune homme, aux cheveux bruns et huilés, aux yeux noirs et enfoncés. C'est un visage fort – mais était-ce le visage d'un empereur ? *Vas-tu pouvoir repousser l'ennemi ?* se demanda-t-il, sachant que toute parole prononcée à voix haute serait entendue immédiatement et répétée par ses serviteurs. Le plastron doré avait appartenu à plusieurs générations d'empereurs guerriers au cours de ces deux derniers siècles, et la cape pourpre était le symbole de la suprême royauté. Mais ce n'étaient que des apparats. Ce qui était important, c'était l'homme qui les portait.

Es-tu un homme ? Il contempla son reflet, remarquant ses épaules larges, sa taille fine, ses jambes musclées et ses bras puissants. Mais là aussi, ce n'étaient que des apparats, il le savait bien. Le manteau de l'âme.

Es-tu un homme ?

Cette pensée le hantait, aussi retourna-t-il à son travail. Gorben mit ses coudes sur la table et regarda encore une fois la carte. La nouvelle ligne de défense était gribouillée au fusain : Capalis à l'ouest, Larian et Ectanis à l'est. Gorben repoussa la carte. En dessous, une autre montrait le port de Capalis.

Quatre portes, seize tours et un seul mur, qui s'étendait de la mer au sud jusqu'aux collines au nord, en formant un demi-cercle. Trois kilomètres de murailles de douze mètres de haut, gardées par trois mille hommes, dont la plupart étaient des recrues qui n'avaient ni bouclier ni plastron.

Gorben se leva à nouveau et sortit sur le balcon. Il contempla le port et la mer.

— Ah, Bodasen, mon frère, où es-tu ? soupira-t-il.

Sous le ciel bleu et limpide, la mer avait l'air si calme. L'empereur se laissa tomber dans un fauteuil et posa les pieds sur la rambarde du balcon.

La journée était tellement belle et calme qu'il avait du mal à réaliser que tant de morts et de destruction avaient frappé l'Empire en si peu de temps. Il ferma les yeux et se remémora le banquet estival de Nusa, l'année passée. Son père célébrait son quarante-quatrième anniversaire et sa dix-septième année d'accession au trône. Le banquet avait duré huit jours ; il y avait eu des cirques, des représentations théâtrales, des tournois de lutte, d'archers et de chevaliers, et même des courses de chevaux. Les neuf satrapes étaient présents, tout sourires, et portant des toasts à l'empereur. Shabag, grand et mince, des yeux de lynx et une bouche cruelle. Gorben le visualisait bien. Il portait toujours une paire de gants noirs, même par les plus grandes chaleurs, ainsi qu'une tunique en soie boutonnée jusqu'au cou. Berish était gras et gourmand, mais un conteur d'histoires hors pair, qui avait toujours une orgie ou une calamité amusante à raconter. Darishan, le Renard du Nord, le cavalier, le lancier, avec ses longs cheveux argentés attachés et tressés comme ceux d'une femme. Et Ashac, le Paon, avec ses yeux de lézard et son amour des garçons. On les avait honorés en les invitant à s'asseoir de chaque côté de l'empereur, alors que son fils aîné avait été contraint de prendre place à une table en contrebas, forcé de lever les yeux vers ces hommes de pouvoir !

Shabag, Berish, Darishan et Ashac ! Des noms et des visages qui brûlaient le cœur et l'âme de Gorben. Des traîtres ! Des hommes qui avaient juré allégeance à son père, et qui avaient causé sa mort, fait ravager son Empire et massacrer son peuple.

Gorben ouvrit les yeux et prit une profonde respiration.

— Je vous retrouverai – tous, promit-il, et je vous ferai payer votre traîtrise.

Cette menace était aussi vide que les coffres du trésor, et Gorben le savait pertinemment.

On frappa doucement à la porte du balcon.

— Entrez ! lança-t-il.

Nebuchad avança sur le balcon et s'inclina.

— Les éclaireurs sont de retour, mon seigneur. L'ennemi est à moins de deux jours de marche des murailles.

— Quelles nouvelles de l'est ?

— Aucune, mon seigneur. Peut-être que nos cavaliers n'ont pas pu passer.

— Qu'en est-il des réserves ?

Nebuchad plongea une main dans sa tunique et produisit un parchemin qu'il déroula.

— Nous avons seize mille pains sans levain, un millier de barils de farine, huit cents bœufs, cent quarante chèvres. Les moutons n'ont pas encore été comptés. Il ne reste plus beaucoup de fromage, mais nous avons en revanche quantité d'avoine et de fruits séchés.

— Et le sel ?

— Le sel, mon seigneur ?

— Quand nous tuons du bétail, il faut bien que l'on puisse conserver la viande ?

— On pourrait le tuer au fur et à mesure de nos besoins, proposa Nebuchad en rougissant.

— Pour conserver le bétail, il faut le nourrir, et nous ne pouvons pas nous passer des réserves. Par conséquent, il faut le tuer maintenant et saler la viande. Parcours la ville... Nebuchad ?

— Mon seigneur ?

— Tu n'as pas encore parlé de l'eau.

— Mais, mon seigneur, il y a des rivières qui coulent dans la ville.

— Tout à fait. Mais qu'est-ce que nous allons boire si l'ennemi les obstrue ou y verse du poison ?

— Je crois qu'il y a également des puits artésiens.

— Localise-les.

Le jeune homme pencha la tête.

— Mon seigneur, j'ai peur de ne pas bien vous servir. J'aurais dû anticiper toutes ces questions.

Gorben sourit.

— Tu dois t'occuper de beaucoup de choses et je suis satisfait de toi. Mais tu as besoin d'aide. Prends Jasua.

— Comme vous voudrez, mon seigneur, fit Nebuchad d'un ton sceptique.

— Tu ne l'aimes pas ?

Nebuchad déglutit.

— Ce n'est pas une question de l'aimer ou non, mon seigneur. C'est qu'il me traite... avec mépris.

Gorben plissa les yeux, mais évita de laisser filtrer la colère dans sa voix.

— Dis-lui que c'est ma volonté qu'il t'assiste. À présent, va.

La porte se referma et Gorben se jeta sur un divan en satin.

— Dieux du Ciel, souffla-t-il, est-ce que le futur dépend d'hommes avec si peu de substance ? (Il soupira et reporta une fois de plus son attention sur la mer.) J'ai besoin de toi, Bodasen. Par tout ce qui est sacré, j'ai besoin de toi !

Bodasen était à côté de la barre, une main au-dessus des yeux pour se protéger du soleil, scrutant l'horizon. Sur le pont principal, des matelots réparaient le bastingage, tandis que d'autres étaient dans les gréements ou s'affairaient à fixer les balles qui avaient glissé pendant la tempête.

— Vous verrez les pirates bien assez tôt, s'ils sont dans les parages, lui dit Milus Bar.

Bodasen acquiesça et se retourna vers lui.

— Avec à peine vingt-quatre guerriers, j'espère bien ne pas les voir du tout, répondit-il doucement.

Le capitaine gloussa.

— Dans la vie, on n'a pas toujours ce qu'on veut, mon ami ventrian. Je ne voulais pas cette tempête. Je ne voulais pas que ma première femme me quitte – et je ne voulais pas que la deuxième reste. (Il haussa les épaules.) Ainsi va la vie, pas vrai ?

— Vous n'avez pas l'air inquiet outre mesure.

— Je suis fataliste, Bodasen. Ce qui doit arriver arrivera.

— Pourra-t-on les semer ?

Milus Bar haussa une fois de plus les épaules.

— Cela dépend d'où ils viendront. (Il agita la main en l'air.) Le vent. De derrière ? Oui. Il n'y a pas de navire plus rapide sur tout l'océan que ma *Fille du Tonnerre*. S'ils viennent d'en face par l'est – probablement. D'en face, par l'ouest – non. Ils nous éperonneront. Ils ont un grand avantage, la plupart de leurs vaisseaux sont des trirèmes pourvues de trois rangées de rameurs. Vous seriez surpris, mon ami, de voir à quelle vitesse ils peuvent changer de cap pour éperonner.

— Combien de temps avant d'atteindre Capalis ?

— Deux jours – peut-être trois si le vent tombe.

Bodasen descendit les marches qui menaient au pont principal. Il aperçut Druss, Sieben et Eskodas à la proue du navire et se dirigea vers eux. Druss leva les yeux à son approche.

— Justement la personne dont nous avions besoin, fit le jeune guerrier. Nous parlions de la Ventria. Sieben prétend qu'il y a là-bas des montagnes qui touchent presque la lune. C'est vrai ?

— Je n'ai pas parcouru tout l'empire, répondit Bodasen, mais d'après nos astronomes, la lune se trouve à plus de quatre cent mille kilomètres de la surface de la terre. Alors, j'en doute.

— Voilà une ineptie orientale typique, fit Sieben d'un ton moqueur. Un archer drenaï a réussi à planter une flèche dans la lune. Il avait un grand arc magique de près de quatre mètres de long nommé Akansin. Il a décoché une flèche nommée Paka. Il avait attaché un fil d'argent à la flèche, dont il s'est servi pour grimper jusqu'à la lune. Il est resté assis là-haut pour contempler le plateau terrestre, pendant que la lune en faisait le tour.

— Ce n'est qu'une fable, insista Bodasen.

— Elle est enregistrée à la bibliothèque de Drenan – dans la section *Historique.*

— Ce qui donne une assez bonne idée de vos limites de compréhension de l'univers, dit Bodasen. Vous croyez toujours que le soleil est un chariot d'or tiré par six chevaux blancs ailés ? (Il s'assit sur un rouleau de corde.) Ou peut-être que la terre repose sur les épaules d'éléphants ou d'autres animaux ?

Sieben sourit.

— Non. Mais ne serait-ce pas mieux si c'était vrai ? N'y a-t-il pas un charme indéniable à ce genre d'histoires ? Un jour, je me fabriquerai un arc, et je toucherai la lune.

— Laisse tomber la lune, intervint Druss. Je veux en savoir davantage sur la Ventria.

— D'après le recensement ordonné par l'empereur il y a une quinzaine d'années, et qui s'est terminé l'an passé, le Grand Empire ventrian fait trois cent quarante-trois mille neuf cent cinquante kilomètres carrés. On estime la population à quinze millions et demi d'habitants. Si on lui donnait plusieurs chevaux très rapides, un cavalier longeant les frontières au galop reviendrait à son point de départ quatre ans plus tard.

Druss eut l'air déconfit. Il eut du mal à déglutir.

— Aussi grand ?

— Oui, affirma Bodasen.

Druss plissa les yeux.

— Je la trouverai, finit-il par dire.

— Évidemment, répondit Bodasen. Elle est partie avec Kabuchek et il a dû se rendre chez lui à Ectanis, ce qui signifie qu'il a forcément accosté à Capalis. Kabuchek est très connu, c'est le conseiller principal du satrape Shabag. Il ne sera pas trop difficile à retrouver. À moins…

— À moins que quoi ? s'enquit Druss.

— À moins qu'Ectanis ne soit déjà tombée.

Soudain retentit un cri du haut des gréements.

— Voile ! Voile à l'horizon !

Bodasen se leva d'un bond et scruta l'eau scintillante. C'est alors qu'il aperçut un navire à l'est, toutes voiles dehors, et trois rangées de rames qui vues d'ici ressemblaient à des ailes gigantesques. Il se retourna et s'adressa au pont en dégainant son épée.

— Allez chercher vos armes ! cria-t-il.

Druss enfila son gilet et coiffa son heaume. Puis il monta en proue afin d'observer la trirème qui venait sur eux. Même à cette distance, il arrivait à discerner les combattants qui s'étaient amoncelés sur le pont.

— Un beau navire, dit-il.

Derrière lui, Sieben acquiesça.

— Le meilleur. Deux cent quarante rames. Regarde ! À la proue !

Druss se concentra et vit un éclat doré au niveau de la ligne de flottaison.

— Vu, fit-il.

— C'est un bélier. Une extension de la coque renforcée par du bronze. Si les rameurs vont à la bonne cadence, un bélier comme celui-là peut éperonner n'importe quel bateau.

— C'est ce qu'ils vont essayer de faire ? demanda Druss.

Sieben secoua la tête.

— Je ne crois pas. Nous sommes sur un navire marchand, qu'ils vont vouloir piller. Je pense qu'ils vont se rapprocher et nous aborder avec des grappins.

Druss souleva Snaga et porta son regard sur le pont de la *Fille du Tonnerre*. À présent, les guerriers drenaïs avaient revêtu leurs armures, et leurs visages étaient déterminés. Les archers, parmi lesquels Eskodas, escaladaient les gréements afin de se positionner au-dessus du pont, prêts à flécher l'ennemi. Bodasen était reparti au poste de pilotage ; il finissait de boucler un plastron noir dans son dos.

La *Fille du Tonnerre* changea de cap et fila vers l'ouest, puis vira à nouveau de bord. Au loin, deux nouvelles voiles étaient visibles. Sieben jura.

— On ne pourra pas tous les affronter, dit-il.

Druss jeta un coup d'œil à la grand-voile et puis aux nouveaux navires.

— On dirait que ce ne sont pas les mêmes, fit remarquer Druss. Ils sont plus gros. Et ils n'ont pas de rames. Ils louvoient face au vent. Si nous nous concentrons sur la trirème, ils ne pourront pas nous rattraper.

Sieben gloussa.

— À vos ordres, capitaine. Je m'incline devant l'étendue de tes connaissances maritimes.

— J'apprends vite. C'est parce que j'écoute beaucoup.

— Tu ne m'écoutes jamais, moi. J'ai perdu le compte du nombre de fois pendant ce voyage où tu t'es endormi durant nos conversations.

La *Fille du Tonnerre* vira une nouvelle fois de bord, essayant d'échapper à la trirème. Druss poussa un juron, et traversa le pont pour grimper au poste de pilotage, où se trouvaient Bodasen et Milus Bar.

— Qu'est-ce que vous faites ? cria Druss au capitaine.

— Descendez de là ! gronda Milus.

— Si vous maintenez ce cap, nous risquons de nous retrouver avec trois bateaux sur les bras, répondit sèchement Druss.

— Quel autre choix nous reste-t-il ? s'enquit Bodasen. Nous ne pouvons pas vaincre une trirème.

— Pourquoi ? demanda Druss. Ce ne sont que des hommes.

— Ils ont près d'une centaine d'hommes – sans compter les rameurs. Nous en avons vingt-quatre, et une poignée de matelots. Les chiffres parlent d'eux-mêmes.

Druss jeta un coup d'œil aux deux vaisseaux qui venaient par l'ouest.

— Et combien d'hommes ont-ils ?

Bodasen écarta les mains et regarda Milus Bar. Le capitaine resta songeur un court instant.

— Un peu plus de deux cents par navire, admit-il.

— Peut-on les distancer ?

— S'il y a de la brume, ou s'ils ne nous rattrapent pas avant la tombée de la nuit.

— Et quelles sont les chances que cela arrive ?

— Très minces, fit Milus.

— Alors allons leur faire la guerre.

— Et comment devrions-nous nous y prendre, jeune homme ? demanda le capitaine.

Druss sourit.

— Je ne suis pas un marin, mais leur atout majeur, ce sont les rames. Est-ce qu'on ne pourrait pas essayer de les briser ?

— Possible, admit Milus, mais cela nous obligerait à être à portée de grappins. Et là, c'en serait fini de nous ; ils nous aborderaient.

— Ou l'inverse ! cracha Druss.

Milus fut pris d'un fou rire.

— Tu es fou !

— Fou, mais il n'a pas tort, déclara Bodasen. Ils nous traquent comme des loups chassent un cerf. Faisons ça, Milus.

Pendant un long moment, Milus regarda les deux hommes, incrédule. Puis, poussant un juron, il tourna la barre. La *Fille du Tonnerre* vira de bord en direction de la trirème.

Il s'appelait Earin Shad, mais aucun homme de son équipage n'utilisait ce nom. Quand ils lui adressaient la parole, ils lui disaient Seigneur des Mers, ou

Tout-Puissant, tandis que dans son dos, ils utilisaient l'argot naashanite – *Bojeeba*, le Requin.

Earin Shad était grand, mince et large d'épaules. Il avait un grand cou et des yeux gris protubérants qui brillaient comme deux perles. Il ne souriait jamais. Personne à bord du *Vent Noir* ne connaissait ses origines, seulement qu'il avait été un chef pirate pendant vingt ans, l'un des seigneurs corsaires, les hommes les plus puissants de l'océan. On disait qu'il possédait plusieurs palais dans les Mille Îles, et qu'il était plus riche qu'un roi occidental. Mais cela ne se reflétait pas dans son apparence. Il portait un simple plastron de bronze forgé et un casque à ailes qu'il avait pris sur un navire marchand, douze ans plus tôt. Il portait un sabre à sa hanche, avec une poignée des plus simples en bois poli et une garde en cuivre. Earin Shad était un homme qui n'aimait pas les extravagances.

Il se tenait à la poupe du bateau, tandis qu'on battait la cadence. Le martèlement régulier des tambours forçait les rameurs à accentuer leurs efforts, et si cela ne suffisait pas, un coup de fouet venait claquer sur le dos dénudé des lambins. En voyant le vaisseau marchand virer de bord pour venir vers le *Vent Noir*, il plissa ses yeux pâles.

— Qu'est-ce qu'il fait ? demanda le géant, Patek.

Earin Shad leva les yeux vers l'homme.

— Il a vu les navires de Reda, et essaie de se faufiler entre nous. Il n'y arrivera pas. (Il se retourna vers le barreur, un petit vieux édenté nommé Luba, et réalisa que celui-ci avait déjà modifié le cap.) Doucement, lui dit-il. Il ne faut pas l'éperonner.

— Oui, Seigneur des Mers.

— Préparez les grappins ! beugla Patek.

Le géant regarda les hommes attraper les rouleaux de cordes pour y fixer des grappins à trois crocs.

— Regardez, Seigneur des Mers ! dit-il en désignant la proue de la *Fille du Tonnerre*.

Il y avait un homme vêtu de noir qui s'y tenait debout ; il brandissait une hache à double lame au-dessus de sa tête en signe de défi.

— Ils n'arriveront jamais à couper toutes les cordes, déclara Patek.

Earin Shad ne répondit pas – il scrutait le pont du vaisseau ennemi, cherchant une présence féminine. Il n'en vit aucun et son humeur s'assombrit. Pour compenser sa déception, il se remémora le dernier vaisseau dont il s'était emparé, trois semaines plus tôt, et de la fille du satrape qu'il transportait. Il se pourlécha les lèvres rien que d'y repenser. Fière, arrogante, belle – le fouet n'avait pas réussi à la dresser, les gifles non plus. Même après l'avoir violée plusieurs fois, le meurtre brillait toujours dans ses yeux. Elle débordait de vitalité, pour le moins. Mais il avait réussi à trouver son point faible ; comme toujours. Le moment de la victoire, quand elle l'avait supplié de la prendre – elle lui avait promis de le servir pour toujours, de la manière qui lui plairait –, avait été jubilatoire. Mais la tristesse l'avait emporté, remplacée par la colère. Il l'avait tuée rapidement, au grand dam de l'équipage. Mais elle avait au moins mérité ça, pensa-t-il. Elle avait résisté pendant cinq jours dans les ténèbres de la cale, en compagnie des rats.

Earin Shad renifla et s'éclaircit la gorge. Ce n'était pas le moment de penser au plaisir.

La porte d'une cabine s'ouvrit derrière lui et il entendit les pas feutrés du jeune sorcier.

— Bien le bonjour, Seigneur des Mers, lança Gamara.

Patek s'écarta, fuyant le regard du sorcier.

Earin Shad fit un signe de tête à l'intention du maigre Chiatze.

— Dois-je comprendre que les augures nous sont favorables ? demanda-t-il.

Gamara ouvrit ses mains dans un mouvement élégant.

— Ce serait gâcher son pouvoir inutilement que de jeter les pierres, Seigneur des Mers. Ils ont perdu la moitié de leurs hommes pendant la tempête.

— Es-tu sûr qu'ils transportent de l'or ?

Le Chiatze sourit, révélant une rangée parfaite de petites dents blanches. *Comme un enfant*, pensa Earin Shad. Il le regarda droit dans ses yeux bridés.

— Combien transportent-ils ?

— Deux cent soixante mille pièces d'or. Bodasen a réuni la somme auprès des marchands ventrians de Mashrapur.

— Tu aurais quand même dû jeter les pierres, fit Earin Shad.

— Nous n'aurions vu que du sang, répondit Gamara. Ah ah ! Voyez, mon bon seigneur, comme toujours les requins avancent dans votre sillage. On dirait presque que ce sont vos animaux domestiques, non ?

Earin Shad ne regarda pas les formes grises aux ailerons dressés comme des épées qui fendaient les flots avec aisance.

— Ce sont les vautours des mers, déclara-t-il. Et je ne les aime pas.

Le vent tourna, et la *Fille du Tonnerre* oscilla comme une danseuse sur le sommet d'écume des vagues. Sur le pont du *Vent Noir*, des dizaines de guerriers étaient accroupis derrière le bastingage tribord. Les deux bateaux se rapprochaient. *Ils ne vont pas passer loin,* pensa Earin Shad ; *ils vont encore virer de bord et essayer de se dégager.* Anticipant la manœuvre, il aboya un ordre à Patek qui était debout au milieu des hommes. Le géant se pencha par-dessus bord et répéta les instructions au maître rameur. Aussitôt, les rames tribord sortirent de l'eau, laissant les cent vingt rameurs bâbord continuer seuls leur effort. Le *Vent Noir* vira de bord.

La *Fille du Tonnerre* prit de la vitesse et vira à son tour, mais vers la trirème. Sur la proue, le guerrier à la barbe noire agitait toujours sa hache étincelante – et à cet instant précis, Earin Shad sut qu'il avait fait un mauvais calcul.

— Ramenez les rames ! hurla-t-il.

Patek leva les yeux, étonné.

— Pardon, seigneur ?

— Les rames ! Ils *nous* attaquent !

Mais il était trop tard. Alors que Patek se penchait pour gueuler ses ordres, la *Fille du Tonnerre* passa à l'attaque, oscillant violemment vers le *Vent Noir*; sa proue heurta la première rangée de rames. Le bois se brisa brutalement dans une série de craquements assourdissants, entremêlés aux cris des esclaves que les énormes rames percutaient aux bras ou au crâne, aux épaules et aux côtes.

Des grappins furent lancés, et leurs crocs métalliques mordirent dans le bois ou se prirent dans les gréements de la *Fille du Tonnerre*. Une flèche se planta dans la poitrine d'un corsaire ; l'homme tomba à la renverse, lutta pour se relever et s'écroula. Les corsaires tirèrent sur les grappins et les deux navires se retrouvèrent presque bord à bord.

Earin Shad était furieux. La moitié des rames tribord avaient été endommagées, et les dieux seuls savaient combien de rameurs étaient estropiés. À présent, le bateau serait handicapé pour rentrer à bon port.

— Parés à l'abordage ! cria-t-il.

Les deux navires s'entrechoquèrent. Les corsaires surgirent pour prendre pied sur le bastingage.

Au même moment, le guerrier à la barbe noire du vaisseau ennemi prit appui sur la proue et plongea sur les premiers rangs des corsaires qui attendaient leur tour. Earin Shad n'en crut pas ses yeux. Le guerrier envoya valdinguer plusieurs hommes à terre, et manqua lui-même de tomber. Puis, il fit tournoyer sa hache. Un homme hurla, et du sang gicla d'une terrible entaille à la poitrine. La hache se leva et s'abattit – et les corsaires reculèrent devant le guerrier qui avait visiblement perdu la raison.

Il les chargea, et la hache se fraya un passage dans leurs rangs. Un peu plus loin, sur le pont, d'autres corsaires essayaient désespérément de prendre pied sur le pont du navire marchand, mais ils rencontraient une résistance féroce de la part des guerriers drenaïs. Au centre du navire corsaire régnait le chaos. Un corsaire brandissant une dague incurvée arriva en courant dans le dos du guerrier à la hache pour le poignarder. Une flèche lui transperça la gorge et il tomba.

Et maintenant, d'autres guerriers drenaïs venaient rejoindre Druss. Earin Shad jura et dégaina son sabre, puis sauta sur le pont en contrebas. Un homme, une épée à la main, lui fonça dessus ; il para l'attaque et envoya une riposte qui, si elle manqua le cou de son assaillant, lui ouvrit la joue de la pommette au menton. Le guerrier recula, et Earin Shad lui enfonça son sabre dans la bouche, jusqu'au cerveau.

Un guerrier leste avec un plastron noir et un heaume se débarrassa d'un corsaire et avança vers Earin Shad. Le capitaine corsaire bloqua un coup d'estoc féroce et tenta de riposter, mais il dut reculer car la lame de son adversaire faillit lui taillader le visage. L'homme avait le teint mat, et des yeux sombres. C'était visiblement un maître d'armes.

Earin Shad fit de nouveau un pas en arrière et dégaina une dague.

— Ventrian ? demanda-t-il.

L'homme sourit.

— Tout à fait.

Un corsaire bondit sur le bretteur. Celui-ci se retourna d'un geste fluide et l'éventra, puis fit volte-face à temps pour parer un coup d'estoc de Earin Shad.

— Je suis Bodasen.

Les corsaires étaient des hommes aguerris, qui avaient l'habitude des batailles et de risquer leur vie. Mais ils n'avaient jamais eu affaire à un phénomène comme l'homme à la hache. Du poste de pilotage, sur la *Fille du Tonnerre*, Sieben les vit reculer, encore et toujours, face aux assauts infatigables et frénétiques de Druss. Bien qu'il fasse chaud, Sieben sentit son sang se glacer en voyant la hache s'abattre sur les pirates désemparés. Druss était imbattable – et Sieben savait pourquoi. Quand on se battait à l'épée, la réussite dépendait du niveau de maîtrise, mais face à une hache à deux lames effroyables, il n'y avait pas besoin de maîtrise, rien que de la force et la volonté de se battre – et dans ce cas précis, une volonté qui ressemblait fort à une soif inextinguible. Personne ne pouvait lui résister, car pour gagner il fallait d'abord pénétrer dans le périmètre des lames mortelles. Ils ne risquaient pas leur vie – ils assuraient leur mort. Et Druss avait l'air de posséder un sixième sens. Des corsaires se faufilaient dans son dos, mais même quand ils lui fonçaient dessus, il se retournait à temps pour les recevoir, et les lames brillaient en tranchant à travers la peau, la chair et l'os. Plusieurs corsaires jetèrent leurs armes et s'écartèrent du géant couvert de sang. Druss les laissa s'enfuir.

Sieben porta son regard sur le combat entre Bodasen et le capitaine ennemi. Leurs épées, qui scintillaient sous le soleil, avaient l'air si fragiles comparées à la puissance brute de Druss et sa hache !

Une silhouette géante armée d'un marteau de guerre sauta sur Druss – au moment où Snaga venait de se coincer dans les côtes d'un corsaire. Druss se baissa pour esquiver l'arme, et balança un crochet du gauche qui percuta le géant sous le menton. Tandis que celui-ci s'écroulait, Druss dégagea sa hache et manqua trancher la tête d'un attaquant un peu trop téméraire. Des guerriers drenaïs se joignirent à lui, et les corsaires reculèrent, consternés et démoralisés.

— Jetez vos armes, gronda Druss, et vous vivrez !

Il y eut un moment d'hésitation : les sabres, épées, coutelas et couteaux tombèrent sur le pont. Druss se retourna, vit Bodasen bloquer un coup d'estoc et riposter à la vitesse de l'éclair. Sa lame s'enfonça dans la gorge du capitaine. Une gerbe de sang jaillit de la blessure. Earin Shad tomba à genoux, en donnant un dernier coup de sabre. Mais ses forces l'avaient abandonné, et il tomba face contre pont.

Un homme dans une robe verte flottante apparut derrière le bastingage du poste de pilotage ennemi. Il était grand et mince, ses cheveux avaient été plaqués contre son crâne. Il leva les mains. Sieben cligna des yeux. L'homme avait l'air de porter une sphère de bronze brillant dans chacune de ses mains – non, réalisa le poète, pas du bronze, mais du feu !

— Attention, Druss ! cria-t-il.

Le sorcier lança ses mains en avant, et un jet de flammes fusa vers le jeune guerrier. Druss leva Snaga ; les flammes enveloppèrent les lames en acier argenté.

Pour le poète, le temps s'arrêta. En un quart de battement de cœur, il vit une scène qu'il n'oublierait jamais. Au moment où les flammes touchèrent les lames, une silhouette démoniaque se matérialisa au-dessus de Druss. Sa peau écailleuse était d'un gris ferreux, et elle avait de longs bras musclés aux doigts griffus. Les flammes rebondirent sur la créature et repartirent vers le sorcier. Sa robe prit feu et sa poitrine explosa – un trou béant apparut sur son torse, à travers lequel Sieben put voir le ciel bleu. Le sorcier s'écroula sur le pont, et le démon disparut.

— Sainte Mère de Cires ! murmura Sieben. (Il se retourna vers Milus Bar.) Vous avez vu ?

— Ouais ! Cette hache lui a sauvé la vie.

— Hache ? Vous n'avez pas vu une créature ?

— De quoi est-ce que tu parles, mon gars ?

Sieben sentait son cœur battre la chamade. Il aperçut Eskodas qui descendait des gréements et courut vers lui.

— Qu'as-tu vu quand les flammes ont approché Druss ? demanda-t-il à l'archer en l'agrippant sèchement par le bras.

— Je l'ai vu les dévier avec sa hache. Qu'est-ce qui t'arrive ?

— Rien. Rien du tout.

— Nous ferions mieux de couper toutes ces cordes, déclara Eskodas. Les autres bateaux se rapprochent.

Les guerriers drenaïs qui se trouvaient sur le *Vent Noir* avaient eux aussi repéré les vaisseaux en approche. Devant des corsaires immobiles, ils tranchèrent les cordes des grappins et retournèrent sur la *Fille du Tonnerre*. Druss et Bodasen traversèrent en dernier. Personne n'essaya de les en empêcher.

Le géant que Druss avait assommé se leva, chancelant, et courut jusqu'au bastingage. Il sauta pour attraper le jeune guerrier à la hache, et atterrit au milieu d'un groupe de guerriers drenaïs, les éparpillant.

— Ce n'est pas fini ! hurla-t-il. Affronte-moi !

La *Fille du Tonnerre* s'éloigna doucement du vaisseau corsaire, et le vent s'engouffra dans ses voiles. Druss laissa tomber Snaga sur le pont et marcha vers le corsaire. Ce dernier – qui faisait bien trente centimètres de plus que le Drenaï couvert de sang – frappa le premier, une droite violente qui fendit la peau de Druss au-dessus de son œil gauche. Druss ne broncha pas ; tout en continuant d'avancer sur son adversaire, il balança un uppercut furieux qui s'écrasa contre la cage thoracique du géant. Le corsaire grogna sous l'impact et défonça la mâchoire de Druss d'un crochet du gauche ; Druss tituba, et l'homme en profita pour faire pleuvoir sur lui une pluie de coups, droites puis gauches. Druss les encaissa et asséna une droite de haut en bas à son adversaire, qui lui fit faire un demi-tour sur lui-même. Druss enchaîna. Il frappa le corsaire jusqu'à ce que celui-ci tombe à genoux. Puis, il recula d'un pas et lui balança un coup de pied vicieux qui souleva presque le géant du pont. Ce dernier s'effondra, puis essaya de se relever, mais resta au sol, immobile.

— Druss ! Druss ! Druss ! hurlèrent les survivants drenaïs.

Et la *Fille du Tonnerre* échappa à ses poursuivants.

Sieben s'assit et regarda son ami.

Pas étonnant que tu sois aussi meurtrier, pensa-t-il. *Par le Ciel, Druss, tu es possédé !*

Druss se déplaça avec lassitude jusqu'au bastingage tribord, sans même jeter un regard aux poursuivants distancés. Le sang séchait sur son visage, et il se frotta l'œil gauche, où ses cils étaient emmêlés et poisseux. Il posa Snaga sur le pont puis ôta son gilet pour que la brise du large lui refroidisse la peau.

Eskodas vint le rejoindre avec un seau d'eau.

— Est-ce qu'il y a du sang à toi ? demanda l'archer.

Druss haussa les épaules avec indifférence. Il retira ses gantelets et plongea ses mains dans le seau, s'éclaboussant le visage et la barbe. Puis il souleva le seau et se le versa sur la tête.

Eskodas examina son corps.

— Tu as des blessures superficielles, dit-il en touchant une petite coupure à l'épaule de Druss, et une entaille aux côtes. Elles ne sont pas profondes. Je vais quand même chercher du fil et une aiguille.

Druss ne répondit pas. Une grande lassitude l'avait envahi. Il pensa alors à Rowena et à la paix intérieure qu'il connaissait quand elle était à ses côtés. Il leva la tête et posa ses grosses mains sur la rambarde. Derrière lui, il entendit quelqu'un rire ; il se retourna et vit que certains des guerriers s'amusaient avec le gigantesque corsaire. Ils lui avaient attaché les mains dans le dos et lui lançaient des couteaux, l'obligeant à sauter et à danser.

Bodasen descendit du poste de pilotage.

— Ça suffit ! cria-t-il.

— On s'amuse un peu avant de le jeter aux requins, déclara un guerrier sec et nerveux, avec une barbe poivre et sel.

— On ne jettera personne aux requins, cracha Bodasen. Maintenant, libérez-le.

Les hommes grommelèrent, mais obéirent à l'ordre. Le géant se frotta les poignets. Ses yeux croisèrent le regard de Druss, mais l'expression du corsaire était illisible. Bodasen le fit passer par la porte de la cabine qui se trouvait sous le poste de pilotage, et ils disparurent.

Eskodas revint pour recoudre les blessures de Druss. Il travailla vite et bien.

— Les dieux sont avec toi, dit-il. Ils t'ont porté chance.

— Un homme provoque seul sa chance, répondit Druss.

Eskodas gloussa.

— Oui. Fais confiance à la Source – mais garde une flèche encochée. C'est ce que mon vieux maître me disait toujours.

Druss repensa à ce qui s'était passé sur la trirème.

— Tu m'as aidé, dit-il en se souvenant de la flèche qui avait tué l'homme dans son dos.

— C'était un bon tir, convint Eskodas. Comment te sens-tu ?

Druss haussa les épaules.

— Comme si j'allais dormir une semaine.

— C'est normal, mon ami. D'abord, la soif de combattre court dans le sang, mais à la suite de ça, on devient incroyablement déprimé. C'est vrai que les poètes ne parlent pas beaucoup de ça. (Eskodas prit un chiffon et épongea le sang qui maculait le gilet de Druss, avant de le lui rendre.) Tu es un grand guerrier, Druss – peut-être le plus grand que j'aie vu.

Druss enfila son gilet, ramassa Snaga, et partit s'allonger entre deux balles à la proue du bateau. Il avait presque dormi une heure lorsque Bodasen vint le réveiller ; il ouvrit les yeux et vit le Ventrian penché au-dessus de lui, dans le soleil couchant.

— Il faut que nous parlions, mon ami, déclara Bodasen.

Druss s'assit, et en se redressant ses sutures le lancèrent. Il jura entre ses dents.

— Je suis fatigué, répondit le jeune guerrier. Alors, sois bref.

— J'ai parlé avec le corsaire. Il se nomme Patek…

— Je me moque de savoir son nom.

Bodasen soupira.

— En échange d'informations sur le nombre de vaisseaux pirates, je lui ai promis sa liberté en arrivant à Capalis. Je lui ai donné ma parole.

— Qu'est-ce que ça peut me faire ?

— J'aimerais aussi que tu me donnes ta parole que tu ne le tueras pas.

— Mais je ne veux pas le tuer. Il n'est rien pour moi.

— Alors donne-moi ta parole, mon ami.

Druss regarda au fond des yeux sombres du Ventrian.

— Il y a autre chose, quelque chose que tu ne me dis pas.

— Oui, tu as raison, concéda Bodasen. Promets-moi que tu me laisseras tenir ma parole à Patek, et je t'expliquerai.

— Très bien. Je ne le tuerai pas. Et maintenant, dis-moi ce que tu as à me dire – et puis laisse-moi dormir.

Bodasen prit une profonde inspiration, très lentement.

— La trirème s'appelait le *Vent Noir*. Son capitaine était Earin Shad, l'un des chefs corsaires… un de leurs rois, si tu préfères. Cela fait plusieurs mois qu'ils sillonnent ces mers. L'un des bateaux qu'ils ont… pillés… (Bodasen arrêta de parler pour humidifier ses lèvres.) Druss, je suis désolé. Le bateau de Kabuchek a été capturé et coulé, tous les passagers et l'équipage ont été jetés aux requins. Il n'y a pas de survivant.

Druss resta immobile. Toute sa colère avait disparu.

— J'aimerais pouvoir dire quelque chose afin d'alléger ta peine, dit Bodasen. Je sais que tu l'aimais.

— Laisse-moi tranquille, murmura Druss. Laisse-moi.

Chapitre 5

La nouvelle de la tragédic qui était survenue à Druss se propagea rapidement au sein des guerriers et de l'équipage. La plupart d'entre eux, ne connaissant rien à l'amour, n'arrivaient pas à comprendre l'intensité de son chagrin, mais ils virent tout de suite le changement qui s'opérait en lui. Il restait assis à la proue, contemplant la mer, les mains posées sur sa hache. Il n'y avait que Sieben qui pouvait l'approcher, mais même lui ne restait pas longtemps.

Durant les trois derniers jours du voyage, il y eut peu de place pour le rire, car la mélancolie de Druss était contagieuse. Malgré le manque de place sur le navire, le corsaire Patek essaya de rester le plus loin possible du jeune Drenaï et passa donc son temps à la barre.

Au matin du quatrième jour, les tours de Capalis furent en vue ; le marbre blanc dont elles étaient faites brillait sous le soleil.

Sieben s'approcha de Druss.

— Milus Bar réceptionne une cargaison d'épices et tente de rentrer à la maison. Est-ce qu'on reste à bord ?

— Je ne veux pas rentrer, fit Druss.

— Il n'y a plus rien pour nous ici, fit remarquer le poète.

— Il reste l'ennemi, grogna le guerrier.

— Quel ennemi ?

— Les Naashanites.

Sieben secoua la tête.

— Je ne te comprends pas. On n'en connaît même pas un seul !

— Ils ont tué ma Rowena. Je vais leur faire payer.

Sieben allait discuter l'argument, mais se retint. Les Naashanites s'étaient offerts les services des corsaires, et dans l'esprit de Druss cela les rendait coupables. Sieben aurait bien voulu débattre de la chose, et faire rentrer à coups de marteau dans la tête de Druss que le seul vrai coupable était Earin Shad et celui-ci était mort. Mais à quoi bon ? Perdu dans sa douleur, Druss n'aurait pas écouté. Ses yeux étaient froids, presque sans vie, et il s'agrippait à sa hache comme si elle était sa seule amie.

— Ce devait être une femme remarquable, observa Eskodas, quand lui et Sieben se retrouvèrent seuls contre le bastingage bâbord.

La *Fille du Tonnerre* entrait doucement dans le port.

— Je ne l'ai jamais rencontrée. Mais il parlait d'elle avec un profond respect.

Eskodas acquiesça en silence. Puis il désigna les quais.

— Il n'y a pas de dockers, fit-il remarquer, seulement des soldats. La cité doit être assiégée.

Sieben aperçut un mouvement au bout du quai, et vit une colonne de soldats en armures noires blasonnées d'argent marcher derrière un grand seigneur, large d'épaules.

— C'est certainement Gorben, dit-il. Il marche comme si le monde lui appartenait.

Eskodas gloussa.

— Plus maintenant ; mais je t'accorde qu'il est bel homme.

L'empereur était simplement vêtu d'un manteau noir et d'un plastron sans ornement, et pourtant – tel un héros de légende – il inspirait le respect. Lorsqu'il arriva, les hommes s'arrêtèrent de travailler et Bodasen sauta sur la jetée, avant même que les amarres ne soient attachées. Il atterrit en douceur et les deux Ventrians s'étreignirent. L'empereur lui tapa dans le dos et l'embrassa sur les joues.

— Je pense qu'ils doivent être amis, fit remarquer sèchement Eskodas.

— Ils ont de drôles de coutumes dans ce pays, fit Sieben, se fendant d'un large sourire.

On abaissa la passerelle, et l'escadron de soldats monta à bord. Ils disparurent dans les cales et remontèrent en portant d'énormes coffres en chêne ornés de bronze.

— Je parie que c'est de l'or, murmura Eskodas, et Sieben acquiesça.

Vingt coffres furent ainsi remontés, avant que les guerriers drenaïs ne soient autorisés à débarquer. Sieben suivit l'archer sur la passerelle. En mettant pied à terre, il sentit le sol se dérober sous ses pieds et faillit tomber, mais réussit à conserver l'équilibre.

— C'est un tremblement de terre ? demanda-t-il à Eskodas.

— Non, mon ami. C'est seulement que tes jambes sont tellement accoutumées au roulis du bateau qu'elles ne sont plus habituées à la terre ferme. Cela passera vite.

En quelques enjambées, Druss les rejoignit. Bodasen avança, l'empereur à ses côtés.

— Mon seigneur, voici le guerrier dont je vous ai parlé – Druss à la Hache. À lui tout seul, il a quasiment réussi à vaincre tous les corsaires.

— J'aurais bien voulu voir ça, déclara Gorben. Mais les occasions ne manqueront pas pour admirer tes prouesses. L'ennemi encercle la ville, et l'attaque a commencé.

Druss ne répondit pas, ce qui ne sembla pas déranger l'empereur.

— Puis-je voir ta hache ? demanda-t-il.

Druss opina du chef et tendit l'arme au monarque. Gorben l'accepta et porta les lames devant son visage.

— Quel travail superbe. Pas une éraflure, ni une trace de rouille – la surface est impeccable. Un acier des plus rares. (Il examina le manche sombre et les runes.) C'est une très vieille arme, elle vu bien des morts.

— Elle en verra plus encore, annonça Druss d'une grosse voix résonnante.

En l'entendant, Sieben frissonna.

Gorben sourit et lui rendit la hache, avant de se tourner vers Bodasen.

— Une fois que tu auras installé tes hommes dans leurs quartiers, tu me trouveras au Magistère.

Sans un mot de plus, il s'en alla.

Le visage de Bodasen était blanc de colère.

— Quand on est en présence de l'empereur, on se prosterne. C'est un homme qu'on doit respecter.

— Nous, Drenaïs, ne sommes pas très au fait des comportements serviles, fit remarquer Sieben.

— En Ventria, un tel manque de respect est passible d'éviscération, annonça Bodasen.

— Mais je suis sûr qu'on peut apprendre, répondit joyeusement Sieben.

Bodasen sourit.

— Veillez-y, mes amis. Ce ne sont plus les terres drenaïes, et les coutumes sont différentes ici. L'empereur est un homme bon et juste. Mais il doit faire respecter la discipline, et il ne tolérera plus un tel comportement irrespectueux à l'avenir.

Les guerriers drenaïs furent cantonnés dans le centre ville, à l'exception de Druss et Sieben, qui n'avaient pas signé pour la campagne ventrianne. Bodasen les emmena tous les deux dans une auberge abandonnée et leur offrit de prendre la chambre de leur choix. Il leur expliqua ensuite qu'ils pourraient se procurer de la nourriture dans n'importe laquelle des deux casernes, même s'il restait toujours quelques boutiques et étals dans le centre-ville.

— Voudrais-tu visiter la ville ? s'enquit Sieben une fois le général parti.

Druss était assis sur son lit et regardait ses mains ; il n'avait pas l'air d'avoir entendu la question. Le poète s'assit à côté de lui.

— Comment te sens-tu ? demanda-t-il doucement.

— Vide.

— Tout le monde meurt un jour, Druss. Même toi ou moi. Ce n'est pas ta faute.

— Je me moque bien de savoir à qui est la *faute*. Je n'arrive pas à oublier les moments que nous avons passés elle et moi dans les montagnes. Je peux toujours ressentir… le contact de sa main. Je peux toujours entendre…

Il s'arrêta net, son visage devint tout rouge et sa mâchoire se contracta.

— Qu'est-ce que tu disais à propos de la ville ? gronda-t-il.

— Je pensais qu'on pourrait y faire un tour.

— Bien. Allons-y.

Druss se leva, prit sa hache et passa la porte. L'auberge était située dans la rue de la Vigne. Bodasen leur avait indiqué comment se rendre jusqu'au centre. Les rues étant larges, les indications étaient faciles à suivre, d'autant plus qu'il y avait des panneaux en plusieurs langues, y compris celles de l'ouest. Les maisons étaient faites de pierres blanches et grises, et certaines atteignaient quatre étages. Il y avait des tours luminescentes, des palais avec des dômes, des jardins, des avenues boisées. Partout, cela sentait le jasmin et la rose.

— C'est très beau, fit observer Sieben.

Ils passèrent devant une caserne déserte et prirent la direction du mur occidental. Malgré la distance, ils pouvaient entendre le fracas des lames, et les cris des blessés.

— Je crois que j'en ai assez vu, annonça Sieben en faisant halte.

Druss eut un sourire glacé.

— Comme tu veux.

— Il y a un temple par là que j'aimerais voir de plus près. Tu sais, celui avec les chevaux blancs.

— Je vois lequel, répondit Druss.

Les deux hommes revinrent sur leurs pas, et débouchèrent sur une grande place. Le temple était lui aussi coiffé d'un dôme, et tout autour trônaient des statues de chevaux cabrés, trois fois plus grands que des vrais. L'entrée était une énorme arche, aux portes ouvertes en cuivre poli entrelacé d'argent. Les deux hommes entrèrent. Le dôme avait sept fenêtres, toutes en vitraux, et des rayons de lumière s'entrecroisaient sur l'autel. Il y avait tellement de bancs que plus d'un millier de personnes pouvaient s'asseoir, calcula Sieben, et sur l'autel se trouvait une petite table où un cor en or, incrusté de pierres précieuses, était posé. Le poète emprunta une allée et gravit l'autel.

— Il y en a pour une fortune, dit-il.

— Au contraire, fit une voix grave, cela n'a pas de valeur.

Sieben se retourna et vit un prêtre en robe de laine grise, brodée de fils d'argent. Il était grand, et son crâne rasé ainsi que son long nez lui donnaient des airs de rapace.

— Bienvenue dans le temple de Pashtar Sen.

— Les habitants doivent être extrêmement honnêtes, déclara Sieben. N'importe qui s'emparant de cet objet deviendrait très riche.

Le prêtre eut un fin sourire.

— Pas vraiment. Essayez de le prendre.

Sieben tendit la main, mais ses doigts passèrent à travers le cor. Cet objet d'or, si substantiel à l'œil, n'était en fait qu'une image.

— Incroyable ! souffla le poète. Comment cela fonctionne-t-il ?

Le prêtre haussa les épaules et écarta les bras.

— Pashtar Sen a accompli ce miracle il y a un millier d'années. C'était un poète et un érudit, mais également un homme de guerre. D'après le mythe, il a rencontré la déesse Ciris, qui lui a donné ce cor de chasse en récompense de sa valeur. Il l'a placé ici. Et au moment où il l'a lâché, le cor est devenu tel que vous le voyez aujourd'hui.

— À quoi sert-il ?

— Il a des pouvoirs de guérison. Les femmes stériles peuvent devenir fertiles si elles s'allongent sur l'autel et recouvrent le cor. Il semblerait que ce soit vrai. Et une fois tous les dix ans, le cor redevient solide et peut, à ce qu'on raconte, ramener un homme du royaume des morts, ou guider son âme jusqu'aux étoiles.

— Vous l'avez déjà vu solide ?

— Non. Pourtant, j'ai servi ici pendant trente-sept ans.

— Fascinant. Qu'est-il arrivé à Pashtar Sen ?

— Il a refusé de combattre pour l'empereur, et a été empalé sur un pieu en fer.

— Ce n'est pas une belle fin.

— Pas vraiment, mais c'était un homme de principes, et il croyait que l'empereur avait tort. Êtes-vous venus vous battre pour la Ventria ?

— Non. Nous ne sommes que des visiteurs.

Le prêtre acquiesça et se tourna vers Druss.

— Votre esprit est ailleurs, mon fils, dit-il. Quelque chose vous tracasse.

— Il a perdu un être cher, fit rapidement Sieben.

— Un être aimé ? Ah, je vois. Voulez-vous communier avec elle, mon fils ?

— Que voulez-vous dire ? gronda Druss.

— Je pourrais invoquer son esprit. Cela vous apportera peut-être la paix.

Druss fit un pas en avant.

— Vous pouvez le faire ?

— Je peux toujours essayer. Suivez-moi.

Le prêtre les conduisit à travers une alcôve au fond du temple, puis un long couloir étroit, jusqu'à une petite pièce sans fenêtre.

— Vous devez laisser vos armes à l'extérieur, déclara le prêtre.

Druss posa Snaga contre le mur et Sieben accrocha son baudrier au manche de la hache. À l'intérieur, deux chaises se faisaient face ; le prêtre s'assit sur la première et invita Druss à s'asseoir sur l'autre.

— Cette pièce, annonça le prêtre, est un lieu d'harmonie. Aucun langage profane n'y a été proféré. C'est un endroit de prières et de pensées paisibles. Et il en a été ainsi depuis un millier d'années. Quoi qu'il arrive, souvenez-vous-en. À présent, donnez-moi la main.

Druss tendit son bras et le prêtre lui saisit la main en lui demandant le nom de l'âme qu'il désirait invoquer. Druss le lui dit.

— Quel est votre nom, mon fils ?

— Druss.

L'homme s'humecta les lèvres et ferma les yeux pendant plusieurs minutes. Puis, il parla.

— Je t'invoque, Rowena, fille des montagnes. Je t'invoque au nom de Druss. Je t'invoque à travers les plaines du Ciel, je te parle à travers les vals de la mort. Je te contacte, même dans les recoins les plus sombres sous les océans du monde, et les déserts arides de l'enfer.

Pendant un long moment, il ne se passa rien. Puis, le prêtre se raidit et poussa un cri. Il s'affala sur sa chaise, la tête contre sa poitrine.

Sa bouche s'ouvrit et un seul mot en sortit :

— Druss !

C'était une voix de femme. Sieben sursauta. Il regarda Druss ; le sang avait reflué de son visage.

— Rowena !

— Je t'aime, Druss. Où es-tu ?

— En Ventria. Je suis venu pour toi.

— Je t'attends. Druss ! Oh, non, tout se brouille. Druss, est-ce que tu m'entends… ?

— Rowena ! cria Druss, en se levant d'un bond.

Le prêtre sursauta à son tour et se réveilla.

— Je suis désolé, dit-il. Je ne l'ai pas trouvée.

— Je lui ai parlé, dit Druss en levant le prêtre par les épaules. Rappelez-la !

— Je ne peux pas. Il n'y avait personne. Il ne s'est rien passé !

— Druss ! Lâche-le ! cria Sieben en agrippant le bras du Drenaï.

Le guerrier relâcha les robes du prêtre et sortit de la pièce.

— Je ne comprends pas, murmura l'homme. Il ne s'est rien passé !

— Vous avez parlé avec la voix d'une femme, l'informa Sieben. Druss l'a reconnue.

— Voilà qui est étrange, mon fils. Chaque fois que je communie avec un esprit, je me souviens de ses paroles. Mais là, c'est comme si je m'étais endormi.

— Ne vous en faites pas, dit Sieben, en introduisant la main dans sa bourse pour en extraire une pièce.

— Je ne prends pas d'argent, stipula le prêtre, avec un sourire timide. Mais je reste perplexe, et je vais essayer de réfléchir à ce qui vient de se passer.

— Je suis sûr que lui aussi, fit Sieben.

Il trouva Druss debout à côté de l'autel, qui essayait avec ses gros doigts d'attraper le cor doré. Le visage du guerrier était concentré, et les muscles de sa mâchoire étaient visibles sous sa barbe.

— Qu'est-ce que tu fais ? interrogea Sieben d'une voix douce.

— Il a dit que ça pouvait faire revenir les morts.

— Non, mon ami. Il a dit que c'est ce que prétendait la *légende*. Il y a une différence. Allez, viens. Nous allons trouver une taverne quelque part dans cette cité, et nous boirons un coup.

Druss donna un coup de poing sur l'autel. Le cor parut grossir sous le choc.

— Je n'ai pas besoin d'un verre ! Par les dieux, j'ai besoin de me battre !

Il ramassa sa hache et sortit du temple.

Le prêtre apparut aux côtés de Sieben.

— J'ai bien peur que malgré mes bonnes intentions, le résultat de mon travail ne soit pas celui que j'avais escompté.

— Il s'en remettra, mon père. Dites-moi, est-ce que vous vous y connaissez en possession démoniaque ?

— Trop – et pas assez à la fois. Vous croyez être possédé ?

— Non, pas moi. Druss.

Le prêtre secoua la tête.

— S'il avait souffert d'une telle… affliction… je l'aurais ressenti en lui touchant la main. Non, votre ami est son propre maître.

Sieben s'assit sur un banc et raconta au prêtre ce qu'il avait vu sur la trirème corsaire. Le prêtre l'écouta en silence.

— Comment a-t-il trouvé cette hache ? demanda-t-il enfin.

— Un héritage familial, d'après ce que j'ai compris.

— S'il y a une présence démoniaque, mon ami, vous la trouverez cachée dans l'arme. Par le passé, beaucoup d'armes furent enchantées afin de donner à leur porteur plus de puissance ou d'intelligence. Certaines avaient même le pouvoir de guérir les blessures. Jetez un coup d'œil à la hache.

— Et si ce n'est qu'elle ? Cela ne devrait l'aider qu'en cas de combat ?

— Si seulement c'était vrai, fit le prêtre en remuant la tête. Or le mal n'existe pas dans le but de servir, mais d'asservir. Si la hache est possédée, elle a certainement une histoire – une histoire sombre. Interrogez Druss sur l'origine de l'arme. Et une fois que vous saurez par quelles mains elle est passée, vous comprendrez mes mots.

Sieben remercia le prêtre et quitta le temple. Il n'y avait aucun signe de Druss, et le poète n'avait pas envie de s'aventurer du côté des murailles. Il traversa la ville quasi déserte jusqu'à ce qu'il entende de la musique provenant d'une cour, non loin. Il s'approcha d'une grille en fer et vit trois femmes assises dans un jardin. L'une d'elles jouait de la lyre, tandis que les autres chantaient une belle chanson d'amour. Sieben poussa la grille et avança.

— Bien le bonjour, mesdames, dit-il en leur offrant son plus charmant sourire.

La musique cessa et les trois femmes le regardèrent. Elles étaient jeunes et belles – la plus âgée, calcula-t-il, devait avoir dix-sept ans. Elle était mince, avait les cheveux bruns et les yeux foncés ainsi que des lèvres charnues. Les deux autres étaient un peu plus petites, blondes aux yeux bleus. Elles étaient vêtues de robes étincelantes en satin ; la beauté brune en bleu, les deux autres en blanc.

— Êtes-vous venu voir notre frère, monsieur ? demanda la brune, en se levant et en déposant sa lyre sur son siège.

— Non, j'ai été attiré ici par la beauté de votre jeu, et les douces voix qui l'accompagnaient. Je remercie le destin de m'avoir offert cette vision.

Les plus jeunes rirent mais leur grande sœur sourit à peine.

— De jolis mots, monsieur, un beau phrasé, et je ne doute pas qu'ils ont été bien répétés. Ils ont l'acuité d'une arme qui a déjà beaucoup servi.

Sieben s'inclina.

— C'est exact, ma dame. J'ai eu le plaisir doublé du privilège de pouvoir observer la beauté chaque fois que je la trouvais, afin de lui rendre hommage et de m'agenouiller devant elle. Mais mes mots n'en sont pas moins sincères.

Un grand sourire éclaira son visage et elle rit.

— Je pense que vous êtes un voyou, monsieur, et un libertin. Dans d'autres circonstances, j'aurais demandé à mes serviteurs de vous jeter dehors. Néanmoins, puisque nous sommes en guerre, et que nous nous ennuyions à mourir, j'accepte de vous accueillir dans ces lieux – du moins tant que vous nous distrairez.

— Douce dame, je pense pouvoir vous promettre toutes les distractions que vous souhaiterez, par les mots ou par les gestes.

Il était ravi de voir qu'elle ne rougissait pas à ses paroles comme ses jeunes sœurs.

— De belles promesses, monsieur. Mais peut-être vous sentiriez-vous moins à l'aise si vous connaissiez l'étendue et la qualité des distractions que j'ai pu apprécier jusqu'ici.

Ce fut au tour de Sieben de rire.

— Vous pourriez me dire qu'Azhal, le Prince des Cieux, est venu dans votre chambre pour vous transporter jusqu'aux Palais des Variétés Infinies, que je ne m'inquiéterais qu'à moitié.

— Un tel livre ne devrait pas être cité en société, le réprimanda-t-elle.

Il se rapprocha d'elle et lui prit la main, la portant à ses lèvres, et la retournant pour en embrasser la paume.

— Je ne suis pas d'accord, dit-il doucement, le livre a ses mérites, car il brille comme une lanterne dans des lieux secrets. Il écarte les voiles et nous guide sur les chemins du plaisir. Je recommande d'ailleurs le chapitre seize pour les nouveaux amants.

— Je me nomme Asha, dit-elle, et j'espère que vos actes sont à la mesure de vos propos, car je réagis très mal à la déception.

— Tu étais en train de rêver, Pahtai, dit Pudri alors que Rowena ouvrait les yeux, réalisant qu'elle était assise au soleil, au bord du lac.

— Je ne sais pas ce qui s'est passé, répondit-elle au petit eunuque. C'est comme si mon âme avait été aspirée de mon corps. Il y avait une pièce, et Druss était assis en face de moi.

— Le chagrin fait naître beaucoup de visions d'espoir, cita Pudri.

— Non, c'était réel, mais l'étreinte s'est relâchée et je suis revenue ici avant d'avoir pu lui dire où j'étais.

Il lui tapota la main.

— Peut-être cela arrivera-t-il de nouveau, dit-il pour la rassurer, mais pour l'instant, il faut te ressaisir. Le Maître est en train de divertir le grand satrape, Shabag. On l'envoie prendre la tête des armées qui encerclent Capalis, et il est primordial que tes augures lui soient favorables.

— Je ne peux offrir que la vérité.

— Il y a plusieurs vérités, Pahtai. Un homme peut ne plus avoir que quelques jours à vivre, et trouver l'amour de sa vie. Les voyantes qui lui prédisent qu'il va mourir lui feront de la peine — mais ce sera la vérité. Le prophète qui lui annonce qu'il connaîtra enfin le véritable amour dans les heures à venir lui dira également la vérité, mais fera également naître la joie chez cet homme condamné.

Rowena sourit.

— Tu es un sage, Pudri.

Il haussa les épaules et sourit.

— Je suis vieux, Rowena.

— C'est la première fois que tu prononces mon nom.

Il gloussa.

— C'est un joli nom, tout comme Pahtai ; cela signifie *petite colombe*. Et maintenant, nous devons nous rendre à la chapelle. Veux-tu des informations sur Shabag ? Est-ce que cela aidera ton Talent ?

Elle soupira.

— Non. Ne me dis rien. Je verrai bien ce qu'il y a à savoir – et je me souviendrai de ton conseil.

Bras dessus, bras dessous, ils traversèrent le palais, ses longs couloirs couverts de tapisseries luxueuses, ses escaliers finement ciselés menant aux appartements. Tous les trois mètres, il y avait une statue ou un buste de marbre de chaque côté du couloir dans un renfoncement ; le plafond était orné de scènes tirées de la littérature ventrianne avec des architraves dorées.

En approchant de la chapelle, ils virent un grand guerrier sortir par une porte sur le côté. Rowena en eut le souffle coupé, car elle avait d'abord cru qu'il s'agissait de Druss. Il avait les mêmes épaules, la même mâchoire, et ses yeux, sous des sourcils épais, étaient d'un bleu étincelant. En la voyant, il lui sourit et s'inclina.

— Voici Michanek, Pahtai. C'est le champion de l'empereur naashanite – un grand bretteur et un officier respecté. (Pudri fit une courbette au guerrier.) Je vous présente dame Rowena, une invitée du seigneur Kabuchek.

— J'ai entendu parler de vous, ma dame, dit Michanek en lui prenant la main pour la porter à ses lèvres.

Sa voix était profonde et vibrante.

— Vous avez sauvé le marchand des requins, ce n'est pas un mince exploit. Mais maintenant que je vous ai vue, je comprends pourquoi même un requin ne voudrait pas gâcher votre beauté. (Il tenait toujours sa main, sourit et se rapprocha davantage.) Pouvez-vous me prédire mon destin, ma dame ?

Elle avait la gorge sèche, mais elle soutint son regard.

— Vous… vous arriverez à vos plus grandes ambitions, et réaliserez votre désir le plus cher.

Il eut un regard cynique.

— Est-ce tout, ma dame ? Enfin, je suis sûr que n'importe quel charlatan des rues aurait pu en dire autant. Comment vais-je mourir ?

— À moins de quinze mètres de l'endroit où nous nous tenons en ce moment, répondit-elle. Dans la cour. Je vois des soldats avec des capes noires et des heaumes, qui prennent les murs d'assaut. Vous rassemblerez vos hommes pour une dernière bataille derrière ces murs. À vos côtés il y aura... votre frère le plus fort ainsi qu'un deuxième cousin.

— Quand cela se passera-t-il ?

— Une année après votre mariage. À compter de ce jour.

— Et comment se nomme la femme que j'épouserai ?

— Je ne vous le dirai pas, répondit-elle.

— Nous devons y aller, seigneur, fit prestement Pudri. Les seigneurs Kabuchek et Shabag nous attendent.

— Bien sûr. Cela a été un plaisir de vous rencontrer, Rowena. J'espère que nous nous reverrons.

Rowena ne répondit pas, et suivit Pudri dans la chapelle.

L'ennemi se retira à la tombée de la nuit, et Druss fut surpris de voir que les guerriers ventrians quittaient les murs pour repartir dans la ville.

— Mais où vont-ils tous ? demanda-t-il à un guerrier à côté de lui.

L'homme avait ôté son heaume et essuyait la sueur sur son visage à l'aide d'un chiffon.

— Manger et se reposer, répondit-il.

Druss scruta les murs. Il ne restait plus qu'une poignée d'hommes, et ils étaient assis sur les remparts, dos à l'ennemi.

— Et si jamais il y a une nouvelle attaque ? demanda le Drenaï.

— Il n'y en aura pas d'autre. C'était la quatrième.

— La quatrième ? s'enquit Druss, surpris.

Le guerrier, un homme d'une quarantaine d'années au visage rond et aux yeux d'un bleu profond, regarda Druss en souriant.

— J'en déduis que tu ne connais rien à la stratégie. C'est ton premier siège, pas vrai ? (Druss opina.) Eh bien, les règles de l'engagement sont très précises. Il n'y a pas plus de quatre attaques par tranche de vingt-quatre heures.

— Pourquoi seulement quatre ?

L'homme haussa les épaules.

— Cela fait longtemps que je n'ai pas étudié le manuel, mais je crois bien que c'est une question de moral. Quand Zhan Tsu a écrit *L'Art de la Guerre*, il a expliqué qu'après quatre attaques, les assaillants peuvent céder au désespoir.

— Il n'y aura pas de désespoir s'ils attaquent maintenant – ou après la tombée de la nuit, fit remarquer Druss.

— Ils n'attaqueront pas, répondit lentement son camarade, comme s'il parlait à un enfant. Si une attaque nocturne était prévue, il n'y aurait eu que trois assauts pendant la journée.

Druss était perplexe.

— Ces règles ont été écrites dans un livre ?

— Oui, c'est le travail remarquable d'un général chiatze.

— Et vous allez laisser ces murs pratiquement sans défenses pendant la nuit à cause d'un livre ?

L'homme se mit à rire.

— Pas du livre, mais des règles de l'engagement. Suis-moi à la caserne, et je t'en expliquerai davantage.

Tout en marchant, le guerrier, Oliquar, raconta à Druss qu'il avait servi dans l'armée ventrianne pendant un peu plus de vingt ans.

— J'ai même été officier une fois, durant la Campagne Opale. On s'était fait presque tous massacrer, et j'ai dû prendre le commandement d'une troupe de quarante hommes. Hélas, ça n'a pas duré longtemps. Le général m'a offert une promotion, mais je n'ai pas pu payer l'armure, c'est aussi simple que ça : retour à la vie de soldat. Mais ce n'est pas une mauvaise vie. La camaraderie, deux bons repas par jour.

— Pourquoi n'as-tu pas pu payer l'armure ? Les officiers ne sont pas payés ?

— Bien sûr que si, mais seulement un disha par jour. C'est la moitié de ce que je gagne aujourd'hui.

— Les officiers reçoivent moins que les soldats ? C'est idiot.

Oliquar secoua la tête.

— Mais non. Comme ça, seuls les riches peuvent devenir officiers, ce qui signifie que seuls les nobles – et les fils de marchands qui veulent être anoblis – peuvent commander. De cette manière, les grandes maisons gardent le pouvoir. D'où viens-tu, jeune homme ?

— Je suis drenaï.

— Ah oui. Évidemment, je ne suis jamais allé là-bas, mais on m'a dit que les montagnes de Skeln étaient particulièrement belles. Vertes et luxuriantes, comme celles de Saurab. J'ai la nostalgie des montagnes.

Druss s'assit en compagnie d'Oliquar dans la caserne orientale, et ils mangèrent un repas de bœuf et d'oignons sauvages, avant de repartir dans son auberge abandonnée. La nuit était calme, sans nuage, et la lune avait transformé les maisons d'une blancheur fantomatique en argent voilé.

Sieben n'était pas dans leur chambre, et Druss s'assit près de la fenêtre pour contempler le port. Il regarda les vagues éclairées par la lune, et l'eau qui ressemblait à du fer fondu. Il avait participé à trois attaques sur les quatre – l'ennemi, dans ses capes rouges et ses heaumes à pennes blanches, s'était rué sur les murs en portant des échelles. On leur avait jeté des pierres, on les avait criblés de flèches et, pourtant, ils avaient continué d'avancer. Les premiers à atteindre les remparts avaient été tués à coups de lances ou d'épées, mais quelques-uns des plus aguerris étaient passés ;

ils avaient été taillés en pièces par les défenseurs. Au milieu de la deuxième attaque, un son lourd et retentissant, comme un coup de tonnerre retenu, s'était fait entendre sur les murailles.

— C'est un bélier, lui avait dit le soldat à ses côtés. Dommage pour eux, les portes ont été renforcées avec du fer et du bronze.

Druss se renfonça dans sa chaise et contempla Snaga. En gros, il s'était principalement servi d'elle pour repousser les échelles, les faisant glisser le long du mur, et provoquant la chute des attaquants sur le sol rocheux. L'arme n'avait fait couler le sang que deux fois. Druss tendit la main et caressa le manche sombre, en souvenir des victimes – un grand guerrier imberbe, et un petit trapu rondouillard avec un heaume. Le premier était mort lorsque Snaga avait transpercé son plastron en bois, et le second, quand les lames d'argent avaient fendu son heaume en deux. Druss passa son pouce sur les lames. Pas une marque, ni une entaille.

Sieben rentra dans la chambre un peu avant minuit. Il avait les yeux rouges et il bâillait fréquemment.

— Que t'est-il arrivé ? s'enquit Druss.

Le poète sourit.

— Je me suis fait de nouveaux amis.

Il retira ses bottes et s'installa sur l'une des couchettes.

Druss renifla.

— Ça sent comme si tu t'étais roulé dans un parterre de fleurs.

— Par terre avec une fleur, corrigea Sieben avec un grand sourire. Oui, c'est exactement comme tu l'as décrit.

Druss grimaça.

— Oui, eh bien, peu importe. Est-ce que tu connais quelque chose aux règles de l'engagement ?

— Je connais toutes *mes* règles de l'engagement, mais je présume que tu fais référence à la guerre ventrianne ? (Il se redressa et s'assit en posant les pieds au sol.) Je suis fatigué, Druss, alors essayons de faire court. J'ai un rendez-vous demain matin et il faut que je reprenne des forces.

Druss ignora le bâillement exagéré qui accompagna les mots de Sieben.

— J'ai vu des centaines d'hommes blessés, aujourd'hui, et des dizaines de tués. Maintenant qu'il n'y a plus que quelques hommes pour défendre les murs, l'ennemi est dans son camp, à attendre le lever du jour. Pourquoi ? Est-ce que personne ne veut gagner ?

— Quelqu'un gagnera, répondit Sieben. Mais c'est un pays *civilisé*. Ils pratiquent la guerre depuis des milliers d'années. Le siège va durer encore quelques semaines, ou quelques mois, et chaque jour les combattants compteront leurs pertes. À un moment donné, s'il n'y a toujours pas d'ouverture, l'un ou l'autre se rendra à son ennemi.

— Comment ça, se rendre ?

— Si les assiégeants ont décidé qu'ils ne pouvaient pas gagner, ils se retireront. Si les hommes retranchés ici décident qu'ils ont perdu, ils abandonneront la place aux ennemis.

— Et Gorben ?

Sieben haussa les épaules.

— Ses propres troupes pourraient bien le tuer, ou le remettre aux Naashanites.

— Par les dieux, mais les Ventrians n'ont donc pas d'honneur ?

— Bien sûr que si, mais la plupart des gens de cette ville sont des mercenaires, en majorité de tribus occidentales. Ils sont loyaux envers ceux qui les paient le plus.

— Si les règles de la guerre sont aussi civilisées par ici, déclara Druss, pourquoi les habitants ont-ils fui la cité ? Pourquoi n'ont-ils pas attendu l'issue du combat pour servir le gagnant ?

— Au mieux, ils risquaient de se retrouver en esclavage ; au pire massacrés. C'est peut-être un pays civilisé, Druss, mais il est également impitoyable.

— Est-ce que Gorben a des chances de gagner ?

— Vu comme ça, pas vraiment, mais qui sait ? Souvent, les sièges ventrians se terminent par un duel de champions. Mais cela n'arrive que si les deux factions en présence sont de la même force et qu'elles sont persuadées que leur champion est invincible. Ce n'est pas le cas ici, étant donné que les Naashanites sont bien plus nombreux. Néanmoins, vu l'or que Bodasen a rapporté, il y a fort à parier qu'il envoie des espions dans le camp ennemi pour soudoyer les soldats qui pourraient rallier sa cause. Il y a peu de chances que cela fonctionne. Mais qui sait ?

— Où as-tu appris tout ça ?

— J'ai passé une après-midi des plus informatives avec la princesse Asha – la sœur de Gorben.

— Quoi ? rugit Druss. Mais qu'est-ce qui ne tourne pas rond chez toi ? Mashrapur ne t'a donc pas servi de leçon ? Une journée ! Et voilà déjà que tu baises !

— Je ne *baise* pas ! dit sèchement Sieben. Je fais l'amour. De plus, ce que je fais ne te regarde pas.

— C'est vrai, admit Druss, et quand ils viendront te chercher pour t'éviscérer ou t'empaler, je te le rappellerai.

— Ah, Druss ! fit Sieben en se réinstallant sur le lit. Il y a des choses qui valent le coup qu'on meure pour elles. Et celle-ci est très belle. Par les dieux, un homme pourrait faire pire que l'épouser.

Druss se leva et se retourna vers la fenêtre. Sieben fut aussitôt contrit.

— Je suis désolé, mon ami. Je n'ai pas réfléchi. (Il s'approcha de Druss et lui passa une main sur l'épaule.) Je suis désolé de ce qui est arrivé avec le prêtre.

— C'était sa voix, dit Druss en déglutissant avec peine et luttant pour contrôler ses émotions. Elle a dit qu'elle m'attendait. J'ai pensé que si j'allais sur les murailles, quelqu'un pourrait me tuer, et je la rejoindrais. Mais personne, ni avec le talent, ni avec l'envie, n'est venu. Personne ne le fera jamais... et je n'ai pas le courage de faire ça moi-même.

— Ce ne serait pas du courage, Druss. Et Rowena ne le souhaiterait pas. Elle voudrait que tu sois heureux, que tu te remaries.

— Jamais !

— Tu n'as pas encore vingt ans, mon ami. Il y a d'autres femmes.

— Aucune comme elle. Mais elle est partie et je n'ai plus envie de parler d'elle. Je la porte ici, dit-il en se touchant la poitrine, je ne l'oublierai jamais. Et maintenant, revenons à ce que tu m'expliquais sur la guerre occidentale.

Sieben prit un gobelet en grès sur une étagère à côté de la fenêtre, souffla sur la poussière qui le recouvrait, et le remplit d'eau, qu'il but d'une seule traite.

— Par les dieux, quel goût affreux ! Bien... la guerre occidentale. Que veux-tu savoir ?

— Eh bien, dit lentement Druss, je sais que l'ennemi peut attaquer quatre fois par jour. Mais pourquoi sur un seul mur ? Ils ont suffisamment d'hommes pour entourer la ville et attaquer à plusieurs endroits à la fois.

— Ils y viendront, Druss, mais pas le premier mois. C'est le temps de l'épreuve. Les nouveaux soldats sont jugés sur leur courage au cours des premières semaines ; ensuite, ils apporteront les engins de siège. Vers le deuxième mois, je pense. Puis ce sera le tour des balistes, qui lanceront des rochers par-dessus les murailles. Si à la fin du mois il n'y a toujours pas de victoire, ils feront venir les ingénieurs et creuseront un tunnel sous les murs pour les faire s'écrouler.

— Quelles sont les règles pour les assiégés ? demanda le jeune guerrier.

— Je ne comprends pas.

— Supposons que nous les attaquions, nous aussi. On ne pourrait le faire que quatre fois ? Est-ce qu'on peut attaquer la nuit ? Quelles sont les règles ?

— Ce n'est pas une question de règles, Druss, c'est une question de bon sens. Les troupes ennemies sont vingt fois plus nombreuses que celles de Gorben. S'il attaque, il se fera massacrer.

Druss acquiesça et se tint coi. Puis, il reprit la parole.

— Je vais demander à Oliquar de me prêter son livre. Tu pourras me le lire, et comme ça je pourrai peut-être comprendre.

— On peut dormir, maintenant ? demanda Sieben.

Druss fit oui de la tête et prit sa hache. Il n'enleva ni ses bottes ni son gilet, et s'allongea sur le deuxième lit, Snaga à ses côtés.

— Tu n'as aucun besoin d'une hache dans ton lit pour dormir.

— Elle me console un peu, répondit Druss en fermant les yeux.

— Où l'as-tu trouvée ?

— Elle appartenait à mon grand-père.

— C'était un grand héros ? demanda Sieben, plein d'espoir.

— Non, c'était un fou, et un tueur sanguinaire.

— Bien, fit Sieben en s'allongeant à son tour. Il est bon de savoir que si les temps sont durs, tu pourras toujours reprendre l'entreprise familiale.

Chapitre 6

Gorben se cala plus profondément sur sa chaise ; Mushran, son serviteur, était en train de lui raser sa barbe de trois jours. Il jeta un coup d'œil en coin au vieil homme.

— Pourquoi me regardes-tu comme ça ?

— Tu as l'air fatigué, mon garçon. Tu as les yeux rouges et des cernes tout autour.

Gorben sourit.

— Un jour, tu me diras *grand seigneur* ou *mon empereur*, Mushran. Je ne vis que pour ce jour.

Le vieil homme gloussa.

— Les autres peuvent t'adresser ces titres. Ils peuvent se frapper le front contre le sol en te voyant. Mais quand je te regarde, *mon garçon*, je vois l'enfant qui est devenu un homme, et le bébé qu'il a été. Je t'ai nourri, je t'ai lavé les fesses. Et puis je suis trop vieux pour me prosterner contre la pierre chaque fois que tu rentres dans une pièce. Mais n'essaie pas de changer de sujet. Tu dois te reposer davantage.

— Tu n'aurais pas remarqué que cela fait un mois que nous sommes assiégés ? Il faut que je me montre aux hommes ; ils doivent me voir me battre à leurs côtés, autrement ils perdront courage. Et puis je dois m'occuper du ravitaillement, du rationnement – une centaine de tâches différentes. Trouve-moi plus d'heures dans la journée et je me reposerai, c'est promis.

— Ce n'est pas d'heures supplémentaires dont tu as besoin, rétorqua le vieil homme en levant le rasoir et en essuyant la lame contre un torchon. Tu as besoin d'un meilleur entourage. Nebuchad n'est pas mauvais – mais il est lent d'esprit. Et Jasua… (Mushran leva les yeux au ciel.) C'est un formidable tueur, mais il a le cerveau logé au-dessus de sa…

— Ça suffit ! fit Gorben amusé. Si mes officiers savaient comment tu parles d'eux, ils te feraient agresser dans une ruelle et rouer de coups. Et Bodasen ?

— C'est le meilleur d'entre eux – mais soyons honnêtes, ça ne veut pas dire grand-chose.

La réponse de Gorben fut interrompue par le rasoir qui descendait le long de sa gorge. Il sentit la lame effilée glisser sur sa mâchoire et le pourtour de sa bouche.

— Et voilà ! fit fièrement Mushran. Au moins, à présent, tu as l'air d'un empereur.

Gorben se leva et marcha jusqu'à la fenêtre. La quatrième attaque avait lieu ; elle serait repoussée, il le savait. Mais il pouvait voir les énormes tours d'assaut qu'on amenait pour le lendemain. Il se représenta les centaines d'hommes en train de les mettre en position, visualisa les énormes rampes d'attaque s'écraser contre les remparts, entendit les cris de bataille des guerriers naashanites qui gravissaient les escaliers de la tour, pour se jeter sur les défenseurs. Naashanites ? Il eut un rire amer. Les deux tiers des soldats *ennemis* étaient ventrians : des partisans de Shabag, l'un des satrapes renégats. Les Ventrians tuaient des Ventrians ! C'était indécent. Et pour quel motif ? Shabag pouvait-il devenir plus riche qu'il ne l'était déjà ? Combien de palais un homme pouvait-il occuper en même temps ? Le père de Gorben avait été un faible, et un mauvais juge en matière d'hommes. Néanmoins, il avait été un bon empereur, qui aimait son peuple. Chaque cité abritait une université, construite avec les fonds royaux. Il y avait des facultés où les étudiants les plus brillants pouvaient apprendre les arts de la médecine et écouter des conférences des plus grands herboristes de Ventria. Il avait fait construire des écoles, des hôpitaux et un système de routes qui n'avait pas son égal sur tout le continent. Mais sa plus grande réussite avait été de fonder les Coursiers royaux, qui pouvaient transporter des messages d'un bout à l'autre de l'empire en moins de douze semaines. Un tel moyen de communication signifiait que si une satrapie était victime d'un désastre naturel – épidémie, famine, inondation – on pouvait envoyer aussitôt de l'aide.

Et aujourd'hui, ces cités étaient soit conquises, soit assiégées. Le nombre de morts atteignait des sommets, les universités étaient fermées, et le chaos résultant de la guerre était en train de détruire tout ce que son père avait bâti. Gorben se força à contrôler sa colère, et essaya de se concentrer froidement sur le problème de Capalis.

Demain serait un jour charnière pour le siège. Si ses guerriers tenaient bon, le désarroi pourrait bien s'emparer des ennemis. S'ils ne tenaient pas... Il sourit sombrement. *Eh bien, c'en sera fini de nous*, pensa-t-il. Shabag le ferait emmener pieds et poings liés devant l'empereur naashanite. Gorben soupira.

— Ne cède jamais au désespoir, lui dit Mushran. Il n'y a rien à y gagner.

— Tu sais mieux lire dans mon esprit que n'importe quel voyant.

— Pas dans l'esprit, mais sur le visage. Alors, débarrasse-toi de cette expression le temps que je fasse entrer Bodasen.

— Quand est-il arrivé ?

— Il y a une heure. Je lui ai dit d'attendre. Tu avais besoin d'être rasé – et de te reposer un peu.

— Dans une vie antérieure, tu as dû être une maman poule, dit Gorben.

Mushran quitta la pièce en riant. Il revint en faisant entrer Bodasen, puis s'inclina.

— Le général Bodasen, grand seigneur, mon empereur, annonça-t-il.

Il se retira en fermant les portes derrière lui.

— Je ne comprends pas pourquoi vous tolérez cet homme, seigneur ! cracha Bodasen. Il est toujours impertinent.

— Tu voulais me voir, général ?

Bodasen se mit au garde-à-vous.

— Oui, seigneur. Druss, le guerrier à la hache, est venu me trouver la nuit dernière. Il a un plan en ce qui concerne les tours de siège.

— Continue.

Bodasen se racla la gorge.

— Il a l'intention de les attaquer.

Gorben fixa le général d'un regard dur et remarqua que celui-ci rougissait.

— Les attaquer ?

— Oui, mon seigneur. Cette nuit, sous couvert des ténèbres, il projette d'attaquer le camp ennemi et de mettre le feu aux tours.

— Tu penses que c'est réalisable ?

— Non, seigneur... enfin... peut-être. J'ai vu cet homme attaquer une trirème corsaire et obliger cinquante hommes à jeter leurs armes. Je ne sais pas s'il réussira cette fois, mais...

— J'écoute.

— Nous n'avons pas le choix. Ils ont trente tours de siège, seigneur. Ils vont s'emparer du mur, car nous ne pourrons les repousser.

Gorben prit place sur un divan.

— Comment compte-t-il y mettre le feu ? Et que pense-t-il que l'ennemi va faire pendant ce temps ? Les poutres de ces tours sont énormes, vieilles et sèches. Il va falloir de sacrées flammes pour en détruire ne serait-ce qu'une.

— J'y ai pensé, seigneur. Mais Druss dit que les Naashanites seront trop occupés pour protéger les tours. (Il se racla de nouveau la gorge.) Il a l'intention d'attaquer le centre de leur camp, de tuer Shabag et ses généraux, et de façon générale créer suffisamment de désordre pour permettre à un groupe d'hommes de sortir discrètement de Capalis pour incendier les tours.

— Combien d'hommes veut-il ?

— Deux cents. Il dit qu'il les a déjà choisis.

— *Il* les a choisis ?

Bodasen regarda le sol.

— Il est très… populaire, seigneur. Il s'est battu tous les jours et connaît bien la plupart des hommes, à présent. Ils le respectent.

— A-t-il choisi des officiers ?

— Un seul… mon seigneur.

— Laisse-moi deviner. Toi ?

— Oui, seigneur.

— Et tu es d'accord pour mener cette… aventure insensée ?

— Je le suis, mon seigneur.

— Je te l'interdis. Mais tu peux dire à Druss que j'accepte son plan, et que je choisirai moi-même l'officier qui l'accompagnera.

Bodasen sembla sur le point de protester, mais retint sa langue. Il s'inclina et se dirigea vers la porte.

— Général ? l'appela Gorben.

— Oui, seigneur ?

— Je suis très content de toi, dit Gorben sans même le regarder.

Puis, il sortit sur le balcon et respira l'air du soir. Il était frais et chargé d'iode.

Shabag regarda le soleil couchant enflammer les montagnes. Le ciel brûlait comme les caves d'Hadès, d'un cramoisi embrasé d'orange. Il n'avait jamais aimé les couchers de soleil. Il symbolisait la fin et l'inconstance – la mort du jour.

Les tours d'assaut étaient alignées devant Capalis, telles des géants monstrueux et inquiétants qui promettaient la victoire. Shabag regarda la première. Demain, on la traînerait jusqu'aux murailles ; la gueule du géant s'ouvrirait et les rampes d'attaques tomberaient sur les remparts comme des langues raides. Il s'arrêta. Comment pourrait-on finir cette analogie ? Il imagina les guerriers grimpant le long du ventre de la bête pour se jeter sur l'ennemi. Puis il gloussa. Comme le souffle de la mort, comme celui d'un dragon ? Non, plutôt comme un démon qui dégurgiterait de l'acide. *Oui, je préfère ça*, pensa-t-il.

Les tours avaient été assemblées par morceaux qu'on avait fait venir dans des chariots depuis Resha, dans le nord. Chacune coûtait vingt mille pièces d'or, et Shabag était toujours furieux d'avoir été le seul à payer. L'empereur naashanite était un homme parcimonieux.

— Nous le prendrons demain, monsieur ? fit l'un de ses aides de camp.

Shabag fut rappelé au présent et regarda son état-major. « Le », signifiait Gorben. Shabag pourlécha ses fines lèvres.

— Je le veux vivant, dit-il, en masquant la haine dans sa voix.

Comme il détestait Gorben ! Il méprisait autant l'homme que sa suffisance. Un coup du sort lui avait offert le trône qui revenait de droit à Shabag. Ils avaient les mêmes ancêtres : les glorieux rois qui avaient construit un empire inégalé dans toute l'Histoire. Et le grand-père de Shabag s'était assis sur le trône. Mais il était mort dans une bataille, ne laissant derrière lui que des filles. Ainsi le père de Gorben avait-il pu monter les marches dorées et ceindre sa tête de la couronne de rubis.

Et qu'était-il advenu de l'empire ? Il stagnait. Au lieu d'armées, de conquêtes et de gloire, il y avait des écoles, de jolies routes et des hôpitaux. Et dans quel but ? Les pauvres étaient maintenus en vie et se reproduisaient, donnant naissance à plus de mauviettes ; les paysans devenaient lettrés et obsédés par des idées d'amélioration. Des questions qui n'auraient jamais dû être prononcées étaient débattues ouvertement sur les grand-places des cités : « De quel droit les familles nobles dirigent-elles nos vies ? Ne sommes-nous pas des hommes libres ? » De quel droit ? *Du droit du sang*, pensa Shabag. Du droit du fer et du feu !

Il se remémora avec délectation le jour où il avait fait encercler l'université de Resha par ses troupes, après que les étudiants eussent protesté contre la guerre. Il avait demandé à leur chef de sortir, et celui-ci était venu sans arme, mais avec un rouleau de parchemin. C'était un ancien texte, écrit par Pashtar Sen, et le jeune garçon l'avait lu à voix haute. Il avait une belle voix. Le texte était bien écrit, plein de pensées sur l'honneur, sur le patriotisme et la fraternité. Mais à l'époque où Pashtar Sen l'avait écrit, les serfs connaissaient leur place, et les paysans vivaient dans l'admiration de leurs maîtres. Aujourd'hui, ces sentiments étaient datés.

Il avait laissé le garçon finir son texte, par simple politesse – on était noble ou on ne l'était pas – et il l'avait évidé comme un poisson. Oh, que les braves étudiants s'étaient mis à courir ! Le seul problème, c'est qu'il n'y avait nulle part où s'enfuir, et ils étaient morts par centaines, comme les vers qu'on élimine d'une blessure purulente. L'Empire ventrian dépérissait sous la tutelle du vieil empereur, et la seule chance de le faire renaître de ses cendres était la guerre. *Oui*, pensa Shabag, *les Naashanites penseront qu'ils ont gagné, et je serai leur vassal. Mais pas longtemps.*

Pas longtemps…

— Excusez-moi, monsieur, dit un officier.

Shabag se retourna.

— Oui ?

— Un navire vient de quitter Capalis. Il se dirige vers le nord en longeant la côte. Il y a beaucoup d'hommes à son bord.

Shabag jura.

— Gorben s'est enfui, annonça-t-il. Il a vu nos *géants* et a compris qu'il ne pourrait pas gagner.

Il en était malade de déception ; il avait tellement anticipé le lendemain ! Il posa ses yeux sur les murs lointains, s'attendant presque à voir un drapeau blanc.

— Je serai dans ma tente. Quand ils viendront se rendre, réveillez-moi.

— À vos ordres.

Il traversa le camp et sa colère grandissait. Désormais, un fils de pute de corsaire risquait de capturer Gorben et de le tuer. Shabag leva les yeux vers le ciel sombre.

— Je donnerais mon âme pour avoir Gorben en face de moi ! lança-t-il.

Le sommeil ne venait pas, et Shabag en arrivait à regretter de ne pas avoir amené avec lui la jeune esclave datianne. Jeune, innocente et très obéissante, elle aurait réussi à l'endormir et à le faire rêver.

Il se leva de son lit et alluma deux lampes. La fuite de Gorben – s'il arrivait à passer les corsaires – allait prolonger la guerre. *Pour quelques mois seulement*, essaya-t-il de se raisonner. Capalis serait à lui dès le lendemain, et après, Ectanis tomberait. Gorben serait obligé de se replier dans les montagnes, et d'espérer la pitié des tribus sauvages qui les peuplaient. Cela prendrait du temps pour le traquer, mais pas trop. Et la chasse pourrait même s'avérer distrayante durant les longs mois d'hiver.

Il pensa à son palais, à Resha, et décida qu'une fois la reddition de Capalis signée, il irait s'y reposer. Shabag se remémora le confort du palais, les théâtres de la ville, l'arène et les jardins. En ce moment, les cerisiers au bord du lac devaient être en fleurs, et les pétales devaient tomber sur les eaux de cristal et emplir l'air d'une douce senteur.

Est-ce que cela ne faisait qu'un mois qu'il s'était assis au bord du lac avec Darishan ?

— Pourquoi portes-tu ces gants, cousin ? lui avait-il demandé, en jetant un caillou dans l'eau.

Un gros poisson rouge avait frénétiquement agité la queue pour s'éloigner de la perturbation et avait disparu dans les profondeurs.

— J'aime la sensation, avait répondu Shabag, irrité. Mais je ne suis pas venu ici pour discuter de questions vestimentaires.

Darishan avait gloussé.

— Toujours aussi sérieux ? Nous sommes pourtant sur le point de gagner.

— C'est ce que tu avais dit il y a six mois, avait fait remarquer Shabag.

— Et j'avais raison. C'est comme chasser le lion, cousin. Tant qu'il est dans les sous-bois, il a une chance, mais une fois à terrain découvert, en route pour les montagnes, ce n'est qu'une question de temps avant qu'il ne s'épuise. Gorben est épuisé, *tout comme* son or.

— Il a encore trois armées.

— Il a débuté avec sept. Deux d'entre elles sont aujourd'hui sous mes ordres. Une sous les tiens. Et une autre a été détruite. Alors, cousin, pourquoi cette mine triste ?

Shabag avait haussé les épaules.

— Je veux que la guerre finisse au plus vite, ainsi je pourrais commencer à tout rebâtir.

— Je ? Tu voulais certainement dire *nous*?

— Ma langue a fourché, cousin, avait répondu rapidement Shabag avec un sourire forcé.

Darishan s'était calé au fond de son fauteuil en marbre en tripotant l'air de rien une de ses nattes d'argent. Bien qu'il n'ait pas encore quarante ans, ses cheveux étaient d'une blancheur argentée incroyable, et entrecroisés de fils d'or et de cuivre.

— Ne me trahis pas, Shabag, l'avait-il prévenu. Tu ne pourras pas battre les Naashanites tout seul.

— Quelle pensée ridicule, Darishan. Nous sommes du même sang – et nous sommes amis.

Les yeux froids de Darishan avaient soutenu le regard de Shabag et il s'était mis à sourire lui aussi.

— Oui, murmura-t-il, amis et cousins. Je me demande où notre cousin – et ancien ami – Gorben se cache aujourd'hui ?

Shabag avait rougi.

— Il n'a jamais été mon ami. Je ne trahis pas mes amis. De telles pensées sont indignes de toi.

— C'est vrai, tu as raison, lui avait accordé Darishan en se levant. Je dois partir pour Ectanis. Et si nous faisions un petit pari pour savoir lequel de nous deux gagnera le premier ?

— Pourquoi pas ? Mille pièces d'or que Capalis tombe avant Ectanis.

— Mille – et la jeune esclave datianne ?

— C'est d'accord, avait dit Shabag en masquant son irritation. Prends soin de toi, cousin.

Les deux hommes s'étaient serré les mains.

— Ne t'en fais pas.

Darishan s'était retourné en partant.

— Au fait, as-tu vu la gueuse ?

— Oui, mais elle ne m'a rien raconté d'important. Je pense que Kabuchek s'est fait escroquer.

— Peut-être, mais elle l'a sauvé des requins et avait prédit qu'un bateau arriverait pour les recueillir. Elle m'a également dit où je pourrais trouver une broche en opale que j'avais égarée depuis trois ans. Que t'a-t-elle prédit ?

Shabag avait haussé les épaules.

— Elle m'a parlé du passé, ce qui était intéressant, mais Kabuchek avait très bien pu la renseigner. Quand j'ai commencé à lui poser des questions sur la campagne à venir, elle m'a pris la main et a fermé les yeux. Elle l'a peut-être tenue l'espace de trois battements de cœur, et l'a relâchée en affirmant qu'elle ne pouvait rien me dire.

— Rien du tout ?

— Rien qui ait un sens, en tout cas. Elle a juste dit… « Il arrive ! » D'abord cela a eu l'air de la transporter de joie, et pourtant, quelques minutes plus tard elle était terrifiée. Puis elle m'a dit de ne pas aller à Capalis. C'est tout.

Darishan avait acquiescé en silence et avait failli parler, mais finalement n'avait que souri et s'en était allé.

Shabag évacua Darishan de ses pensées et se rendit jusqu'à l'entrée de la tente. Le campement était silencieux. Lentement, il retira son gant gauche. Sa peau le démangeait. Des plaques rouges et suintantes recouvraient la surface de sa main, et ce depuis son adolescence. Il disposait de pommades aux herbes et d'émollients qui pouvaient arrêter l'irritation, mais rien pour soigner sa peau, ni pour éliminer les autres plaques qu'il avait dans le dos, sur la poitrine, sur les cuisses et les mollets.

Lentement, il retira le gant droit. Sa peau était propre et lisse. C'était la main qu'elle avait tenue.

Il avait offert soixante mille pièces d'or à Kabuchek pour l'avoir, mais celui-ci avait refusé poliment.

Quand la bataille sera terminée, pensa Shabag, *je la ferai enlever.*

Alors qu'il était sur le point de rentrer dans sa tente, Shabag vit une rangée de soldats avancer lentement en direction du camp, leurs armures se reflétant au clair de lune. Ils avançaient en colonne par deux, un officier à leur tête ; le visage de l'homme avait quelque chose de familier, mais il portait un heaume à plumes avec une large garde nasale, qui lui séparait le visage en deux. Fatigué, Shabag se frotta les yeux, afin d'essayer de discerner l'homme de façon plus nette ; ce n'était pas tant son visage que sa démarche qui éveillait son intérêt. *Un des officiers de Darishan ?* se demanda-t-il. *Où est-ce que je l'ai déjà vu ?*

Bah, quelle importance, pensa-t-il soudainement en rabaissant le rabat de la tente. Il avait à peine soufflé la première lampe qu'un cri retentit. Puis un autre. Shabag courut à l'entrée et repoussa le rabat.

Des guerriers couraient dans tout le camp, tuant et tailladant tout ce qui bougeait. Quelqu'un avait ramassé une bûche enflammée et l'avait jetée contre une tente. Les flammes se propagèrent sur le tissu sec et le vent emporta le feu vers les autres tentes.

Au cœur du combat, Shabag vit un grand guerrier vêtu de noir qui brandissait une hache à deux lames. Trois hommes lui foncèrent dessus et il les tua en une seconde. Puis Shabag aperçut l'officier – en un éclair, et le souvenir remonta des tréfonds de sa mémoire.

Les soldats de Gorben entourèrent la tente de Shabag. Elle avait été installée sur un terrain dégagé de trente mètres de rayon au centre du camp, afin de laisser au satrape un degré d'intimité. À présent, elle était encerclée par des hommes en armes.

Shabag était sidéré par la vitesse à laquelle l'ennemi les avait frappés, mais sûrement, raisonna-t-il, que cela ne leur servirait à rien. Vingt-cinq mille hommes campaient autour de la cité portuaire assiégée. Combien d'ennemis étaient là ? Deux cents ? Trois cents ? Qu'espéraient-ils pouvoir faire, à part le tuer ? Et à quoi cela leur servirait-il, puisqu'ils y perdraient la vie ?

Perplexe, il se leva – spectateur silencieux et immobile tandis que la bataille faisait rage et que le feu se propageait. Il n'arrivait pas à décrocher son regard du guerrier à la hache, couvert de sang, qui tuait avec une efficacité effrayante et un minimum d'effort. Soudain, une trompette résonna ; une série de notes aiguës vint survoler la clameur du combat. Shabag sursauta. La trompette sonnait la trêve, et les soldats incrédules reculèrent. Shabag voulait crier à ses hommes de continuer à se battre. Mais il ne trouva pas la force. Il était paralysé de peur. Le cercle de soldats silencieux se tenait prêt à agir, et la lune se reflétait sur leurs armes. Il eut le sentiment que s'il bougeait ne serait-ce que le petit doigt, ils lui tomberaient dessus, comme une meute de loups sur un cerf. Il avait la bouche sèche et ses mains tremblaient.

Deux hommes roulèrent un tonneau et le redressèrent en testant la résistance du couvercle. Puis, l'officier ennemi s'avança et escalada le tonneau pour faire face aux soldats de Shabag amassés tout autour. Le satrape avait un goût de bile dans la bouche.

L'officier rejeta sa cape en arrière ; une armure d'or brillait sur sa poitrine. Il retira son heaume.

— Vous savez qui je suis, gronda-t-il, d'une voix riche, vibrante et convaincante. Je suis Gorben, le fils du Dieu Roi, l'héritier du Dieu Roi. Dans mes veines coule le sang de Pashtar Sen, de Cyrios le Seigneur des Batailles, et Mechan Sen, qui traversa le Pont de la Mort. Je suis Gorben !

Le nom résonna dans la nuit, et les hommes se figèrent comme envoûtés. Même Shabag sentit les poils de sa peau malade se hérisser.

Druss rentra dans le cercle et contempla les rangs ennemis. Il y avait une sorte de folie divine dans cette scène, ce qui l'amusa énormément. Il avait été furieux quand Gorben s'était présenté au port pour prendre la tête des troupes, et deux fois plus quand celui-ci lui avait annoncé qu'il y aurait un changement au programme.

— Qu'est-ce qui cloche avec notre plan ? avait demandé Druss.

Gorben avait gloussé et pris Druss par le bras, pour l'emmener hors de portée d'oreille des hommes qui attendaient.

— Le plan est très bon, guerrier – à part sa finalité. Tu souhaites détruire les tours. Admirable. Mais ce ne sont pas les tours qui détermineront le succès ou l'échec de ce siège ; ce sont les hommes. Donc, ce soir, nous n'allons pas essayer de les blesser, nous allons essayer de les vaincre.

Druss avait gloussé à son tour.

— Deux cents contre vingt-cinq mille ?

— Non. Un contre un.

Il avait expliqué sa stratégie point par point, et Druss avait écouté respectueusement, sans rien dire. Le plan était audacieux et périlleux. Druss l'avait adoré.

Et la première phase avait été menée à bien. Shabag était encerclé par l'ennemi et écoutait Gorben haranguer les troupes. Et c'était là le moment crucial. Le succès et la gloire, ou l'échec et la mort ? Druss ne pouvait le dire, mais il sentait bien que la stratégie tenait sur le fil d'un rasoir. Si Gorben prononçait un mot de travers, la horde se jetterait sur eux.

— Je suis Gorben ! rugit une fois de plus l'empereur. Et vous avez tous été embarqués dans cette traîtrise par ce… misérable derrière moi. (Il agita sa main avec mépris en direction de Shabag.) Regardez-le ! Immobile comme un lapin apeuré. Est-ce cet homme que vous vouliez mettre sur le trône ? Cela ne sera pas facile pour lui, vous savez. Il va falloir qu'il gravisse les marches royales. Comment va-t-il s'y prendre, avec les lèvres collées au cul d'un Naashanite ?

Un rire nerveux s'éleva des rangs.

— Oui, ce serait amusant, convint Gorben, si la situation n'était pas si tragique. Regardez-le ! Comment des guerriers peuvent-ils suivre une telle créature ? Mon père l'a élevé à de hautes fonctions. Il lui faisait confiance ; et il a trahi l'homme qui l'avait aidé, qui l'aimait comme un fils. Et non content d'avoir causé la mort de mon père, il a fait tout ce qui était en son pouvoir pour plonger la Ventria dans le chaos et la destruction. Nos cités sont en flammes. Notre peuple est réduit en esclavage. Et pour quelle raison ? Pour que ce rongeur tremblotant passe pour un roi. Pour qu'il puisse ramper à quatre pattes aux pieds d'un éleveur de chèvres naashanites.

Gorben scruta les rangs.

— Où sont les Naashanites ? cria-t-il.

Une clameur monta de l'arrière des troupes.

— Ah, oui, dit-il, dans notre dos, comme toujours !

Les Naashanites se mirent à protester, mais leurs cris furent couverts par les rires des hommes de Shabag. Gorben leva les mains pour demander le silence.

— Non ! gronda-t-il. Laissez-les parler. Ce n'est pas charitable de se moquer des autres parce qu'ils n'ont pas votre talent, votre sens de l'honneur, votre respect de l'histoire. J'avais un esclave naashanite – il s'est enfui avec une des chèvres de mon père. Mais pour sa défense, je dois avouer une chose : il a choisi la plus jolie ! (Un mur de rire s'éleva, et Gorben attendit qu'il retombe.) Ah, mes amis ! Que sommes-nous en train de faire à ce pays que nous aimons tant ? Comment avons-nous pu laisser les Naashanites violer nos sœurs et nos filles ? (Un silence angoissant tomba sur le camp.) Eh bien je vais vous le dire. Ce sont des hommes comme Shabag qui leur ont ouvert les portes. « Venez », leur a-t-il proposé, « et faites ce que vous voulez. Je serai votre chien. Mais je vous en supplie, par pitié, laissez-moi avoir les miettes qui tombent par terre. Laissez-moi lécher les restes dans vos assiettes ! » (Gorben dégaina son épée et la leva aussi haut qu'il put.) Eh bien, je ne suis pas d'accord ! beugla-t-il d'une voix de tempête. Je suis l'empereur, élu des dieux. Et je me battrai jusqu'à la mort pour sauver mon peuple !

— Et nous serons à vos côtés ! lança une voix à droite.

Druss avait reconnu la personne qui venait de parler. C'était Bodasen, et avec lui venaient les cinq mille défenseurs de Capalis. Ils étaient venus en silence, à travers les machines de siège, profitant de la bataille ; et tandis que Gorben parlait, ils avaient pénétré les lignes ennemies.

Les Ventrians de Shabag commencèrent à s'agiter. Et Gorben reprit la parole.

— Chaque homme ici présent – à l'exception des Naashanites – est pardonné d'avoir suivi Shabag. Plus encore, je vous offre l'occasion de me servir, afin de purger vos crimes et de sauver la Ventria. Et même plus, je vous paierai la solde qui vous est due – ainsi que dix pièces d'or pour chaque homme qui fera le serment de défendre son pays, ses compatriotes, et son empereur.

À l'arrière, les Naashanites inquiets se dégageaient des rangs des soldats ventrians, pour former un carré de résistance un peu plus loin.

— Regardez-les se défiler ! hurla Gorben. L'heure est venue de gagner votre paie ! Apportez-moi les têtes de nos ennemis.

Bodasen se fraya un passage dans la cohue.

— Avec moi ! cria-t-il. Mort aux Naashanites !

Le cri fut repris, et près de trente mille hommes se jetèrent sur la petite centaine de troupes naashanites.

Gorben descendit du tonneau d'un bond, et marcha jusqu'à Shabag.

— Eh bien, cousin, dit-il, d'une voix douce mais teintée d'acide, est-ce que mon discours t'a plu ?

— Tu as toujours été un beau parleur, répondit Shabag avec un rire amer.

— Oui, et je peux chanter, jouer de la harpe, et lire les textes de nos meilleurs auteurs. Ces choses me sont très chères – comme elles le sont pour toi, j'en suis sûr, cousin. Ah, quel horrible destin ce doit être de naître aveugle, ou de perdre l'usage de la parole, ou le sens du toucher.

— Je suis noble de naissance, dit Shabag, la sueur dégoulinant de son visage. Tu ne peux pas me mutiler.

— Je suis l'empereur, siffla Gorben. Ma volonté est loi !

Shabag tomba à genoux.

— Tue-moi proprement, je t'en supplie… cousin !

Gorben dégaina sa dague incrustée de joyaux du fourreau à son côté et la jeta au sol devant Shabag. Le satrape déglutit difficilement en soulevant la dague et jeta un regard sombre, chargé de haine, à son bourreau.

— Tu peux choisir ta manière de partir, lança Gorben.

Shabag s'humecta les lèvres et posa la pointe de la dague sur sa poitrine.

— Sois maudit, Gorben ! cria-t-il.

Puis, agrippant le manche des deux mains, il enfonça la dague d'un seul geste. Il grogna et tomba à la renverse. Il eut un soubresaut et ses intestins se relâchèrent.

— Emmenez… cette chose, ordonna Gorben à des soldats qui se trouvaient là. Trouvez un trou et jetez-le dedans. (Il se retourna vers Druss et se mit à rire joyeusement.) Eh bien, guerrier à la hache, nous avons réussi.

— Tout à fait, mon seigneur, répondit Druss.

— *Mon seigneur ?* Décidément c'est une nuit magique !

Sur les bords du camp, le dernier Naashanite mourut en suppliant qu'on l'épargne, et un silence de mort s'abattit. Bodasen s'approcha de l'empereur et s'inclina.

— Vos ordres ont été obéis, Majesté.

Gorben acquiesça.

— Oui, tu t'es bien comporté, Bodasen. À présent, prends Jasua et Nebuchad et réunissez les officiers de Shabag. Promets-leur ce que tu veux, mais fais-les venir dans la ville, loin de leurs hommes. Interroge-les. Tue ceux qui ne t'inspirent pas confiance.

— Il en sera fait comme vous l'exigez, répondit Bodasen.

Michanek souleva Rowena de l'attelage. Sa tête pendait sur son épaule, il put ainsi sentir la douceur de son haleine. Pudri attacha les rênes au frein, et descendit à son tour pour regarder avec appréhension la femme endormie.

— Elle va bien, dit Michanek. Je vais l'emmener dans sa chambre. Va chercher les serviteurs afin qu'ils descendent les bagages.

Le grand guerrier porta Rowena vers la maison. Une jeune esclave ouvrit les portes. Il escalada les escaliers qui menaient à une chambre ensoleillée de l'aile est. Doucement, il la déposa sur le lit et couvrit son corps délicat avec des draps de satin et une couverture légère en laine d'agneau. Il s'assit à côté d'elle et lui prit la main. La peau était chaude et fiévreuse ; elle grogna, mais ne bougea pas.

Une autre jeune esclave apparut, et fit une courbette devant le guerrier. Celui-ci se leva.

— Reste près d'elle, ordonna-t-il.

Il retrouva Pudri debout au milieu de l'entrée de la maison. Le petit homme avait l'air inconsolable et perdu, ses yeux étaient emplis de peur. Michanek le convoqua dans la grande bibliothèque ovale et le fit s'asseoir sur un divan. Pudri s'y affala, en se tordant les mains.

— Et maintenant, raconte-moi depuis le début, fit Michanek. Je veux tout savoir.

L'eunuque regarda le puissant soldat.

— Je ne sais pas, seigneur. D'abord elle semblait simplement repliée sur elle-même, mais plus le seigneur Kabuchek lui faisait prédire l'avenir, plus elle avait l'air bizarre. Nous nous sommes assis pour en parler. Elle m'a expliqué que son Talent grandissait en elle. Les premières fois, elle avait eu besoin de se concentrer sur le sujet, pour que les visions se manifestent – des images brèves, sans logique. Avec le temps, elle n'a plus eu besoin de se concentrer. Mais les visions ne se sont plus arrêtées, même après avoir lâché les mains des… invités du seigneur Kabuchek. C'est alors que ses rêves ont commencé. Elle parlait comme si elle était très vieille, et avec des voix toujours différentes. Et puis, il y a trois jours, elle s'est évanouie. On a fait venir des médecins qui l'ont saignée, mais rien n'y a fait. (Ses lèvres tremblaient et des larmes coulaient sur ses joues.) Est-elle en train de mourir, seigneur ?

Michanek soupira.

— Je ne sais pas, Pudri. Il y a un docteur ici dont les avis me sont toujours précieux. On dit que c'est un guérisseur mystique ; il devrait arriver d'ici une heure environ.

Il s'assit en face du petit homme. Il pouvait lire la peur dans les yeux de l'eunuque.

— Quoi qu'il arrive, Pudri, tu auras toujours une place dans ma maison. Je ne t'ai pas seulement acheté à Kabuchek parce que tu es proche de Rowena. Si… elle ne se remet pas, je ne te renverrai pas.

Pudri acquiesça, mais son expression ne changea pas. Michanek en fut très surpris.

— Ah, fit-il doucement, tu l'aimes donc autant que moi.

— Pas comme vous, seigneur. Elle est comme ma fille. Elle est douce et n'a pas une once de méchanceté dans tout son corps. Mais un Talent comme le sien n'aurait pas dû être utilisé à la légère. Elle n'était pas préparée à ça. (Il se leva.) Est-ce que je peux aller m'asseoir à côté d'elle, seigneur ?

— Bien sûr.

L'eunuque sortit de la pièce en courant. Michanek se leva et ouvrit les portes qui donnaient sur le jardin pour sortir au soleil. Des arbres en fleurs bordaient les chemins et l'air était chargé de jasmin, de lavande et de rose. Trois jardiniers s'affairaient ; ils arrosaient la terre et enlevaient les mauvaises herbes. Comme il apparut, ils s'arrêtèrent et se prosternèrent, tête contre le sol.

— Continuez, dit-il en les dépassant.

Il pénétra dans un labyrinthe et arriva rapidement à la table en marbre en son centre. Il y avait également une fontaine circulaire avec une statue de la Déesse. C'était une jeune femme magnifique en marbre blanc, qui, la tête en arrière, levait les bras vers le ciel. Dans ses mains se trouvait un aigle, ailes déployées, sur le point de s'envoler.

Michanek s'assit et étendit ses longues jambes. Bientôt la nouvelle se répandrait dans toute la ville. Le champion de l'empereur avait payé deux mille pièces d'argent pour une voyante aux portes de la mort. Quelle folie ! Pourtant, depuis le jour où il l'avait vue pour la première fois, il n'avait pas réussi à la faire sortir de son esprit. Même pendant la campagne, alors qu'il se battait contre les troupes de Gorben, son image était toujours présente. Il avait connu des femmes bien plus belles, mais à vingt-cinq ans, aucune avec laquelle il aurait envie de passer le reste de ses jours.

Jusqu'à aujourd'hui. À la simple pensée qu'elle pourrait mourir, il se mit à trembler. Il se remémora leur première rencontre et sa prophétie, qu'il mourrait dans cette cité, au cours d'une dernière bataille face à des troupes en capes noires.

Les Immortels de Gorben. L'empereur ventrian avait reformé ce régiment mythique, en y réunissant ses meilleurs combattants. Ils avaient déjà repris sept cités, deux d'entre elles grâce au nouveau champion de Gorben, un Drenaï avec une hache qu'on surnommait *Marche-Mort*, qui avait tué en combat singulier deux guerriers naashanites que Michanek connaissait. C'étaient des hommes bons, forts et braves, plus doués au maniement des armes que ne l'aurait rêvé la majorité des soldats. Et pourtant, ils étaient morts.

Michanek avait demandé à rejoindre l'armée pour défier ce champion. Mais l'empereur s'y était opposé.

— Je t'aime trop pour cela, avait-il dit.

— Mais, seigneur, n'est-ce pas mon rôle ? Ne suis-je pas votre champion ?

— Mes voyants me disent que tu ne peux pas tuer cet homme, Michanek. Ils disent que sa hache est démoniaque. Il n'y aura plus d'arrangement par duel ; nous écraserons Gorben avec la puissance de nos armées.

Mais l'homme semblait impossible à écraser. La dernière bataille avait été une sorte de match nul sanglant, avec des milliers de morts de chaque côté. Michanek avait conduit la charge qui avait failli changer le cours du combat, mais Gorben s'était replié dans les montagnes après que deux de ses généraux aient été tués par Michanek.

Nebuchad et Jasua. Le premier n'était pas doué ; il avait lancé son cheval blanc sur le champion naashanite et était mort avec la lance de Michanek dans la gorge. Le deuxième était un guerrier futé, rapide et téméraire – mais pas suffisamment rapide, et trop téméraire pour accepter qu'il avait face à lui un meilleur bretteur. Il était mort la malédiction aux lèvres.

— Nous ne gagnons pas cette guerre, dit Michanek à l'intention de la Déesse de marbre. Nous sommes en train de la perdre – inexorablement, jour après jour.

Gorben avait fait abattre trois des satrapes renégats : Shabag à Capalis ; Berish, le gros flagorneur, pendu à Ectanis ; et Ashac, satrape du sud-ouest, empalé après sa défaite à Gurunur. Seul Darishan, le renard aux cheveux d'argent du nord, était toujours en vie. Michanek l'aimait bien. Il avait traité les autres avec un mépris apparent, mais Darishan était un guerrier-né. Sans principes, amoral, mais courageux.

Ses pensées furent interrompues par les pas d'un homme dans le labyrinthe.

— Par l'Hadès, mais où es-tu, mon garçon ? fit une grosse voix.

— Je croyais que tu étais un mystique, Shalatar, lança-t-il.

La réponse fut un ordre obscène.

— Si je pouvais faire ça, répondit Michanek, je ferais fortune dans des représentations publiques.

Un homme chauve et corpulent, dans une longue tunique blanche, apparut et s'assit au côté de Michanek. Son visage était rond et rougeaud ; ses oreilles étaient dressées comme celles d'une chauve-souris.

— Je déteste les labyrinthes, déclara-t-il. À quoi peuvent-ils bien servir ? Un homme doit marcher trois fois plus que la distance qui le sépare réellement de sa destination ; et quand il y arrive enfin, il n'y a rien à voir. Futilité !

— Est-ce que tu l'as vue ? s'enquit Michanek.

L'expression de Shalatar changea et il détourna les yeux.

— Oui. Intéressant. Pourquoi l'as-tu achetée ?

— Ce n'est pas la question. Quel est ton diagnostic ?

— C'est la voyante la plus talentueuse que j'aie jamais rencontrée – mais ce Talent l'a submergée. Est-ce que tu peux imaginer ce que cela doit être que de *tout savoir* de chaque personne que tu rencontres ? Leur passé et leur futur ? À chaque main que tu touches, une vie entière défile dans ton esprit. L'influx d'un tel savoir – et si rapidement – a des effets catastrophiques sur elle. Elle ne fait pas que voir ces vies, elle en fait également l'expérience, elle les vit. Elle n'est plus Rowena, mais une centaine de personnes différentes – dont toi, au passage.

— Moi ?

— Oui. Je n'ai fait que toucher brièvement son esprit, mais ton image y était.

— Va-t-elle vivre ?

Shalatar secoua la tête.

— Je suis un mystique, mon ami, mais pas un prophète. Je dirais qu'elle a une petite chance : nous devons fermer les portes de son Talent.

— Peux-tu le faire ?

— Pas tout seul, mais je peux réunir mes collègues qui ont de l'expérience dans ce domaine. Nous devons fermer les couloirs de son esprit qui mènent à la source même de son pouvoir. Cela coûtera cher, Michanek.

— Je suis riche.

— Tu en auras besoin. L'un des hommes auquel je vais faire appel est un ancien prêtre de la Source, et il demandera au minimum dix mille pièces d'argent pour ses services.

— Il les aura.

Shalatar posa une main sur l'épaule de son ami.

— Tu l'aimes donc tant que ça ?

— Plus que la vie.

— Est-ce qu'elle partage tes sentiments ?

— Non.

— Alors, tu auras la chance d'avoir un nouveau départ. Car quand nous en aurons fini avec elle, elle n'aura plus de souvenirs. Que lui diras-tu ?

— Je ne sais pas. Mais je lui offrirai mon amour.

— Tu comptes l'épouser ?

Michanek repensa à la prophétie.

— Non, mon ami. J'ai décidé de ne jamais me marier.

Druss errait dans les ruelles sombres de la nouvelle cité qui était tombée ; il avait mal au crâne et était en proie à l'agitation. La bataille avait été sanglante, bien trop rapide à son goût. Il éprouvait un étrange sentiment de déception. Il ressentit un changement en lui, gênant et exigeant à la fois : le besoin de se battre, de sentir sa hache briser des os et trancher de la chair, de voir l'étincelle de vie disparaître des yeux de ses ennemis.

Les montagnes de son pays lui semblaient bien lointaines, comme perdues dans une autre époque.

Combien d'hommes avait-il tués depuis qu'il était parti à la recherche de Rowena ? Il ne savait plus, et aujourd'hui il s'en moquait. La hache était légère dans sa main, chaude et amicale. Il avait soif et cherchait un endroit où boire de l'eau fraîche. En levant les yeux, il vit un panneau qui disait « Rue des Épices ». Ici, à une époque plus calme, les négociants apportaient leurs herbes et leurs épices afin de les emballer pour l'exportation à l'ouest. Une odeur de poivre flottait encore dans l'air. Au bout de la rue, à l'intersection avec la place du marché, il y avait une fontaine, et une pompe en laiton reliée par une petite chaîne à un anneau en fer. Druss remplit une coupe en bronze qui se trouvait là et posa sa hache contre la fontaine. Il s'assit tranquillement pour boire. De temps en temps, il touchait le manche noir de Snaga.

Quand Gorben avait donné l'ordre de la dernière attaque, Druss avait ressenti l'appel tant attendu du sang et le besoin de tuer, en se frayant un chemin vers les pauvres Naashanites. Il lui avait fallu user de toute sa force pour résister aux exigences de son esprit tourmenté. Parce que l'ennemi, dans la forteresse, souhaitait se rendre, et Druss avait conscience qu'un tel massacre était une erreur. Les mots de Shadak lui étaient revenus :

« Le vrai guerrier a un code d'honneur. Il est obligé. Pour chaque homme, les perspectives sont différentes, mais le code reste le même : ne viole jamais une femme, ne fais pas de mal aux enfants. Ne mens pas, ne triche pas, ne vole pas. Laisse ça aux gens médiocres. Protège les faibles contre les forces du mal. Et ne laisse jamais l'idée de profit te guider sur la voie du mal. »

Les Naashanites n'étaient que quelques centaines, ils n'avaient aucune chance. Mais Druss, quelque part, se sentait volé ; surtout en repensant, comme maintenant, à la sensation chaude de satisfaction et de triomphe qu'il avait ressentie au cours du combat dans le camp d'Harib Ka, ou du massacre qui avait suivi son saut sur la trirème corsaire. Il retira son heaume et plongea sa tête dans l'eau de la fontaine. Puis il ôta son gilet et se nettoya le haut du corps. Un mouvement sur sa gauche attira son attention. Un grand homme chauve, en robe de bure grise, se tenait là.

— Bonsoir, mon fils, dit le prêtre du temple de Capalis.

Druss répondit poliment d'un geste de la tête, puis il endossa son gilet et se rassit. Le prêtre ne fit aucun geste pour se rapprocher et se contenta de regarder le jeune guerrier à la hache.

— Cela fait des mois que je vous cherche.

— Et vous m'avez trouvé, fit Druss d'une voix neutre.

— Puis-je me joindre à vous un court instant ?

— Pourquoi pas ? répondit Druss, en faisant de la place pour le prêtre. Celui-ci s'assit à côté du guerrier en noir.

— Notre dernière rencontre m'a troublé, mon fils. J'ai passé plusieurs nuits dans la prière et la méditation depuis lors ; finalement, j'ai décidé de parcourir les Chemins de Brume à la recherche de votre bien-aimée, Rowena. Et celle-ci fut vaine. J'ai traversé le Vide, en passant par des routes trop sombres pour en parler. Mais elle n'était pas là, et je n'ai pas rencontré une âme qui connaisse sa mort. C'est alors que j'ai rencontré un esprit, une créature grossière et malveillante, qui de son vivant s'appelait Earin Shad. Un capitaine corsaire aussi connu sous le nom de *Bojeeba*, le Requin. Et il connaissait votre femme, car c'est son vaisseau qui a pillé celui où elle naviguait. Il m'a confié que lorsque ses corsaires avaient abordé le navire, un marchand nommé Kabuchek, un autre homme et une jeune femme avaient sauté par-dessus bord. Il y avait des requins partout, et beaucoup de sang dans la mer une fois que le massacre sur le pont a eu commencé.

— Je n'ai pas besoin de savoir comment elle est morte ! dit Druss de façon très sèche.

— Ah, mais c'est justement le problème, répondit le prêtre. Earin Shad est persuadé qu'elle et Kabuchek sont morts. Mais c'est faux.

— Quoi ?

— Kabuchek est à Resha, amassant de nouvelles fortunes. Il a une voyante avec elle, qu'ils appellent *Pahtai*, la petite colombe. Je l'ai vue dans ma forme spirite. J'ai lu ses pensées ; c'est Rowena, votre Rowena.

— Elle est vivante ?

— Oui, fit doucement le prêtre.

— Par le Ciel !

Druss se mit à rire et passa ses bras autour des épaules maigrichonnes du prêtre.

— Par les dieux, vous venez de me rendre un grand service. Je ne l'oublierai jamais. S'il y a quoi que ce soit que je puisse faire pour vous, vous n'avez qu'à demander.

— Merci, mon fils. Je vous souhaite bonne chance dans votre quête. Mais il y a un autre sujet dont nous devons discuter : la hache.

— Eh bien ? demanda Druss, soudainement inquiet.

Ses mains s'enroulèrent autour du manche.

— C'est une arme ancienne, et je pense que des sorts ont été jetés sur ses lames. Quelqu'un de très puissant, il y a très longtemps, s'est servi de sorcellerie pour l'améliorer.

— Et ?

— Il y a plusieurs méthodes. Parfois, le sort ne nécessite que le sang de l'armurier sur les lames. Parfois également, un sort de fixation. Cela sert à rendre le bord plus aiguisé afin qu'il tranche mieux. De petits sorts, Druss. Mais il est arrivé à l'occasion qu'un maître des arcanes se serve de ses pouvoirs sur une arme destinée soit à un roi, soit à un seigneur. Certaines lames pouvaient guérir les blessures, d'autres pouvaient pénétrer les armures les plus solides.

— C'est le cas de Snaga, dit Druss en levant sa hache.

Les lames brillèrent sous le clair de lune et le prêtre recula.

— N'ayez pas peur, fit le guerrier. Je ne vais pas vous faire de mal.

— Je n'ai pas peur de vous, mon fils, répondit le prêtre. Mais j'ai peur de ce qui vit dans ces lames.

Druss se mit à rire.

— Comme ça, quelqu'un a jeté un sort dessus il y a mille ans ? La belle affaire ! C'est toujours une hache.

— Oui, une hache. Mais un sort très puissant a été tissé sur ces lames, Druss. Un enchantement d'une puissance colossale. Votre ami, Sieben, m'a confié que lorsque vous avez attaqué les corsaires, un sorcier vous a lancé un sort, un sort de feu. Quand vous avez soulevé votre hache, Sieben a vu un démon apparaître, avec des écailles et des cornes ; c'est lui qui a détourné le feu.

— C'est absurde ! répondit Druss. Le sort a rebondi sur les lames. Vous savez, mon père, il ne faut pas faire attention quand Sieben parle. C'est un poète. Il construit bien ses histoires, mais ensuite il les enjolive par petites touches. Un démon, allons donc !

— Il n'a pas eu besoin d'ajouter une petite touche, Druss. Je connais Snaga l'Expéditrice. Car en trouvant votre femme, j'ai aussi appris quelque chose à votre sujet et à propos de l'arme que vous portez : l'arme de Bardan. Bardan le Tueur, le boucher d'enfants, le violeur, le destructeur. Dans sa jeunesse, c'était un héros, pas vrai ? Mais il a été corrompu. Le Mal s'est faufilé dans son âme, et il venait de là ! dit-il en désignant la hache.

— Je n'y crois pas. Je ne suis pas mauvais, et je porte cette hache depuis un an.

— Et vous n'avez pas remarqué un changement subtil en vous ? Aucun désir de sang et de mort ? Vous ne ressentez pas le besoin de garder la hache près de vous, même quand vous ne vous battez pas ? Est-ce que vous dormez avec la hache à vos côtés ?

— Elle n'est pas possédée ! gronda Druss. C'est une très belle arme. C'est mon…

Il s'arrêta de parler.

— Mon *amie* ? C'est ce que vous alliez dire ?

— Et alors ? Je suis un guerrier, et à la guerre seule cette hache me protégera. C'est mieux qu'un ami, hein ?

Tout en parlant, il souleva la hache… qui glissa de sa main. Le prêtre leva ses bras pour se protéger de Snaga qui tombait sur sa gorge. D'un geste réflexe, Druss donna un coup sur le manche, juste au moment où le prêtre venait d'arrêter les lames entre ses mains. Snaga tomba sur les pavés, dans une gerbe d'étincelles à cause des silex qui assuraient la jointure entre les pierres.

— Mon Dieu, je suis désolé. Elle a glissé ! fit Druss. Vous vous êtes fait mal ?

Le prêtre se leva.

— Non, elle ne m'a pas coupé. Et vous avez tort, jeune homme. Elle n'a pas glissé ; elle voulait que je meure, et si vous n'aviez pas eu ce réflexe, c'en était fait de moi.

— C'est un accident, mon père, je vous le jure.

Le prêtre eut un sourire triste.

— Vous m'avez vu prendre les lames avec les mains, n'est-ce pas ?

— Oui, répondit Druss, mystifié.

— Alors, regardez, fit le prêtre en levant les mains, paumes tendues.

La chair était calcinée, la peau brûlée. Du sang et de l'eau coulaient des blessures.

— Prenez garde, Druss, la bête qui sommeille tuera tous ceux qui la menacent.

Druss ramassa sa hache et recula.

— Faites soigner la blessure, dit-il en s'éloignant.

Il était choqué par ce qu'il venait de voir. Il ne connaissait pas grand-chose aux sorts et aux démons, à part ce qu'en disaient les conteurs itinérants qui passaient de village en village. Mais il connaissait la valeur d'une arme comme Snaga – surtout en une terre étrangère ravagée par la guerre. Il s'arrêta et leva la hache. Il regarda son reflet dans les lames.

— J'ai besoin de toi, dit-il doucement, pour trouver Rowena et rentrer à la maison.

Le manche était chaud, l'arme légère. Il soupira.

— Je ne vais pas t'abandonner. Je ne peux pas. Et puis, bon sang, tu es à moi !
Tu es à moi, résonna un écho dans sa tête. *Tu es à moi !*

Livre troisième

Le Guerrier du Chaos

Chapitre 1

Varsava était en train de savourer la première gorgée de son deuxième verre de vin lorsqu'un corps vint fracasser sa table. Il arriva la tête la première en plein milieu de celle-ci et fendit la planche, balayant au passage une assiette pleine de ragoût et continuant dangereusement sa route vers Varsava. Le bretteur eut la présence d'esprit de lever haut son verre et de se caler dans son siège tandis que le corps poursuivait sa glissade sur la table, pour s'encastrer la tête dans un mur. L'impact fut tel qu'une fissure apparut dans le plâtre. Pourtant, celui qui l'avait causé ne broncha pas ; il tomba de la table et s'écrasa sur le sol dans un bruit sourd.

Varsava jeta un coup d'œil vers la droite et vit que la taverne était bondée, mais que les clients s'étaient reculés pour former un cercle autour d'un petit groupe d'hommes qui essayaient de maîtriser un géant barbu. L'un des combattants – un voleur à la tire que Varsava connaissait – était accroché aux épaules du géant, les bras enserrés autour de sa gorge. Un autre donnait une rafale de coups de poing dans son estomac, tandis qu'un troisième, qui venait de dégainer sa dague, se ruait à l'attaque. Varsava but son vin. C'était un bon cru – au moins dix ans d'âge, sec mais avec du corps.

Le géant passa un bras par-dessus son épaule, et attrapa par le gilet l'homme qui était pendu là. Il fit un tour sur lui-même et balança le pauvre gars dans la direction de celui qui tenait une dague. Ce dernier tomba et rencontra dans sa chute le genou du géant qui montait à sa rencontre. Il s'ensuivit un craquement à soulever le cœur, et l'homme à la dague s'effondra sur le sol, avec soit la mâchoire, soit le cou brisé.

Le dernier adversaire du géant lui lança un direct désespéré à la mâchoire,

217

qui fit mouche – mais qui n'eut pas d'effet. Le géant l'agrippa et le souleva, afin de lui mettre un bon coup de boule. Le son fit même grimacer Varsava. L'agresseur tituba, fit deux pas en arrière, et tomba comme un arbre abattu.

— Pas d'autre volontaire ? demanda le géant d'une voix grave et froide.

La foule se dispersa et le guerrier traversa la taverne pour s'arrêter devant la table de Varsava.

— Ce siège est pris ? demanda-t-il en s'asseyant lourdement en face du mercenaire.

— Maintenant il l'est, répondit Varsava.

Il appela une serveuse d'un geste. Une fois qu'il eut capté son attention, il désigna son verre. Elle sourit et lui apporta un nouveau pichet de vin. La table était fendue en son milieu, et le pichet dérapa vers la plissure, pour s'arrêter oscillant à égale distance des deux hommes.

— Puis-je vous offrir un verre de vin ? proposa Varsava.

— Pourquoi pas ? répondit le géant, en se servant.

Un grognement se fit entendre de sous la table.

— Il doit avoir la tête dure, déclara Varsava. J'ai cru qu'il était mort.

— S'il s'approche de moi encore une fois, il le sera. Comment se nomme cet endroit ?

— Il s'appelle *Sauf Un*, répondit Varsava.

— Drôle de nom pour une taverne.

Varsava scruta le regard pâle du jeune homme.

— Pas vraiment. C'est tiré d'un dicton ventrian : *Que tous tes rêves – sauf un – se réalisent.*

— Qu'est-ce que ça veut dire ?

— Simplement qu'un homme doit toujours conserver un rêve irréalisé. Que pourrait-il y avoir de pire que de réaliser tout ce qu'on désire dans la vie ? Qu'est-ce qu'il nous resterait à faire ?

— Trouver un autre rêve, rétorqua le géant.

— Voilà qui est parlé comme une personne qui ne comprend rien aux rêves.

Le géant plissa les yeux.

— Est-ce que c'est une insulte ?

— Une simple observation. Qu'est-ce qui vous amène à Lania ?

— Je ne fais que passer, répondit l'autre.

Derrière lui, deux des blessés s'étaient remis sur pieds ; ils dégainèrent leurs dagues et avancèrent vers Druss, mais la main de Varsava jaillit de sous la table, serrant un grand couteau de chasse étincelant. Il l'enfonça d'un coup sec dans la planche et le laissa vibrer là.

— Cela suffit, dit-il aux attaquants.

Il avait prononcé ces mots de manière douce, un sourire sur son visage.

— Ramassez vos amis et trouvez-vous un autre endroit pour boire.

— On ne peut pas le laisser s'en tirer comme ça ! fit l'un des hommes dont l'œil au beurre noir était presque entièrement clos.

— Il s'en est déjà tiré, mes amis. Si vous vous entêtez, je pense qu'il va vous tuer. À présent partez, j'essaie d'avoir une conversation.

Les hommes rengainèrent leurs armes en grommelant et se perdirent dans la foule.

— Où allez-vous ? demanda-t-il au géant.

Celui-ci avait l'air amusé.

— Vous vous en êtes bien sorti. Des amis à vous ?

— Il me connaissent, répondit le mercenaire en tendant sa main au-dessus de la table. Je me nomme Varsava.

— Druss.

— J'ai déjà entendu ce nom. Il y avait un guerrier avec une hache au siège de Capalis qui avait le même. Je crois qu'on a fait une chanson sur lui.

— Une chanson ! grogna Druss. Oui, il y en a une, mais je n'en suis pas l'auteur. L'imbécile de poète avec qui je voyageais – c'est lui qui l'a composée. Absurde, tout ça.

Varsava sourit.

— *Ils parlent de Druss et de sa hache en murmurant, et même les démons se dispersent en le voyant.*

Druss rougit.

— Par les Nichons d'Asta ! Tu sais quoi ? Il y a une centaine de vers comme ça. (Il secoua la tête.) C'est incroyable !

— Il est de pires choses dans la vie que d'être immortalisé dans une chanson. N'y a-t-il pas une partie qui parle d'une femme perdue ? Est-ce aussi une invention ?

— Non, cette partie là est vraie, admit Druss.

Son expression changea et il vida son verre. Puis il s'en servit un deuxième. Dans le silence qui suivit, Varsava se renfonça dans son siège et étudia son compagnon de boisson. Ses épaules étaient immenses, et il avait un cou de taureau. Ce n'était pas sa taille qui lui donnait l'apparence d'un géant, réalisa Varsava, mais la puissance qui émanait de lui. Durant la bagarre, on aurait dit qu'il faisait deux mètres dix ; face à lui, les autres ressemblaient à des nains. Pourtant, en le regardant boire, assis là, Druss n'était qu'un grand jeune homme costaud comme il en existait tant. *Curieux*, pensa Varsava.

— Si je me souviens bien, tu étais aussi à la libération d'Ectanis et de quatre autres cités méridionales ? tenta-t-il.

L'homme acquiesça, mais ne répondit pas. Varsava commanda un troisième pichet de vin et essaya de se souvenir de tout ce qu'il avait entendu raconter sur ce jeune guerrier. On disait qu'à Ectanis, il avait affronté le champion naashanite, Cuerl, et avait été le premier à escalader les murs de la cité. Deux ans plus tard, il avait, avec cinquante hommes, tenu la passe de Kishtay, empêchant les troupes naashanites de passer et les retenant jusqu'à l'arrivée de Gorben et des renforts.

— Qu'est devenu le poète ? demanda Varsava, essayant un chemin moins risqué pour étancher sa curiosité.

Druss gloussa.

— Il a rencontré une femme… plusieurs, en fait. La dernière fois que j'ai entendu parlé de lui, il vivait à Pusha en compagnie de la veuve d'un jeune officier. (Il se mit à rire de plus belle et secoua la tête.) Il me manque ; c'était un joyeux compagnon. (Le sourire disparut du visage de Druss.) Mais je trouve que tu poses beaucoup de questions.

Varsava haussa les épaules.

— Tu es un homme intéressant et il n'y a pas grand-chose d'intéressant ces jours-ci à Lania. La guerre a rendu la vie monotone. As-tu fini par retrouver ta femme ?

— Non. Mais j'y arriverai. Et toi ? Que fais-tu ici ?

— Je suis payé pour y être, répondit Varsava. Un autre pichet ?

— Oui, mais c'est moi qui paie, proposa Druss.

Il tendit la main et attrapa le couteau enfoncé dans la table, qu'il dégagea.

— Belle arme, lourde mais bien équilibrée. De l'acier de qualité.

— Lentrian. Je l'ai fait faire il y a dix ans. C'est l'argent que j'ai le mieux dépensé de ma vie. Et toi, tu as une hache, c'est ça ?

Druss secoua la tête.

— Dans le temps j'en avais une, mais je l'ai perdue.

— Comment peut-on perdre une hache ?

Druss sourit.

— *On* peut la perdre quand *on* tombe d'une falaise dans un torrent en furie.

— Oui, j'imagine que cela peut arriver, répondit Varsava. Alors que portes-tu à présent ?

— Rien.

— Rien du tout ? Mais comment as-tu fait pour traverser les montagnes jusqu'à Lania sans arme ?

— En marchant.

— Et tu n'as pas été attaqué par des bandits ? Est-ce que tu voyageais en groupe ?

— Je crois que j'ai répondu à suffisamment de questions. À ton tour. Qui te paie pour rester assis à boire à Lania ?

— Un noble de Resha qui a des terres non loin d'ici. Alors qu'il était à la guerre aux côtés de Gorben, des pillards sont descendus des montagnes pour faire une razzia sur son palais. Sa femme et son fils ont été capturés, et ses serviteurs tués – ou ils se sont enfuis. Il m'a engagé pour localiser son fils – s'il est toujours en vie.

— Juste son fils ?

— Eh bien, il ne voudra pas récupérer la femme, maintenant, non ?

Le visage de Druss s'assombrit.

— S'il l'aimait, si.

Varsava acquiesça.

— Bien sûr, tu es drenaï, dit-il. Ici les riches ne se marient pas par amour, Druss ; ils le font pour une alliance, pour des richesses, ou pour continuer la lignée. Il n'est pas rare qu'un homme tombe amoureux de la femme qu'on lui a demandé d'épouser, mais ce n'est pas courant. Et un noble ventrian serait la risée de tous s'il reprenait une femme qui a été, disons – violentée. Non, il a déjà divorcé ; c'est son fils qui l'intéresse. Si je peux le localiser, je recevrai cent pièces d'or. Si je le sauve, la récompense passera à mille pièces d'or.

Un autre pichet de vin arriva. Druss remplit son verre et en proposa à Varsava qui déclina l'offre.

— J'ai déjà la tête qui tourne, mon ami. Tu dois avoir des jambes creuses.

— Combien d'hommes as-tu avec toi ? s'enquit Druss.

— Aucun. Je travaille seul.

— Sais-tu où se trouve le garçon ?

— Oui. Au fond des montagnes, se trouve une forteresse nommée Valia. C'est un repaire de voleurs, d'assassins, de hors-la-loi et de renégats. Elle est dirigée par Cajivak – tu as entendu parler de lui ? (Druss secoua la tête.) C'est un monstre dans tous les sens du terme. Il est plus grand que toi et terrifiant dans les batailles. Lui aussi se sert d'une hache. Et il est fou.

Druss finit son vin, rota, et se pencha en avant.

— Il y a beaucoup de grands guerriers qu'on taxe de folie.

— Je sais – mais Cajivak est différent. L'année dernière, il a mené des razzias qui ont conduit à des massacres insensés dont tu ne peux avoir idée. Il a fait empaler ses victimes sur des pieux, ou les a fait écorcher vifs. J'ai rencontré un homme qui avait servi sous ses ordres pendant cinq ans ; c'est comme ça que j'ai su où se trouvait le garçon. Il m'a dit que Cajivak parlait parfois avec une voix différente, plus grave, effrayante, et que lorsque cela lui arrivait il avait une drôle de lueur dans les yeux. Et à chaque fois – quand cette folie s'empare de lui – il tue. N'importe qui : un serviteur, une jeune femme, ou un homme qui croise son regard. Non, Druss, il est fou… ou possédé.

— Comment comptes-tu sauver le garçon ?

Varsava écarta ses mains.

— J'étais en train d'y réfléchir quand tu es arrivé. Et pour l'instant, je n'ai pas de réponse.

— Je vais t'aider, déclara Druss.

Varsava plissa les yeux.

— Pour combien ?

— Tu peux garder l'argent.

— Alors pourquoi ? demanda le mercenaire perplexe.

Mais Druss se contenta de sourire et se reversa un verre.

Druss découvrit que Varsava était un compagnon de route agréable. Le grand mercenaire ne parla pas beaucoup pendant le voyage qui les mena à travers les montagnes et dans les hautes vallées surplombant la plaine où se trouvait Lania. Les deux hommes portaient des sacs. Varsava avait sur la tête un grand chapeau de cuir marron à larges bords, avec une plume d'aigle. C'était un vieux chapeau cabossé, la plume était tout effilochée et avait perdu de son éclat. Quand Druss l'avait vu la première fois, il s'était mis à rire, car Varsava était plutôt bel homme – ses habits immaculés étaient tissés dans la meilleure laine verte, et ses bottes en cuir d'agneau souple.

— Tu as perdu un pari ? lui demanda Druss.

— Un pari ?

— Ouais. Sinon pourquoi porterais-tu un tel chapeau ?

— Ah ! fit le mercenaire. J'imagine que c'est sensé être de l'humour, pour vous autres barbares. Pour ta gouverne, ce chapeau appartenait à mon père. (Il sourit.) C'est un chapeau magique qui m'a sauvé la vie en plusieurs occasions.

— Je croyais que les Ventrians ne mentaient jamais, dit Druss.

— Seulement les nobles, fit observer Varsava. Néanmoins, dans ce cas précis, je dis la vérité. Je me suis évadé d'un cachot grâce à ce chapeau. (Il l'ôta et le tendit à Druss.) Regarde sous le bandeau.

Druss s'exécuta et découvrit une petite scie coincée sous le côté droit, ainsi qu'une épingle tordue en acier sous le côté gauche. Sur le devant, il trouva trois pièces ; il en prit une : c'était de l'or.

— Je retire ce que j'ai dit, fit Druss. C'est un beau chapeau.

L'air était frais, et Druss se sentit libre. Cela faisait presque quatre ans qu'il avait quitté Sieben à Ectanis pour se rendre seul à la cité occupée de Resha à la recherche du marchand Kabuchek, et à travers lui, Rowena. Il avait trouvé sa maison, mais appris que Kabuchek était parti un mois plus tôt pour rendre visite à des amis, en terres naashanites. Il avait suivi sa trace jusqu'à la ville naashanite de Pieropolis, et l'avait perdue là-bas.

De retour à Resha, il avait découvert que Kabuchek avait vendu son palais sans laisser d'adresse. Sans argent ni provisions, Druss avait pris un emploi chez un entrepreneur en bâtiments de la capitale, qui avait été commissionné pour reconstruire les murs détruits de la ville. Durant quatre mois, il avait travaillé tous les jours jusqu'à ce qu'il ait économisé suffisamment d'or pour rentrer dans le sud.

Au cours des cinq années après la victoire à Capalis et Ectanis, l'empereur Gorben avait livré huit batailles importantes contre les Naashanites et leurs alliés ventrians. Les deux premières avaient été remportées de manière décisive, et la dernière aussi. Les autres n'avaient été que des impasses, où les deux côtés avaient souffert de lourdes pertes. Cinq années de guerre sanglantes et, pour le moment, aucun camp ne pouvait prétendre approcher la victoire.

— Viens par là, dit Varsava. J'ai quelque chose à te montrer.

Le mercenaire quitta le chemin et monta une petite côte qui menait à une cage en fer enfoncée dans le sol. À l'intérieur gisaient une pile d'os en décomposition, et un crâne avec des vestiges de peau et cheveux.

Varsava s'agenouilla devant la cage.

— Voici Vashad – le conciliateur, déclara-t-il. On lui a crevé les yeux et coupé la langue. Puis on l'a enchaîné ici pour qu'il meure de faim.

— Quel était son crime ? demanda Druss.

— Je te l'ai déjà dit : c'était un conciliateur. Il n'y a pas de place pour un homme comme Vashad dans ce monde de guerres et de bestialité.

Varsava s'assit et retira son chapeau de cuir.

Druss ôta son sac à dos de ses épaules et s'installa à côté de Varsava.

— Mais pourquoi le tuer d'une telle manière ?

Varsava sourit, mais il n'y avait pas d'humour dans ses yeux.

— Est-ce que tu vois tant de choses, mais ne connais donc rien, Druss ? Un guerrier ne vit que pour la gloire et le combat, il se met à l'épreuve face à ses compagnons, et dispense la mort. Il se prend pour un noble, et nous lui laissons cette vanité parce que nous l'admirons. Nous faisons des chansons sur lui ; nous racontons des histoires sur sa grandeur. Pense à toutes les légendes drenaïes. Combien concernent un conciliateur ou un poète ? Ce sont toujours des histoires de héros – des hommes qui vivent dans le sang et le massacre. Vashad était un philosophe qui croyait à une chose nommée la noblesse de l'homme. Il était un miroir, et quand les faiseurs de guerres ont regardé dans ses yeux, ils s'y sont vus – comme ils étaient vraiment. Ils ont vu la noirceur et la sauvagerie, la convoitise et l'énorme stupidité de leur vie. Ils n'ont pas pu s'empêcher de le tuer, il fallait qu'ils brisent le miroir : donc ils lui ont crevé les yeux et coupé la langue. Puis ils l'ont abandonné là… où il repose aujourd'hui.

— Tu veux l'enterrer ? Je peux t'aider à creuser sa tombe.

— Non, répondit tristement Varsava. Je ne veux pas l'enterrer. Je veux que d'autres puissent le voir, et comprennent que c'est folie de vouloir changer le monde.

— Ce sont les Naashanites qui l'ont tué ? demanda Druss.

— Non, il a été tué avant la guerre.

— C'était ton père ?

Varsava secoua la tête et son expression se fit plus dure.

— Je ne l'ai connu qu'un bref moment, le temps de lui crever les yeux.

Il regarda hargneusement le visage de Druss, essayant d'y lire une réaction quelconque. Puis il reprit la parole.

— À cette époque, j'étais un soldat. Ses yeux, Druss, étaient grands et d'un bleu aussi clair que le ciel d'été. Et la dernière chose qu'ils ont vue a été mon visage, et le tisonnier qui allait les faire fondre.

— Il te hante à présent ?

Varsava se leva.

— Oui, il me hante. C'était un acte malfaisant, Druss. Mais j'avais reçu des ordres et je leur ai obéi comme n'importe quel bon soldat ventrian doit le faire. Aussitôt après, j'ai démissionné. (Il regarda Druss.) Qu'aurais-tu fait à ma place ?

— Je n'aurais pas été à ta place, dit Druss en remettant son sac sur ses épaules.

— Oui, mais si ça avait été le cas ? Réponds-moi !

— J'aurais refusé.

— Si seulement je l'avais fait, admit Varsava

Les deux hommes retournèrent sur la piste. Ils marchèrent plusieurs kilomètres en silence, puis Varsava s'assit sur le bord du sentier. Ils étaient entourés de montagnes gigantesques, vertigineuses, et un vent glacé sifflait entre les pics. Au-dessus d'eux, un couple d'aigles tournoyait.

— Est-ce que tu me méprises, Druss ? s'enquit Varsava.

— Oui, concéda Druss, mais je t'aime bien quand même.

Varsava haussa les épaules.

— J'aime les gens qui sont francs. Je me méprise aussi, parfois. Est-ce que tu as déjà fait quelque chose dont tu as honte ?

— Pas encore, mais ça a failli à Ectanis.

— Que s'est-il passé ? demanda Varsava.

— La cité était tombée quelques semaines plus tôt, et quand l'armée est arrivée, il y avait déjà des brèches dans les murs d'enceinte. J'ai mené la première charge, et j'ai tué tout ce qui se trouvait sur mon passage. Guidé par la soif du sang, je me suis frayé un chemin jusqu'à la caserne. Un enfant s'est précipité sur moi une lance à la main. Sans même penser à ce que je faisais, je lui ai mis un coup de hache. Il a glissé, et je ne l'ai touché qu'avec le plat de la lame ; je l'ai assommé pour le compte. Mais j'ai bien failli le tuer. Et je crois que si c'était arrivé, je n'aurais pas été bien dans ma peau.

— Et c'est tout ?

— C'est suffisant, déclara Druss.

— Tu n'as jamais violé de femme ? Ou tué un homme désarmé ? Ou volé ?

— Non. Et je ne le ferai jamais.

Varsava se leva.

— Tu es quelqu'un de peu commun, Druss. À mon avis, soit ce monde va te haïr, soit il va te vénérer.

— L'un ou l'autre, je m'en moque, dit Druss. Sommes-nous encore loin de cette forteresse dans les montagnes ?

— Encore deux jours de marche. Nous camperons dans le bois de pins, plus haut ; il y fera froid, mais l'air est pur. Au fait, tu ne m'as pas encore expliqué pourquoi tu as proposé de m'aider…

— C'est exact, répondit Druss avec un sourire. Et maintenant, allons monter ce campement.

Ils progressaient à travers un long col qui débouchait sur un bois de pins et une vallée en forme de poire. La vallée était parsemée de maisons, regroupées de chaque côté d'une rivière étroite. Druss scruta la vallée.

— Il doit bien avoir une cinquantaine de foyers, dit-il.

— Oui, convint Varsava. La plupart sont des fermiers. Cajivak les laisse tranquilles, en échange de viande et de blé pour l'hiver. Mais il est préférable de rester dans la froidure du bois car Cajivak a certainement des espions dans ce village, et je ne veux pas qu'il apprenne notre présence.

Les deux hommes se rendirent à l'abri des pins. Ici, le vent soufflait moins fort, aussi se mirent-ils en quête d'un bon emplacement. Le paysage était semblable à celui des montagnes d'où était originaire Druss, ce qui le fit de nouveau songer aux jours heureux avec Rowena. Quand il s'était lancé à sa poursuite en compagnie de Shadak, il avait été persuadé que ce n'était qu'une question de jours. Même à bord du bateau il avait cru que sa quête touchait au but. Mais les mois, puis les années, de recherche avaient érodé sa confiance. Il savait qu'il n'abandonnerait jamais la chasse, mais il ignorait les conséquences. Et si elle s'était remariée et avait des enfants ? Et si elle avait trouvé le bonheur sans lui ? Que se passerait-il lorsqu'il reviendrait dans sa vie ?

Ses pensées furent interrompues par l'écho d'un rire à travers la vallée. Varsava quitta la piste en silence. Druss lui emboîta le pas. Un peu plus loin, sur la gauche, il y avait une clairière où serpentait un ruisseau. Au milieu, un groupe d'hommes lançait des couteaux contre un tronc d'arbre. Un vieillard était attaché au tronc, les bras écartés. Une lame lui avait entaillé la peau du visage, et il avait des blessures aux bras ; un couteau était planté dans sa cuisse. Il sembla évident à Druss que ces hommes jouaient à savoir qui lancerait son couteau le plus près du vieil homme. À gauche de cette scène, une jeune fille se débattait avec trois hommes. Soudain, ils déchirèrent sa robe et la plaquèrent au sol. Elle hurla. Druss ôta son sac à dos et s'avança, mais Varsava l'attrapa par le bras.

— Qu'est-ce que tu fais ? Ils sont une dizaine.

Druss se contenta de hausser les épaules et sortit à grands pas des arbres derrière les sept lanceurs de couteaux. Ils ne l'avaient pas entendu arriver. Il attrapa les têtes des deux hommes les plus proches et les fracassa l'une contre l'autre ; un craquement à soulever le cœur retentit et ils tombèrent au sol sans un murmure. Un troisième homme se retourna en entendant le bruit, mais n'eut pas le temps d'être surpris qu'un gantelet d'argent s'écrasait contre sa bouche, lui brisant les dents. Inconscient, l'homme fut propulsé en arrière et percuta ses camarades. Un guerrier sauta sur Druss en lui assénant un coup d'épée vers le ventre, mais Druss dévia la lame et lui balança un direct du gauche au menton. Les autres le chargèrent ; une lame de couteau transperça son gilet, lui ouvrant la peau au niveau de la hanche. Druss attrapa le guerrier le plus proche, et l'attira à lui pour lui mettre un coup de tête, puis il se dévissa légèrement sur lui-même pour balancer un revers à un autre attaquant. Celui-ci fit une roulade arrière dans la clairière, essaya de se relever mais s'écroula contre un arbre, se désintéressant totalement de la bagarre.

Druss luttait avec deux hommes lorsqu'il entendit un hurlement à glacer le sang. Ses attaquants s'immobilisèrent. Druss dégagea un bras et asséna une manchette terrible au cou du premier. Le second relâcha son étreinte et s'enfuit en courant. Druss scruta les lieux de son regard pâle à la recherche d'un nouvel adversaire. Mais il ne vit que Varsava, dont le grand couteau de chasse gouttait de sang. Il y avait deux cadavres à ses pieds. Les trois hommes que Druss avait frappés étaient affalés sur le sol et ne bougeaient plus. Celui auquel il avait balancé un revers de la main était toujours au pied de son arbre. Druss s'approcha de lui et le releva.

— C'est le moment de dire adieu, mon garçon ! dit Druss.

— Ne me tuez pas ! supplia-t-il.

— Qui a parlé de te tuer ? Va-t'en !

L'homme partit, les jambes en coton, et Druss se rendit à l'endroit où le vieillard était attaché. Une seule de ses blessures était profonde. Druss le libéra et l'aida à s'asseoir. D'un geste vif il retira le couteau de sa cuisse. Varsava les rejoignit.

— Il va falloir recoudre, dit-il. Je vais chercher mon sac.

Le vieil homme se força à sourire.

— Je vous remercie, mes amis. Ils ont bien failli me tuer. Où est Dulina ?

Druss regarda aux alentours, mais la jeune fille n'était visible nulle part.

— Ils n'ont pas eu le temps de lui faire de mal, annonça-t-il. Je pense qu'elle s'est enfuie quand la bagarre a commencé.

Druss lui fit un garrot à la jambe et s'en alla inspecter les cadavres. Les deux hommes qui avaient attaqué Varsava étaient morts, tout comme un troisième, la nuque brisée. Les deux derniers étaient inconscients. Druss les mit sur le dos et les secoua afin de les réveiller. Puis il les releva. L'un d'eux retomba aussitôt par terre.

— Qui êtes-vous ? demanda le guerrier qui tenait toujours debout.

— Druss.

— Cajivak vous tuera pour ça. Si j'étais vous, je quitterais les montagnes.

— Tu n'es pas moi, mon garçon. Je vais là où j'en ai envie. Maintenant, ramasse ton camarade et ramène-le chez lui.

Druss leva l'homme au sol et il les regarda quitter la clairière. Quand Varsava revint, une jeune fille marchait à ses côtés. Elle essayait de remettre sa robe en lambeaux.

— Regarde ce que j'ai trouvé, déclara Varsava. Elle se cachait derrière un buisson.

Ignorant la fille, Druss grogna et alla jusqu'au ruisseau pour y boire.

S'il avait eu Snaga avec lui, la clairière serait maintenant inondée de sang et parsemée de morts. Il s'assit, contemplant l'eau qui ondulait devant lui.

Quand il avait perdu sa hache, Druss avait eu l'impression qu'on lui enlevait un fardeau du cœur. Le prêtre de Capalis avait eu raison : c'était une arme démoniaque. Il avait ressenti son pouvoir chaque fois qu'une bataille faisait rage, et s'était laissé séduire par la soif de sang qui le submergeait comme un raz-de-marée. Mais après les batailles, il se sentait toujours vide et désenchanté. Même la nourriture épicée restait fade ; et les jours d'été semblaient gris et maussades.

Puis vint le jour où, dans les montagnes, des guerriers naashanites l'attaquèrent. Il en avait tué cinq, mais une cinquantaine d'autres lui avaient donné la chasse à travers les arbres. Il avait essayé de franchir la falaise, mais comme il tenait sa hache en même temps, ses gestes avaient été maladroits et lents. Puis le rebord avait cédé et il était tombé, tournant et tourbillonnant dans les airs. Il s'était débarrassé de sa hache afin de pouvoir transformer sa chute en plongeon ; mais il s'y était mal pris, et il avait fait un plat, sur le dos, expulsant tout l'air de ses poumons. La rivière était en crue et il avait été emporté trois kilomètres plus loin avant de pouvoir s'agripper à une branche qui dépassait de la rive. Il s'était hissé hors de l'eau et s'était assis pour contempler la rivière, comme il le faisait maintenant.

Snaga était partie.

Et Druss se sentait libre.

— Merci d'avoir aidé mon grand-père, fit une voix douce.

Il se retourna et sourit.

— Ils ne t'ont pas fait mal.

— Un peu, répondit Dulina. Ils m'ont frappée au visage.

— Quel âge as-tu ?

— Douze ans – presque treize.

C'était une enfant adorable avec de grands yeux noisette et des cheveux châtains.

— Eh bien, ils sont partis à présent. Tu es du village ?

— Non. Grand-père est rémouleur. On va de ville en ville ; il aiguise les couteaux et répare les choses. Il est très intelligent.

— Où sont tes parents ?

La fille haussa les épaules.

— Je n'en ai jamais eu ; seulement grand-père. Vous êtes très fort – mais vous saignez !

Druss gloussa.

— Je cautérise vite, ma petite.

Il retira son gilet et examina l'entaille sur sa hanche. La peau avait été coupée, mais pas profondément.

Varsava les rejoignit.

— Il faudrait aussi suturer ça, *grand héros*, dit-il, une note d'irritation dans la voix.

Du sang coulait toujours de la blessure. Druss s'étendit et ne bougea plus. Varsava en profita pour lui recoller sans manières les lèvres de la plaie ; il les maintint à l'aide d'une épingle avec laquelle il transperça la chair.

— Je suggère que nous nous en allions d'ici et rentrions à Lania. Je pense que nos amis ne vont pas tarder à revenir.

Druss enfila son gilet.

— Et la forteresse ? Et les mille pièces d'or ?

Varsava, incrédule, secoua la tête.

— Ta petite… escapade… a mis un terme à mes projets. Je vais rentrer à Lania et exiger mes cent pièces d'or pour avoir trouvé le garçon. Quant à toi, tu peux faire ce que tu veux.

— Tu abandonnes rapidement, mercenaire. On leur a un peu cassé la tête ! Qu'est-ce que ça change ? Cajivak a des centaines d'hommes ; il ne va pas s'intéresser à chaque bagarre.

— Ce n'est pas Cajivak qui m'inquiète, Druss. C'est toi. Je ne suis pas venu ici pour sauver des demoiselles en détresse ou tuer des dragons, ou quoi que ce soit d'autre que font les héros des contes et légendes. Que se passera-t-il si on pénètre dans la forteresse et que tu aperçois… une victime en danger ? Pourras-tu faire comme si de rien était ? Est-ce que tu peux t'en tenir à un plan d'action qui nous fera réussir notre mission ?

Druss réfléchit un instant.

— Non, dit-il enfin. Non, je ne pourrai jamais faire comme si de rien n'était.

— C'est bien ce que je pensais. Maudit sois-tu ! Que cherches-tu à prouver, Druss ? Tu souhaites plus de chansons sur tes faits et gestes ? Ou est-ce que tu veux simplement mourir jeune ?

— Non, je n'ai rien à prouver, Varsava. Et je vais peut-être mourir jeune. Mais quand je me regarderai dans un miroir, je n'aurai jamais honte de moi parce que j'aurai laissé un vieil homme souffrir et une enfant se faire violer. Pas plus que je ne serai hanté par un conciliateur mort injustement. Va où tu veux, Varsava. Guide ces gens vers Lania. Je vais me rendre dans cette ville fortifiée.

— Ils te tueront.

Druss haussa les épaules.

— Tout le monde meurt. Je ne suis pas immortel.

— Non, tu es juste idiot, rétorqua sèchement Varsava.

Le mercenaire tourna sur ses talons et s'en alla à grands pas.

Michanek posa son épée ensanglantée sur les remparts et défit les attaches métalliques de son heaume de bronze. Il l'ôta pour apprécier la rafale de vent soudaine qui souffla sur son front en sueur. L'armée ventrianne se retirait en désarroi du champ de bataille. Elle laissait derrière elle le bélier avec lequel les soldats avaient voulu défoncer les portes. Au pied de celles-ci, le sol était jonché de cadavres. Michanek se rendit à l'arrière des remparts et hurla une série d'ordres à un escadron qui se trouvait en bas.

— Ouvrez les portes et allez chercher cette saleté de bélier ! leur cria-t-il.

Il tira un chiffon de sa ceinture et essuya son épée pour en enlever le sang. Puis il la rengaina.

Ils venaient de repousser la quatrième attaque de la journée ; il n'y en aurait pas d'autre avant le lendemain. Pourtant, la plupart des hommes ne semblaient pas anxieux de quitter les murs. Dans la cité, la peste décimait la population civile. *Non*, pensa-t-il, *c'est pire que de la décimation.* Plus d'un habitant sur dix était atteint.

Gorben n'avait pas bouché la rivière. Il avait fait verser dedans toutes les corruptions possibles – des animaux morts, rongés par les vers, et les déjections de ses onze mille hommes de troupes. Pas étonnant que la maladie se soit répandue au sein de la population.

C'étaient les puits artésiens qui fournissaient désormais la majorité de l'eau dans la cité ; mais personne ne connaissait leur profondeur ni ne savait combien de temps l'eau resterait potable. Michanek leva les yeux vers le ciel bleu azur : pas un nuage en vue ; cela faisait près d'un mois qu'il n'avait pas plu.

Un jeune officier s'approcha de lui.

— Deux cents avec des blessures superficielles, soixante morts et trente-trois qui ne pourront plus jamais se battre, récita-t-il.

Michanek acquiesça, l'esprit ailleurs.

— Quelles nouvelles du centre ville, mon frère ? demanda-t-il.

— La peste diminue. Moins de soixante-dix morts, hier ; des enfants pour la plupart, et des personnes âgées.

Michanek se redressa et sourit au jeune homme.

— Ta section s'est bien battue aujourd'hui, dit-il en donnant une claque sur l'épaule de son frère. Je veillerai à ce qu'un rapport atterrisse sur le bureau de l'empereur quand nous serons de retour à Naashan.

Le jeune homme ne répondit pas. Leur regard se croisèrent et la pensée muette passa entre eux : *si* nous retournons à Naashan.

— Va te reposer, Narin. Tu as l'air épuisé.

— Toi aussi, Michi. Et je n'ai participé qu'aux deux dernières attaques – tu es là depuis l'aube.

— Oui, je suis fatigué. Mais Pahtaï va me revigorer ; elle y arrive toujours.

Narin gloussa.

— Je n'aurais jamais cru que tu puisses être amoureux si longtemps. Pourquoi ne l'épouses-tu pas ? Tu ne trouveras jamais de meilleure femme. Elle est vénérée dans toute la ville. Hier, elle a fait le tour du quartier pauvre pour soigner les malades. C'est incroyable : elle est plus douée que tous les docteurs réunis. Il semblerait que tout ce qu'elle ait besoin de faire soit de poser ses mains sur les mourants, et leurs bubons disparaissent.

— À t'entendre, on croirait que tu es également amoureux d'elle, fit Michanek.

— Je crois que je le suis – un peu, admit Narin en rougissant. Est-ce qu'elle fait toujours les mêmes rêves ?

— Non, mentit Michanek. On se verra ce soir.

Il descendit des remparts et longea les rues qui le conduisaient chez lui. Toutes les maisons qu'il croisait semblaient porter la croix blanche dessinée à la craie qui indiquait la présence de la peste. Le marché était désert, les étals vides. À présent, tout était rationné : la nourriture – cent grammes de farine et vingt-cinq grammes de fruits secs par personne – était distribuée chaque jour depuis les entrepôts est et ouest.

Pourquoi ne l'épouses-tu pas ?

Pour deux raisons qu'il ne pourrait jamais confier. Premièrement, elle était déjà mariée à quelqu'un d'autre, bien qu'elle l'ignorât. Et deuxièmement, cela reviendrait à signer son propre arrêt de mort. Rowena avait prédit qu'il mourrait ici, avec Narin à ses côtés, un an jour pour jour après son mariage.

Elle ne se souvenait pas non plus de cette prédiction, car les sorciers avaient bien fait leur travail. Elle avait perdu son Talent, et tous ses souvenirs de jeunesse en Drenaï. Michanek ne se sentait d'ailleurs pas coupable. Son Talent était en train de la détruire ; maintenant, au moins, elle souriait, heureuse. Il n'y avait que Pudri qui connaissait la vérité, et il était suffisamment sage pour se taire.

Michanek tourna dans l'avenue des Lauriers et poussa les grilles de sa maison. Il n'y avait plus de jardiniers, et les plants de fleurs étaient envahis par les mauvaises herbes. La fontaine ne fonctionnait plus, et la mare aux poissons était sèche et craquelée. Alors qu'il avançait vers la maison, Pudri vint à sa rencontre en courant.

— Maître, venez vite, c'est Pahtaï.

— Que s'est-il passé ? cria Michanek en agrippant le petit homme par sa tunique.

— La peste, maître, murmura-t-il les larmes aux yeux. C'est la peste.

Varsava trouva une grotte sur le versant nord d'une montagne ; elle était profonde et étroite, en forme de six. Il fit un petit feu contre la paroi du fond, sous une fissure dans la roche qui formait une cheminée naturelle. Le vieil homme, que Druss avait porté jusqu'ici, s'était endormi d'un sommeil profond et réparateur, la jeune fille, Dulina, à ses côtés. Après être sorti pour vérifier si le feu n'était pas visible de l'extérieur, Varsava resta ensuite assis à l'entrée de la grotte pour contempler les bois aussi sombres que la nuit.

Druss le rejoignit.

— Pourquoi es-tu en colère, mercenaire ? Tu n'éprouves pas de satisfaction d'avoir volé à leur secours ?

— Non, aucune, répondit Varsava. Mais il faut dire que personne n'a jamais fait de chanson sur moi. Je prends soin de moi, tout seul.

— Cela n'explique pas ta colère.

— Et je ne pourrais pas l'expliquer de manière suffisamment claire pour un esprit aussi simple que le tien. Par le Sang de Borza !

Et il s'en prit à Druss.

— Le monde est un endroit tellement simple pour toi, Druss, que cela doit en être abrutissant. Il y a le bien, et le mal. Est-ce qu'il ne t'arrive jamais de penser qu'entre les deux il pourrait bien y avoir une grande zone qui n'est ni pure, ni malfaisante ? Non, bien sûr, tu n'y penses pas ! Prends aujourd'hui, par exemple. Le vieil homme aurait pu être un dangereux sorcier qui boit le sang des enfants ; et les hommes qui le punissaient pouvaient être les pères de ces enfants. Tu n'en savais rien, mais tu as quand même foncé dans le tas.

Varsava secoua la tête et reprit sa respiration.

— Tu as tort, répondit Druss. J'ai déjà entendu tes arguments, de la part de Sieben ou Bodasen – et d'autres encore. Je suis d'accord, je suis quelqu'un de simple. Je peux à peine lire plus que mon nom, et je ne comprends pas les discussions compliquées. Mais je ne suis pas aveugle. L'homme qui était attaché à l'arbre portait des vieux habits qu'il avait dû coudre lui-même ; l'enfant portait les mêmes. Ils n'étaient pas riches, comme un sorcier le serait. Et as-tu écouté le rire des lanceurs de couteaux ? Il était dur, cruel. Ce n'étaient pas des fermiers. Ils avaient acheté leurs vêtements, leurs bottes et leurs chaussures étaient en cuir de bonne qualité. C'étaient des gredins.

— Peut-être bien, convint Varsava, mais ce n'étaient pas tes affaires ! Est-ce que tu vas parcourir le monde à la recherche des veuves et des orphelins à protéger ? C'est ton ambition dans la vie ?

— Non, déclara Druss, mais ce ne serait pas une mauvaise ambition.

Il resta silencieux plusieurs minutes, perdu dans ses pensées. Shadak lui avait donné un code, et lui avait fait comprendre que sans une discipline de fer, il deviendrait aussi mauvais que n'importe quel maraudeur. Et puis il y avait Bress, son père, qui avait souffert toute sa vie d'être le fils de Bardan. Et pour finir, Bardan lui-même, guidé par les démons, et qui était devenu l'un des bandits les plus détestés de toute l'Histoire. Les vies, les mots et les faits de ces trois hommes avaient créé le guerrier qui était assis en ce moment au côté de Varsava. Mais Druss ne trouvait pas les mots pour expliquer cela, et il fut même surpris de désirer le faire ; il n'avait jamais ressenti ce besoin avec Sieben ou Bodasen.

— Je n'avais pas le choix, dit-il enfin.

— Pas le choix ? répéta Varsava. Pourquoi ?

— Parce que j'étais là. Et qu'il n'y avait personne d'autre.

En sentant les yeux de Varsava sur lui, et lisant l'incompréhension dans son regard, il se détourna pour contempler le ciel nocturne. Il savait que cela n'avait pas de sens, mais il savait également qu'il se sentait bien d'avoir sauvé la fille et le vieil homme. Cela n'avait aucun sens, mais c'était *juste*.

Varsava se leva et retourna au fond de la grotte, laissant Druss seul. Un vent froid souffla sur les montagnes et Druss put sentir que la pluie allait venir. Il se remémora une autre nuit glaciale, il y avait bien des années, où il campait avec Bress dans les montagnes lentrianes. Druss était très jeune à l'époque, dans les sept ou huit ans, et il était malheureux. Des hommes s'étaient mis à crier après son père, puis s'étaient réunis devant l'atelier où il venait d'emménager dans un petit village. Il avait été persuadé que son père allait sortir pour les chasser, mais au lieu de cela, à la nuit tombée, il avait ramassé quelques affaires et emmené le garçon dans les montagnes.

— Pourquoi est-ce qu'on s'enfuit ? avait-il demandé à Bress.

— Parce qu'ils vont parler entre eux, et ils vont revenir pour mettre le feu à l'atelier.

— Tu aurais dû les tuer, avait rétorqué le garçon.

— Cela n'aurait pas été une bonne solution, avait répondu sèchement Bress. La plupart sont de braves gars, mais ils ont peur. Nous trouverons un endroit où personne ne connaît Bardan.

— Je ne fuirai jamais, avait déclaré le garçon, et Bress avait soupiré.

Puis, un homme s'était approché du feu de camp. C'était un vieillard chauve, aux habits en loques, mais avec des yeux brillants et pleins de malice.

— Puis-je profiter de votre feu ? avait-il demandé à Bress.

Ce dernier l'avait accueilli et lui avait offert de la viande séchée et une tisane que le vieil homme avait acceptées avec reconnaissance. Druss s'était endormi pendant que les deux hommes parlaient, mais il s'était réveillé quelques heures plus tard. Bress était endormi, mais l'étranger, lui, était assis à coté du feu et remettait des brindilles dans les flammes. Druss s'était levé de ses couvertures pour aller vers lui.

— Tu as peur du noir, mon garçon ?

— Je n'ai peur de rien, avait répondu Druss.

— C'est bien, avait déclaré le vieil homme, ce n'est pas comme moi. Toute ma vie j'ai eu peur d'une chose ou d'une autre.

— Pourquoi ? avait demandé le jeune garçon, intrigué.

Le vieil homme avait ri.

— En voilà une question ! Si seulement je pouvais y répondre.

Il avait ramassé une poignée de brindilles et l'avait jetée dans le feu. Druss avait alors vu que son bras était balafré de toute part.

— Comment vous vous êtes fait ça ? s'était enquis le garçon.

— J'ai été soldat une grande partie de ma vie, fiston. Je me suis battu avec les Nadirs, les Vagrians, les Sathulis, les corsaires, les brigands. Cite un ennemi, et tu peux être sûr que j'ai croisé le fer avec.

— Mais vous avez dit que vous étiez un lâche.

— Je n'ai rien dit de tel, mon garçon. J'ai dit que j'avais *peur*. Il y a une différence. Un lâche est un homme qui sait ce qui est juste, mais qui a peur de le faire ; il y en a plein, des comme ça. Mais les pires d'entre eux sont faciles à repérer : ils parlent fort, ils se vantent beaucoup, et s'ils en ont l'occasion, ils se montrent aussi cruels qu'un péché.

— Mon père est un lâche, avait déclaré tristement le garçon.

Le vieil homme avait haussé les épaules.

— Si c'est vrai, mon garçon, alors il est le premier à me tromper depuis un bon bout de temps. Si tu dis ça parce que vous vous êtes enfuis du village, dis-toi que parfois, dans la vie, la meilleure chose est la fuite. Je connaissais un soldat. Il buvait comme un poisson, forniquait comme un chat de gouttière, et se battait contre tout ce qui marchait, rampait ou nageait. Mais il a trouvé Dieu : il est devenu prêtre de la Source. Un jour qu'il marchait dans la rue, un homme qu'il avait battu dans un combat de rue par le passé le reconnut. Il vint se planter devant le prêtre et lui mit son poing dans la figure. Le prêtre tomba par terre. Je sais, j'étais là. Il s'est relevé mais n'a plus bougé. Il voulait se battre – tout en lui voulait se battre. Mais il avait conscience de ce qu'il était et se retint. Il y avait un tel conflit intérieur chez lui qu'il fondit en larmes. Et puis il partit. Par les dieux, mon garçon, c'était une leçon de courage.

— Je ne crois pas que c'était du courage, avait affirmé Druss.

— Les gens qui ont vu la scène pensaient comme toi. Mais c'est quelque chose que tu apprendras, j'espère. Même si un million de personnes croient en une idiotie, ça reste une idiotie.

L'esprit de Druss revint au présent. Il ne savait pas pourquoi cette rencontre lui était revenue à l'instant, mais le souvenir le laissa triste et démoralisé.

Chapitre 2

Un orage éclata dans les montagnes. Le roulement du tonnerre faisait vibrer les parois de la grotte, et Druss rentra s'y mettre à l'abri. Un rideau de pluie tombait à l'entrée. Dans la vallée en dessous, des éclairs zébraient le ciel. Le paysage avait l'air complètement différent : les nobles pins et les ormes ressemblaient à des repaires hantés d'ombres, et sous la fureur du ciel, les maisons accueillantes avaient l'air de pierres tombales.

Un vent violent fouettait les arbres. Druss vit un troupeau de daims sortir des bois en courant ; leurs mouvements avaient l'air saccadé et maladroit sous les éclairs. La foudre s'abattit sur un arbre qui sembla imploser, se fendant en deux. Des flammes jaillirent brièvement du tronc détruit, mais furent vite éteintes par la pluie.

Dulina s'approcha lentement de Druss et se blottit contre lui. Il sentit les points de suture sur sa hanche protester à son contact, mais il passa son bras autour de ses épaules.

— Ce n'est qu'un orage, mon enfant, lui dit-il. Il ne peut pas nous faire de mal.

Comme elle ne disait rien, il la prit dans ses bras et la souleva. Elle était chaude. *Presque fiévreuse,* pensa-t-il.

Druss soupira. Il ressentait de nouveau le poids de la perte, et se demanda où était Rowena en cette féroce nuit noire. Est-ce qu'elle aussi avait de l'orage ? Ou est-ce que sa nuit était calme ? Éprouvait-elle cette sensation de perte également, ou Druss n'était-il plus qu'un vague souvenir de sa vie passée dans les montagnes ? Il baissa les yeux et s'aperçut que la petite fille s'était endormie, la tête dans le creux de ses bras.

En la tenant doucement, mais fermement, Druss se leva et la ramena à côté du feu. Il l'allongea sur sa couverture et mit le reste du bois dans le feu.

— Tu es un homme bon, fit une voix chaleureuse.

Druss leva les yeux et vit que le vieux rémouleur était réveillé.

— Comment va la jambe ?

— Douloureuse, mais je guérirai. Tu as l'air triste, mon ami.

Druss haussa les épaules.

— Les temps sont tristes.

— J'ai entendu ta conversation avec Varsava. Je suis désolé d'apprendre qu'en nous aidant vous avez perdu toute chance d'en aider d'autres. (Il sourit.) Même si je ne souhaite pas revenir en arrière, si tu me comprends.

Druss gloussa.

— Moi non plus.

— Je suis Ruwaq, le rémouleur, déclara le vieillard en tendant une main osseuse.

Druss la serra et s'assit à côté de lui.

— D'où viens-tu ?

— À l'origine ? Des terres matapeshes, loin à l'est de Naashan et au nord des Jungles Opale. Mais je suis le genre d'homme qui a toujours besoin de voir de nouvelles montagnes. Les gens pensent qu'elles se ressemblent toutes, mais c'est faux. Certaines sont vertes, luxuriantes, d'autres couronnées de glace et de neige. Certaines sont pointues comme des épées, certaines vieilles et arrondies, confortables pour l'éternité. J'aime les montagnes.

— Qu'est-il arrivé à tes enfants ?

— Mes enfants ? Oh, je n'en ai jamais eu. Je ne me suis jamais marié.

— Je croyais que c'était ta petite-fille ?

— Non, je l'ai trouvée aux abords de Resha. Elle avait été abandonnée et elle mourait de faim. C'est une bonne petite. Je l'aime tendrement. Et je ne pourrai jamais te rembourser ma dette pour l'avoir sauvée.

— Il n'y a pas de dette, affirma Druss.

Le vieil homme leva sa main et agita son doigt en protestation.

— Je n'accepte pas ça, mon ami. Tu lui as fait cadeau – ainsi qu'à moi – du don de la vie. Je n'aime pas les orages, mais j'ai vu celui-ci approcher avec beaucoup de plaisir. Parce qu'avant que tu ne pénètres dans la clairière, j'étais un homme mort et Dulina allait être violée puis, sans doute, égorgée. Jamais un orage ne m'a paru aussi beau. Et personne ne m'avait fait un tel cadeau.

Le vieillard avait des larmes aux yeux et Druss se sentait de plus en plus gêné. Au lieu d'être transporté de joie par la gratitude de cet homme, il se sentait honteux. Un vrai héros, croyait-il, serait venu à l'aide du vieil homme dans un but de justice et de compassion. Druss savait que ce n'était pas la raison pour laquelle il les avait secourus.

Loin de là. Une juste cause… pour une mauvaise raison. Il tapota le vieillard sur l'épaule et retourna à l'entrée de la grotte. Il vit que l'orage se déplaçait vers l'est et que la pluie diminuait. L'esprit de Druss sombra. Si seulement Sieben avait été là… Aussi agaçant qu'il puisse être, le poète avait toujours eu le don de remonter le moral du guerrier.

Mais Sieben avait refusé de l'accompagner, préférant les plaisirs de la vie citadine à un voyage pénible dans les montagnes pour Resha.

Non, pensa Druss, *cela n'avait rien à voir avec le voyage ; ce n'était qu'un prétexte.*

— Je te propose un marché, mon vieux, lui avait dit Sieben le dernier jour. Laisse la hache et je changerai d'avis. Enterre-la. Jette-la dans la mer. Je m'en moque.

— Ne me dis pas que tu crois à ces sornettes ?

— Je l'ai vu, Druss. Vraiment. Et cela causera ta perte – ou du moins celle de l'homme que je connaissais.

Et à présent, il n'avait plus de hache, plus d'ami et plus de Rowena. N'étant pas habitué au désespoir, Druss se sentit perdu. Sa force ne lui servait à rien.

L'aube éclaira le ciel. Les gouttes de pluie luisaient dans l'herbe et les branches. Dulina s'approcha de lui.

— J'ai fait un rêve magnifique, dit-elle pleine de joie. Il y avait un grand chevalier sur un cheval blanc. Et il venait nous chercher, grand-père et moi. Il m'a fait monter sur sa selle. Et puis il a retiré son heaume d'or et m'a dit : « Je suis ton père. » Et puis il m'a emmenée vivre dans son château. Je n'avais jamais fait un rêve comme ça. Tu crois qu'il va se réaliser ?

Druss ne répondit pas. Il scrutait les bois. Des hommes en armes sortaient des arbres et avançaient en direction de la grotte.

Le monde s'était réduit à un espace d'agonie et de ténèbres. Tout ce que Druss pouvait ressentir, c'était la douleur. Il était allongé dans un cachot sans fenêtre et écoutait les rats gambader autour de lui. Il n'y avait jamais aucune lumière, à part le soir, quand le geôlier faisait sa ronde dans le couloir. Alors, une faible lueur passait l'espace d'une fraction de seconde sous la grille de la porte en pierre. C'était le seul moment pendant lequel Druss pouvait entrapercevoir son environnement. Le plafond n'était qu'à un mètre vingt du sol, et la cellule faisait moins de deux mètres carrés, sans aération. De l'eau suintait des murs, qui étaient glacés.

Druss repoussa un rat qui lui escaladait la jambe, et le simple mouvement réveilla ses blessures. Il pouvait à peine bouger son cou, son épaule droite était endolorie et brûlante au toucher. Il frissonna à l'idée qu'un de ses os puisse être cassé.

Depuis combien de jours était-il là ? Il avait perdu le compte après le soixante-troisième. Il avait recommencé de compter peu de temps après en estimant que cela devait bien faire soixante-dix jours, au moins. Mais il n'arrivait pas à se concentrer. De temps en temps, il rêvait aux montagnes, à sa maison, au ciel bleu et au vent frais du nord sur son front. Parfois, il essayait de se rappeler des moments de sa vie.

— Je vais te briser, jusqu'à ce que tu demandes grâce, avait dit Cajivak le jour où ils avaient jeté Druss sur le sol de la grand-salle.

— Dans tes rêves, affreux fils de pute.

Cajivak l'avait roué de coups, sur le visage, sur le corps, avec une brutalité animale. Druss avait les mains attachées dans son dos, reliées à son cou par une corde. Il n'avait rien pu faire que d'accepter sa correction.

Les deux premières semaines, on l'avait enfermé dans une cellule un peu plus grande. Mais chaque fois qu'il s'endormait sur son lit, des hommes lui sautaient dessus et le frappaient avec des bâtons. Au début, il s'était défendu ; il en avait attrapé un par la gorge et lui avait fracassé le crâne contre un des murs de la cellule. Mais, privé d'eau et de nourriture pendant des jours, ses forces l'avaient abandonné. Sa seule solution avait été de se mettre en boule pour supporter les impitoyables bastonnades.

Et puis, ils l'avaient jeté dans ce petit cachot. Avec horreur, il les avait vus refermer la porte en pierre. Tous les deux jours, un garde lui passait du pain rassis et un bol d'eau par une grille étroite dans la porte. Deux fois déjà, il avait attrapé des rats et les avait mangés crus, se coupant les lèvres sur leurs petits os.

À présent, il ne vivait que pour cet instant de lumière où le garde repartait dans le monde extérieur.

— On a attrapé les autres, lui avait dit un jour le geôlier en lui passant sa nourriture.

Mais Druss ne l'avait pas cru. La cruauté de Cajivak était telle qu'il l'aurait certainement fait venir pour assister à leur exécution.

Il se remémora Varsava poussant l'enfant dans la cheminée naturelle de la grotte, la suppliant de se dépêcher. Il se souvint également avoir soulevé Ruwaq suffisamment haut pour que Varsava l'attrape par le poignet et le tire hors de vue. Druss lui-même avait failli s'échapper quand il avait entendu les soldats entrer dans la grotte. Il s'était retourné.

Et il avait chargé…

Mais ils avaient été trop nombreux, et la plupart avaient des gourdins. Finalement, ils l'avaient plaqué au sol et lui avaient asséné une pluie de coups de pied et de coups de poing. Il s'était réveillé avec une corde autour du cou, les mains liées. On l'avait obligé à marcher derrière un cavalier, et plusieurs fois il était tombé par terre, la corde se resserrant autour de son cou, lui déchirant la peau.

Varsava avait décrit Cajivak comme un monstre, et il n'aurait pas pu mieux trouver. Celui-ci mesurait dans les deux mètres dix, avec des épaules incroyablement larges, et des biceps de la taille d'une cuisse. Ses yeux étaient sombres, presque noirs. Il n'avait pas un seul cheveu du côté droit ; la peau y était blanche, squameuse et couverte de tissu conjonctif que seule une grande brûlure avait pu créer. La folie se lisait dans son regard. Druss avait jeté un coup d'œil à la gauche du monstre. Là, contre un trône, se trouvait une arme.

Snaga !

Druss repoussa ces souvenirs et s'étira. Ses jointures craquèrent et ses mains tremblèrent à cause du froid qui émanait des murs humides.

N'y pense pas, s'imposa-t-il. *Concentre-toi sur autre chose*. Il essaya de visualiser Rowena, mais au lieu de cela, il se remémora le jour où le prêtre de Pashtar Sen l'avait retrouvé dans un petit village à quatre jours de marche de Lania. Druss était assis dans le jardin d'une auberge, et déjeunait. Il avait une assiette de viande rôtie devant lui, des petits oignons, et un pichet de bière. Le prêtre l'avait salué et s'était assis en face de lui. Sa tête chauve était rose, il pelait, la peau ayant pris un coup de soleil.

— Je suis heureux de vous retrouver en bonne santé, Druss. Cela fait six mois que je suis à votre recherche.

— Et vous m'avez trouvé, avait répondu Druss.

— C'est à propos de la hache.

— Ne vous inquiétez pas, mon père. Elle est partie. Vous aviez raison, c'était une arme maléfique. Je suis content de m'en être débarrassé.

Le prêtre avait secoué la tête.

— Elle est de retour, avait-il dit. Elle est actuellement en possession d'un voleur nommé Cajivak. Tueur dans l'âme, il a succombé nettement plus rapidement qu'un homme résistant comme vous au pouvoir de la hache. À présent, il terrorise la région autour de Lania, torturant, tuant et mutilant tous les gens qui tombent dans ses filets. Et comme la guerre monopolise les troupes, il n'y a personne pour l'arrêter.

— Pourquoi me dites-vous ça ?

Le prêtre était resté silencieux pendant un moment, essayant de ne pas croiser le regard de Druss.

— Je vous ai observé, avait-il finalement dit. Pas seulement ces temps-ci, mais également dans votre passé, depuis votre naissance, en passant par votre enfance, jusqu'à votre mariage avec Rowena et votre quête pour la retrouver. Vous êtes un homme peu commun, Druss. Vous contrôlez d'une poigne de fer les régions de votre âme qui ont un penchant pour le mal. Et vous avez peur de devenir comme Bardan. Eh bien, Cajivak est un nouveau Bardan. À part vous, qui pourrait le stopper ?

— Je n'ai pas de temps à perdre, prêtre. Ma femme est quelque part dans ce pays.

Le prêtre avait rougi et baissé la tête. Sa voix n'avait été qu'un murmure où transpirait la honte.

— Retrouvez la hache, et je vous dirai où est Rowena, avait-il proposé.

Druss s'était penché vers le prêtre et l'avait longuement dévisagé.

— Ce n'est pas digne de vous, avait-il fait remarquer.

Le prêtre avait levé les yeux.

— Je sais. (Il avait écarté les mains.) Je n'ai pas d'autre… moyen… de paiement.

— Je pourrais vous attraper par la peau du cou et vous forcer à me dire la vérité, avait fait observer Druss.

— Mais vous ne le ferez pas. Je vous connais, Druss.

Le guerrier s'était levé.

— J'irai chercher la hache, avait-il promis. Où serez-vous ?

— D'abord la hache – je vous retrouverai ensuite, lui avait affirmé le prêtre.

Seul, dans le noir, Druss se rappela avec amertume la confiance qu'il avait ressentie. Trouver Cajivak, récupérer la hache, et puis rejoindre Rowena : trop facile !

Tu es un imbécile, pensa-t-il. Son visage le démangea et il se gratta la peau avec un doigt crasseux, s'arrachant une croûte sur la joue. Un rat courut entre ses jambes et Druss plongea pour l'attraper, mais il le rata. Il s'efforça de se mettre à genoux, et sa tête heurta le plafond.

Une lueur de torche oscilla sous la grille, indiquant que le geôlier passait dans le couloir. Druss rampa jusqu'à la porte. La lumière lui brûla les yeux. Le garde, dont il ne pouvait voir le visage, lui balança un bol en grès. Il n'y avait pas de pain. Druss leva le bol et but toute l'eau.

— Tu es toujours vivant à ce que je vois, fit le geôlier d'une voix grave aussi glacée que les murs. Je pense que le seigneur Cajivak t'a oublié. Par les dieux, tu es chanceux – tu vas vivre ici en compagnie des rats pour le restant de tes jours. (Druss ne répondit pas et la voix continua.) Le dernier homme qui a vécu dans cette cellule y est resté cinq ans. Quand on l'en a sorti, ses cheveux étaient blancs et toutes ses dents pourries. Il était aveugle, et tordu comme un vieillard. Tu seras pareil.

Druss se concentra sur la lumière, essayant de discerner les ombres sur les murs. Le garde se releva, et la lumière disparut. Druss se renfonça dans sa cellule.

Pas de pain…

Tu vas vivre ici en compagnie des rats pour le restant de tes jours.

Le désespoir le cueillit comme un coup de marteau.

Dès qu'elle fut sortie de son corps malade, Pahtaï sentit que la douleur disparaissait. *Je meurs*, pensa-t-elle. Mais tout en s'élevant dans les airs, elle réalisa qu'elle n'éprouvait aucune peur, ni crise d'angoisse ; rien qu'un sentiment paisible d'harmonie.

C'était la nuit, les lanternes étaient allumées. Flottant en dessous du plafond, elle observa Michanek qui était assis à côté de la fragile jeune femme allongée dans le lit. Il lui tenait la main, caressant sa peau fiévreuse, et lui murmurait des mots d'amour. *C'est moi*, réalisa Pahtaï, en regardant la femme.

— Je t'aime, je t'aime, susurrait Michanek. Je t'en prie, ne meurs pas.

Il avait l'air si fatigué que Pahtaï voulut le prendre dans ses bras. Il représentait toute la sécurité et l'amour qu'elle ait connus. Elle se remémora le premier matin, lorsqu'elle s'était réveillée dans sa maison de Resha. Elle se rappelait le soleil qui brillait, l'odeur de jasmin qui émanait du jardin. Elle avait deviné aussitôt que l'homme barbu à ses côtés aurait dû lui dire quelque chose. Mais elle avait beau fouiller dans ses souvenirs, elle n'en trouvait pas trace. C'était affreusement gênant.

— Comment te sens-tu ? lui avait-il demandé.

La voix était familière, mais n'évoquait rien de précis. Elle essaya de se rappeler où elle aurait bien pu le rencontrer. C'est alors qu'elle eut un deuxième choc, infiniment plus puissant que le premier.

Elle ne se souvenait de rien ! Son visage avait dû trahir son émotion, car il s'était penché vers elle pour lui prendre la main.

— Ne t'inquiète pas, Pahtaï. Tu as été malade, gravement malade. Mais tu vas mieux, à présent. Je sais que tu ne te souviens pas de moi. Mais avec le temps cela te reviendra. (Il avait tourné la tête pour s'adresser à un petit homme maigre, à la peau sombre.) Regarde, Pudri est là, avait dit Michanek. Il s'est fait beaucoup de souci pour toi.

Elle s'était levée et avait vu les larmes dans les yeux du petit homme.

— Vous êtes mon père ? avait-elle demandé.

Il avait secoué la tête.

— Je suis ton serviteur et ton ami, Pahtaï.

— Et vous, monsieur ? avait-elle dit en posant le regard sur Michanek. Êtes-vous mon… frère ?

Il avait souri.

— Si tu le souhaites, je peux le devenir. Mais non, je ne suis pas ton frère. Et je ne suis pas ton maître, non plus. Tu es une femme libre, Pahtaï.

Il avait pris sa main et embrassé sa paume. Sa barbe était aussi douce que de la fourrure contre sa peau.

— Alors vous êtes mon mari ?

— Non, je ne suis qu'un homme qui t'aime. Prends ma main et dis-moi ce que tu ressens.

Elle s'était exécutée.

— C'est une belle main, forte. Et elle est chaude.

— Tu ne vois rien ? Pas de… visions ?

— Non. Je le devrais ?

Il secoua la tête.

— Bien sûr que non. C'est que… avec la fièvre, tu avais des hallucinations. Cela prouve que tu vas mieux.

Il lui avait de nouveau embrassé la main.

Comme il le faisait en ce moment.

Je t'aime, pensa-t-elle, soudainement triste d'être sur le point de mourir.

Elle traversa le plafond et fondit dans la nuit, en direction des étoiles. À travers ses yeux spirites, les étoiles ne scintillaient pas. Elles étaient immobiles et rondes dans le grand bol de la nuit. La cité était calme, et même les feux ennemis n'étaient pas effrayants. Ils ressemblaient à un collier brillant autour de Resha.

Elle n'avait jamais entièrement résolu le mystère de son passé. Apparemment, elle était une sorte de prophétesse et avait appartenu à un marchand nommé Kabuchek qui avait fui la ville bien avant qu'elle ne soit assiégée. Pahtaï se rappela la fois où elle s'était rendue à la maison du marchand, dans l'espoir que sa vue lui fasse jaillir des bribes de mémoire. Mais en arrivant, elle avait aperçu un homme solidement charpenté, habillé de noir et portant une hache à deux têtes, en train de parler à un serviteur. Instinctivement, elle s'était dissimulée dans une ruelle, le cœur battant. Il ressemblait à Michanek, mais en plus dur, plus dangereux. Elle n'était pas arrivée à le quitter des yeux ; une drôle de sensation s'était éveillée en elle.

Rapidement, elle était repartie chez elle en courant.

Et depuis lors, elle n'avait plus jamais essayé de découvrir son passé.

Mais parfois, lorsqu'elle faisait l'amour avec Michanek, elle se surprenait à penser à l'homme à la hache, et la peur la submergeait, ainsi qu'un sentiment de trahison. Michanek l'aimait et il ne lui semblait pas honnête qu'un autre homme – qu'elle ne connaissait même pas – puisse s'introduire dans ses pensées à un tel moment.

Pahtaï prit de l'altitude, et son esprit défila au-dessus du paysage dévasté par la guerre : maisons détruites, villages en ruines et villes abandonnées, presque fantomatiques. Elle se demanda si c'était ça, la route du Paradis. Arrivée à une chaîne de montagnes, elle vit une affreuse forteresse de pierres grises. Elle pensait toujours à l'homme à la hache, et fut attirée par l'endroit. Il y avait une grande salle où était assis un colosse au visage meurtri et aux yeux malveillants. À côté de lui était posée la hache de l'homme en noir.

Elle continua son exploration et descendit jusqu'aux cachots. Ils étaient sombres, froids, sales et peuplés de rats et de vermine. Le guerrier était là, le corps couvert d'ecchymoses. Il dormait et son esprit avait quitté son corps. Elle tendit sa main spectrale et essaya de lui toucher le visage, mais elle passa à travers la peau. Aussitôt, une faible lueur irradia de son corps. Elle toucha la lumière et le trouva.

Il était seul et désespéré. Elle parla avec lui, dans l'espoir de lui redonner des forces. Il répondit quelques mots. Des mots qui la choquèrent et lui firent peur. Puis, il disparut ; elle devina qu'il s'était réveillé.

Elle repartit dans la citadelle, flottant de couloir en couloir, fouillant les antichambres et les salles. Dans la cuisine déserte, elle trouva un vieil homme assis. Lui aussi rêvait, et ce rêve l'attira. Il était dans le même cachot ; il y avait vécu pendant des années. Pahtaï pénétra dans son esprit pour communiquer avec lui. Puis elle s'envola dans le ciel nocturne.

Je ne meurs pas, pensa-t-elle. *Je suis libre, c'est tout.*

En un instant, elle réintégra son corps à Resha. La douleur la submergea. Le poids de la chair sur son esprit était comme une prison. Elle sentit la main de Michanek, et les pensées liées au guerrier à la hache fondirent comme neige au soleil. D'un seul coup, elle fut heureuse, malgré la douleur. Il avait été si bon avec elle, et pourtant…

— Tu es réveillée ? fit-il d'une petite voix.

Elle ouvrit les yeux.

— Oui. Je t'aime.

— Moi aussi. Plus que la vie.

— Pourquoi ne m'as-tu jamais épousée ? lui demanda-t-elle.

Elle avait la gorge sèche, et les mots lui raclèrent la gorge. Puis elle le vit blêmir.

— C'est ce que tu désires ? Cela te ferait guérir ?

— Cela… me ferait… plaisir, répondit-elle.

— Je vais faire mander un prêtre, promit-il.

Elle l'avait trouvé sur un flanc de montagne désolé ; un vent glacial hurlait entre les pics. Il était faible et frigorifié : il tremblait de tous ses membres et son regard était vide.

— *Que fais-tu ? lui avait-elle demandé.*

— *J'attends la mort, avait-il répondu.*

— *Tu ne dois pas agir ainsi. Tu es un guerrier, et un guerrier ne se rend jamais.*

— Je suis à bout de forces.

Rowena s'était assise à côté de lui. Il avait goûté la chaleur de la main qu'elle avait posée sur son épaule et la douceur de son haleine.

— Sois fort, lui avait-elle dit en lui caressant les cheveux. Dans le désespoir réside la défaite.

— Je ne peux pas vaincre la pierre froide. Je n'arrive pas à voir dans les ténèbres. Mes membres pourrissent et mes dents se déchaussent.

— Il n'y a rien qui puisse t'aider à vivre ?

— Si, avait-il dit en essayant de la prendre dans ses bras. *Je ne vis que pour toi ! Depuis toujours. Mais je n'arrive pas à te trouver.*

Il se réveilla dans les ténèbres et la puanteur du cachot humide, puis rampa jusqu'à la grille de la porte en pierre, qu'il trouva au toucher. De l'air frais venait du couloir et il respira un grand coup. La lueur d'une torche lui brûlait les yeux. Il cligna des paupières et distingua le geôlier qui arrivait à pas lourds dans le couloir. Puis, ce furent à nouveau les ténèbres. Druss avait des crampes d'estomac ; il grogna de douleur. Il avait des vertiges, et sentit la nausée monter dans sa gorge.

Une faible lueur apparut. Il se redressa sur les genoux pour coller son visage contre la petite ouverture. Un vieillard avec une barbiche blanche était accroupi de l'autre côté de la porte du cachot. La lumière qui provenait d'une lampe à huile en grès était une torture pour ses yeux.

— Ah, tu es vivant ! Bien. Je t'ai apporté une lampe et une vieille boîte d'amadou. Sers-t'en avec parcimonie. Cela t'aidera à te réhabituer à la lumière. Et je t'ai aussi apporté de la nourriture. (Il passa un pochon à travers la grille. Druss l'attrapa, la gorge trop sèche pour parler.) Je reviendrai dès que possible, affirma l'homme. Mais souviens-toi de n'utiliser la lumière que lorsque le geôlier n'est pas là.

Druss l'entendit s'éloigner lentement le long du couloir. Il crut discerner le bruit d'une porte qui se fermait, mais n'en était pas sûr. D'une main hésitante, il prit la petite lampe et la plaça sur le sol de la cellule, derrière lui. Puis il s'intéressa au pochon et à la boîte d'amadou.

Les yeux à moitié clos, il ouvrit le petit sac et y trouva deux pommes, un morceau de fromage et de la viande séchée. Il croqua dans une pomme : la sensation était incroyablement délicieuse ; le jus lui piqua les gencives. Avaler lui fit mal, mais cet inconvénient mineur fut balayé par la fraîcheur du fruit. Il faillit vomir mais se retint, et lentement il termina sa pomme. Son estomac qui avait rétréci se rebella après le second fruit, aussi se contenta-t-il de serrer contre lui le fromage et la viande, comme s'il s'agissait d'un trésor d'or et de pierres précieuses.

En attendant que son estomac se calme, il profita de la lampe pour observer sa petite cellule, découvrant pour la première fois la saleté et les moisissures. Il examina ses mains et vit que la peau était crevassée ; il avait de vilaines plaies sur les bras et les poignets On lui avait pris son gilet de cuir, et son maillot de laine grouillait de vermine. Enfin, il aperçut le petit trou dans le mur par lequel venaient les rats.

D'un seul coup, la colère remplaça le désespoir.

La lumière le faisait pleurer mais il continua son inspection. Il retira son maillot et regarda son corps meurtri. Il avait perdu des bras, et ses os étaient saillants. *Mais je suis vivant*, se dit-il. *Et je survivrai.*

Il mangea le fromage et la moitié de la viande. Il hésitait à tout manger, ne sachant pas si le vieil homme pourrait revenir. Il emballa le reste de la viande et la glissa dans sa ceinture.

Il examina ensuite la boîte à amadou et vit qu'elle était de facture ancienne : il y avait un silex pointu qu'on pouvait abattre contre l'intérieur en dents de scie afin de mettre le feu à la petite réserve de poudre. Content de pouvoir l'utiliser, il souffla la lampe.

Le vieil homme revint – mais deux jours plus tard. Cette fois, il avait amené des pêches séchées, une grosse tranche de jambon et un petit tas de mèches.

— Il est important que tu restes souple, expliqua-t-il à Druss. Allonge-toi sur le sol et fais des exercices.

— Pourquoi fais-tu ça pour moi ?

— Je suis resté assis dans cette cellule pendant des années, alors je sais ce que c'est. Tu dois reprendre des forces. Il y a deux façons d'y arriver, du moins que j'ai trouvées. Allonge-toi sur ton ventre avec tes mains sous tes épaules et, tout en gardant les jambes tendues, pousse en ne t'aidant que de tes bras. Répète ce geste autant de fois que tu le pourras. Compte. Essaie d'en faire un de plus chaque jour. Tu peux également t'allonger sur le dos et lever tes jambes en les gardant bien tendues. Cela te fera les muscles.

— Cela fait combien de temps que je suis ici ? demanda Druss.

— Il vaut mieux ne pas y penser, lui conseilla le vieillard. Concentre-toi sur ton corps. La prochaine fois, je t'apporterai des pommades pour tes plaies, et de la poudre contre les poux.

— Comment t'appelles-tu ?

— Je préfère que tu ne le saches pas – au cas où ils trouveraient la lampe.

— Je suis ton débiteur, mon ami. Et je paie toujours mes dettes.

— Tu n'en auras pas la possibilité – à moins que tu ne récupères tes forces.

— J'y arriverai, promit Druss.

Une fois que le vieil homme fut parti, Druss alluma la lampe et s'allongea sur le ventre. Il plaça ses mains sous ses épaules et essaya de se soulever. Il répéta huit fois ce geste avant de s'écrouler sur le sol crasseux de la cellule.

Une semaine plus tard, il arrivait à trente. Et à la fin du mois, il pouvait tenir jusqu'à cent.

Chapitre 3

L e garde à l'entrée plissa les yeux pour scruter les trois cavaliers. Il n'en connaissait aucun, pourtant ils chevauchaient en confiance, parlant et riant entre eux. Le garde avança d'un pas à leur rencontre.

— Qui êtes-vous ? demanda-t-il.

Le premier des trois, un jeune guerrier blond de fine corpulence arborant un baudrier où étaient glissés quatre couteaux, descendit de sa jument.

— Nous sommes des voyageurs à la recherche d'un hébergement pour la nuit, déclara-t-il. Cela pose-t-il problème ? Y aurait-il la peste ?

— La peste ? Bien sûr que non, y a pas la peste, répondit rapidement le garde en faisant le signe protecteur des cornes. D'où venez-vous ?

— De Lania. Nous nous rendons à Capalis pour atteindre la côte. Tout ce que nous désirons, c'est une auberge.

— Il n'y a pas d'auberge par ici. C'est la forteresse du seigneur Cajivak.

Le garde porta son attention sur les deux autres hommes restés à cheval. L'un était brun, plutôt fin ; il avait un arc en bandoulière et un carquois suspendu au pommeau de sa selle. Le troisième avait un grand chapeau en cuir et n'avait pas d'autre arme qu'un énorme couteau de chasse à la ceinture, de la taille d'une épée courte.

— Nous pouvons payer pour la nuit, lança le blond avec un sourire facile.

Le garde s'humecta les lèvres. L'homme plongea la main dans sa bourse à son côté et en exhiba une grosse pièce d'argent qu'il déposa dans la main du garde.

— Eh bien… ce serait grossier de refuser, dit ce dernier en empochant sa pièce. Bon. Traversez la grand-place en restant sur la gauche. Vous allez voir un bâtiment surmonté d'un dôme. Longez la petite ruelle qui passe sur le côté est.

Vous trouverez une taverne au bout. Mais je vous préviens, c'est un endroit un peu rudimentaire où on se bagarre beaucoup. Mais l'aubergiste – Ackae – a des chambres à l'arrière. Dites-lui que c'est Ratsin qui vous envoie.

— Fort aimable, répondit le blond en se remettant en selle.

Ils entrèrent dans la forteresse et le garde secoua la tête. *Peu de chances qu'on les revoie un jour,* pensa-t-il, *avec tout cet argent sur eux et pas une épée.*

Le vieil homme venait presque chaque jour, et Druss apprit à savourer l'instant. Il ne restait jamais longtemps, mais sa conversation était brève, précise et efficace.

— Le plus gros danger, quand tu sortiras, mon garçon, ce sont les yeux. Ils se sont trop faits à l'obscurité, et le soleil pourrait bien t'aveugler – de façon permanente. J'ai perdu la vue environ un mois après qu'ils m'aient sorti de là. Regarde la flamme de la lampe d'aussi près que possible, il faut que tu obliges tes pupilles à se contracter.

Druss avait retrouvé le maximum de force qu'il était possible de conserver dans un tel endroit, et la veille il avait dit au vieillard :

— Ne viens pas demain ou après-demain.

— Pourquoi ?

— Je prévois de partir, avait répondu le Drenaï.

Ce qui avait fait rire le vieil homme.

— Je suis sérieux, mon ami. Ne viens pas ces deux prochains jours.

— Il n'y a aucun moyen de sortir. Il faut deux hommes pour ouvrir la porte en pierre, et il y a deux verrous qui la bloquent.

— Si tu as raison, lui avait déclaré Druss, alors on se reverra dans trois jours.

À présent, il était assis tranquillement dans le noir. Les pommades que lui avait passées son ami avaient soigné la plupart de ses blessures, et la poudre – qui démangeait autant que les doigts du diable – avait convaincu tous les parasites, à l'exception des plus hardis, de se trouver un autre logement. La nourriture de ces derniers mois avait permis à Druss de se reconstruire des forces, et ses dents ne se déchaussaient plus. *C'est le moment,* pensa-t-il. *Il n'y en aura peut-être jamais de meilleur.*

Il attendit en silence toute la journée.

Finalement, il entendit le geôlier à l'extérieur. Celui-ci poussa un bol en grès et un quignon de pain dans l'ouverture de la porte. Druss resta assis dans le noir sans bouger.

— La bouffe est servie, mon rat barbu, lança le geôlier.

Silence.

— Ah, bien. Comme tu veux. Tu changeras vite d'avis.

Les heures passèrent. La lueur d'une torche vacilla dans le couloir et il entendit le garde s'arrêter devant la porte. Puis, il reprit sa ronde.

Druss attendit une heure avant d'allumer sa lampe. Il mâcha le reste de viande que le vieillard lui avait apporté la veille. Puis il souleva la lampe devant son visage et fixa la petite flamme, la faisant aller et venir devant ses yeux. La lumière ne lui faisait plus aussi mal qu'avant. Il souffla la flamme et se mit sur le ventre. Il fit cent cinquante poussées.

Et dormit...

Ce fut l'arrivée du geôlier qui le réveilla. Ce dernier s'était agenouillé devant la porte pour essayer de voir à l'intérieur de la cellule, mais Druss savait que le regard ne portait pas au-delà de quelques centimètres dans cette pénombre. L'eau et la nourriture étaient intactes. La seule question à présent était de savoir si le geôlier tenait à la vie de son prisonnier. Cajivak avait promis de traîner Druss à ses pieds. Il voulait l'entendre le supplier de le tuer. Le seigneur allait-il être content d'apprendre que son geôlier l'avait privé d'un tel plaisir ?

Il l'entendit jurer et repartir par où il était venu. Druss avait la bouche sèche et son cœur battait fort. Quelques minutes passèrent – de longues minutes angoissantes. Puis le geôlier revint ; il parlait avec quelqu'un.

— Ce n'est pas ma faute, disait-il. Le seigneur lui-même a décidé des rations.

— Alors, ce serait *sa* faute ? C'est ce que tu veux dire ?

— Non ! Non ! Ce n'est la *faute* de personne. Peut-être que son cœur a lâché ou quelque chose comme ça. Peut-être qu'il est malade. C'est certainement ça, il est malade. On n'a qu'à l'installer quelques jours dans un cachot un peu plus grand.

— J'espère que tu as raison, répondit une voix feutrée, sinon tu vas porter tes entrailles en collier.

Un raclement retentit, suivi d'un autre. Druss devina qu'on venait de retirer les loquets.

— Allez, ensemble, fit une voix. Tirez !

La pierre grogna et les geôliers ouvrirent la porte.

— Par les dieux, mais qu'est-ce que ça pue, ici ! se plaignit l'un des hommes en passant une torche à l'intérieur.

Druss attrapa le porteur par la gorge et le fit entrer dans la cellule. Puis il plongea par l'ouverture de la porte et roula dans le couloir. Il se releva, mais fut pris de vertiges ; il tituba, ce qui fit rire le garde.

— Le voilà, ton cadavre, dit-il.

Druss entendit le son d'une épée qu'on dégaine. Il avait du mal à voir – il devait y avoir au moins trois torches, et les flammes l'aveuglaient. Une forme avançait vers lui.

— Rentre dans ton trou, espèce de rat ! lança le garde.

Druss fit un bond en avant et lui balança un direct au visage. Le heaume en fer du garde s'envola et il tomba à la renverse, se cognant la tête contre un mur. Un deuxième garde lui fonça dessus. La vue de Druss s'améliorant un peu, il vit qu'il essayait de le frapper à la tête. Il se baissa, esquivant le coup, et fit un pas en avant pour envoyer un grand coup de boutoir dans le ventre de son assaillant. Instantanément, ce dernier se plia en deux, expulsant tout l'air de ses poumons. Druss asséna un coup de poing de haut en bas sur son cou. Il y eut un craquement et le garde tomba face contre sol.

Le geôlier essayait de sortir à plat ventre de la cellule quand Druss se retourna vers lui. L'homme couina de peur et rentra sur les coudes dans la geôle. Druss souleva le premier garde inconscient et le jeta à l'intérieur. Le deuxième était mort ; son corps suivit le premier. La respiration saccadée, Druss contempla la porte en pierre. Et la colère jaillit en lui comme un feu de prairie. Il s'accroupit, prit la porte à deux mains et la remit en place. Puis, il s'arc-bouta dos à la pierre et poussa sur ses jambes pour la refermer. Épuisé, il resta quelques minutes par terre. Enfin, il rampa jusqu'aux loquets qu'il fit coulisser.

Des lumières dansaient devant ses yeux. Son cœur battait si fort qu'il n'arrivait pas à compter le nombre de pulsations. Pourtant, il se força à se relever et se rendit prudemment devant la porte du couloir. Celle-ci était entrouverte. Il risqua un regard de l'autre côté. Un rayon de soleil filtrait par une fenêtre, et l'on pouvait voir la poussière en suspension dans l'air. C'était d'une beauté indescriptible.

La porte débouchait sur un couloir désert. On pouvait y voir deux chaises ainsi qu'une table avec deux tasses posées dessus. Il s'arrêta à la hauteur de la table. Les tasses étaient remplies de vin coupé d'eau. D'une traite, Druss vida les deux. Il y avait une série de cachots le long du couloir, mais munis de portes en fer. Il se déplaça jusqu'à une deuxième porte en bois au bout du couloir, qui donnait sur un escalier en colimaçon, sombre et mal éclairé.

Il gravit lentement les marches et sentit ses maigres forces l'abandonner. Heureusement, la colère le poussa en avant.

Sieben jeta un regard empli d'horreur sur un petit insecte dans le creux de sa main.

— Ceci, dit-il, est intolérable.

— Quoi ? demanda Varsava depuis sa place devant une petite fenêtre.

— Des puces infestent cette chambre, répondit Sieben en saisissant l'insecte entre son pouce et son index pour l'écraser.

— Elles ont l'air de bien t'aimer, poète, fit Eskodas avec un sourire enfantin.

— Risquer la mort est une chose, déclare froidement Sieben. Les puces en sont une autre. Je n'ai pas encore inspecté le lit, mais je suis quasiment sûr qu'il est vivant. Je suggère que nous allions à la rescousse de notre ami sans plus attendre.

Varsava gloussa.

— Il vaudrait mieux attendre la tombée de la nuit, conseilla-t-il. Je suis venu ici, il y a trois mois, pour ramener un garçon à son père. C'est comme cela que j'ai appris que Druss était retenu prisonnier. Les cachots – comme vous pouvez vous y attendre – sont au sous-sol. Au-dessus, ce sont les cuisines, et au-dessus encore la grand-salle. Pour sortir des cachots, il n'y a qu'un seul passage, et c'est par là. Ce qui signifie que nous devrons y pénétrer à la tombée du jour. Il n'y a pas de geôlier la nuit ; donc, si nous nous cachons dans la forteresse, vers minuit, nous devrions pouvoir libérer Druss et nous enfuir. Évidemment, sortir d'ici risque d'être un peu plus compliqué. Comme vous avez pu le constater, les deux portes sont gardées le jour et verrouillées la nuit. Il y a des sentinelles sur les murs, et des postes de garde dans les tourelles.

— Combien ? interrogea Eskodas.

— La dernière fois que je suis venu, il y en avait cinq du côté de la porte principale.

— Comment as-tu pu t'échapper avec le garçon ?

— C'était un enfant. Je l'ai caché dans un sac jusqu'à l'aube et je l'ai chargé sur ma monture avant de sortir.

— Druss rentrera difficilement dans un sac, fit remarquer Sieben.

Varsava vint s'asseoir au côté du poète.

— Ne pense pas à lui comme à la personne que tu connaissais, poète. Cela fait un an qu'il croupit dans une petite cellule sans fenêtre. On a juste dû lui donner de quoi rester en vie. Ce ne sera plus le géant que nous connaissions tous. Et il y a de fortes chances qu'il soit aveugle – ou fou. Voire les deux.

Le silence s'installa dans la pièce, chacun se remémorant le guerrier au côté duquel ils s'étaient battus.

— Si seulement j'avais su plus tôt, grommela Sieben.

— Je l'ignorais moi-même, dit Varsava. Je croyais qu'ils l'avaient tué.

— C'est étrange, intervint Eskodas, mais je n'aurais jamais cru voir un jour Druss battu – même par une armée. Il a toujours été si... si indomptable.

Varsava gloussa.

— Je sais. Je l'ai vu entrer désarmé dans une clairière où une dizaine de guerriers torturaient un vieillard. Il leur est rentré dedans comme une faux coupe le blé. Impressionnant.

— Bon, comment procédons-nous ? demanda Sieben.

— On va dans la grand-salle présenter nos respects au seigneur Cajivak.

Peut-être qu'il ne nous tuera pas sur-le-champ !

— Oh, voilà un très bon plan, fit Sieben la voix lourde de sarcasme.

— Tu en as un meilleur ?

— Je crois que oui. On peut aisément penser que les distractions sont rares dans un tel endroit. Je vais y aller seul et m'annoncer ; je proposerai une représentation en échange d'un souper.

— Sans vouloir être grossier, dit Eskodas, je ne suis pas sûr que tes poèmes épiques seront aussi bien reçus que tu le penses.

— Mon cher enfant, je suis un amuseur professionnel. Je peux adapter mon spectacle en fonction du public.

— Oui, mais ce public, trancha Varsava, sera composé de la lie de Ventria et Naashan de l'est jusqu'à l'ouest. Il y aura également des renégats drenaïs, des mercenaires vagrians et des criminels ventrians de toutes sortes.

— Je les éblouirai tous, assura Sieben. Donnez-moi une demi-heure pour faire mon discours d'introduction et rejoignez-moi dans la grand-salle. Personne ne remarquera votre arrivée.

— Où as-tu appris une telle humilité ? s'enquit Eskodas.

— C'est un don, répliqua Sieben, et j'en suis très fier.

Druss atteignit le deuxième sous-sol et fit une pause en haut de l'escalier. Il pouvait entendre les bruits de plusieurs personnes. On récurait des marmites, et on préparait des couverts. Cela sentait le pain frais en train de cuire ; l'odeur se mélangeait à l'arôme d'un bœuf rôti. Druss s'adossa à un mur et essaya de réfléchir. Il n'était pas possible de sortir sans se faire repérer. Ses jambes le portaient à peine, aussi dut-il s'accroupir.

Que faire ?

Il entendit des pas qui se rapprochaient, et se releva. Un vieil homme apparut, le dos hideusement courbé, les jambes arquées. Il portait un seau d'eau. Arrivé à la hauteur de Druss, il releva la tête, frémissant des narines. Ses yeux, comme s'en aperçut Druss, étaient chassieux et recouverts d'un voile opale. Le vieillard posa le seau et tendit le bras.

— C'est toi ? souffla-t-il.

— Tu es aveugle ?

— Presque. Je t'ai dit que j'avais passé cinq ans dans ce cachot. Viens, suis-moi.

Le vieil homme abandonna son seau et revint sur ses pas, tournant dans un couloir circulaire. Ils descendirent un escalier étroit. Il poussa une porte et fit rentrer Druss. La chambre était petite, mais il y avait une meurtrière en guise de fenêtre qui laissait passer un rayon de soleil.

— Attends ici, dit-il. Je vais te chercher à boire et à manger.

Il revint quelques minutes plus tard avec une demi-miche de pain tout juste sortie du four, une tranche de fromage et une carafe d'eau. Druss dévora la nourriture et but à satiété. Puis, il s'allongea sur la couchette.

— Je te remercie pour ta bonté, dit-il. Sans toi, je serais pire que mort ; je serais perdu.

— Je n'ai fait que payer ma dette, répondit l'estropié. Un autre homme m'a nourri comme je l'ai fait avec toi. Ils l'ont tué pour ça – Cajivak l'a fait empaler. Mais je n'en aurais jamais trouvé la force si la déesse ne m'était pas apparue dans un rêve. C'est elle qui t'a fait sortir du cachot ?

— Quelle déesse ?

— Elle m'a parlé de toi, de ta souffrance ; j'ai eu honte de ma lâcheté. Je lui ai juré que je ferais tout ce qui était en mon pouvoir pour t'aider. Alors elle m'a touché la main et je me suis réveillé ; mais la douleur avait disparu de mon dos. A-t-elle fait également disparaître la pierre ?

— Non, j'ai roulé le geôlier.

Il raconta sa ruse au vieillard ainsi que son combat avec les deux gardes.

— On ne remarquera pas leur absence avant tard ce soir, affirma l'estropié. Ah, j'aimerais bien entendre leurs cris quand les rats viendront les mordiller dans le noir.

— Pourquoi penses-tu que la femme de ton rêve était une déesse ?

— Elle m'a dit son nom, Pahtaï, et qu'elle était la fille de la Terre Mère. Dans mon rêve, elle m'a accompagné un bout de chemin sur les collines verdoyantes de ma jeunesse. Je ne l'oublierai jamais.

— Pahtaï, dit doucement Druss. Elle est également venue me voir dans ma cellule et m'a redonné mes forces. (Il se leva et posa sa main sur le dos du vieil homme.) Tu as pris de grands risques à vouloir m'aider, et je n'aurai pas le temps en ce bas monde pour te rembourser intégralement.

— Pas le temps ? répéta le vieil homme. Tu peux te cacher ici et attendre la nuit pour t'enfuir. Je peux te trouver une corde ; tu n'auras qu'à te laisser descendre le long des murs.

— Non. Je dois trouver Cajivak – et le tuer.

— Bien, répondit le vieillard. La déesse va t'accorder des pouvoirs, c'est ça ? Elle va décupler ta force ?

— J'ai bien peur que non, confia Druss. Je serai seul dans l'épreuve.

— Mais tu vas te faire tuer ! Ne fais pas ça, supplia le vieillard. (Des larmes coulèrent de ses yeux opalins.) Je t'en supplie. Il va te détruire ; c'est un monstre, il a la force de dix hommes. Regarde-toi. Je ne te vois pas bien, mais je sais comment tu dois te sentir. Tu as une petite chance de survivre, d'être libre, de voir le soleil sur ton visage. Tu es jeune – à quoi cette folie t'avancera-t-elle ? Il va te briser, ensuite il te tuera ou te remettra dans ta cellule.

— Je ne suis pas né pour courir, déclara Druss. Et, crois-moi, je ne suis pas aussi faible que j'en ai l'air. Grâce à toi. Maintenant, parle-moi de la forteresse et de ce qui se trouve en haut des escaliers.

Eskodas n'avait pas peur de la mort, car il n'aimait pas la vie – c'était une vérité dont il avait conscience depuis des années. Depuis le jour où son père avait été traîné en dehors de sa maison pour être pendu, il n'avait plus jamais connu un moment de joie. Il ressentait un vide immense, mais l'acceptait avec calme, de manière sereine. À bord du bateau, il avait confié à Sieben qu'il aimait tuer les gens, mais ce n'était pas vrai. Lorsque sa flèche touchait au but, il n'éprouvait aucune émotion, à part la satisfaction d'avoir particulièrement bien visé quand c'était le cas.

À présent, tandis qu'il marchait à grands pas aux côtés de Varsava, il se demandait s'il allait mourir. Il pensa à Druss, emprisonné sous la citadelle, dans un cachot sombre et humide, et se posa la question suivante : *comment réagirais-je à sa place ?* Il n'appréciait pas vraiment la beauté du monde extérieur, les montagnes, les lacs, les vallées et les océans. Est-ce que tout cela lui manquerait ? Il en doutait.

Il jeta un regard à Varsava et s'aperçut que le mercenaire était tendu, sur le qui-vive. Eskodas sourit. *Pas besoin d'avoir peur,* se dit-il.

Ce n'est que la mort, après tout.

Les deux hommes gravirent les marches de pierre qui menaient aux portes de la citadelle. Celles-ci étaient ouvertes et il n'y avait aucun garde en vue. En entrant, Eskodas perçut un éclat de rire provenant de la grand-salle. Ils se rendirent aux portes et jetèrent un coup d'œil à l'intérieur. Il y avait pas loin de deux cents hommes assis autour de trois immenses tables. Au fond de la salle, sur un dais, deux mètres au-dessus du sol, se tenait Cajivak. Il était assis sur un énorme fauteuil taillé dans l'ébène, et souriait. Devant lui, debout sur le rebord d'une table, se tenait Sieben.

La voix du poète résonnait dans la salle. Il leur racontait une histoire tellement paillarde qu'Eskodas en resta bouche bée. Il avait déjà entendu Sieben narrer des histoires épiques, réciter d'anciens poèmes, et discuter philosophie. Mais c'était la première fois qu'il l'entendait raconter l'histoire d'une putain et d'un âne. Varsava éclata de rire en entendant la fin de l'histoire, qui avait un double sens obscène.

Eskodas observa la salle. Au-dessus d'eux, un balcon faisait saillie, et il repéra aussitôt l'escalier dérobé qui y menait. Un endroit idéal pour se cacher. Il donna un coup de coude à Varsava.

— Je vais faire un tour en haut, murmura-t-il.

Le mercenaire acquiesça. Eskodas partit dans la foule sans se faire remarquer. Il monta les escaliers ; le balcon était étroit et faisait le tour de salle. Il ne donnait sur aucune porte et un homme assis là serait quasiment invisible pour ceux d'en bas.

À présent, Sieben racontait l'histoire d'un héros capturé par un ennemi malfaisant. Eskodas écouta le poète.

— Il fut amené devant le chef, qui lui expliqua qu'il n'avait qu'une chance de rester en vie : il devait passer quatre épreuves. La première consistait à traverser pieds nus une fosse remplie de charbons ardents. La deuxième, à boire un litre de l'alcool le plus fort qui soit. La troisième, rentrer dans une caverne avec des pincettes pour arracher la dent cariée d'une lionne. Et, pour la dernière, il devait faire l'amour à la vieille femme la plus laide du village.

» Il retira ses chaussures et demanda à ce qu'on amène les charbons. Courageusement, il traversa la fosse à grands pas et, à peine sorti, avala le litre d'alcool pour se remettre. Il cassa ensuite la bouteille. Puis, il se rendit en titubant jusqu'à la caverne. Il s'ensuivit une série de sons tonitruants, qui allaient du crachat au grondement, en passant par des cognements et des couinements. Les hommes restés à l'entrée de la caverne en eurent le sang glacé. Pourtant, le guerrier sortit à l'air libre en chancelant. « Bien », leur dit-il. « Et maintenant, où se trouve la femme avec la dent cariée ? »

Toute l'assemblée partit dans un fou rire. Eskodas secoua sa tête d'étonnement. À Capalis, il avait remarqué que Sieben était toujours à l'écoute des guerriers qui se racontaient ce genre d'histoires. Pas une fois, le poète n'avait paru amusé par celles-ci. Et pourtant, il était là aujourd'hui, en train de les raconter avec truculence.

Il reporta son regard sur Cajivak. L'archer vit que le chef ne souriait plus. Il était enfoncé dans son fauteuil et tambourinait du bout des doigts sur l'un des bras en bois. Eskodas avait connu bien des hommes malfaisants, il savait que certains paraissaient aussi doux que des anges, beaux, les yeux clairs, les cheveux blonds. Mais Cajivak, lui, ressemblait à ce qu'il était, sombre et transpirant le mal. Il portait le gilet en cuir aux épaulettes en argent de Druss. Eskodas le vit poser sa main sur le manche noir d'une hache posé contre son fauteuil. C'était Snaga.

Soudain, le géant se leva de son fauteuil.

— Ça suffit ! gronda-t-il. (Sieben s'arrêta net.) Je n'aime pas ton spectacle, barde. Je vais donc te faire empaler sur un pieu en fer.

Un silence de mort régnait dans la salle. Eskodas prit une flèche dans son carquois et l'encocha.

— Alors ? Tu as encore une histoire drôle à nous raconter avant de mourir ? demanda Cajivak.

— Une seule, répondit Sieben en soutenant le regard du fou. La nuit dernière, j'ai fait un rêve affreux. J'ai rêvé que j'étais de l'autre côté des portes de l'enfer ; c'était un endroit effrayant, avec du feu partout et des gens torturés. J'avais très peur, aussi ai-je dit à l'un des démons qui était de garde : « Est-ce qu'on peut sortir d'ici ? » Il m'a répondu qu'il n'existait qu'un seul moyen, mais que personne n'y était jamais arrivé. Il m'a guidé dans des oubliettes ; à travers une grille, j'ai vu la femme la plus répugnante qui soit. Elle était édentée, lépreuse et sa peau était purulente. Ce devait être la femme la plus vieille de tous les temps ; elle avait des vers qui grouillaient dans ce qui lui restait de cheveux. Alors le garde m'a dit : « Si tu peux lui faire l'amour toute la nuit, tu pourras partir. » Et vous savez quoi ? J'ai failli tenter ma chance. Mais en avançant, j'ai vu une deuxième grille. J'ai jeté un coup d'œil, et devinez ce que j'ai vu, mon seigneur ? Vous ! Vous faisiez l'amour à la plus belle femme que j'aie jamais vu. Je me suis retourné vers le garde et je lui ai demandé : « Pourquoi est-ce que je devrais coucher avec une vieille bique, alors que Cajivak a droit à une beauté ? » « Ben », m'a-t-il répondu, « il est normal que les femmes aussi aient une chance. »

Du haut de son balcon, Eskodas vit le sang refluer du visage de Cajivak. Quand il prit la parole, sa voix était dure, et il tremblait.

— Ta mort va durer une éternité, promit-il.

Eskodas banda son arc… et fit une pause. Un homme venait de faire son apparition à l'arrière du dais. Ses cheveux et sa barbe étaient sales et collés, son visage couvert de crasse. Il se mit à courir vers le fauteuil et le renversa d'un coup d'épaule dans le dossier. Celle-ci partit en avant, et Cajivak fut propulsé dans les airs en bas des marches. Il tomba la tête la première contre la table où se tenait Sieben.

Le guerrier crasseux ramassa la hache étincelante. Sa voix résonna comme le tonnerre dans la grand-salle :

— Alors comme ça, tu voulais que je te supplie, espèce de fils de pute !

Eskodas gloussa.

Et il réalisa qu'il y avait des moments dans la vie qu'on pouvait chérir.

En levant la hache, il sentit le contact froid du manche noir dans ses mains, et une puissance incroyable jaillit en lui. C'était comme si du feu brûlait dans ses veines, dans ses muscles et ses sinus. À ce moment précis, Druss se sentit renaître. Il n'avait jamais rien connu d'aussi exquis de toute son existence. Il se sentit léger, plein de vie, comme un homme paralysé retrouvant l'usage de ses membres.

Son rire retentit dans la salle. Il regarda Cajivak qui essayait de se relever au milieu des assiettes et des verres. Le visage du seigneur était couvert de sang, et sa bouche était déformée par la colère.

— Elle est à moi ! hurla Cajivak. Rends-la-moi !

Les hommes autour de lui furent surpris par sa réaction. Ils s'étaient attendus à de la rage et à de la violence, et pas à voir le seigneur qu'ils craignaient tant tendre les mains désespérément, sur le point de supplier.

— Viens la chercher, l'invita Druss.

Cajivak hésita et s'humecta les lèvres.

— Tuez-le ! cria-t-il soudain.

Les guerriers se levèrent d'un bond, et l'homme le plus proche dégaina son épée. Il courut vers le dais. Une flèche lui transperça la gorge, le soulevant de terre. Plus personne ne bougea. Tout le monde cherchait du regard l'endroit où était caché l'archer.

— C'est un drôle de bonhomme que vous avez décidé de suivre ! résonna la voix de Druss dans le silence. Il a les pieds dans le ragoût, et il a trop peur d'affronter un homme qui est resté enfermé dans un cachot sans rien à manger. Tu veux la hache ? demanda-t-il à Cajivak. Je te le répète, viens la chercher.

Il fit tournoyer la hache dans sa main et l'enfonça d'un grand coup contre le dais où elle vibra quelques instants avant de s'immobiliser. Les pointes des lames-papillon avaient pénétré profondément dans le bois. Druss s'écarta de la hache et les guerriers attendirent.

Tout à coup, Cajivak entra en action. Il fit deux pas en courant et sauta sur le dais. C'était un géant, avec des épaules énormes et des bras monstrueux ; mais il sauta en plein direct du gauche de l'ancien champion de Mashrapur. Sa lèvre explosa contre ses dents et il encaissa un crochet du droit foudroyant qui pilonna sa mâchoire. Cajivak tomba sur le dais et roula par terre, atterrissant sur le dos. Il se releva aussitôt. Et cette fois, il gravit les marches en prenant son temps.

— Je vais te briser, petit homme ! Je vais t'arracher les entrailles et te les faire manger !

— Dans tes rêves, se moqua Druss.

Cajivak chargea et Druss alla au contact, balançant au passage une nouvelle gauche qui toucha Cajivak en plein cœur. Le plus gros des deux gémit, mais riposta par un revers de la main droite qui heurta Druss en plein front, le forçant à reculer. Cajivak lança sa main droite, doigts tendus pour crever les yeux de Druss. Ce dernier baissa la tête et les doigts cognèrent son front ; les ongles lui griffèrent la peau. Cajivak essaya de l'attraper, mais au moment où ses mains se refermaient sur son maillot, celui-ci se déchira. Cajivak partit à la renverse et Druss en profita pour lui asséner deux coups à l'estomac. C'était comme cogner contre un mur. Le géant se mit à rire et balança un uppercut qui faillit soulever Druss de terre. Il avait le nez cassé, du sang coulait sur son visage. Cajivak bondit pour le coup de grâce, mais Druss fit un pas de côté et crocheta sa jambe. Le géant tomba une fois de plus au sol. Il roula et se releva encore.

Druss commençait à fatiguer. La montée de puissance que lui avait conférée sa hache disparaissait progressivement de ses muscles. Cajivak plongea, mais Druss fit une feinte du gauche que Cajivak tenta d'éviter – pour arriver sur la trajectoire d'un crochet du droit en plein sous le menton ; il s'empala la lèvre inférieure contre ses dents. Druss enchaîna d'un crochet du gauche, puis à nouveau d'un droit. Cajivak était ouvert à l'arcade droite, et du sang coulait sur sa joue. Il tituba. Puis, il dégagea sa lèvre de ses dents et sourit – son sourire était ensanglanté. Druss se demanda pourquoi mais comprit en voyant Cajivak se pencher et dégager Snaga du dais.

La hache brillait de mille feux rouges sous l'éclairage des torches.

— Et maintenant, petit homme, tu vas mourir ! cracha Cajivak.

Il leva la hache. Druss prit un pas d'élan et sauta, pieds en avant. Son talon droit percuta le genou de Cajivak. La rotule céda dans un craquement écœurant et le géant tomba au sol. Il poussa un hurlement et laissa s'échapper la hache. Celle-ci tournoya dans les airs – pour retomber, les pointes s'enfonçant sous la clavicule du seigneur, traversant le gilet de cuir et la chair. Cajivak se déhancha et la hache se décrocha. Druss s'agenouilla pour récupérer l'arme.

Cajivak, le visage contorsionné de douleur, se mit tant bien que mal sur son séant et leva haineusement les yeux vers le Drenaï.

— Fais ça d'un coup net, dit-il à voix basse.

Un genou toujours à terre, Druss acquiesça et leva Snaga. Le coup fut horizontal. Les lames pénétrèrent dans le cou de taureau de Cajivak, tranchèrent les muscles, la trachée et l'os. Le corps s'effondra à droite, et la tête à gauche, où elle rebondit une fois sur le dais avant de rouler jusqu'au sol. Druss se leva et contempla les guerriers médusés. Fatigué, il s'assit sur le trône de Cajivak.

— Que quelqu'un m'apporte un verre de vin ! ordonna-t-il.

Sieben attrapa un pichet et un gobelet et s'avança lentement jusqu'à Druss.

— Tu as pris ton temps pour arriver, lui dit Druss.

Chapitre 4

Du fond de la salle, Varsava regardait la scène avec fascination. Le corps de Cajivak était étendu sur le dais, et son sang coulait le long des marches jusqu'au sol. Dans la salle elle-même, les guerriers avaient les yeux rivés sur l'homme qui était affalé sur le trône de Cajivak. Varsava leva la tête en direction du balcon où Eskodas attendait, une flèche toujours encoché à son arc.

Et maintenant, pensa Varsava en scrutant la salle, *il y a plus d'une centaine de tueurs dans cette pièce*. Il avait la bouche sèche. Le calme surnaturel pouvait disparaître à n'importe quel moment. *Et là ? Est-ce qu'ils se rueraient sur le dais ? Et Druss ? Prendrait-il sa hache et les attaquerait-il ?*

Je ne veux pas mourir ici, pensa-t-il, se demandant ce qu'il ferait s'ils attaquaient Druss. Il était près de la porte de sortie – personne ne s'apercevrait de son départ s'il se perdait dans la nuit. Après tout, il ne lui devait rien. Varsava avait fait plus que sa part, en localisant Sieben et en organisant la tentative de sauvetage. Mourir maintenant, dans une bagarre sans intérêt, serait idiot.

Pourtant il ne bougea pas. Il resta debout, attendant comme tous les autres que Druss ait fini son troisième gobelet de vin. Puis le guerrier à la hache se leva et erra dans la salle, laissant Snaga sur le dais. Druss s'arrêta devant la première table et rompit une miche de pain.

— Personne n'a faim ? demanda-t-il.

Un grand guerrier, fin, avec une chemise cramoisie fit un pas en avant.

— Quels sont vos projets ? s'enquit-il.

— Je vais manger, répondit Druss. Ensuite je prendrai un bain. Et après cela, je crois que je vais dormir pendant une semaine.

— Et ensuite ?

La salle était silencieuse ; les guerriers se pressaient les uns sur les autres pour entendre la réponse du guerrier à la hache.

— Une chose à la fois, mon garçon. Quand on reste assis dans le noir d'un cachot avec pour seuls compagnons des rats, on apprend à ne pas faire trop de projets.

— Vous allez prendre sa place ? insista le guerrier, en montrant du doigt la tête de Cajivak.

Druss se mit à rire.

— Par les dieux, regarde-le donc ! Tu aimerais prendre sa place, *toi* ?

Tout en mâchant son pain, Druss retourna sur le dais pour s'asseoir. Puis il se pencha en avant.

— Je suis Druss, dit-il. Certains d'entre vous se souviennent peut-être du jour où on m'a amené ici. D'autres encore ont peut-être entendu parler de mon travail auprès de l'empereur. Je n'ai aucune rancœur contre aucun d'entre vous… mais si quelqu'un ici souhaite mourir, qu'il prenne ses armes et approche. Je me ferai un plaisir d'exaucer son souhait. (Il se leva et empoigna sa hache.) Un volontaire ? lança-t-il par défi. (Personne ne bougea et Druss acquiesça.) Vous êtes tous des combattants, mais pour de l'argent. C'est raisonnable. Votre chef est mort – alors finissez votre repas et trouvez-vous-en un autre.

— Vous vous mettez sur les rangs ? demanda l'homme à la chemise cramoisie.

— Mon gars, j'en ai ma claque de cette forteresse. Et j'ai d'autres projets.

Druss se tourna vers Sieben, mais Varsava n'arriva pas à entendre leur conversation. Les guerriers se réunirent en petits groupes, pour discuter entre eux du mérite et des torts des différents lieutenants de Cajivak. Varsava sortit de la salle, toujours sous le coup de la scène dont il avait été le témoin. Derrière la grand-salle, il y avait une antichambre, et le mercenaire s'allongea sur un divan – ses sentiments étaient partagés, il avait le cœur gros. Eskodas se joignit à lui.

— Comment a-t-il fait ? demanda Varsava. Une centaine de tueurs viennent d'accepter le meurtre de leur chef. Incroyable !

Eskodas haussa les épaules et sourit.

— C'est Druss.

Varsava jura entre ses dents.

— Tu parles d'une réponse !

— Cela dépend de ce que tu demandes, répondit l'archer. Tu ferais peut-être mieux de te demander pourquoi tu es en colère. Tu es venu secourir un ami, et le voici libre. Que voulais-tu de plus ?

Varsava partit dans un rire sec et dur.

— Tu veux la vérité ? Je voulais voir Druss humilié. Je voulais avoir confirmation de sa stupidité ! Le grand *héros* ! Il a sauvé un vieillard et une petite fille – et en récompense il a passé une année dans un cachot. Tu comprends ? Ça n'a pas de sens ! Pas de sens !

— Pas pour Druss.

— Mais qu'a-t-il de si particulier ? rugit Varsava. Il n'est pas supérieurement intelligent, il n'a pas un intellect remarquable. Quiconque essayant de faire ce qu'il a fait aurait été taillé en pièces par cette meute de chiens galeux. Mais lui, non, pas Druss ! Pourquoi ? Il aurait pu devenir leur chef – en claquant des doigts ! Ils l'auraient accepté.

— Je ne peux pas te donner de réponse définitive, déclara Eskodas. Je l'ai vu prendre d'assaut un navire rempli à ras bord de pirates sanguinaires – et ils ont déposé les armes. J'avais un maître, un grand archer, qui m'a dit un jour que lorsqu'on voit quelqu'un pour la première fois, on décide que c'est soit une menace, soit une proie. Parce que nous sommes des animaux qui chassent et qui tuent. Des carnivores. Nous sommes une race dangereuse, Varsava. Lorsqu'on regarde Druss, on voit la menace ultime – un homme qui ne comprend rien aux compromis. Il contourne les règles. Et je crois que c'est aussi simple que ça. Pour lui, il n'y *a* pas de règles. Prends ce qui vient de se passer. Un homme ordinaire aurait pu tuer Cajivak – même si j'en doute. Mais il ne se serait pas débarrassé de la hache pour l'affronter à mains nues. Et une fois qu'il aurait tué le chef, il aurait regardé en face tous ces tueurs et, dans son cœur, il se serait attendu à mourir. Et ils l'auraient ressenti… et ils l'auraient tué. Mais Druss ne s'attendait pas à mourir ; il s'en moquait, en fait. Il les aurait affrontés, un par un, ou tous en même temps.

— Et il se serait fait tuer, commenta Varsava.

— Probablement. Mais là n'est pas la question. Après avoir tué Cajivak, il s'est assis et a demandé un verre. Un homme ne fait pas cela s'il s'attend à plus de bagarre. Ça les a perturbés, laissés indécis – aucune règle ne parle de cela, tu comprends. Quand il est descendu parmi eux, il l'a fait sans sa hache. Il savait qu'il n'en aurait pas besoin – et eux aussi. Il a joué d'eux comme d'une harpe. Mais il ne l'a pas fait de manière consciente, c'est juste dans sa nature.

— Je ne peux pas être comme lui, déclara tristement Varsava, en se remémorant l'effroyable fin du conciliateur.

— Peu de gens le pourraient, convint Eskodas. C'est pour cela qu'il devient une légende.

Un rire résonna dans la salle.

— Sieben est encore en train de les amuser, fit Eskodas. Viens, allons l'écouter. Buvons jusqu'à plus soif.

— Je ne veux pas boire. Je voudrais être à nouveau jeune. Je veux changer le passé, passer une serpillière sur cette couche de crasse.

— Demain est un autre jour, répondit doucement Eskodas.

— Ce qui veut dire ?

— Le passé est mort, mercenaire, et le futur n'est pas encore écrit. Je me souviens d'une fois où j'étais sur un bateau avec un riche marchand quand une tempête a éclaté. Le bateau a coulé. Le marchand avait emporté sur lui tout l'or qu'il pouvait porter. Il s'est noyé. Moi, j'ai abandonné tout ce que je possédais. J'ai survécu.

— Tu penses que mon sentiment de culpabilité pèse plus lourd que son or ?

— Je crois que tu devrais l'abandonner, répondit Eskodas en se levant. Et maintenant, allons voir Druss et saoulons-nous.

— Non, déclara sinistrement Varsava. Je ne veux pas le voir. (Il se leva et posa son grand chapeau de cuir sur sa tête.) Transmets-lui mes meilleurs vœux, et dis-lui… dis-lui…

Sa voix s'estompa.

— Dis-lui quoi ?

Varsava secoua la tête et sourit avec tristesse.

— Dis-lui au revoir.

Michanek suivit le jeune officier jusqu'au pied du mur, et ils s'agenouillèrent pour coller l'oreille contre la pierre. Au début, Michanek n'entendit rien, puis un son de grattement monta du sol, comme si un rat géant se déplaçait sous la terre. Il jura entre ses dents.

— Tu as bien agi, Cicarin. Ils sont en train de creuser sous les murs. La question est : d'où sont-ils partis ? Suis-moi.

Le jeune officier emboîta le pas du champion qui gravissait les marches quatre à quatre afin d'atteindre les remparts. Il se pencha de l'autre côté du parapet. Le camp principal de l'armée ventrianne était en face d'eux ; la plaine devant la ville était recouverte de tentes. Sur la gauche, il y avait une série de petites collines avant une rivière. Sur la droite, de plus grosses collines, boisées.

— À mon avis, fit Michanek, ils ont commencé de creuser de l'autre côté de cette colline, à mi-hauteur. Ils ont dû prendre des repères afin de suivre la bonne direction et d'arriver environ soixante centimètres sous les murs.

— C'est grave, monsieur ? demanda Cicarin, inquiet.

Michanek sourit au jeune homme.

— Assez. Es-tu déjà descendu dans une mine ?

— Non, monsieur.

Michanek gloussa. C'était évident. Ce garçon était le plus jeune fils d'un satrape naashanite qui, jusqu'au début du siège, n'avait jamais été entouré que par des serviteurs, des barbiers, des valets et des chasseurs. Tous les matins, on devait lui préparer ses affaires et lui amener son petit déjeuner au lit sur un plateau d'argent.

— Il y a plusieurs aspects à la vie militaire, déclara-t-il. Ils sont en train de creuser sous nos murs pour en saper les fondations. Ce faisant, ils sont obligés de consolider les parois et les plafonds avec des poutres. Ils vont creuser ainsi sur toute la longueur du mur et ressortir du côté de la rivière… à peu près par là.

Il désigna la plus haute des collines.

— Je ne comprends pas, fit Cicarin. S'ils consolident le tunnel, ça ne peut pas être bien dangereux pour nous ?

— Ah. La réponse est pourtant évidente. Une fois qu'ils auront deux issues, le vent pourra s'engouffrer ; ils répandront du bois dans tout le tunnel, qu'ils aspergeront d'huile. Quand le vent sera propice, ils mettront le feu au tunnel. Le vent alimentera les flammes et les plafonds s'effondreront. S'ils ont bien fait leur travail, les murs suivront.

— On ne peut rien faire pour les arrêter ?

— Rien de bien efficace. On pourrait toujours envoyer une force armée attaquer les ouvriers et peut-être même tuer quelques mineurs. Mais ils les remplaceraient vite. Non. Nous ne pouvons pas agir, il faut donc réagir. Je veux que tu fasses comme si ce mur allait s'écrouler.

Michanek se retourna et regarda la rangée de maisons derrière les murailles. Il y avait plusieurs ruelles et deux grandes artères qui menaient au cœur de la Cité.

— Prends cinquante hommes avec toi et barricade les ruelles et les artères. Fais calfeutrer toutes les fenêtres du rez-de-chaussée. Nous devons installer une deuxième ligne de défenses.

— À vos ordres, monsieur, fit le jeune homme, les yeux baissés.

— Garde le moral, fiston, lui conseilla Michanek. Nous ne sommes pas encore morts.

— Non, monsieur. Mais les gens commencent à parler ouvertement, au sujet des renforts ; ils prétendent qu'ils n'arriveront pas – qu'on nous a laissés tomber.

— Quelle que soit la décision de l'empereur, nous devons y obéir, fit gravement Michanek.

Le jeune homme rougit, salua et partit. Michanek le regarda s'éloigner et remonta sur les remparts.

Il n'y aurait pas de renforts. L'armée naashanite avait été détruite au cours de deux batailles dévastatrices et se repliait vers les frontières. Resha était la dernière cité occupée. La conquête de la Ventria était devenue une catastrophe d'envergure.

Mais Michanek avait des ordres. Lui et le renégat ventrian, Darishan, devaient tenir Rasha aussi longtemps que possible, afin de permettre à l'empereur de s'échapper en toute tranquillité à l'abri des montagnes de Naashan.

Michanek plongea la main dans la sacoche à sa taille et sortit le petit morceau de parchemin qu'on lui avait envoyé. Il relut le texte écrit à la hâte.

Tenez à tout prix, jusqu'à nouvel ordre. Ne vous rendez pas.

Le guerrier déchira lentement le message. Il n'y avait ni adieux, ni hommage, ni mots de regret. *Telle est la gratitude des princes,* pensa-t-il. Il avait griffonné à son tour une réponse sur un bout de papier qu'il avait roulé avec soin et inséré dans le petit tube métallique qu'on pouvait attacher à la patte du pigeon. L'oiseau s'était envolé vers l'est, emportant avec lui le dernier message de Michanek à l'empereur qu'il avait servi depuis l'enfance :

Il en sera fait selon vos ordres.

Les points de suture sur sa hanche le démangeaient. C'était signe que la blessure guérissait. Il se gratta machinalement. *Tu as eu de la chance,* pensa-t-il. *Bodasen a bien failli t'avoir.* En regardant vers la porte occidentale, il vit que les premiers convois de nourriture passaient entre les troupes ventriannes. Il descendit à leur rencontre.

En l'apercevant, le premier conducteur lui fit un signe de la main ; c'était son cousin, Shurpac. Ce dernier sauta de son siège en laissant les rênes à un gros bonhomme assis à côté de lui.

— Heureuse rencontre, cousin, dit Shurpac en passant ses bras autour de Michanek pour l'embrasser sur les deux joues.

Michanek se sentit glacé ; un frisson de peur lui remonta le long de la colonne vertébrale en repensant à l'avertissement de Rowena :

Je vois des soldats avec des capes noires et des heaumes, qui prennent les murs d'assaut. Vous rassemblerez vos hommes pour une dernière bataille derrière ces murs. À vos côtés, il y aura... votre frère le plus fort ainsi qu'un deuxième cousin.

— Qu'est-ce qui ne va pas, Michi ? On dirait que tu as vu un fantôme.

Michanek se força à sourire.

— Je ne m'attendais pas à te trouver ici. Je croyais que tu étais avec l'empereur.

— Je l'étais. Mais les temps sont tristes, cousin ; c'est un homme fini. J'ai appris que tu étais ici et que tu cherchais un moyen de résister. Puis j'ai entendu parler du duel. Merveilleux. Un exploit digne des légendes ! Pourquoi ne l'as-tu pas tué ?

Michanek haussa les épaules.

— Il s'était battu avec courage. Je lui ai transpercé le poumon et il est tombé. Après cela, il n'était plus une menace ; il n'y avait aucune raison de lui administrer le coup de grâce.

— J'aurais voulu voir la tête de Gorben. On dit qu'il croyait Bodasen imbattable à l'épée.

— Personne n'est imbattable, cousin. Personne.

— Ridicule, annonça Shurpac. *Tu* es imbattable. C'est pour cela que j'ai tenu à venir me battre à tes côtés. Je crois que nous allons expliquer une ou deux choses aux Ventrians. Où est Narin ?

— À la caserne. Il attend la nourriture. Nous allons la faire goûter par des prisonniers ventrians.

— Tu penses que Gorben aurait pu la faire empoisonner ?

Michanek haussa les épaules.

— Je ne sais pas… peut-être. Vas-y, fais-les entrer.

Shurpac regagna son siège. Il fit claquer son fouet au-dessus des têtes des quatre mulets qui se mirent en marche, à la suite des autres. Michanek passa les portes et compta les chariots. Il y en avait cinquante, chargés à ras bord de fruits secs, de céréales, de farine et de maïs. Gorben en avait promis deux cents. *Est-ce que tu vas tenir parole ?* se demanda Michanek.

Comme pour lui répondre, un cavalier arriva du camp ennemi. Le cheval était un étalon blanc de dix-sept mains, élevé pour sa puissance et sa vitesse. Il galopa en direction de Michanek, qui resta immobile, les bras croisés contre sa poitrine. Au dernier moment, le cavalier tira sur ses rênes. Le cheval se cabra et le cavalier sauta de selle. Michanek s'inclina en reconnaissant l'empereur ventrian.

— Comment se porte Bodasen ? s'enquit Michanek.

— Il est en vie. Je te remercie de l'avoir épargné. C'est une personne qui m'est chère.

— C'est aussi quelqu'un de bien.

— Comme toi, déclara Gorben. Trop bien pour mourir ici au service d'un monarque qui t'a abandonné.

Michanek se mit à rire.

— Quand j'ai prêté serment d'allégeance, je ne me rappelle pas avoir entendu une clause qui permettrait de m'y soustraire. Vous avez de telles clauses dans vos vœux d'allégeance ?

Gorben sourit.

— Non. Mon peuple a juré de me servir jusqu'à la mort.

Michanek écarta les bras.

— Or donc, mon seigneur, qu'attendiez-vous d'autre du pauvre serviteur naashanite que je suis ?

Le sourire s'effaça du visage de Gorben. L'empereur fit un pas en avant.

— J'aurais voulu que tu te rendes, Michanek. Je ne cherche pas ta mort – je te dois une vie. Tu as certainement conscience à présent que même avec ces provisions, tu ne pourras plus tenir très longtemps. Je n'ai pas envie de lancer mes Immortels sur la ville. Pourquoi ne sortiriez-vous pas de la cité pour rentrer chez vous ? Nous ne vous ferons pas de mal ; tu as ma parole.

— Cela serait contraire à mes ordres, mon seigneur.

— Puis-je en connaître la nature ?

— Tenir bon jusqu'à nouvel ordre.

— Ton seigneur est en fuite. J'ai capturé son convoi de bagages personnels ainsi que ses trois femmes et ses filles. À l'heure où je te parle, un de ses émissaires est dans ma tente pour négocier leur libération. Mais il n'a rien offert pour toi, son plus fidèle soldat. Tu ne trouves pas cela vexant ?

— Bien sûr que si, lui accorda Michanek, mais cela ne change rien.

Gorben secoua la tête puis, prenant dans ses mains le pommeau de la selle et la bride, il remonta sur son étalon.

— Tu es un homme bien, Michanek. J'aurais tant voulu que tu me serves.

— Et vous, monsieur, vous êtes un excellent général. Ce fut un plaisir de me battre contre vous aussi longtemps. Passez mon bonjour à Bodasen – et si vous souhaitez régler tout cela par un nouveau duel, j'affronterai celui que vous m'enverrez.

— Si mon champion était ici, je le ferais, déclara Gorben se fendant d'un large sourire. J'aurais bien voulu te voir face à Druss et sa hache. Adieu, Michanek. Que les dieux t'accordent une vie somptueuse après la mort.

L'empereur ventrian éperonna son étalon et repartit au galop dans son camp.

Pahtaï était assise dans les jardins quand la première vision lui vint. Elle était en train de regarder une abeille négocier son entrée dans un bouton de fleur pourpre lorsque, tout à coup, elle eut la vision de l'homme à la hache – sauf qu'il n'avait pas de hache et pas de barbe non plus. Il était assis sur le flanc d'une montagne qui surplombait un village entouré d'une palissade inachevée. L'image disparut aussi vite qu'elle était venue. Cela la troubla, mais avec la bataille qui faisait rage sur les remparts, et son angoisse permanente pour le bien-être de Michanek, elle mit la pensée de côté.

Mais la deuxième vision fut infiniment plus puissante que la première. Elle vit un navire, et à son bord, un homme grand et fin. Un nom filtra à travers les voiles de son esprit :

Kabuchek.

Très longtemps auparavant, elle avait été sa possession, à l'époque où Pudri disait qu'elle avait un Talent rare, le don de voir le futur et de lire le passé. Aujourd'hui, ce don n'était plus, et elle ne le regrettait pas. En plein cœur d'une terrible guerre civile, c'était peut-être une bénédiction de ne pas savoir ce que le futur vous réservait.

Elle parla de ces visions à Michanek, et une grande tristesse s'empara de ses traits. Il l'avait prise dans ses bras et l'avait serrée très fort, comme il l'avait fait tout au long de sa maladie. Michanek avait pris le risque de contracter la peste, mais c'était grâce à sa présence et à sa dévotion qu'elle avait réussi à trouver la force de résister à la fièvre. Et elle avait survécu, bien que tous les médecins eussent prédit sa mort. Il est vrai qu'aujourd'hui, son cœur était faible – à ce qu'on lui avait dit – et qu'elle se fatiguait vite. Mais mois après mois, elle reprenait des forces.

Le soleil brillait au-dessus du jardin, et Pahtaï alla ramasser des fleurs pour décorer les pièces principales. Elle portait dans ses bras un panier en osier où elle avait déposé un couteau aiguisé. Comme le soleil baignait son visage, elle pencha la tête en arrière pour jouir de la chaleur de l'astre sur sa peau. Soudain, un cri perçant retentit au loin et elle tourna la tête en direction du bruit. Elle pouvait entendre le son étouffé des épées qui s'entrechoquaient, les cris des guerriers au plus fort du combat.

Cela s'arrêtera-t-il un jour ? pensa-t-elle.

Une ombre passa devant son visage et elle fit volte-face, apercevant deux hommes qui étaient entrés dans le jardin sans faire de bruit. Ils avaient le visage émacié et leurs habits étaient en loques.

— Donnez-nous à manger, demanda l'un des hommes en s'approchant.

— Vous devez aller au centre de rationnement, répondit-elle en essayant de maîtriser sa peur.

— Tu ne vis pas sur des rations, toi, sale traînée naashanite ! fit le deuxième en approchant à son tour.

Il sentait la bière de mauvaise qualité et la sueur. Elle vit son regard se poser sur ses seins. Elle portait une tunique de soie bleue, et avait les jambes nues. Le premier l'attrapa par le bras et l'attira contre lui. Un instant, elle pensa prendre le couteau, mais au lieu de cela, elle se retrouva dans une petite pièce à contempler un lit étroit. Une femme et un enfant malade y étaient allongés ; leurs noms jaillirent dans son esprit.

— Et Katina ? demanda-t-elle soudain.

L'homme gémit et recula, relâchant son étreinte. Ses yeux étaient grands ouverts et remplis de remords.

— Votre bébé est en train de mourir, dit-elle doucement. Pendant que vous buvez et agressez des femmes. Allez aux cuisines, tous les deux. Demandez Pudri, et dites-lui que… (Elle hésita.)… que Pahtaï a demandé à ce qu'on vous donne à manger. Il y a des œufs et du pain sans levain. À présent, partez !

Les deux hommes reculèrent et coururent vers la maison. Pahtaï tremblait sous le choc et s'assit sur un banc en marbre.

Pahtaï ? Rowena… Le nom était monté du plus profond de sa mémoire, et elle l'accueillit comme un matin chantant après une nuit pluvieuse.

Rowena. Je suis Rowena.

Un homme pénétra dans le jardin et suivit le sentier. Il s'arrêta à sa hauteur pour la saluer. Ses cheveux étaient couleur argent et tressés. Pourtant son visage était toujours jeune, presque sans aucune ride. Il s'inclina de nouveau.

— Salutations, Pahtaï. Comment allez-vous ?

— Je vais bien, Darishan. Mais vous avez l'air fatigué.

— Fatigué du siège, pour sûr. Puis-je m'asseoir à vos côtés ?

— Bien sûr. Michanek n'est pas là, mais vous êtes le bienvenu si vous désirez l'attendre.

Il s'affala et renifla l'air.

— J'adore les roses. Leur parfum est exquis ; il me rappelle mon enfance. Vous savez qu'à cette époque, je jouais avec Gorben ? Nous étions amis. Nous nous cachions dans les buissons ; nous prétendions que des assassins étaient à nos trousses. Et voilà que je me cache encore, mais il n'y a pas un buisson de roses assez grand pour me dissimuler.

Rowena ne répondit pas ; elle scruta le joli visage et lut la peur à fleur de peau.

— J'ai misé sur le mauvais cheval, ma chère, dit-il avec éclat. J'ai cru que les Naashanites seraient préférables au père de Gorben qui détruisait l'empire. Mais je n'ai réussi qu'à former un jeune lion à l'art de la guerre et de la conquête. Est-ce que vous croyez que je pourrais persuader Gorben qu'en fait, je lui ai rendu un fier service ? (Il la regarda dans les yeux.) Non, évidemment. Je vais devoir faire face à la mort comme un Ventrian.

— Ne parlez pas de mourir, le gronda-t-elle. Les murs tiennent encore et maintenant, nous avons de quoi manger.

Darishan sourit.

— Oui. C'était un beau duel, mais j'avoue que pendant tout le combat j'avais mon cœur dans ma bouche. Michanek aurait pu glisser, et où serions-nous à présent, avec Gorben dans la place ?

— Aucun homme au monde ne peut vaincre Michanek, dit-elle.

— Jusqu'à présent. Mais Gorben avait un autre champion dans le temps… Druss, je crois que c'était son nom. Il avait une grande hache. Pour autant que je me souvienne, il était particulièrement dangereux.

Rowena frissonna.

— Vous avez froid ? demanda-t-il, soudain attentionné. Vous n'auriez pas la fièvre, des fois ?

Il posa sa paume sur le front de Rowena. Dès qu'il la toucha, Rowena le vit mourir, sur les remparts, entouré de guerriers en capes noires ; son corps était criblé de coups d'épées et de couteaux.

Elle ferma les yeux et repoussa les images.

— Vous n'allez pas très bien, l'entendit-elle dire de très loin.

Elle prit une grande respiration.

— Je suis encore un peu faible.

— Il va vous falloir être forte pour la fête. Michanek a trouvé trois chanteurs et un joueur de lyre – nous devrions bien nous amuser. De plus, j'ai encore un tonneau du meilleur rouge lentrian que je vous ferai parvenir.

À l'idée de l'anniversaire, Rowena s'égaya. Cela faisait presque un an qu'elle s'était remise de la peste... Un an depuis que Michanek avait fait son bonheur. Elle sourit à Darishan.

— Vous serez des nôtres, demain ? Tant mieux. Je sais que Michanek tient beaucoup à votre amitié.

— Et moi à la sienne. (Darishan se leva.) Vous savez, c'est un homme bien, meilleur que le reste d'entre nous. Je suis fier de l'avoir connu.

— À demain, dit-elle.

— À demain.

— Je dois t'avouer, mon vieux, que la vie sans toi était d'un ennui mortel, déclara Sieben.

Druss ne répondit pas. Son regard était rivé sur les flammèches qui dansaient au-dessus du petit feu. Snaga était à ses côtés, les lames contre terre, le manche posé le long d'un jeune tronc d'un chêne, entre deux racines qui sortaient du sol. De l'autre côté du feu, Eskodas préparait deux lapins pour un ragoût.

— Une fois que nous aurons dîné, continua Sieben, je vous régalerai des nouvelles aventures de Druss la Légende.

— Ça me ferait mal ! grogna Druss.

Eskodas se mit à rire.

— Tu devrais écouter cela, Druss. Il te fait descendre en enfer pour sauver l'âme d'une princesse.

Druss secoua la tête, mais un petit sourire était visible au milieu de sa barbe noire, et Sieben en fut transporté de joie. Cela faisait un mois que Druss avait tué Cajivak, et depuis lors, le guerrier à la hache n'avait pas prononcé plus de quelques mots. Les deux premières semaines, ils s'étaient reposés à Lania avant de partir vers l'est à travers les montagnes. Ils n'étaient plus qu'à deux jours de Resha. Ils campaient sur une colline boisée surplombant un petit village. Druss avait regagné une bonne partie de son poids, et ses épaules remplissaient presque le gilet de cuir qu'il avait retiré du corps de Cajivak.

Eskodas embrocha les lapins et les plaça sur le feu. Il essuya ses doigts couverts de sang et de graisse.

— On peut mourir de faim avec du lapin, fit-il remarquer. Il n'y a pas grand-chose à manger dessus. On aurait mieux fait d'aller au village.

— J'aime rester dehors, dit Druss.

— Si j'avais su, je serais venu plus tôt, déclara doucement Sieben.

Druss acquiesça.

— Je le sais, poète. Mais tout cela appartient au passé. Tout ce qui compte, c'est que je retrouve Rowena. Quand j'étais dans mon cachot, elle m'est apparue en rêve ; elle m'a donné la force. Je la trouverai. (Il soupira.) Un jour.

— La guerre est bientôt finie, dit Eskodas. Une fois que nous aurons gagné, tu la retrouveras plus facilement. Gorben pourra envoyer un cavalier dans toutes les cités, villes et villages. Quiconque la possède apprendra que l'empereur désire qu'elle lui soit remise.

— C'est vrai, fit Druss, le visage illuminé, qu'il avait promis de m'aider. Je me sens déjà mieux. Les étoiles brillent, la nuit est fraîche. Ah, que c'est bon d'être en vie ! Très bien, poète, raconte-moi comment j'ai libéré cette princesse des enfers. Et rajoute un ou deux dragons au passage !

— Non, répondit Sieben en riant, tu es déjà de trop bonne humeur. Ce n'est drôle que lorsque tu fais la tête et que tu serres les poings.

— Tu as raison, grommela Druss. Je pense que tu n'inventes ces histoires que pour m'embêter.

Eskodas retira la broche et retourna la viande.

— J'aime assez cette histoire, Druss, elle sonne vrai. Si l'Esprit du Chaos traînait ton âme en enfer, je suis sûr que tu lui tordrais la queue.

Il y eut un mouvement dans les bois et ils s'arrêtèrent de parler. Sieben dégaina un de ses couteaux ; Eskodas prit son arc et encocha une flèche ; Druss resta assis et attendit. Un homme apparut. Il était vêtu d'une robe flottante de laine grise, couverte de poussière, et pourtant elle brillait sous le clair de lune comme si elle avait été tissée d'argent.

— Je vous attendais au village, annonça le prêtre de Pashtar Sen en prenant place au côté du guerrier.

— Je suis mieux ici, dit Druss d'une voix froide et hostile.

— Je suis désolé, mon fils, pour toutes vos souffrances, et le poids de la honte pèse sur moi pour vous avoir demandé de reprendre le fardeau de la hache. Mais Cajivak semait la désolation dans toute la région, et son pouvoir grandissait de jour en jour. Qu'avez-vous…

— J'ai fait ce qui devait être fait, cracha Druss. À vous de remplir votre part du marché.

— Rowena est à Resha. Elle… vit… avec un soldat nommé Michanek. C'est un général naashanite, et le champion de l'empereur.

— *Vit* avec ?

Le prêtre hésita.

— Elle est mariée avec lui, dit-il rapidement.

Druss plissa les yeux.

— C'est un mensonge. Ils auraient pu la forcer à faire bien des choses, mais elle n'aurait jamais épousé un autre homme.

— Laissez-moi vous expliquer cela avec mes mots à moi, supplia le prêtre. Comme vous le savez, je l'ai longtemps cherchée, mais je n'arrivais pas à la trouver. C'était comme si elle n'existait plus. Je l'ai finalement trouvée par hasard – je l'ai aperçue juste avant que Resha ne soit assiégée. J'ai eu à peine le temps de toucher son esprit. Elle n'avait plus aucun souvenir de Drenaï. Quel qu'il soit. Alors, je l'ai suivie jusque chez elle. Le nommé Michanek l'a accueillie. Et j'ai pénétré son esprit. Il a un ami, un mystique, à qui il a demandé d'ôter ses pouvoirs de prophétesse à Rowena. Mais ce faisant, ils lui ont également volé ses souvenirs. Aujourd'hui, elle ne connaît plus que Michanek.

— Ils l'ont roulée en se servant de sorcellerie. Par les dieux, je vais leur faire payer ! Resha, hein ?

La main de Druss se referma sur le manche de la hache. Il la pressa contre lui.

— Vous ne comprenez toujours pas, enchaîna le prêtre. Michanek est un homme bon. Ce qu'il…

— Assez ! gronda Druss. À cause de vous, j'ai passé plus d'un an dans un trou, avec des rats pour seule compagnie. À présent, hors de ma vue – et ne croisez plus jamais mon chemin.

Lentement, le prêtre se leva et s'éloigna du guerrier et de sa hache. Il sembla sur le point de parler, mais Druss posa ses yeux pâles sur lui, et d'un pas chancelant, il se fondit dans les ténèbres.

Sieben et Eskodas restèrent muets.

Sur les hauteurs des collines, loin à l'est, l'empereur naashanite était assis, son manteau serré autour de lui. Il avait cinquante-quatre ans, mais on lui en aurait donné soixante-dix. Ses maigres cheveux étaient blancs et ses yeux creusés. À son côté se tenait Anindaïs, un de ses chefs d'état-major ; il était mal rasé et la défaite était gravée sur son visage.

Derrière eux, dans le long défilé, l'arrière-garde essayait d'enrayer la progression de l'armée ventrianne. Ils étaient en sécurité… pour le moment.

Nazhreen Connitopa, Seigneur des Aires, Prince des Hautes-Terres, Empereur de Naashan, avait un goût de bile dans la bouche, et un sentiment de frustration lui pesait sur le cœur. Il avait planifié l'invasion de la Ventria pendant près de onze ans, et on lui avait servi l'empire sur un plateau. Gorben était battu

– tout le monde le savait, du plus petit paysan au plus grand satrape de province. Tout le monde, sauf Gorben.

Nazhreen maudit les dieux dans sa barbe pour l'avoir privé de la victoire. La seule raison pour laquelle il était toujours en vie était que Michanek tenait toujours Resha, clouant sur place deux armées ventriannes. Nazhreen se gratta le visage, et dans l'éclat du feu, il vit que ses mains étaient sales, son vernis à ongles craquelé.

— Nous devons tuer Gorben, dit soudainement Anindaïs, d'une voix dure et aussi froide que les vents qui soufflaient dans les sommets.

Nazhreen regarda son cousin d'un air maussade.

— Et comment allons-nous nous y prendre ? rétorqua-t-il. Ses armées ont vaincu les nôtres. En ce moment même, ses Immortels harcèlent notre arrière-garde.

— Nous devrions faire ce que je t'avais enjoint de faire il y a deux ans, cousin. Utilisons la Lumière Noire. Mandons la Vieille Femme.

— Non ! Je n'aurai pas recours à la sorcellerie.

— Ah, mais ce n'est pas comme si nous avions beaucoup d'autres choix, cousin.

C'était dit sur le ton de la dérision, et le mépris était contenu dans chaque mot. Nazhreen déglutit difficilement. Anindaïs était un homme dangereux. La position de Nazhreen, en tant qu'empereur perdant, lui permettait de se révéler au grand jour.

— La sorcellerie trouve toujours le moyen de rejaillir sur celui qui s'en sert, dit-il doucement. Quand on invoque un démon, il demande à être payé en sang.

Anindaïs se pencha en avant. Ses yeux luisaient dans les flammes.

— Une fois que Resha sera tombée, sois sûr que Gorben marchera sur Naashan. Et du sang, il risque d'y en avoir. Qui va te défendre, Nazhreen ? Nos troupes ont été réduites en miettes, nos meilleurs hommes sont en train de se faire massacrer à Resha. Notre seule chance de nous en sortir, c'est que Gorben meure ; alors, les Ventrians se battront entre eux et nous aurons le temps de reconstruire et de négocier. Qui d'autre peut nous assurer sa mort ? On dit que la Vieille Femme n'a jamais échoué.

— *On dit*, se moqua l'empereur. Tu as eu recours à ses services, cousin ? C'est donc pour cela que ton frère est mort de cette manière ?

Il avait à peine prononcé ces mots qu'il les regretta, car Anindaïs n'était pas un homme à offenser, même quand tout allait bien. Et on ne pouvait pas dire qu'en ce moment tout allait bien.

Nazhreen fut soulagé de voir son cousin se fendre d'un large sourire. Anindaïs passa son bras autour de l'épaule de l'empereur.

— Ah, cousin, tu es passé si près de la victoire. C'était un pari risqué, et je t'honore pour cela. Mais quand les temps changent, il faut changer aussi.

Nazhreen était sur le point de répondre quand il aperçut la lueur de la dague. Il n'eut pas le temps de se débattre ou de crier. La lame pénétra entre ses côtes, et s'enfonça dans son cœur.

Il ne ressentit aucune douleur, seulement un sentiment de liberté en s'affaissant. Sa tête tomba sur l'épaule d'Anindaïs. La dernière sensation qu'il éprouva, fut le contact de la main d'Anindaïs lui caressant les cheveux.

C'était rassurant…

Anindaïs repoussa le cadavre et se leva. Une silhouette se dégagea des ombres. C'était une vieille femme dans un manteau en peau de loup. Elle s'agenouilla près du corps, et plongea un doigt squelettique dans le sang. Elle le lécha.

— Ah, le sang des rois, dit-elle. Plus enivrant que le vin.

— Cela sera-t-il suffisant comme sacrifice ? interrogea Anindaïs.

— Non – mais suffisant pour commencer, dit-elle. (Elle frissonna.) Il fait froid ici. Ce n'est pas comme à Mashrapur. Quand tout cela sera terminé, je rentrerai chez moi. Ma maison me manque.

— Comment vas-tu le tuer ? demanda Anindaïs.

Elle jeta un regard au général.

— Nous allons faire dans la poésie. C'est un noble ventrian, et le symbole de sa maison est l'Ours. Je vais invoquer le Kalith.

Anindaïs s'humecta les lèvres.

— Allons, le Kalith n'est qu'une légende, non ?

— Si tu veux le voir par toi-même, je peux arranger cela, siffla la Vieille Femme.

Anindaïs recula.

— Non. Je te crois.

— Je t'aime bien, Anindaïs, déclara-t-elle doucement. Tu n'as pas une seule vertu pour te racheter – c'est très rare. Je vais donc te faire une faveur, gratuite. Reste à mes côtés, et tu verras le Kalith tuer le Ventrian. (Elle se leva et marcha vers le versant de la colline.) Viens, dit-elle.

Anindaïs la suivit. La Vieille Femme opéra une série de gestes devant la paroi rocheuse, et la pierre grise se transforma en fumée. Elle prit le général par la main et l'emmena à l'intérieur.

Ils étaient dans un long tunnel sombre. Anindaïs fit mine de reculer.

— Pas une seule vertu pour te racheter, répéta-t-elle, même pas le courage. Reste avec moi, général, et il ne t'arrivera rien.

Ils ne marchèrent pas longtemps, pourtant, cela sembla une éternité pour Anindaïs. Il savait qu'ils passaient à travers un monde qui n'était pas le sien, et au loin il pouvait entendre des cris inhumains. De grandes chauves-souris tournoyaient dans le ciel de cendres noires. Aucune plante n'arrivait à pousser. La Vieille Femme suivit un sentier étroit, le guidant vers un petit pont qui enjambait un précipice. Ils arrivèrent à une fourche, et prirent la route de gauche qui déboucha sur une petite caverne. Un chien à trois têtes en gardait l'entrée, mais en voyant la Vieille Femme avancer, il recula pour les laisser passer. À l'intérieur de la caverne, il y avait une salle circulaire où étaient entreposés des livres et des rouleaux de parchemin ; deux squelettes suspendus au plafond par des crochets – leurs jointures étaient fixées par des fils en or ; un cadavre gisait sur une longue table – il était ouvert du haut de la poitrine jusqu'au bas du ventre, et son cœur reposait à côté de lui comme une pierre grise de la taille d'un poing.

La Vieille Femme souleva le cœur et le montra à Anindaïs.

— Le voici, le secret de la vie. Quatre cavités, une quantité de valves, d'artères et de veines. Rien qu'une pompe. Pas d'émotions ni d'entrepôt secret pour l'âme.

Elle avait l'air déçue, mais Anindaïs ne le fit pas remarquer.

— Le sang, continua-t-elle, est envoyé dans les poumons pour y prélever l'air, puis distribué dans l'orifice ventriculaire. Ce n'est qu'une pompe. Où en étions-nous ? Ah oui, le Kalith.

Elle renifla bruyamment puis jeta le cœur sur la table ; il rebondit contre le cadavre et tomba sur le sol poussiéreux. Rapidement, elle passa en revue les livres sur une étagère et en sélectionna un. Elle feuilleta les pages jaunies et s'assit à une table. Elle posa le livre devant elle. La page de gauche montrait un texte bien écrit, avec de petites lettres. Anindaïs ne pouvait pas lire ce langage, mais il comprenait l'image peinte sur la page de droite. Elle représentait un ours gigantesque avec des griffes en acier et des crocs d'où s'écoulait du venin.

— C'est une créature de la terre et du feu, déclara la Vieille Femme, et il va falloir beaucoup d'énergie pour l'invoquer. C'est pour cela que j'ai besoin de ton aide.

— Je ne connais rien à la sorcellerie, répondit Anindaïs.

— Tu n'as pas besoin d'y connaître quoi que ce soit, lâcha-t-elle sèchement. Je dirai les mots et tu n'auras qu'à les répéter. Suis-moi.

Elle le guida au fond de la caverne, où se trouvait un autel en pierre entouré par une rangée de stalagmites, reliées entre elles par un fil d'or. L'autel était au centre d'un cercle d'or. La Vieille Femme incita Anindaïs à franchir le fil et à s'approcher de la pierre sur laquelle était posé un bol en argent rempli d'eau.

— Regarde dans l'eau, dit-elle, et répète après moi.

— Pourquoi restes-tu de l'autre côté du fil ?

— Parce qu'il y a un fauteuil de ce côté, et mes vieilles jambes sont fatiguées, répondit-elle. À présent, débutons.

Chapitre 5

Oliquar fut le premier des Immortels à voir Druss descendre des collines. Il était assis sur un tonneau, en train de repriser le talon d'une de ses chaussettes. Il la mit de côté et descendit de son perchoir. Puis il cria le nom de Druss. Un grand nombre de soldats qui étaient assis autour levèrent les yeux. Oliquar courut à sa rencontre et, de joie, se jeta au cou du géant.

Des centaines de guerriers se massèrent bientôt, en se dévissant le cou, pour voir le champion de l'empereur, ce fabuleux guerrier à la hache qui se battait comme dix tigres. Druss sourit à son vieux camarade.

— Il y a plus de poils blancs dans cette barbe que dans mon souvenir, lui dit-il.

Oliquar rit de bon cœur.

— Je les ai tous gagnés. Par les Mains Sacrées, c'est bon de te revoir, mon ami !

— La vie a été monotone sans moi ?

— Pas vraiment, répondit Oliquar en montrant d'un geste de la main les murailles de Resha. Ils se battent bien, ces Naashanites. Eux aussi ont un champion : Michanek, un grand guerrier.

Le sourire disparut du visage de Druss.

— On verra s'il est aussi bon qu'on le dit, déclara-t-il.

Oliquar se tourna vers Sieben et Eskodas.

— Il paraît que vous n'avez même pas eu besoin de secourir notre ami. À ce qu'on raconte, il a tué le célèbre assassin Cajivak et la moitié des hommes de sa forteresse. C'est vrai ?

— Il faudra attendre la chanson, lui conseilla Sieben.

— Oui. Il y a des dragons dedans, intervint Eskodas.

Oliquar mena le trio à travers les rangs silencieux des guerriers jusqu'à une tente au bord de la rivière. Il sortit un pichet de vin et plusieurs gobelets en grès. Puis il s'assit en regardant ses amis.

— Tu as un peu maigri, observa-t-il, et tes yeux sont fatigués.

— Verse-moi un verre, et tu vas les voir briller. Pourquoi portez-vous des capes noires et des heaumes ?

— Nous sommes les nouveaux Immortels, Druss.

— Tu n'as pas l'air si immortel que ça, dit Druss en montrant du doigt un bandage ensanglanté sur le biceps droit d'Oliquar.

— Il s'agit d'un titre – un grand titre. Pendant deux siècles, les Immortels étaient la garde d'honneur de l'empereur, triée sur le volet. Les meilleurs soldats, l'élite. Mais il y a vingt ans, le général des Immortels, Vupash, a dirigé une révolte et le régiment a été dissous. Aujourd'hui, l'empereur l'a reformé – nous ! C'est un honneur incroyable que d'être un Immortel. (Il se pencha en avant et sourit.) Et la solde est meilleure – double, en fait.

Il remplit les gobelets de vin et en tendit un à chaque nouveau venu. Druss but le sien d'une traite, et Oliquar le resservit.

— Comment se passe le siège ? demanda le guerrier à la hache.

Oliquar haussa les épaules.

— Ce fameux Michanek arrive à les faire tenir. C'est un lion, Druss, infatigable et implacable. Il a affronté Bodasen en combat singulier. On pensait tous que la guerre serait finie. Comme ils mouraient de faim dans la ville, l'empereur a mis deux cents chariots de nourriture dans la balance. Le pari était que si Bodasen perdait, la nourriture serait livrée, mais que s'il gagnait, les portes de la cité devraient s'ouvrir ; nous aurions laissé les Naashanites s'en aller librement.

— Il a tué Bodasen ? intervint Eskodas. C'était un excellent bretteur.

— Il ne l'a pas tué ; il l'a battu en lui infligeant une blessure à la poitrine, puis s'en est allé. On a livré les cinquante premiers chariots il y a une heure ; le reste sera expédié ce soir. Du coup, c'est nous qui allons nous retrouver à court de rations pour un petit moment.

— Mais pourquoi n'a-t-il pas porté le coup de grâce ? demanda Sieben. Gorben aurait pu refuser d'envoyer la nourriture. Les duels sont censés être à mort, non ?

— Oui, ils le sont. Mais c'est Michanek, et comme je vous l'ai dit, il est spécial.

— À t'entendre, on jurerait que tu l'aimes bien, cracha Druss, en finissant son deuxième gobelet.

— Par les dieux, Druss, il est difficile de ne pas l'apprécier. Je continue d'espérer qu'ils vont se rendre ; l'idée de massacrer ces valeureux guerriers ne m'enchante pas plus que ça. Après tout, la guerre est finie – ce n'est que la dernière escarmouche. Il est inutile de tuer davantage ou d'avoir plus de morts.

— Michanek a ma femme, fit Druss d'une voix grave et froide. Il l'a trompée. Il lui a volé sa mémoire pour qu'elle l'épouse. Elle ne me connaît plus.

— J'ai du mal à le croire, commenta Oliquar.

— Tu me traites de menteur ? siffla Druss, saisissant le manche de sa hache.

— Mais j'ai encore plus de mal à croire *cela*, dit Oliquar. Qu'est-ce qui t'arrive, mon ami ?

Les mains de Druss tremblèrent sur le manche. Il le lâcha d'un coup et se frotta les yeux. Il prit une profonde respiration puis se força à sourire.

— Ah, Oliquar ! Je suis fatigué et le vin m'est monté à la tête. Mais ce que je t'ai dit est vrai ; cela m'a été confié par un prêtre de Pashtar Sen. Demain, j'escaladerai ces murs, et je trouverai Michanek. Alors nous verrons bien s'il est si spécial.

Druss se releva et rentra dans la tente. Les trois hommes restèrent silencieux un moment, puis Oliquar prit la parole, essayant de parler à voix basse.

— La femme de Michanek se nomme Pahtaï. Des réfugiés de la ville nous en ont parlé. C'est une âme charitable. Quand la peste a frappé la ville, elle s'est rendue dans les maisons des malades, pour les soigner. Michanek l'adore et elle aussi. Ce n'est un secret pour personne. Et je le répète, ce n'est pas le genre d'homme à s'emparer d'une femme par traîtrise.

— C'est sans importance, déclara Eskodas. C'est comme si le destin était gravé dans la pierre. Deux hommes et une femme ; le sang doit couler. Je me trompe, poète ?

— Malheureusement non, convint Sieben. Je me demande surtout comment elle réagira en voyant Druss s'approcher d'elle, couvert du sang de l'homme qu'elle aime. Que se passera-t-il alors ?

Allongé sur une couverture à l'intérieur de la tente, Druss écouta chaque mot. Ils lui découpaient l'âme comme des couteaux de feu.

Michanek abrita ses yeux du soleil couchant pour voir la silhouette lointaine du guerrier à la hache qui descendait la colline vers le campement ventrian. Il vit les guerriers l'entourer, entendit leurs ovations.

— Qui est-ce, d'après toi ? demanda son cousin, Shurpac.

Michanek prit une profonde inspiration.

— Je dirais que c'est le champion de l'empereur, Druss.

— Tu vas l'affronter ?

— Je ne crois pas que Gorben nous en donnera la possibilité, répondit Michanek. Il n'en a pas besoin – nous ne pourrons plus tenir bien longtemps.

— Suffisamment pour que Narin revienne avec des renforts, commenta Shurpac.

Michanek ne répondit pas. Il avait envoyé son frère avec une requête écrite demandant des renforts, en sachant pertinemment qu'il n'obtiendrait aucune aide de Naashan ; son seul but avait été de sauver son frère.

Et toi-même. La pensée avait jailli du plus profond de son être. Demain serait son premier anniversaire de mariage, le jour où Rowena avait prédit qu'il mourrait avec Narin d'un côté et Shurpac de l'autre.

Maintenant que Narin n'était plus là, peut-être que la prophétie serait contrariée. Michanek ferma les yeux ; il était si fatigué. Il avait l'impression qu'on lui avait mis du sable sous les paupières.

Le tunnel sous les murs était achevé, et bientôt, une fois que les vents seraient favorables, les Ventrians mettraient le feu au bois. Il scruta leur campement. À présent, il y avait pas loin de onze mille guerriers attroupés devant Resha ; et seulement huit cents défenseurs. Il regarda à droite et à gauche, et vit les soldats naashanites assis sur les remparts. Ils ne parlaient pas beaucoup, la plupart n'avaient même pas touché à la nourriture qu'on venait de leur distribuer.

Michanek se déplaça jusqu'au soldat le plus proche, un jeune homme qui était assis la tête entre les genoux. Il avait son heaume à côté de lui ; il était fendu en deux, et le panache blanc ne tenait presque plus.

— Tu n'as pas faim, mon gars ? lui demanda Michanek.

Le garçon leva les yeux. Ils étaient marron foncé ; son visage était imberbe, presque féminin.

— Je suis trop fatigué pour manger, général, répondit-il.

— La nourriture te donnera des forces. Crois-moi.

Le jeune homme prit un bout de viande séchée et le contempla.

— Je vais mourir, déclara-t-il.

Michanek vit une larme couler sur sa joue poussiéreuse.

Le général lui posa une main sur l'épaule.

— La mort n'est qu'un autre voyage, mon gars. Mais tu ne feras pas la route tout seul – je serai avec toi. Et qui sait quelles aventures nous attendent ?

— C'est ce que je croyais, fit tristement le soldat, mais depuis j'ai vu trop de morts. Mon frère a été tué hier ; il a été étripé. Ses cris étaient affreux. Avez-vous peur de la mort, monsieur ?

— Bien sûr. Mais nous sommes des soldats de l'empereur. Nous connaissions les risques la première fois que nous avons bouclé nos plastrons et nos jambières. Qu'est-ce qui est préférable, mon garçon : vivre jusqu'à ce que nous perdions toutes nos dents et que nos muscles deviennent aussi noués que des cordes, ou affronter nos ennemis au meilleur de notre forme ? Nous sommes tous destinés à mourir.

— Je ne veux pas mourir ; je veux partir d'ici. Je veux me marier et avoir des enfants. Je veux les voir grandir.

Le garçon pleurait ouvertement. Michanek s'assit à ses côtés, le prenant dans ses bras en lui caressant les cheveux.

— Moi aussi, dit-il d'une voix à peine audible.

Quelques minutes plus tard, les pleurs cessèrent et le garçon se releva.

— Je suis désolé, général. Vous savez, je ne vous laisserai pas tomber.

— J'en étais sûr. Je t'ai observé te battre, tu es un garçon courageux ; l'un des meilleurs. À présent, mange ta ration et essaie de dormir un peu.

Michanek se leva à son tour et rejoignit Shurpac.

— Rentrons à la maison, dit-il. J'ai envie de m'asseoir dans le jardin avec Pahtaï pour contempler les étoiles.

Druss était allongé, les yeux fermés, essayant d'ignorer les murmures de la conversation. Il ne se souvenait pas d'avoir jamais été autant démoralisé – même pas quand Rowena avait été capturée. Ce jour-là, sa colère avait pris le dessus, et son désir de la retrouver avait obnubilé son esprit, lui donnant la force de suivre son but et d'entraver ses émotions avec des chaînes d'acier. Même au fond de son cachot, il avait trouvé un moyen de lutter face au désespoir. Mais là, il avait l'estomac noué, et ses émotions fusaient.

Elle est amoureuse d'un autre homme. Les mots se formèrent dans son esprit et s'enfoncèrent dans son cœur comme du verre pilé dans de la chair.

Il voulait haïr Michanek, mais cela lui était impossible. Rowena n'aurait jamais pu aimer un être malfaisant ou méprisable. Il se redressa et regarda ses mains. Il avait traversé les océans pour retrouver son amour, et ces mains avaient tué, et tué, et tué encore pour que Rowena lui revienne.

Il ferma les yeux. *Où est ma place ? En première ligne, pendant l'assaut des murs ? Sur les remparts, pour défendre la ville de Rowena ? Ou ne ferais-je pas mieux de m'en aller ?*

M'en aller.

Le battant de la tente se releva et Sieben entra.

— Comment te sens-tu, mon vieux ? s'enquit le poète.

— Elle l'aime, dit Druss d'une voix épaisse, s'étranglant presque avec les mots.

Sieben s'assit à côté du guerrier. Il prit une profonde inspiration.

— Si sa mémoire lui a été volée, elle ne t'a pas trahi. Elle ne sait même pas que tu existes.

— Je comprends cela. Je ne lui en veux pas – comment le pourrais-je ? C'est la plus... belle... Je ne peux pas l'expliquer, poète. Elle ignore tout de la haine, de l'envie, de la jalousie. Elle est douce, mais pas faible ; attentionnée, mais pas bête. (Il jura et secoua la tête.) Comme je te disais, je n'arrive pas à l'expliquer.

— Tu ne t'en sors pas mal, dit gentiment Sieben.

— Quand je suis avec elle, il n'y a pas… de feu dans mon esprit. Pas de colère. Quand j'étais enfant, je détestais qu'on se moque de moi. J'étais grand et maladroit – je renversais des casseroles, je m'emmêlais les pieds. Et quand les gens se moquaient de ma maladresse, j'avais envie de… je ne sais pas… de les broyer. Mais un jour où j'étais dans les montagnes avec Rowena, et il avait beaucoup plu, je me suis pris le pied dans une racine et je suis tombé la tête la première dans une mare de boue. Son rire a été frais et éclatant : je me suis assis pour rire avec elle. Et c'était bon, poète, si bon…

— Elle est toujours là, Druss, de l'autre côté de ces murs.

Le guerrier acquiesça.

— Je sais. Que dois-je faire – escalader les murs, tuer l'homme qu'elle aime, et aller lui dire : « Tu te souviens de moi ? » ? Je ne peux pas être gagnant.

— Une chose à la fois, mon ami. Resha va tomber. D'après ce que j'ai déduit des propos d'Oliquar, Michanek se battra jusqu'au bout, jusqu'à la mort. Tu n'as pas besoin de le tuer, son destin est scellé. Ensuite, Rowena aura besoin de quelqu'un. Je ne peux pas te donner de conseil, Druss, je n'ai jamais été vraiment amoureux, et je t'envie pour ça. Mais voyons déjà ce que demain nous réserve, d'accord ?

Druss opina du chef et respira à fond.

— Demain, murmura-t-il.

— Gorben a demandé à te voir, Druss. Pourquoi ne m'accompagnerais-tu pas ? Bodasen est avec lui – il y aura du vin et à manger.

Druss se leva et s'empara de Snaga. Les lames brillèrent dans la lumière du brasier au milieu de la tente.

— On dit que le meilleur ami de l'homme, c'est le chien, déclara Sieben en reculant d'un pas devant la hache.

Le guerrier l'ignora et partit dans la nuit.

Rowena tenait un grand peignoir dans ses mains. Elle attendait que Michanek sorte de son bain. Elle sourit, et lui enleva deux pétales de rose qui étaient sur son épaule. Puis, elle ouvrit le peignoir. Michanek enfila les manches et attacha la ceinture de satin. Il se tourna vers elle, lui prit la main et la mena jusqu'au jardin. Rowena posa la tête sur la poitrine de son mari qui l'enserra dans ses bras pour lui embrasser le haut du crâne. Son corps était riche du parfum des essences de roses. Elle lui rendit son étreinte, se débattant avec le peignoir. Elle renversa sa tête puis le regarda dans le blanc des yeux.

— Je t'aime.

Il lui souleva le menton et l'embrassa, un long moment. Sa bouche avait toujours le goût des pêches qu'il avait mangées en prenant son bain. Mais c'était un baiser sans passion ; il s'écarta.

— Qu'est-ce qui ne va pas ? demanda-t-elle.

Il haussa les épaules et essaya de sourire.

— Rien.

— Pourquoi dis-tu cela ? le réprimanda-t-elle. Je déteste quand tu me mens.

— Le siège est presque fini, dit-il en la guidant vers un petit banc semi-circulaire sous un arbre en fleurs.

— Quand vas-tu te rendre ? s'enquit-elle.

Il haussa les épaules.

— Quand j'en recevrai l'ordre.

— Mais cette bataille n'est pas nécessaire. La guerre est finie. Si tu négocies avec Gorben, il nous laissera quitter la ville. Tu pourras me montrer ta maison à Naashan. Tu m'avais promis que tu m'emmènerais sur tes terres, au bord des lacs ; tu m'avais dit que les jardins m'éblouiraient par leur beauté.

— Ils le feraient, lui confirma-t-il.

Il la prit par les hanches, se leva, et la souleva comme une plume en embrassant ses lèvres.

— Repose-moi. Tu vas rouvrir tes points de suture – tu as entendu ce que le médecin à dit.

Il gloussa.

— Oui, pour l'entendre, je l'ai entendu. Mais la blessure est presque guérie.

Il l'embrassa deux fois encore et la reposa sur le sol. Ils se remirent à marcher dans le jardin.

— Il y a des choses dont nous devons discuter, dit-il.

Elle attendit qu'il continue, mais Michanek se contenta de regarder les étoiles et le silence grandit.

— Quelles choses ?

— Toi, finit-il par dire. Ta vie.

Rowena le dévisagea. Son faciès, éclairé par la lune, révélait des lignes de tension ; il serrait visiblement sa mâchoire.

— Vivre avec toi, fit-elle. C'est tout ce que je veux.

— Parfois, on souhaite plus qu'on ne peut avoir.

— Ne dis pas ça !

— Tu étais une Voyante – très talentueuse. Kabuchek faisait payer tes services deux pièces d'argent par séance. Tu ne t'es jamais trompée.

— Je sais tout cela. Tu me l'as déjà dit. Qu'est-ce que cela change aujourd'hui ?

— Cela change tout. Tu es née en territoire drenaï, tu as été capturée par des esclavagistes. Mais un homme…

— Je ne veux pas en entendre davantage, déclara-t-elle en s'écartant de lui pour se rendre au petit lac.

Il ne la suivit pas, mais ses mots le firent.

— Cet homme était ton mari.

Rowena s'assit au bord de l'eau et passa un doigt sur la surface, créant des ondulations qui troublèrent le reflet de la lune.

— L'homme avec la hache, dit-elle faiblement.

— Tu t'en rappelles ? demanda-t-il en venant s'asseoir derrière elle.

— Non. Mais je l'ai vu, une fois – devant la maison de Kabuchek. Je l'ai revu dans un rêve, il était assis dans un cachot.

— Eh bien il n'y est plus à présent, Pahtaï. Il est à l'extérieur de la ville. C'est Druss, le guerrier à la hache, champion de Gorben.

— Pourquoi me dis-tu cela ? l'interrogea-t-elle en le regardant droit dans les yeux.

Sous la lune, son peignoir blanc lui donnait un aspect fantomatique, presque éthéré.

— Tu crois que j'en avais envie ? rétorqua-t-il. Je préférerais affronter un lion à mains nues que d'avoir cette conversation. Mais je t'aime, Pahtaï. Je t'ai aimée dès notre première rencontre. Tu étais avec Pudri dans le couloir central de la maison de Kabuchek, et tu m'as prédit mon futur.

— Que t'ai-je dit ?

Il sourit.

— Tu m'as dit que j'épouserais la femme que j'aimais. Mais tout cela n'a plus d'importance à présent. Je pense que sous peu tu retrouveras… ton premier… mari.

— Je ne veux pas.

Son cœur battait la chamade, elle se sentait mal. Michanek la prit dans ses bras.

— Je ne sais pas grand-chose de lui, mais je te connais toi, déclara-t-il. Tu es drenaïe ; vos coutumes sont différentes des nôtres. Tu n'es pas noble de naissance, il y a donc de fortes chances que tu l'aies épousé par amour. Pense à ceci : Druss t'a suivie à l'autre bout du monde pendant sept ans. Il doit t'aimer profondément.

— Je ne veux plus parler de cela ! dit-elle en haussant le ton sous le coup de la panique.

Elle essaya de se lever, mais il la maintint contre lui.

— Moi non plus, murmura-t-il d'une voix rauque. Je voulais simplement m'asseoir avec toi pour regarder les étoiles. Je voulais t'embrasser et te faire l'amour.

Sa tête s'affaissa et elle vit des larmes dans ses yeux.

Sa panique disparut, mais une peur glacée s'empara de son âme. Elle le regarda dans les yeux.

— Tu parles comme si tu allais mourir.

— Oh, mais je mourrai un jour, répondit-il en souriant. À présent je dois partir. J'ai rendez-vous avec Darishan et les autres officiers pour discuter de la stratégie de demain. Ils doivent déjà être arrivés.

— Ne pars pas ! le supplia-t-elle. Reste encore un peu avec moi… un tout petit peu.

— Je serai toujours avec toi, fit-il tendrement.

— Darishan mourra demain. Sur les remparts. J'ai eu une vision. Il est venu ici aujourd'hui et je l'ai vu mourir. Mon Talent revient. Donne-moi ta main ! Laisse-moi voir ton futur.

— Non ! dit-il en s'écartant d'elle. (Il se leva.) Le destin d'un homme lui appartient. Tu m'as déjà prédit l'avenir. Une fois suffit, Pahtaï.

— Je t'ai prédit que tu allais mourir, n'est-ce pas ?

Ce n'était pas réellement une question, car elle connaissait déjà la réponse, avant qu'il ne parle.

— Tu m'as parlé de mes rêves et tu as mentionné mon frère, Narin. Je ne me souviens pas de tout ce que tu avais dit. Nous en reparlerons plus tard.

— Pourquoi as-tu mentionné Druss ? Tu crois que si tu meurs, j'irai le retrouver pour reprendre le cours d'une vie dont je ne connais rien ? Si tu meurs, je n'aurai plus de raison de vivre. (Elle fixa son regard sur le sien.) Et j'arrêterai de vivre, affirma-t-elle.

Une silhouette sortit des ombres.

— Michi, pourquoi nous fais-tu attendre ?

Rowena vit son mari tressaillir en découvrant Narin qui venait vers eux à grands pas.

— Je t'ai envoyé en mission, dit Michanek. Que fais-tu ici ?

— J'ai réussi à atteindre les collines, mais les Ventrians sont partout. J'ai été obligé de revenir par les égouts ; je remercie les dieux que les gardes m'aient reconnu. Mais qu'est-ce qui t'arrive ? Tu n'es pas heureux de me voir ?

Michanek ne répondit pas. Il se tourna vers Rowena pour lui sourire, mais elle put lire de la peur dans ses yeux.

— Je n'en aurai pas pour longtemps, mon amour. Nous reparlerons un peu plus tard.

Les deux hommes s'en allèrent, la laissant seule sur son banc. Elle ferma les yeux pour penser au guerrier à la hache. Elle visualisa ses yeux gris pâle et son grand visage plat. Mais ce faisant, une autre image vint se superposer à la première.

Le visage d'une terrible bête, avec des griffes d'acier et des yeux de feu.

Gorben s'allongea sur son divan et regarda avec intérêt les deux jongleurs devant le feu, qui se lançaient cinq lames aiguisées, les faisant tournoyer dans les airs. C'était une démonstration d'un rare talent. Les jongleurs attrapaient les épées en plein vol et se les renvoyaient aussitôt. Ils étaient vêtus de pagnes et leur peau reflétait les éclats rouge et or du feu de camp. Cinq cents Immortels étaient assis autour pour le spectacle, admirant la discipline martiale.

Par-delà les flammes, Gorben pouvait apercevoir les murs de Resha et les quelques défenseurs qui arpentaient les remparts. C'était fini. Contre toute attente, il avait gagné.

Pourtant, il n'y avait aucune joie dans son cœur. Le jeune empereur payait le prix d'années de guerre, de tensions et de peurs. Pour chaque victoire, il avait vu des amis d'enfance se faire tailler en pièces : Nebuchad à Ectanis, Jasua dans les montagnes au-dessus de Porchia, Bodasen devant les portes de Resha. Il jeta un coup d'œil sur sa droite où Bodasen était allongé sur un lit de camp, le visage livide. Les chirurgiens avaient promis qu'il vivrait, et ils avaient réussi à lui recoller le poumon. *Tu es comme mon empire*, pensa Gorben, *mortellement blessé*. Combien de temps faudrait-il pour rebâtir la Ventria ? Des années ? Des décennies ?

Une clameur monta de la foule lorsque les jongleurs finirent leur numéro. Ces derniers vinrent saluer l'empereur. Gorben se leva et leur jeta une bourse remplie de pièces d'or. Les spectateurs partirent dans un grand rire en voyant le premier des jongleurs tendre la main et rater la bourse.

— Tu te débrouilles mieux avec des épées qu'avec des pièces, déclara Gorben.

— L'argent lui a toujours filé entre les doigts, seigneur, fit le deuxième.

Gorben retourna à son siège et sourit à Bodasen.

— Comment te sens-tu, mon ami ?

— Mes forces reviennent, seigneur.

La voix était faible et la respiration saccadée. Gorben lui tapota l'épaule. La chaleur de la peau et l'os qui en saillait faillirent le faire reculer. Le regard de Bodasen croisa le sien.

— Ne vous inquiétez pas pour moi, seigneur. Je ne vais pas vous abandonner. (Le bretteur jeta un regard vers la gauche et un grand sourire illumina son visage.) Par les dieux, voilà une vision qui m'emplit de joie !

Gorben se retourna pour découvrir Druss et Sieben qui marchaient dans leur direction. Le poète mit un genou à terre, courbant l'échine. Druss s'inclina pour la forme.

— Heureuse rencontre, guerrier, déclara Gorben en donnant l'accolade à Druss. (Il prit Sieben par le bras et le releva.) Tes talents m'ont manqué, Maître des Sagas. Venez vous joindre à nous.

Des serviteurs apportèrent deux sièges pour les invités de l'empereur et des gobelets d'or remplis de vin. Druss s'assit à côté de Bodasen.

— Tu as l'air aussi faible qu'un chaton de trois jours, dit-il. Est-ce que tu vas vivre ?

— Je vais faire de mon mieux, guerrier à la hache.

— Il m'a fait perdre deux cents chariots de nourriture, annonça Gorben. Je m'en veux de l'avoir cru imbattable.

— Quelle est au juste la force de ce Michanek ? s'enquit Druss.

— Suffisante pour me laisser dans un état pareil, répondit Bodasen. Il est rapide et sans peur. C'est le meilleur que j'aie jamais affronté. Je ne voudrais pas revivre l'expérience.

Druss se tourna vers Gorben.

— Voulez-vous que je m'en charge ?

— Non, répondit Gorben. La cité tombera dans un jour ou deux – inutile d'avoir recours au duel pour s'en emparer. Nous avons sapé les fondations des murs. Demain, si le vent nous est favorable, nous mettrons le feu aux tunnels. Alors la cité sera à nous, et cette horrible guerre sera terminée. Mais raconte-moi plutôt tes aventures. J'ai appris que tu avais été fait prisonnier ?

— Je me suis échappé, lui rapporta Druss en vidant son verre.

Un serviteur accourut pour le remplir.

Sieben se mit à rire.

— Je vais vous raconter cela, seigneur, dit-il.

Et il se lança dans un compte rendu richement enjolivé de la période que Druss avait passée dans les cachots de Cajivak.

Le grand brasier diminuait et des serviteurs se pressèrent pour remettre des bûches dans le feu. Soudain, le sol se mit à trembler, et l'un d'entre eux tomba au sol. Gorben leva les yeux. L'homme avait du mal à se relever. Toutes les personnes qui étaient assises autour du feu reculaient.

— Que se passe-t-il ? s'enquit l'empereur en se levant pour se rendre sur place.

Le sol se déroba sous ses pieds.

— Tu penses que c'est un tremblement de terre ? entendit-il Sieben demander à Druss.

Gorben se redressa et baissa les yeux vers le sol. La terre se tordait sous ses pieds. Tout à coup, le feu de camp s'embrasa, projetant des étincelles dans la nuit. La chaleur était intense et Gorben dut reculer, le regard rivé sur les flammes. Des bûches explosèrent dans le brasier et une forme gigantesque apparut au milieu des flammes. Une bête avec des bras immenses. Les flammes moururent et Gorben se retrouva face à un ours colossal, de près de quatre mètres de haut.

Plusieurs soldats munis de lances se jetèrent sur la créature, lui enfonçant leurs armes dans le ventre. La première lance se rompit sous l'impact. La bête rugit ; le son était assourdissant, comme si l'on avait capturé le tonnerre. L'un des bras gigantesques s'abattit, et des griffes d'acier coupèrent en deux le premier soldat, au niveau de la taille.

La bête sortit des cendres du brasier et sauta sur Gorben.

Lorsque la créature de feu était apparue, Sieben, qui était assis au côté de Bodasen, eut la sensation que le temps et la réalité lui échappaient. Au moment où ses yeux se rivaient sur la bête, une image jaillit des recoins de sa mémoire, reliant l'horreur de ce qu'il voyait avec un court instant passé dans la bibliothèque de Drenan, cinq ans auparavant. Il faisait des recherches sur un poème épique et avait lu en diagonale l'ensemble des anciens volumes reliés de cuir contenu dans les archives. Les pages étaient sèches et jaunies, l'encre et la peinture passées. Mais sur une page les couleurs vibraient encore, les teintes criaient toujours – des dorures brillantes, des rouges sauvages, des jaunes ensoleillés. La silhouette qui était dessinée était colossale, et des flammes jaillissaient de ses yeux. Sieben revoyait les lettres bien calligraphiées au-dessus de la peinture…

Le Kalith de Numar

Et sous le titre, ces quelques mots :

La Bête du Chaos, le Rôdeur, le Chien de l'Invincible, qu'aucune lame mortelle ne peut blesser. Là où il marche, la mort n'est jamais loin.

Plus tard, lorsque Sieben repenserait à l'attaque du monstre, il se demanderait une fois encore la raison pour laquelle il n'avait pas eu peur. Il avait vu des soldats mourir atrocement, une bête des profondeurs infernales démembrer des hommes, éviscérer des guerriers, leur arrachant la vie. Il avait entendu le hurlement de la mort et son odeur transportée par la brise du soir. Et pourtant, il n'avait pas eu peur.

Une sombre légende venait de prendre vie, et lui, le Maître des Sagas, était là pour en témoigner.

Gorben était cloué sur place, comme enraciné. Un soldat – Sieben reconnut Oliquar – se jeta sur la bête, lui assénant un grand coup de sabre ; mais la lame rebondit sur le dos de la créature ; le faible son qui en résulta ressembla à celui d'un glas sonnant au loin. Une patte griffue s'abattit et le visage d'Oliquar disparut dans un jet de sang et d'os brisés. Plusieurs archers tirèrent des flèches, mais soit elles se brisèrent au contact de la bête, soit elles ricochèrent. La créature avança vers Gorben.

Sieben vit l'empereur hésiter, puis se jeter sur sa droite, en faisant une roulade avant. L'énorme bête se tourna lourdement et chercha Gorben de ses yeux rougeoyants.

Des soldats loyaux, faisant preuve d'une bravoure incroyable, se jetèrent en travers du chemin de la bête, la poignardant sans effet. À chaque fois, les griffes tombaient, et du sang giclait à travers le campement. En quelques battements de cœur, plus de vingt soldats furent tués ou mutilés. La Bête du Chaos éventra l'un d'eux avec une griffe, le souleva et le projeta dans les restes du feu. Sieben entendit les côtes de l'homme se briser, et vit ses entrailles se répandre dans les airs comme une bannière.

Druss, la hache à la main, marcha à grands pas au-devant la créature. Les soldats reculaient, mais formaient toujours un rempart entre elle et l'empereur. Druss se planta devant la Bête ; il avait l'air minuscule et fragile face à la silhouette colossale du Kalith. La lune, qui était haute dans le ciel nocturne, se reflétait sur ses épaulières et les terribles lames de Snaga.

La Bête du Chaos s'arrêta et sembla étudier le petit homme devant elle. Sieben avait la bouche sèche, et il entendait battre son propre cœur.

Alors, le Kalith gronda et, d'une voix grave, bafouilla quelques mots, gêné par une langue de trente centimètres.

— Écarte-toi, frère, dit-elle. Je ne suis pas venu pour toi.

La hache se mit à rougeoyer ; on aurait dit du sang. Druss ne bougea pas. Il prit Snaga à deux mains.

— Écarte-toi, répéta le Kalith, ou je devrai te tuer !

— Dans tes rêves, fit Druss.

La créature fondit sur lui, une patte gigantesque tendue en avant. Druss mit un genou à terre et, d'un mouvement semi-circulaire, remonta sa hache sanguine, tranchant le poignet de la bête. Une griffe tomba sur le sol à côté du guerrier à la hache. Le Kalith recula d'un pas. Aucun sang ne coula de la blessure, mais une fumée huileuse s'éleva dans les airs en tourbillonnant. Du feu jaillit de la bouche de la créature qui se lança de nouveau à l'attaque du mortel. Au lieu de reculer à son tour, Druss lui sauta dessus, brandissant Snaga, et l'abattant d'un coup meurtrier dans la poitrine du Kalith, lui écrasant le sternum et l'ouvrant de la gorge à l'aine.

Des flammes explosèrent du ventre de la bête, enveloppant le guerrier. Druss tituba – et le Kalith tomba à la renverse. Bien que Sieben fût à plus de dix mètres, il sentit la secousse lorsque la forme gigantesque toucha le sol. Une brise se leva et la fumée disparut.

Tout comme le Kalith…

Sieben courut jusqu'à Druss. Les sourcils du guerrier et sa barbe étaient roussis, mais lui n'était pas brûlé.

— Par les dieux, Druss ! cria Sieben en tapant son ami dans le dos. Avec ça, je vais écrire une chanson qui nous rendra tous les deux riches et célèbres.

— Elle a tué Oliquar, dit Druss, repoussant Sieben et laissant tomber sa hache.

Gorben le rejoignit.

— Tu viens d'accomplir un acte d'une grande noblesse, mon ami. Je ne l'oublierai pas – je te dois la vie.

Il se pencha et ramassa la hache. Elle était redevenue normale.

— C'est une arme magique, murmura l'empereur. Je t'en donne vingt mille pièces d'or.

— Elle n'est pas à vendre, mon seigneur, répondit Druss.

— Ah, Druss, moi qui croyais que tu étais mon ami.

— Je le suis, mon gars. C'est pour cela que je ne te la vends pas.

Un vent glacial s'engouffra dans la caverne. Anindaïs sentit le coup de froid et se détourna de l'autel. Il vit la Vieille Femme se lever de son siège de l'autre côté du fil d'or.

— Que se passe-t-il ? s'enquit-il. Le guerrier à la hache a tué la bête. Ne peut-on pas en envoyer une autre ?

— Non, répondit-elle. Mais il ne l'a pas tuée. Il l'a seulement renvoyée dans l'Abîme.

— Alors que faisons-nous à présent ?

— Nous payons le Kalith pour ses services.

— Tu avais dit que le sang de Gorben servirait de paiement.

— Gorben n'est pas mort.

— Je ne te comprends pas. Et pourquoi fait-il si froid ?

Une ombre tomba sur le Naashanite, qui fit volte-face. Une silhouette gigantesque se dressait devant lui. Des griffes s'abattirent, lui ouvrant l'abdomen.

— Même pas l'intelligence, répéta la Vieille Femme en se désintéressant des hurlements.

Elle retourna dans ses appartements et s'assit dans une vieille chaise en osier.

— Ah, Druss, soupira-t-elle, peut-être aurais-je mieux fait de te laisser mourir à Mashrapur.

Chapitre 6

Rowena ouvrit les yeux et vit que Michanek était assis sur le lit, à côté d'elle. Il avait revêtu son armure de cérémonie en bronze et or, avec le heaume à crête rouge et les protections en émail sur les joues ; son plastron était recouvert de motifs et de symboles.

— Tu es très beau, dit-elle, encore endormie.

— Et toi, tu es très belle.

Elle se frotta les yeux et s'assit.

— Pourquoi portes-tu cela aujourd'hui ? Cette armure n'est pas aussi résistante que ton vieux plastron en fer.

— Cela fera du bien au moral des troupes.

Il lui prit la main pour embrasser sa paume. Puis, il se leva et se dirigea vers la porte. Il s'arrêta sur le seuil et parla sans se retourner.

— J'ai laissé quelque chose pour toi, dans mon bureau. Je l'ai enveloppé dans du velours.

Sur ce, il s'en alla.

Quelques minutes plus tard, Pudri fit son apparition, portant un plateau qu'il posa devant elle. Il y avait des gâteaux au miel et un verre de jus de pomme.

— Le Seigneur est magnifique aujourd'hui, déclara-t-il.

Rowena détecta du regret dans ses paroles.

— Qu'est-ce qui ne va pas, Pudri ?

— Je n'aime pas les batailles, lui confia-t-il. Trop de sang et de souffrance. Mais c'est encore pire quand les raisons de se battre sont dépassées par les événements. Les gens qui vont mourir aujourd'hui, mourront pour rien. Leur vie va être soufflée comme une bougie. Pourquoi ? Est-ce que cela s'arrêtera là ? Non.

Quand Gorben sera suffisamment puissant, il lancera une invasion contre Naashan. C'est futile et stupide ! (Il haussa les épaules.) C'est peut-être parce que je suis un eunuque que je ne comprends pas ce genre de choses.

— Tu les comprends très bien au contraire, affirma-t-elle. Dis-moi, étais-je une bonne Voyante ?

— Ah, tu ne dois pas me demander ça, ma dame. Hier n'a plus de raison d'être.

— Le seigneur Michanek t'a-t-il demandé de me cacher mon passé ?

Il acquiesça d'un air morose.

— C'est par amour qu'il m'a demandé de le faire. Ton Talent t'a presque tuée, il ne voulait pas que tu souffres à nouveau. Quoi qu'il en soit, ton bain est prêt. L'eau est bien chaude ; j'ai même réussi à trouver de l'essence de rose pour la parfumer.

Une heure plus tard, Rowena marchait dans les jardins quand elle s'aperçut que la fenêtre du bureau de Michanek était ouverte. Ce n'était pas normal. Il y avait tellement de papiers dans son bureau qu'une rafale de vent aurait pu les disperser dans toute la pièce. Elle rentra dans la maison, ouvrit la porte du bureau et ferma la petite fenêtre. C'est alors qu'elle vit le paquet sur le vieux bureau en chêne. Il était petit, et comme Michanek le lui avait dit, enveloppé dans du velours pourpre.

Lentement, elle défit l'emballage et trouva une petite boîte en bois avec une charnière qu'elle ouvrit. À l'intérieur se trouvait une broche de confection quelconque, même grossière, faite de fils de cuivre enserrant une pierre de lune. Soudain, sa bouche s'assécha. Une partie de son esprit affirma qu'elle n'avait jamais vu cette broche auparavant, mais une clochette sonnait l'alarme au plus profond des recoins de son âme.

C'est à moi !

Sa main droite se tendit lentement vers la broche. Elle s'immobilisa. Ses doigts n'étaient qu'à quelques centimètres de la pierre de lune. Rowena retira sa main et partit s'asseoir. Elle entendit Pudri entrer dans la pièce.

— Tu la portais quand je t'ai vue la première fois, dit-il doucement.

Elle acquiesça mais ne répondit pas. Le petit Ventrian s'approcha d'elle pour lui tendre une lettre, scellée avec de la cire rouge.

— Le seigneur m'a demandé de te remettre ceci une fois que tu aurais vu son… cadeau.

Rowena brisa la cire et ouvrit la lettre. C'était l'écriture ronde et claire de Michanek.

Salutations, ma bien-aimée.

Je suis habile avec une épée, et pourtant, à cet instant, je vendrais mon âme pour être aussi doué avec les mots. Il y a longtemps, alors que tu agonisais, j'ai payé trois sorciers pour enfermer ton Talent au plus profond de toi. En faisant cela, ils ont également scellé la porte de ta mémoire.

Ils m'ont dit que la broche avait été faite pour toi, par amour. C'est la clé de ton passé, et un cadeau pour ton futur. De toutes les douleurs que j'ai endurées, il n'y en a pas de pire que de savoir que ce futur se fera sans moi. Et pourtant je t'ai aimée, et pour rien au monde je ne voudrais changer une seule de nos journées ensemble. Et si, par miracle, je pouvais revenir dans le passé pour te courtiser une fois de plus, je le ferais de la même manière, en pleine connaissance de cause.

Tu es la lumière de ma vie et l'amour de mon cœur.

Adieu, Pahtaï. Que la route soit douce et que ton âme connaisse la joie.

La lettre glissa de ses mains et virevolta jusqu'au sol. Pudri fit rapidement un pas en avant, et passa son maigre bras autour de ses épaules.

— Prends la broche, ma dame !

Elle secoua la tête.

— Il va mourir !

— Oui, admit le Ventrian. Mais il m'a demandé de veiller à ce que tu prennes la broche. C'était son souhait le plus cher. Tu ne peux pas lui refuser !

— Je vais prendre cette broche, dit-elle solennellement, mais quand il mourra, je mourrai avec lui.

Druss était assis non loin du camp à présent désert. Il regardait l'assaut contre les murailles. À cette distance, les attaquants ressemblaient à de petits insectes qui escaladaient des échelles. Il vit des corps tomber, entendit le son de trompettes et les hurlements aigus portés par la brise. Sieben était à ses côtés.

— C'est la première fois que je ne te vois pas participer à une bataille, Druss. Est-ce que tu te ramollirais avec l'âge ?

Druss ne répondit pas. Ses yeux pâles étaient rivés sur le combat. De la fumée s'échappait de sous les murs. Le bois et les broussailles entassés dans le tunnel brûlaient à présent ; bientôt les fondations s'effondreraient. La fumée s'épaissit et les attaquants reculèrent pour attendre.

Le temps s'égrenait lentement ; un grand silence s'abattit sur la plaine. La fumée noircit et s'évapora. Rien ne se passa.

Druss empoigna sa hache et se leva. Sieben l'imita.

— Ça n'a pas marché, déclara le poète.

— Il faut attendre encore un peu, grogna Druss en se mettant en marche.

Sieben le suivit jusqu'à ce qu'ils s'arrêtent à une trentaine de mètres du mur. Gorben attendait là, entouré de ses officiers. Personne ne parlait.

Une lézarde, sombre comme une patte d'araignée, se dessina sur le mur, suivi d'un crissement strident. La fissure s'agrandit, et un grand pan de construction se délogea d'une tourelle, s'écrasant dans un bruit de tonnerre sur les rochers devant le mur. Druss pouvait voir les défenseurs se replier à toute vitesse. Une deuxième fissure apparut... puis une troisième. Une grande partie du mur s'écroula et une tour s'effondra sur la droite, fracassant au passage le mur en ruines. Un immense nuage de poussière s'éleva. Gorben se couvrit la bouche avec son manteau et attendit que la poussière retombe.

Là où quelques instants plus tôt s'était dressé un mur de pierre, il n'y avait plus que des ruines déchiquetées comme les dents d'un géant.

Des trompettes retentirent. Les rangs noirs des Immortels se mirent en marche. Gorben se tourna vers Druss.

— Est-ce que tu te joins à eux pour la victoire ?

Druss secoua la tête.

— Je n'ai pas le cœur au massacre, répondit-il.

La cour était jonchée de cadavres et de flaques de sang. Michanek jeta un coup d'œil à droite où son frère, Narin, était étendu sur le dos, une lance saillant de sa poitrine, les yeux vides fixés sur le ciel rougeoyant.

Le soleil va bientôt se coucher, pensa Michanek. Du sang coulait d'une blessure à la tempe et il pouvait le sentir goutter le long de son cou. Son dos lui faisait mal. Il bougea et sentit la flèche plantée au-dessus de son épaulière s'enfoncer davantage dans ses muscles et sa chair. Il ne pouvait plus porter son lourd bouclier et l'avait abandonné. Le sang sur le manche de son épée la rendait glissante. Un homme grogna sur sa droite. C'était son cousin, Shurpac ; il avait une terrible blessure au ventre et essayait d'empêcher ses entrailles de se déverser sur le sol.

Michanek reporta son attention sur les soldats qui l'entouraient. Ils s'étaient légèrement reculés pour former un cercle macabre autour de lui. Michanek détourna le regard. Il était le dernier des Naashanites encore debout. Il jeta un regard furieux aux Immortels et les défia.

— Qu'est-ce qui vous arrive ? Auriez-vous peur de l'acier naashanite ?

Ils ne bougèrent pas. Michanek tituba et manqua de tomber, mais retrouva l'équilibre.

La douleur l'abandonnait progressivement.

Quelle journée. Le mur s'était effondré en tuant des dizaines d'hommes, mais les autres s'étaient bien regroupés. Il avait été fier d'eux. Pas un seul n'avait proposé de se rendre. Ils s'étaient repliés sur une deuxième ligne de défense pour cueillir les Ventrians avec des flèches, des lances et même des pierres. Mais ils étaient trop nombreux. Impossible de tenir.

Michanek avait mené ses cinquante derniers soldats vers la forteresse intérieure, mais on leur avait coupé la route et ils avaient été repoussés jusqu'à la cour de l'ancienne maison de Kabuchek.

Qu'est-ce qu'ils attendent ?

La réponse lui vint instantanément. *Ils attendent que tu meures.*

Il perçut un mouvement aux abords du cercle. Des soldats s'écartèrent et Gorben apparut – vêtu d'une robe en or, une couronne à sept pointes sur la tête. Il avait vraiment l'air d'un empereur. À côté de lui se tenait le guerrier à la hache, le mari de Pahtaï.

— Prêt pour un nouveau duel... mon seigneur ? appela Michanek.

Il fut pris d'une quinte de toux, et postillonna du sang.

— Lâche ton épée, bon sang, dit Gorben. C'est terminé !

— Dois-je comprendre que vous vous rendez ? gouailla Michanek. Si ce n'est pas le cas, laissez-moi affronter votre champion !

Gorben se tourna vers Druss qui acquiesça et s'avança. Michanek se raidit, mais son esprit était déjà ailleurs. Il se remémorait une journée qu'il avait passée avec Pahtaï, près d'une cascade. Elle avait tressé une couronne de nénuphars qu'elle lui avait posée sur la tête. Les fleurs étaient mouillées et fraîches ; il pouvait presque les sentir...

Non. Bats-toi ! Gagne !

Il leva les yeux. Le guerrier à la hache avait l'air gigantesque. Il le dominait de toute sa taille, et seulement alors Michanek comprit qu'il était tombé à genoux.

— Non, cracha-t-il, je ne mourrai pas à genoux.

Il se pencha en avant et essaya de se relever, mais chuta. Deux mains fortes le rattrapèrent par les épaules et l'aidèrent à se relever. Il leva la tête et contempla les yeux pâles de Druss, le guerrier à la hache.

— Savais... que vous... viendriez, dit-il.

Druss supporta le guerrier jusqu'à un banc en marbre, près d'un des murs de la cour et l'aida à s'allonger sur la pierre froide. Un Immortel retira sa cape et la roula en boule pour servir d'oreiller au général naashanite.

Michanek contempla le ciel qui s'obscurcissait puis tourna la tête. Druss était agenouillé à côté de lui. Derrière le Drenaï, les Immortels attendaient. Gorben donna un ordre, et ils dégainèrent leurs épées pour saluer leur ennemi.

— Druss ! Druss !

— Je suis là.

— Prenez... soin... d'elle.

Michanek n'entendit pas la réponse.

Il était assis sur l'herbe devant une cascade ; les pétales de la couronne de nénuphars étaient doux sur sa peau.

Il n'y eut pas de pillage dans Resha, ni aucun massacre en règle de la population. Les Immortels patrouillèrent la ville après être passés par le centre où des foules en liesse brandissaient des bannières et jetaient des pétales de fleur à leurs pieds. Les premières heures il y eut quelques accès de violence isolés ; les citoyens furieux s'étaient rassemblés pour traquer les Ventrians suspectés d'avoir collaboré avec l'occupant naashanite.

Gorben fit disperser les attroupements en promettant que des enquêtes auraient lieu pour identifier les individus coupables de trahison. Les cadavres furent ensevelis dans deux énormes fosses communes de l'autre côté des murs d'enceinte. L'empereur donna l'ordre qu'un monument soit élevé à la mémoire des Ventrians tombés : une grande statue de lion avec les noms des morts gravés sur son socle. Au-dessus de la fosse des Naashanites, il ne serait pas mis de pierre. Toutefois, Michanek fut placé dans la Salle des Tombés, derrière le Grand Palais, sur la colline qui ressemblait à une couronne en plein cœur de Resha.

On apporta de la nourriture pour la population, et les constructeurs se mirent à l'ouvrage. Ils enlevèrent les barrages qui empêchaient l'eau de pénétrer dans la ville, reconstruisirent les murs et réparèrent les maisons et les boutiques que les projectiles des balistes avaient endommagées ces trois derniers mois.

Druss ne s'intéressait pas aux affaires de la cité. Jour après jour, il se tenait au chevet de Rowena, tenant sa main froide et pâle.

Après la mort de Michanek, Druss chercha sa maison grâce aux indications fournies par un soldat naashanite qui avait survécu à la dernière attaque. Il courut le long des rues en compagnie de Sieben et Eskodas jusqu'à une maison en haut d'une colline.

Ils pénétrèrent dans un jardin magnifique. Là se trouvait un petit homme, qui pleurait au bord d'un lac artificiel. Druss l'attrapa par sa tunique de laine et le souleva de terre.

— Où est-elle ? demanda-t-il.

— Elle est morte, geignit l'homme, le visage en larmes. Elle a pris du poison. Il y a un prêtre auprès d'elle.

Il désigna la maison et se mit à sangloter de plus belle. Druss le lâcha et courut dans la maison, escaladant quatre à quatre les marches de l'escalier qui menait à l'étage. Les trois premières pièces étaient vides, mais dans la quatrième, il trouva le prêtre de Pashtar Sen assis sur le lit.

— Par les dieux, non ! cria Druss en voyant le corps inerte de sa Rowena, le visage gris, les yeux fermés.

Le prêtre leva les yeux ; il avait l'air fatigué.

— Ne dites rien, lui ordonna le prêtre, d'une voix faible et distante. J'ai envoyé chercher un… un ami. La maintenir en vie réclame toutes mes forces.

Il ferma les yeux.

Complètement perdu, Druss se rendit au pied du lit pour contempler cette femme qu'il avait tant aimée. La première fois qu'il avait posé les yeux sur elle remontait à sept ans, sa beauté lui avait déchiré le cœur d'un coup de griffe. Il déglutit difficilement et s'assit sur les couvertures. Le prêtre lui tenait la main ; des gouttes de sueur perlaient sur son visage, laissant des traînées grises sur ses joues. Il avait l'air à bout de forces. Quand Sieben et Eskodas entrèrent dans la chambre, Druss leur intima le silence d'un geste de la main ; ils s'assirent. Et l'attente débuta.

Une heure plus tard, un homme entra à son tour : un petit chauve corpulent, aux oreilles saillantes, presque comiques, et au visage rougeaud. Il portait une longue tunique blanche et un sac à bandoulière dorée sur l'épaule. Sans adresser le moindre mot aux trois hommes, il se plaça au chevet de Rowena et lui posa les doigts sur la gorge.

Le prêtre de Pashtar Sen ouvrit les yeux.

— Elle a pris du *yasroot*, Shalitar, dit-il.

Le chauve acquiesça.

— Il y a combien de temps ?

— Trois heures ; mais j'ai réussi à empêcher que le poison ne se répande dans tout le sang. Toutefois, une infime partie a atteint le système lymphatique.

Shalitar fit claquer ses dents et farfouilla dans son sac.

— Que l'un d'entre vous aille chercher de l'eau, ordonna-t-il.

Eskodas se leva et quitta la pièce ; il revint quelques instants plus tard avec un pichet en argent. Shalitar lui indiqua de se tenir à la tête du lit, puis sortit de son sac un petit paquet de poudre qu'il versa dans le pichet. Le mélange moussa quelques secondes. Il chercha de nouveau dans son sac et en sortit un long tube gris et un entonnoir. Il ouvrit la bouche de Rowena.

— Qu'est-ce que vous faites ? rugit Druss, en attrapant l'homme par le bras.

Le chirurgien demeura imperturbable.

— Nous devons faire pénétrer cette potion dans son estomac. Comme vous pouvez le voir, elle n'est pas en condition de boire, je compte donc insérer un tube dans sa gorge afin de verser le liquide dans l'entonnoir. C'est une affaire délicate, je ne voudrais pas noyer ses poumons. Et cela risque d'être difficile avec un bras cassé.

Druss le relâcha. Angoissé, il regarda le tube qu'on insérait dans la gorge de Rowena. Shalitar maintint l'entonnoir en place et ordonna à Eskodas de verser le liquide. Quand la moitié du pichet eut disparu, Shalitar pinça le tube entre son pouce et son index et le retira. Il s'agenouilla à côté du lit et posa son oreille sur la poitrine de la jeune femme.

— Son cœur bat lentement, dit-il. Il est très faible. Il y a un an, je l'ai soignée de la peste ; elle a failli mourir, et la maladie a laissé des séquelles. Son cœur est fragile. (Il se tourna vers les autres.) Laissez-moi à présent ; je dois activer sa circulation, et pour cela il va falloir que je masse son corps avec des huiles.

— Je reste, déclara Druss.

— Monsieur, cette *dame* est la veuve du Seigneur Michanek. Elle est très appréciée ici – bien qu'elle ait épousé un Naashanite. Il n'est pas convenable que des hommes la regardent nue – et quiconque la déshonorerait ne verrait pas la fin du jour.

— Je suis son mari, siffla Druss. Les autres peuvent partir. Je *reste* !

Shalitar se frotta le menton pour se préparer à débattre davantage. Mais le prêtre de Pashtar Sen lui toucha le bras.

— C'est une longue histoire, mon ami, mais il dit vrai. À présent fais de ton mieux.

— Cela risque de ne pas être suffisant, grommela Shalitar.

Trois jours passèrent. Druss ne mangea pas beaucoup et dormit à côté du lit. L'état de Rowena ne s'améliorait pas. Shalitar déprimait de plus en plus. Le prêtre de Pashtar Sen revint au matin du quatrième jour.

— Son corps a évacué tout le poison, déclara Shalitar, pourtant elle ne se réveille pas.

Le prêtre acquiesça sagement.

— Quand je suis arrivé ici, au moment où elle sombrait dans le coma, j'ai eu le temps de toucher son esprit. Il fuyait la vie ; elle n'avait plus l'envie de vivre.

— Pourquoi ? demanda Druss. Pourquoi voudrait-elle mourir ?

L'homme haussa les épaules.

— C'est une âme sensible. Dans votre pays, elle vous aimait, et elle a emporté cet amour avec elle comme si c'était la seule chose de pure dans un monde corrompu. Sachant que vous étiez à sa recherche, elle était prête à vous attendre. Son Talent a grandi trop vite et l'a submergée. Shalitar, avec de l'aide, a réussi à lui sauver la vie en fermant la porte de son Talent, mais ce faisant, ils l'ont privée de mémoire. Elle s'est donc réveillée dans la maison de Michanek. C'était un homme bien, Druss, et il l'aimait – autant que vous. Il s'est occupé d'elle jusqu'à ce qu'elle retrouve la santé et a ainsi gagné son cœur. Mais il ne lui a pas révélé le grand secret – qu'en tant que prophétesse, elle lui avait prédit sa mort… un an jour pour jour après son mariage. Ils ont vécu ensemble plusieurs années. Puis, elle a contracté la peste. Pendant sa maladie, comme je l'ai déjà dit, n'ayant aucune connaissance de son passé de voyante, elle a demandé à Michanek pourquoi il ne l'avait jamais épousée. Ayant peur pour elle, vu son état, il a cru qu'un mariage pourrait la sauver. Peut-être a-t-il eu raison. Nous arrivons à présent à la prise de Resha. Michanek lui a laissé un cadeau d'adieu – ce cadeau, dit-il en passant la broche à Druss.

Druss saisit le fragile objet dans sa grosse main et referma les doigts dessus.

— C'est moi qui l'ai fait, dit-il. Cela me semble une éternité.

— Michanek savait que c'était la clé de sa mémoire. Il a pensé, comme n'importe quel homme l'aurait fait, je crois, que retrouver la mémoire l'aiderait à supporter sa mort. Il était persuadé que si elle se souvenait de vous, et que si vous l'aimiez toujours, elle serait alors en sécurité pour le futur. Mais son raisonnement était tronqué car, quand elle a touché la broche, elle s'est surtout sentie coupable. *Elle* avait demandé à Michanek de l'épouser, ce qui – de son point de vue – revenait à avoir causé sa mort. *Elle* vous avait vu, Druss, dans la maison de Kabuchek, et s'était enfuie, effrayée à l'idée de découvrir son passé, terrifiée qu'il puisse détruire son nouveau bonheur. C'est à ce moment-là qu'elle s'est vue comme une traîtresse, une traînée, et, j'en ai bien peur, une tueuse.

— Rien n'était de sa faute, protesta Druss. Comment a-t-elle pu croire cela ?

Le prêtre sourit, mais ce fut Shalitar qui répondit.

— Une mort provoque toujours un sentiment de culpabilité, Druss. Un fils qui meurt de la peste, et sa mère s'en voudra de ne pas l'avoir emmené dans un endroit sûr avant que la maladie ne le frappe. Un homme fait une mauvaise chute et meurt, sa femme se dira : « Si seulement j'étais restée à la maison aujourd'hui. » C'est dans la nature des gens bien de culpabiliser. Toute tragédie pourrait être évitée, si on en avait connaissance ; aussi, quand celle-ci frappe, nous nous pensons responsables. Mais dans le cas de Rowena, la culpabilité a été trop accablante.

— Qu'est-ce que je peux faire ? demanda le guerrier à la hache.

— Rien. Nous ne pouvons qu'espérer qu'elle va revenir.

Le prêtre de Pashtar Sen sembla sur le point de parler, mais au lieu de cela, il alla jusqu'à la fenêtre et demeura silencieux. Druss avait vu le changement s'opérer chez le prêtre.

— Parlez, lui fit-il. Qu'alliez-vous dire ?

— C'est sans importance, répondit-il doucement.

— Laissez-moi en être juge, si cela concerne Rowena.

Le prêtre s'assit et se frotta les yeux : il était si fatigué… Finalement, il prit la parole.

— Elle oscille en ce moment entre la vie et la mort ; son esprit erre dans la Vallée de la Mort. Peut-être que si nous trouvions un sorcier, il pourrait envoyer son esprit la chercher. (Il écarta les mains.) Mais je ne connais pas un tel homme – ou femme. Et je ne pense pas que nous ayons le temps de partir à sa recherche.

— Et votre Talent ? demanda Druss. Vous avez l'air de connaître cet endroit.

L'homme fuit le regard perçant de Druss.

— Je… J'ai le Talent, mais pas le courage. C'est un endroit terrible. (Il se força à sourire.) Je suis un lâche, Druss. Si j'y allais, je mourrais. Ce n'est pas un endroit pour les gens qui sont faibles d'esprit.

— Alors, envoyez-moi. Je la retrouverai.

— Vous n'auriez pas l'ombre d'une chance. L'endroit dont je parle est… le royaume de la sorcellerie et des démons. Vous seriez sans défense, Druss ; ils vous détruiraient.

— Mais pourriez-vous m'y envoyer ?

— À quoi bon ? Ce serait pure folie.

Druss se tourna vers Shalitar.

— Que va-t-il lui arriver si nous ne faisons rien ?

— Il lui reste peut-être un jour à vivre… ou deux. Elle est en train de s'éteindre.

— Alors, il n'y a pas d'autre choix, prêtre, déclara Druss en se levant pour venir se planter devant lui. Dites-moi comment atteindre cette Vallée.

— Il vous faut mourir, soupira le prêtre.

Bien qu'il n'y ait pas de vent, une brume grise se mit à tourbillonner. D'étranges sons résonnaient tout autour de lui.

Le prêtre n'était plus là ; à présent, Druss était seul.

Seul ?

Des formes commencèrent à bouger dans la brume, quelques-unes gigantesques, d'autres petites qui rampaient.

Restez sur le chemin, lui avait dit le prêtre. Suivez la route qui mène à travers la brume. Ne la quittez sous aucun prétexte.

Druss baissa les yeux. La route était grise et continue, lisse et sans bosse, comme si on l'avait créée en faisant fondre de la pierre. La brume qui y adhérait vola et oscilla pour former des tendons glacés qui s'enroulèrent autour de ses jambes et de son tronc.

Une voix de femme l'appela depuis le bord de la route. Il s'arrêta et jeta un coup d'œil sur sa droite. Une femme aux cheveux noirs, à peine une enfant, était assise sur un rocher, les jambes écartées ; elle se caressait le haut des cuisses en se passant la langue sur les lèvres. Elle rejeta sa tête en arrière.

— *Approche,* l'appela-t-elle. *Approche.*

Druss secoua la tête.

— *J'ai autre chose à faire.*

Elle se moqua de lui.

— *Ici ? Tu as autre chose à faire, ici ?*

Son rire résonna tout autour du guerrier. Elle s'approcha et il s'aperçut qu'elle ne laissait pas d'empreinte dans le sol. Elle avait de grands yeux dorés, sans pupilles ; une entaille au milieu de tout cet or. Elle ouvrit la bouche et une langue fourchue jaillit d'entre ses lèvres ; Druss réalisa qu'elles étaient d'un gris bleuté. Elle avait également des petites dents pointues.

Il l'ignora et reprit sa route. Un vieil homme était assis en plein milieu du chemin, les épaules voûtées. Druss s'arrêta.

— Quelle direction, frère ? s'enquit le vieil homme. Quelle direction dois-je prendre ? Il existe tellement de chemins.

— Il n'y en a qu'un, répondit Druss.

— Tellement de chemins, répéta le vieil homme.

Druss continua d'avancer. Derrière lui il entendit la voix de femme s'adresser à l'homme qu'il venait de dépasser.

— Approche ! Approche !

Druss ne se retourna pas. Quelques instants plus tard il entendit un hurlement.

La route continuait, sans fin, à travers la brume, droite comme une lance. Il n'était pas seul sur la route : certains marchaient, d'autres rampaient. Aucun ne parlait. Druss se fraya un chemin, scrutant leurs visages au passage, en quête de Rowena.

Une jeune femme trébucha et sortit de la route. Elle tomba à genoux. Aussitôt, une main écailleuse attrapa sa robe, essayant de l'attirer. Druss était trop loin pour l'aider. Il jura et continua d'avancer.

Beaucoup de chemins convergeaient vers la route et Druss se retrouva à voyager avec une multitude de personnes muettes, jeunes ou vieilles. Leur visage était absent, leur expression inquiète. Beaucoup quittaient la route pour se perdre dans la brume.

Le guerrier à la hache eut l'impression de marcher pendant des jours. Il était impossible de mesurer le temps qui passait ; il ne ressentait d'ailleurs ni la faim ni la fatigue. Il porta son regard à l'horizon et vit qu'un nombre impressionnant d'âmes suivaient le même itinéraire brumeux que lui.

Il perdit espoir. Comment pourrait-il la retrouver dans une telle multitude ? Impitoyablement, il repoussa la peur de son esprit, se concentrant seulement sur les visages qu'il croisait. On n'arriverait jamais à rien, pensa-t-il, si on se laissait distraire par l'ampleur des difficultés à affronter.

Au bout d'un certain temps, Druss réalisa que la route montait. Sa vue portait plus loin et la brume se dégageait un peu. À présent, il n'y avait plus de chemins convergents ; la route elle-même faisait près de trente mètres de large.

Il continua d'avancer, encore et encore, jouant des coudes dans la foule silencieuse. Puis, la route se divisa en dizaines de chemins, qui menaient vers des tunnels sombres et inhospitaliers, sous des arches.

Un petit homme vêtu d'une épaisse robe de laine marron se frayait un chemin à contre-courant dans la rivière d'âmes. Il vit Druss et lui sourit.

— Continue d'avancer, mon fils, dit-il en tapant Druss sur l'épaule.

— Attends ! cria le guerrier, alors que l'homme le dépassait.

La robe marron se retourna, surprise. Il fit un pas vers Druss et l'attira au bord de la route.

— *Fais-moi voir ta main, mon frère, dit-il.*

— *Quoi ?*

— *Ta main. Ta main droite. Montre-moi ta paume !*

Le petit homme se faisait insistant. Druss présenta sa main et Robe Marron l'empoigna, scrutant intensément la paume calleuse.

— *Mais tu n'es pas prêt pour le passage, mon frère. Pourquoi es-tu ici ?*

— *Je cherche quelqu'un.*

— *Ah, fit l'homme, apparemment soulagé. Tu es un cœur en détresse. Il y en a beaucoup comme toi qui essaient de passer. Est-ce que ta bien-aimée est morte ? Est-ce que le monde t'a maltraité ? Quelle que soit la réponse, mon frère, tu dois retourner d'où tu viens. Tu ne trouveras rien ici – à moins que tu ne sortes de la route. Et là, il n'y a qu'une éternité de souffrance. Va-t'en !*

— *Je ne peux pas. Ma femme est ici. Elle est vivante – comme moi.*

— *Si elle est vivante, mon frère, elle n'a pas franchi les portes que tu vois devant toi. Aucune âme en vie ne peut le faire. Tu n'as pas la pièce.*

Il tendit sa main. Au creux de celle-ci se trouvait une ombre circulaire et intangible.

— *Pour le Passeur, dit-il, et la route du Paradis.*

— *Si elle n'a pas pu franchir ces tunnels, où peut-elle être ? demanda Druss.*

— *Je ne sais pas, mon frère. Je n'ai jamais quitté la route et je ne sais pas ce qui s'étend au-delà, à part que les âmes des damnés y vivent. Va à la Quatrième Arche. Demande à voir le Frère Domitori. C'est le Gardien.*

Robe Marron sourit et s'en alla, se perdant dans la foule. Druss rejoignit le flot et se fraya un chemin jusqu'à la Quatrième Arche où un autre homme en robe marron et capuchon se tenait impassible devant l'entrée. Il était grand et large d'épaules ; ses yeux étaient tristes et solennels.

— *Es-tu le frère Domitori ? demanda Druss.*

L'homme acquiesça mais ne répondit pas.

— *Je cherche ma femme.*

— *Continue d'avancer, mon frère. Si son âme est en vie, c'est là que tu la retrouveras.*

— *Elle n'a pas de pièce, précisa Druss.*

L'homme opina du chef et désigna un chemin étroit et sinueux qui montait le long d'une colline et redescendait de l'autre côté.

— *Ils sont nombreux comme elle, commenta Domitori, de l'autre côté. C'est là qu'ils s'affaiblissent en attendant de rejoindre la route, une fois que leur corps a arrêté le combat, et que le cœur cesse de battre.*

Druss se dirigea vers le chemin, mais Domitori l'interpella.

— *Derrière la colline, il n'y a plus de route. Tu seras dans la Vallée de la*

Mort. Tu devrais t'armer pour la route.

— *Je n'ai pas mes armes avec moi.*

Domitori leva la main, et le flot d'âmes s'arrêta sous l'arche. Il rejoignit Druss.

— *Le bronze et l'acier n'ont pas leur place ici, même si tu aperçois parfois ce qui semble être des lances ou des épées. Nous sommes dans un lieu de l'Esprit, et celui d'un homme y est comparable à l'acier, à l'eau, au bois ou au feu. Pour franchir cette colline – et en revenir – il faut du courage, et plus encore. As-tu la foi ?*

— *En quoi ?*

L'homme soupira.

— *En la Source ? En toi-même ? Qu'est-ce qui t'est le plus cher ?*

— *Rowena – ma femme.*

— *Alors, raccroche-toi à cet amour, mon ami. Peu importe ce qui t'assaille. Qu'est-ce qui te fait le plus peur au monde ?*

— *La perdre.*

— *Quoi d'autre ?*

— *Je n'ai peur de rien.*

— *Tous les hommes ont peur de quelque chose. Et c'est ton point faible. Ce lieu des morts et des damnés a le pouvoir étrange de confronter un homme à ses peurs. Je prie pour que la Source te guide. Va en paix, mon frère.*

Il repartit à l'arche et leva une fois de plus son bras. L'entrée s'ouvrit et le sombre flot silencieux des âmes reprit.

— Espèce de fils de pute, t'as rien dans le ventre ! gronda Sieben. Je devrais te tuer !

Le chirurgien, Shalitar, s'interposa entre Sieben et le prêtre de Pashtar Sen.

— Calmez-vous, lui conseilla-t-il. Il a déjà admis son manque de courage et il n'a pas besoin de s'excuser pour cela. Certains hommes sont grands, d'autres petits, d'autres courageux et d'autres moins.

— C'est peut-être vrai, concéda Sieben, mais quelle chance a Druss dans un monde d'enchantements et de sorcellerie ? Réponds !

— Je ne sais pas, admit Shalitar.

— Toi, non, mais lui si, déclara Sieben. J'ai beaucoup lu sur le Vide ; une bonne partie de mes sagas s'y déroulent. J'ai rencontré plusieurs Voyants et autres mystiques qui ont voyagé dans la Brume. Tous s'accordent à dire que sans pouvoirs magiques, aucun homme ne peut y survivre. Je me trompe, prêtre ?

L'homme acquiesça sans lever les yeux. Il était assis sur le lit où étaient allongés les corps immobiles de Druss et Rowena. Le visage du guerrier à la hache était pâle ; il ne semblait plus respirer.

— Que va-t-il affronter, là-bas ? insista Sieben. Mais parle donc !

— Les affres de son passé, répondit le prêtre d'une voix à peine audible.

— Par les dieux, prêtre, je te promets que s'il meurt, tu le suivras dans la tombe.

Druss venait d'atteindre le sommet de la colline ; en dessous s'étendait une vallée desséchée. Il y avait des arbres morts, noircis, qui projetaient des ombres sur la terre ardoise ; on aurait dit des dessins au fusain. Il n'y avait pas de vent, et aucun mouvement à l'exception de quelques âmes qui erraient sans but à la surface de la vallée. En contrebas, il aperçut une vieille femme, assise, la tête entre ses genoux. Druss s'approcha d'elle.

— *Je cherche ma femme, dit-il.*

— *Tu cherches bien plus que ça, répondit-elle.*

Il s'accroupit à son côté.

— *Non, rien que ma femme. Pouvez-vous m'aider ?*

Elle releva la tête. Druss contempla des yeux qui brillaient de malice dans leurs orbites.

— *Que peux-tu m'offrir, Druss ?*

— *Comme se fait-il que vous me connaissiez ? rétorqua-t-il.*

— *Le Guerrier à la Hache, le Tueur d'Argent, l'homme qui a affronté la Bête du Chaos. Pourquoi ne te connaîtrais-je pas ? Maintenant, réponds : qu'as-tu à m'offrir ?*

— *Que voulez-vous ?*

— *Une promesse.*

— *Laquelle ?*

— *Que tu me donneras ta hache.*

— *Je ne l'ai pas avec moi.*

— *Je le sais, mon garçon, répondit-elle sèchement. Mais dans le monde du dessus, tu me donneras ta hache.*

— *À quoi vous servirait-elle ?*

— *Cela ne fait pas partie du marché. Mais regarde autour de toi, Druss. Quelle chance as-tu de la retrouver dans le temps imparti ?*

— *Vous pourrez la prendre, déclara-t-il. Où est ma femme ?*

— *Tu dois franchir un pont. Elle se trouve de l'autre côté. Mais le pont est gardé, Druss, par un redoutable guerrier.*

— *Dites-moi simplement où elle est.*

La vieille femme se servit d'un bâton pour s'aider à se relever.

— *Suis-moi, fit-elle, se dirigeant vers une rangée de collines basses.*

En marchant, Druss remarqua que de nouvelles âmes se joignaient aux autres dans la vallée.

— *Pourquoi viennent-elles ici ? demanda-t-il.*

— *Elles sont faibles, expliqua-t-elle. Victimes du désespoir, du remords, de la nostalgie. La plupart se sont suicidées. Elles errent ici en attendant que leur corps meure – comme pour Rowena.*

— *Elle n'est pas faible.*

— *Bien sûr que si. C'est une victime de l'amour – et toi aussi. L'amour causera la perte de l'Humanité. Il n'est pas de force durable dans l'amour, Druss. Ça use les résistances naturelles de l'homme et souille le cœur du chasseur.*

— *Je n'y crois pas.*

Elle rit. Le son ressemblait à des os qui s'entrechoquent.

— *Mais si, tu y crois, affirma-t-elle. Tu n'es pas un homme d'amour, Druss. À moins que ce ne soit l'amour qui t'ait fait sauter sur le pont du navire corsaire pour tuer et détruire ? Est-ce l'amour qui t'a fait gravir les murailles d'Ectanis ? Est-ce l'amour qui t'a fait tenir durant les combats dans le cercle de sable de Mashrapur ? (Elle s'arrêta et se retourna pour le dévisager.) Alors ?*

— *Oui. Tout ce que j'ai fait l'a été pour Rowena – afin de pouvoir la retrouver. Je l'aime.*

— *Ce n'est pas de l'amour, Druss ; c'est un besoin que tu ressens. Tu ne supportes pas ce que tu es sans elle – un sauvage, un tueur, une brute. Mais avec elle, c'est une tout autre histoire. Tu peux coller comme une sangsue à sa pureté et la boire comme un bon vin. Il n'y a que là que tu peux voir la beauté d'une fleur et sentir l'essence même de la vie dans la brise d'été. Sans elle, tu te considères sans valeur. Réponds à cette question, guerrier à la hache : si vraiment c'était de l'amour, n'aurais-tu pas préféré le bonheur de Rowena à tout le reste ?*

— *Évidemment. C'est pour son bonheur que je fais tout cela !*

— *Vraiment ? Mais lorsque tu as découvert qu'elle était heureuse en compagnie d'un homme qu'elle aimait, qu'as-tu fait ? As-tu essayé de persuader Gorben d'épargner Michanek ?*

— *Où est le pont ?*

— *Il n'est pas facile de se regarder en face, pas vrai ? insista-t-elle.*

— *Je ne suis pas un débatteur, femme. Tout ce que je sais, c'est que je donnerais ma vie pour elle.*

— *Oui, oui. C'est typique chez les mâles – toujours chercher les solutions les plus simples, les réponses les plus faciles.*

Elle reprit sa marche et gravit la colline. Finalement, elle s'arrêta en s'appuyant sur son bâton. Druss regarda le gouffre qui s'étendait devant lui. Loin au fond, une rivière de lave, qui à cette distance ressemblait à un ruban enflammé, coulait dans la gorge sombre. Suspendu au-dessus du vide, courait un pont étroit fait de cordes et de planches. Au centre se dressait un guerrier en noir et argent, une énorme hache dans les mains.

— Elle est de l'autre côté, annonça la vieille femme. Mais pour la rejoindre, tu dois passer le gardien. Tu le reconnais ?

— Non.

— Bientôt.

Le pont était solidement attaché par d'épaisses cordes noires reliées à de gros blocs de pierre. Les lattes de bois, qui représentaient le corps principal de la structure, faisaient, estima Druss, un mètre de large sur trois centimètres d'épaisseur. Il posa un pied sur le pont ; celui-ci se mit à tanguer. Il n'y avait pas de cordages pour s'aider et rien à quoi se raccrocher. Druss baissa les yeux ; il sentit monter le vertige.

Lentement, il avança au-dessus du précipice, les yeux rivés sur les planches. Il les leva la première fois à mi-chemin entre le bord et l'homme en noir et argent.

Le choc lui fit l'effet d'un coup de poing.

L'homme se fendit d'un sourire. Ses dents brillaient au milieu de sa barbe poivre et sel.

— Je ne suis pas toi, mon garçon, déclara-t-il. Je suis ce que tu aurais pu devenir.

Druss le dévisagea. Il était son portrait craché, sauf qu'il était plus âgé, et que ses yeux froids et pâles semblaient contenir de nombreux secrets.

— Tu es Bardan.

— Et fier de l'être. Je me suis bien servi de ma force, Druss. Tous tremblaient de peur devant moi. Quand je voulais quelque chose, je le prenais. Je ne suis pas comme toi, mon garçon, fort de corps, mais faible de cœur. Tu tiens plus de Bress.

— Je prends ça comme un compliment, répondit Druss. Parce que je n'aurais jamais voulu te ressembler – tueur d'enfants, violeur. Ce n'est pas ça, la force.

— Je me battais avec des hommes. Aucun ne pourrait accuser Bardan d'être un lâche. Par les Couilles de Shemak, mon garçon, j'ai affronté des armées !

— Moi je dis que tu étais un lâche, affirma Druss. De la pire espèce. Et toute la force que tu avais, tu la tirais de ça, fit-il en désignant la hache. Sans elle, tu n'étais rien. Sans elle tu n'es rien !

Le visage de Bardan s'empourpra puis devint livide.

— Je n'ai pas besoin d'elle pour me débarrasser de toi. Tu n'es qu'une mauviette. Un fils de putain. Je peux te broyer de mes mains.

— Dans tes rêves, le provoqua Druss.

Bardan fit mine de déposer sa hache, mais soudain hésita.

— Tu ne peux pas la lâcher, pas vrai ? le nargua Druss. Le Puissant Bardan. Par les dieux, je te crache à la gueule !

Bardan se raidit ; il tenait toujours sa hache dans la main droite.

— Pourquoi devrais-je me séparer de ma seule amie ? Toutes ces années

de solitude, sans personne à part elle. Et ici – même ici, c'est la seule qui soit venue à mon aide.

— *À ton aide ?* contra Druss. *Elle t'a détruit, comme elle a détruit Cajivak et tous ceux qui l'ont portée dans leur cœur. Mais je n'ai pas besoin de te convaincre, Grand-Père. Tu le sais aussi bien que moi, mais tu es trop faible pour le reconnaître.*

— *Je vais te montrer, moi, si je suis faible !* rugit Bardan en bondissant la hache dressée au-dessus de sa tête.

Le pont se mit à tanguer dangereusement, mais Druss réussit à se baisser pour éviter le coup. Il balança un féroce direct du droit sous le menton de Bardan. Ce dernier tituba et Druss en profita pour sauter sur lui à pieds joints. Ses bottes percutèrent la poitrine de Bardan qui fut projeté en arrière. Celui-ci lâcha sa hache et vacilla au bord du gouffre.

Druss fit une roulade et lui plongea dessus. Bardan retrouva l'équilibre, grogna et l'attendit, tête baissée. Druss le frappa à la mâchoire, mais Bardan esquiva et balança un uppercut qui renversa la tête de Druss. La puissance du coup était phénoménale et il dut reculer. Un deuxième coup le toucha au-dessus de l'oreille, lui faisant mordre la poussière. Il se releva, alors qu'une botte fondait sur son oreille. Druss attrapa la jambe de Bardan et la souleva. Le guerrier tomba à la renverse. Druss s'était mis debout, et Bardan se jeta sur lui, l'agrippant par la gorge. Mais le pont manqua de se renverser et les deux hommes tombèrent en roulant, vers le vide. Druss se raccrocha entre deux planches. À présent, ils étaient tous les deux suspendus au-dessus du vide.

Druss se dégagea de l'étreinte de Bardan en lui balançant au passage un coup au menton. Bardan grogna et tomba du pont. Par réflexe, il se rattrapa au bras de Druss – la pression soudaine faillit l'emporter à son tour par-dessus bord.

Bardan était suspendu au-dessus de la rivière en feu et regardait Druss droit dans les yeux.

— *Ah, mais tu ne te bats pas si mal, mon enfant,* fit doucement Bardan.

Druss l'agrippa par le gilet et essaya de le remonter sur le pont.

— *Je vais enfin pouvoir mourir,* déclara Bardan. *Tu avais raison. C'était la hache. Depuis toujours.* (Il lâcha le bras de Druss en souriant.) *Laisse-moi partir, mon garçon. C'est fini.*

— *Non ! Tu m'énerves. Donne-moi ta main !*

— *Que les dieux te sourient, Druss !*

Bardan se dévissa et frappa d'un grand coup le bras de Druss, afin de se dégager. Le pont tangua une nouvelle fois. Le guerrier en noir et argent chuta. Druss le regarda tomber, jusqu'à ce qu'il ne soit plus qu'un petit point noir happé par la rivière de lave.

Il se mit à genoux et contempla la hache. De la fumée rouge s'en échappait en tourbillonnant pour former une silhouette cramoisie – la peau écailleuse, la tête cornue aux tempes. Elle n'avait pas de nez, seulement deux fentes au-dessus d'une bouche de squale.

— Tu avais raison, Druss, dit affablement le démon. Il était faible. Tout comme Cajivak et les autres. Il n'y a que toi qui sois suffisamment fort pour m'utiliser.

— Je ne veux plus rien avoir à faire avec toi.

Le démon pencha sa tête et partit dans un fou rire.

— Facile à dire, mortel. Mais regarde là-bas.

De l'autre côté du pont se tenait la Bête du Chaos. Elle était gigantesque ; ses griffes étincelaient et ses yeux brûlaient comme des charbons ardents.

Druss était découragé. Un grand désespoir s'empara de son cœur, tandis que le démon de sa hache continuait de lui parler d'une voix mielleuse et amicale, tout en se rapprochant.

— Pourquoi hésites-tu, humain ? Tu as toujours pu compter sur moi, non ? Sur le bateau d'Earin Shad, n'ai-je pas détourné le feu ? N'ai-je pas échappé à la poigne de Cajivak ? Je suis ton ami, mortel. Je l'ai toujours été. Tout au long de ces siècles de solitude, j'ai attendu quelqu'un doté de ta force et ta détermination. Avec moi, tu pourrais conquérir le monde. Sans moi, tu ne quitteras jamais cet endroit ; plus jamais tu ne sentiras le soleil sur ta peau. Aie confiance, Druss ! Tue la bête – et nous pourrons rentrer à la maison.

Le démon disparut dans une volute de fumée pour réintégrer le manche noir de la hache.

Druss leva les yeux et vit que la Bête du Chaos l'attendait à la sortie du pont. Elle était encore plus monstrueuse que la dernière fois : des épaules colossales sous une fourrure noire comme la nuit, de la salive qui coulait de sa mâchoire béante. Druss saisit Snaga et la fit tournoyer dans les airs. Puis il avança.

Aussitôt ses forces lui revinrent, accompagnées d'une envie grandissante de meurtre et de tout hacher sur son passage. La soif de bataille lui asséchna la bouche. Il approcha de l'ours aux yeux de braises. La bête avait les bras ballants.

Druss eut l'impression que tout le mal du monde était contenu dans cette silhouette gigantesque, toutes les frustrations de la vie, les colères, les jalousies, les vilenies – tout ce dont il avait souffert pouvait être attribué à l'âme noirâtre de la Bête du Chaos. La rage et la folie firent trembler ses membres. Il souleva sa hache et sentit ses lèvres se retrousser hargneusement. Il se rua sur la bête.

Celle-ci ne bougea pas. Elle restait impassible, les bras baissés et la tête tombante.

Druss ralentit sa course. Tue-la ! Tue-la ! Tue-la ! Il tituba devant l'intensité de son besoin de la détruire. Il regarda la hache dans ses mains.

— Non ! cria-t-il.

Et d'un effort surhumain, il lança la hache dans les airs en direction du gouffre. Elle tourna en scintillant vers le ruban de flammes, et dans l'éclat métallique des lames, Druss vit jaillir la forme sombre du démon. Puis la hache s'enfonça dans la rivière de feu. Épuisé, Druss se retourna pour affronter la bête.

Rowena, nue, se tenait à la place du monstre, et le regardait avec douceur.

Il grogna puis la rejoignit.

— *Où est la bête ?*

— *Quelle bête, Druss ? Il n'y a que moi. Pourquoi ne m'as-tu pas tuée ?*

— *Toi ? Mais je ne te ferai jamais de mal ! Par le Ciel, comment as-tu pu penser cela ?*

— *Tu m'as regardée avec haine et tu t'es rué sur moi en brandissant ta hache.*

— *Oh, Rowena ! Je croyais voir un démon. J'étais envoûté ! Pardonne-moi !*

Il la prit dans ses bras, mais elle s'écarta.

— *J'aimais Michanek, dit-elle.*

Il soupira et acquiesça.

— *Je sais. C'était un homme bien – peut-être un grand homme. J'étais avec lui quand il est mort. Il m'a demandé… supplié de m'occuper de toi. Il n'avait pas besoin de me le demander. Tu es tout pour moi, tu l'as toujours été. Sans toi, il n'y avait pas de lumière dans ma vie. Et j'ai attendu ce moment si longtemps. Reviens avec moi, Rowena. Vis !*

— *Je l'ai cherché, fit-elle, les larmes aux yeux, mais je ne l'ai pas trouvé.*

— *Il est parti là où tu ne peux pas le suivre, expliqua Druss. Rentrons à la maison.*

— *Je suis une épouse et une veuve. Où est ma maison, Druss ? Où ?*

Elle baissa la tête et des larmes coulèrent le long de ses joues. Druss la prit dans ses bras et l'attira.

— *Elle sera là où tu veux qu'elle soit, murmura Druss. Je te la construirai. Mais il faudra choisir un endroit où le soleil brille, où tu pourras entendre le chant des oiseaux et sentir les fleurs. Ce n'est pas pour toi, ici – et Michanek ne voudrait pas t'y voir. Je t'aime, Rowena. Mais si tu veux vivre sans moi, je l'accepterai. Du moment que tu vis. Rentre avec moi. Nous en reparlerons à lumière du jour.*

— *Je ne veux pas rester ici, dit-elle en s'accrochant à lui. Mais il me manque tellement.*

Les mots déchirèrent Druss, mais il ne relâcha pas son étreinte ; il lui embrassa les cheveux.

— *Rentrons, fit-il. Prends ma main.*

Druss ouvrit les yeux et prit une grande bouffée d'air. À ses côtés, Rowena dormait. Il fut saisi de panique, mais une voix le rassura.

— Elle est vivante.

Druss se redressa, et vit la Vieille Femme assise sur une chaise à côté du lit.

— Vous voulez la hache ? Prenez-la !

Elle gloussa, d'un rire sec et froid.

— Ce n'est pas la gratitude qui t'étouffe, guerrier. Mais non, je n'ai plus besoin de Snaga. Tu as exorcisé le démon dans l'arme. Il est parti. Mais je le retrouverai. Tu t'es bien battu, mon enfant. Tant de haine, de désir de mort – et pourtant tu as su résister. L'homme est une créature bien complexe.

— Où sont les autres ? s'enquit Druss.

Elle prit son bâton et se releva.

— Tes amis dorment. Ils étaient épuisés. Il ne m'a pas fallu beaucoup d'efforts pour les plonger dans un sommeil empli de rêves. Je te souhaite bonne chance, Druss. J'espère que tout ira bien pour vous deux. Remmène-la dans les montagnes drenaïes, et profite de sa compagnie tant que tu le peux encore. Son cœur est faible et jamais elle ne connaîtra les cheveux blancs de l'hiver humain. Mais toi, si, Druss. (Arrivée sur le pas de la porte, elle renifla.) Gorben est en train de se faire forger une épée – une grande épée. Il me paiera pour l'enchanter. Et je le ferai, Druss. Je le ferai.

Et elle était partie.

Rowena bougea et se réveilla.

Le soleil perça entre les nuages, et ses rayons illuminèrent la chambre.

Livre quatrième

Druss
la Légende

Druss remmena Rowena en Drenaï, et grâce à l'or que lui avait remis Gorben en reconnaissance de ses services, il acheta une ferme sur les hauts plateaux. Pendant deux ans, il vécut paisiblement, s'efforçant d'être un mari attentionné et un homme de paix. De son côté, Sieben sillonnait le pays pour interpréter ses chansons et ses gestes devant les princes et les courtisans. La légende de Druss se répandit sur tout le continent.

Entre ses différentes campagnes, Druss retournait à la ferme. Mais il ne se passait jamais longtemps avant que le chant hypnotique des combats ne l'éloigne à nouveau de Rowena. À chaque fois qu'il partait en guerre, elle lui faisait ses adieux, pour ce qui d'après lui serait sa dernière bataille.

Loyal, Pudri resta au côté de Rowena. Sieben continuait de scandaliser la bonne société drenaïe, et ses nombreux voyages avec Druss n'étaient qu'une façon d'échapper aux maris offensés.

À l'est, l'empereur ventrian, Gorben, ayant conquis tous ses ennemis, décida de porter son attention sur le pays furieusement indépendant de Drenaï.

Druss avait alors quarante-cinq ans, et une fois de plus il avait promis à Rowena qu'il ne partirait pas dans une guerre lointaine.

Ce qu'il ne savait pas, à ce moment précis, c'est que la guerre venait à lui.

Druss était assis au soleil et regardait les nuages passer en douceur au-dessus des montagnes ; il pensait à sa vie. L'amour et l'amitié en avaient toujours fait partie ; il avait trouvé le premier avec Rowena, le second avec Sieben, Eskodas et Bodasen. Mais il avait passé la majeure partie de ses quarante-cinq années dans le sang et la mort, les cris des blessés et des mourants.

Il soupira. Un homme devrait laisser davantage derrière lui qu'une pile de cadavres, décida-t-il. Les nuages s'épaissirent, la terre plongea dans l'obscurité. L'herbe sur les pentes ne brillait plus de vie, les fleurs n'émettaient plus de couleurs. Il frissonna. La douleur arthritique, douce et constante, avait gagné son épaule.

— Je me fais vieux, dit-il.

— À qui parles-tu, mon amour ?

Il se retourna et sourit. Rowena s'assit derrière lui sur un banc en bois, et posa sa tête sur son épaule en passant un bras autour de sa taille. Il lui caressa les cheveux avec sa grosse main, remarquant le gris aux tempes.

— Je parlais tout seul. C'est ce qui arrive quand on devient vieux.

Elle contempla le visage grisonnant de son mari et sourit.

— Tu ne seras jamais vieux. Tu es l'homme le plus fort du monde.

— Dans le temps, princesse. Dans le temps.

— Ne dis pas de sottises ! À la dernière fête du village, tu as soulevé le tonneau de sable au-dessus de ta tête. Personne d'autre ne pourrait faire ça.

— Je suis simplement l'homme le plus fort du village.

Rowena se dégagea en secouant la tête, mais son expression conserva la même douceur qu'à l'accoutumée.

— La guerre et les combats te manquent ?

— Non. Je… Je suis heureux, ici. Avec toi. Tu apaises mon âme.

— Alors qu'est-ce qui te préoccupe ?

— Les nuages. Ils passent devant le soleil. Ils projettent des ombres. Et puis ils s'en vont. Suis-je comme eux, Rowena ? Ne vais-je donc rien laisser derrière moi ?

— Que voudrais-tu laisser ?

— Je ne sais pas, répondit-il en détournant les yeux.

— Tu aurais aimé avoir un fils, déclara-t-elle doucement. Moi aussi. Mais ce n'était pas écrit. Est-ce que tu m'en veux ?

— Non ! Non ! Jamais. (Il la prit dans ses bras et la serra.) Je t'aime. Je t'ai toujours aimée. Je t'aimerai toujours. Tu es ma femme !

— J'aurais tant voulu te donner un fils, murmura-t-elle.

— Ce n'est pas grave.

Ils restèrent assis en silence jusqu'à ce que la première goutte de pluie tombe des nuages gris.

Druss se leva, porta Rowena dans ses bras, et entama la longue marche jusqu'à leur maison en pierre.

— Pose-moi, commanda-t-elle. Tu vas te faire mal au dos.

— Balivernes ! Tu es aussi légère qu'une aile d'hirondelle. Et ne suis-je pas l'homme le plus fort du monde ?

Un feu brûlait dans l'âtre. Leur serviteur ventrian, Pudri, leur avait préparé du vin épicé. Druss posa Rowena dans un grand fauteuil de cuir.

— Ton visage est rouge de fatigue, le taquina-t-elle.

Il sourit mais ne discuta pas. Son épaule le lançait, et ses reins lui faisaient un mal de chien. En les voyant, Pudri se fendit d'un large sourire.

— Quels enfants vous faites, déclara-t-il avant de s'éclipser dans la cuisine.

— Il a raison, dit Druss. Avec toi, je suis toujours ce jeune valet de ferme qui se tenait sous le Grand Chêne avec la plus belle femme de Drenaï.

— Je n'ai jamais été belle, lui dit Rowena, mais cela me fait plaisir de te l'entendre dire.

— Mais si, tu étais belle – tu l'es toujours, la rassura-t-il.

Les flammes projetaient des ombres sur les murs ; dehors, la lumière baissait. Rowena s'endormit et Druss s'assit sans faire de bruit pour la regarder. Au cours des trois dernières années, elle s'était évanouie quatre fois. Les médecins avaient dit à Druss qu'elle souffrait d'une faiblesse au cœur. Druss les avait écoutés sans faire de commentaire. Ses yeux bleus glacés n'avaient rien laissé paraître. Mais une terrible peur était née en lui. Il avait donc abandonné ses batailles et s'était installé pour de bon dans les montagnes, persuadé que sa présence maintiendrait Rowena en vie.

Il ne la quittait jamais des yeux, et ne la laissait jamais se fatiguer. Il faisait une comédie pour qu'elle mange bien à tous les repas. La nuit, il se réveillait pour lui tâter le pouls, et ensuite n'arrivait plus à dormir.

— Sans elle je ne suis plus rien, avait-il confié à son ami Sieben. (Le poète avait fait construire sa maison à moins de deux kilomètres de celle de Druss.) Si elle meurt, une partie de moi mourra avec elle.

— Je sais, mon vieux, avait-il répondu. Mais je suis sûr que la princesse ira bien.

Druss avait souri.

— Pourquoi en as-tu fait une princesse ? Est-ce que les poètes sont incapables de dire la vérité ?

Sieben avait écarté les bras et s'était mis à rire.

— Il faut bien captiver son auditoire. La Saga de Druss la Légende nécessitait une princesse. Qui voudrait écouter l'histoire d'un homme qui a bataillé sur tout un continent pour sauver une fermière ?

— Druss la Légende ? Bah ! Il n'y a plus de vrais héros. Les Egel, Karnak ou Waylander ont disparu depuis longtemps. Eux étaient des héros, des hommes puissants au regard de feu.

Sieben avait eu un fou rire.

— Tu dis cela parce que tu as entendu les chansons. D'ici quelques années, les hommes parleront de toi de la même manière. De toi et de ta hache maudite.

La hache maudite.

Druss jeta un coup d'œil à l'arme accrochée au mur. Ses lames d'acier argenté étincelèrent dans les flammes. Snaga l'Expéditrice, les lames sans retour. Il se leva et traversa la pièce sur la pointe des pieds ; il souleva la hache de ses crochets. Le manche noir était chaud au contact, et en soulevant l'arme, il sentit, comme toujours, le frisson de la bataille l'envahir. À contrecœur, il reposa l'arme sur le mur.

— Ils t'appellent, dit Rowena.

Il se retourna et vit qu'elle était réveillée, le regard fixé sur lui.

— Qui m'appelle ?

— Les chiens de guerre. Je les entends aboyer.

Druss frissonna et se força à sourire.

— Personne ne m'appelle, lui répondit-il.

Mais il n'y avait aucune conviction dans sa voix. Rowena avait toujours été une mystique.

— Gorben arrive, Druss. Ses navires ont déjà appareillé.

— Ce n'est pas ma guerre. Ma loyauté serait partagée.

L'espace d'un moment elle ne dit rien. Puis :

— Tu l'aimais bien, n'est-ce pas ?

— C'est un bon empereur – du moins il l'était. Jeune, fier, et terriblement brave.

— Tu juges trop les gens par rapport à leur bravoure. Il y a de la folie en lui que tu n'as jamais vue. Et j'espère que tu ne la verras jamais.

— Je t'ai déjà dit que ce n'était pas ma guerre. J'ai quarante-cinq ans, ma barbe est presque grise, et mes articulations craquent. Les jeunes Drenaïs vont devoir se charger de lui sans moi.

— Mais les Immortels seront avec lui, insista-t-elle. Tu m'as dit une fois qu'il n'y avait pas de meilleurs guerriers au monde.

— Tu te souviens de tout ce que je dis ?

— Oui, répondit-elle simplement.

Des bruits de sabots leur parvinrent du jardin. Druss alla à grands pas jusqu'à la porte et sortit sous le porche.

Le cavalier portait l'armure d'un officier drenaï : heaume à panache blanc, plastron d'argent, longue cape écarlate. Il descendit de cheval et attacha ses rênes. Puis il se dirigea vers la maison.

— Bonsoir. Je cherche Druss, le Guerrier à la Hache, annonça l'homme en retirant son heaume pour passer les doigts dans ses cheveux trempés de sueur.

— Tu l'as trouvé.

— Je m'en doutais. Je suis Dun Certak. J'ai un message du seigneur Abalayn pour vous. Il voudrait savoir si vous accepteriez de nous rejoindre au camp de Skeln.

— Pourquoi ?

— Le moral des troupes, monsieur. Vous êtes une légende. La Légende. Cela ferait du bien aux hommes pendant l'attente interminable.

— Non, répondit Druss. Je suis à la retraite.

— Où sont tes manières, Druss ? appela Rowena. Fais entrer ce jeune homme.

Druss fit un pas de côté, et l'officier entra, s'inclinant profondément devant Rowena.

— C'est un plaisir de vous rencontrer, ma dame. J'ai tellement entendu parler de vous.

— Vous devez être bien déçu, répondit-elle en souriant amicalement. On vous a parlé d'une princesse et vous découvrez une matrone rondouillarde.

— Il veut que j'aille à Skeln, dit Druss.

— J'avais entendu. Je pense que tu devrais y aller.

— Je ne sais pas faire de discours, gronda Druss.

— Alors, emmène Sieben avec toi. Cela vous fera du bien. Vous n'avez pas idée à quel point c'est irritant de vous avoir tous les deux toute la journée autour de moi. Sois honnête, tu sais bien que vous allez vous amuser comme des fous.

— Tu es marié ? demanda Druss à Certak d'une voix qui ressemblait à un grondement.

— Non, monsieur.

— Tu as bien raison. Veux-tu rester ici pour la nuit ?

— Non, monsieur. Merci. J'ai d'autres messages à porter. Mais je vous verrai à Skeln... avec impatience.

L'officier salua de nouveau et amorça son départ vers la porte.

— Vous allez rester souper, lui ordonna Rowena. Vos messages peuvent attendre au moins une heure.

— Je suis désolé, ma dame, mais...

— Abandonne, Certak, lui conseilla Druss. Tu ne gagneras pas.

L'officier sourit et écarta ses mains.

— Une heure, alors, pas plus.

Le lendemain matin, Druss et Sieben firent leurs adieux et partirent vers l'est, sur des chevaux qu'ils avaient empruntés. Rowena leur fit un signe de la main en souriant jusqu'à ce qu'ils soient hors de vue. Puis, elle retourna dans sa maison où l'attendait Pudri.

— Tu n'aurais pas dû lui dire de partir, ma dame, fit tristement le Ventrian.

Rowena déglutit difficilement ; des larmes coulaient sur ses joues. Pudri se rapprocha d'elle pour la prendre par la taille.

— Il le fallait. Je ne veux pas qu'il soit là quand le moment viendra.

— Il aurait voulu être là.

— À bien des égards, il est l'homme le plus fort que j'ai connu. Mais dans ce cas précis, je sais que j'ai raison. Il ne faut pas qu'il me voie mourir.

— Je serai à tes côtés, ma dame. Je te tiendrai la main.

— Tu lui diras que cela s'est passé très vite, et que je n'ai pas souffert – même si c'est un mensonge ?

— Je te le promets.

Six jours et dix montures plus tard, Certak arriva enfin au camp. Il y avait quatre cents tentes blanches, réparties en carré à l'ombre des montagnes de Skeln, abritant chacune une douzaine d'hommes. Quatre mille chevaux paissaient dans un enclos et soixante marmites chauffaient sur de grands feux. L'odeur du ragoût l'assaillit lorsqu'il arrêta son cheval devant la grande tente à rayures rouges utilisée par le général et son état-major.

Le jeune officier remit ses messages, salua et partit rejoindre sa compagnie à l'extrémité nord du camp. Il donna son cheval encore sellé à un palefrenier, retira son heaume et repoussa les battants de la tente de ses quartiers. À l'intérieur, ses compagnons jouaient aux dés ou buvaient. Ils s'arrêtèrent en le voyant entrer.

— Certak ! dit Orases en souriant. (Il se leva pour l'accueillir.) Alors, comment est-il ?

— Qui ? demanda innocemment Certak.

— Druss, espèce de crétin.

— Grand, répondit Certak, en dépassant l'imposant jeune homme blond pour jeter son heaume sur son lit de camp.

Il défit son plastron, qui tomba sur le sol. Libéré du poids, il respira à pleins poumons en se grattant le torse.

— Sois gentil, arrête de nous faire mariner, fit Orases en perdant son sourire. Parle-nous de lui.

— Oui, raconte-lui, le supplia Diagoras, d'un regard sombre. Il n'a pas arrêté de parler du guerrier à la hache depuis que tu es parti.

— Ce n'est pas vrai, grommela Orases en rougissant. Tout le monde en a parlé.

Certak mit une grande claque sur l'épaule d'Orases et lui ébouriffa les cheveux.

— Donne-moi un verre, Orases, et je te dirai tout.

Comme Orases se précipitait sur un pichet de vin et quatre gobelets, Diagoras se leva en souplesse. Il prit une chaise qu'il retourna pour s'asseoir en face de Certak qui venait de s'allonger sur le lit.

Le quatrième homme, Archytas, se joignit à eux, acceptant un gobelet d'hydromel des mains d'Orases et le vidant d'un trait.

— Comme je vous l'ai dit, il est grand, raconta Certak. Pas aussi grand que dans les histoires, mais il est bâti comme un petit château fort. La taille de ses bras ? Eh bien ses bras sont gros comme tes cuisses, Diagoras. Il est brun, barbu ; il y a des mèches grises dans ses cheveux. Ses yeux sont bleus, et son regard te transperce.

— Et Rowena ? demanda impatiemment Orases. Est-elle aussi incroyablement belle que le dit le poème ?

— Non. Elle n'est pas trop mal, mais plutôt dans le genre matrone. Je pense qu'elle a dû être très jolie. C'est difficile à dire avec les femmes d'un certain âge. Ses yeux sont magnifiques, et elle a un beau sourire.

— Tu as vu la hache ? s'enquit Archytas, un noble sec comme un bout de bois, originaire de la frontière lentrianne.

— Non.

— Est-ce que tu as demandé à Druss de te raconter ses batailles ? demanda Diagoras.

— Bien sûr que non, imbécile. Il n'est peut-être qu'un fermier aujourd'hui, mais il est toujours Druss. On ne va pas le voir pour lui demander combien de dragons il a tués.

— Les dragons n'existent pas, intervint Archytas en le prenant de haut.

Certak secoua la tête, et plissa les yeux, le regard fixé sur le noble.

— C'était une façon de parler, dit-il. Toujours est-il qu'ils m'ont invité à souper, et nous avons discuté de chevaux et des travaux de la ferme. Il m'a demandé mon avis sur la guerre, et je lui ai répondu que je pensais que Gorben débarquerait dans la baie de Penrac.

— Tu ne t'es pas trop mouillé, déclara Diagoras.

— Pas nécessairement. Si c'est bien ce qu'il compte faire, pourquoi sommes-nous bloqués ici avec cinq régiments ?

— Abalayn est excessivement prudent, répondit Diagoras en se fendant d'un large sourire.

— C'est toujours la même chose avec vous, les occidentaux, déclara Certak. Vous passez tellement de temps en compagnie de vos chevaux que vous pensez comme eux. La Passe de Skeln est la porte des plaines sentrannes. Si Gorben s'en empare, nous mourrons de faim cet hiver. Ainsi que la moitié de la Vagria, d'ailleurs.

— Gorben n'est pas idiot, répliqua Archytas. Il sait que Skeln peut être défendu avec deux mille hommes. La passe est trop étroite pour une armée comme la sienne. Et là, la taille ne joue pas en sa faveur. De plus, il n'y a pas d'autre chemin pour passer. Penrac me paraît le choix le plus judicieux. Ce n'est qu'à cinq cents kilomètres de Drenan, et la région avoisinante est plate. Son armée pourrait se propager et causer de sérieux problèmes.

— Je me moque de savoir où il débarque, déclara Orases, du moment que je ne suis pas loin.

Certak et Diagoras échangèrent un regard. Les deux s'étaient battus contre les Sathulis, et connaissaient le visage ensanglanté de la guerre ; ils se souvenaient encore des corbeaux en train d'arracher les yeux des cadavres de leurs amis. Orases était une jeune recrue qui, en apprenant qu'une flotte menaçait d'envahir Drenan, avait convaincu son père de lui acheter un brevet d'officier parmi les lanciers d'Abalayn.

— Et le Roi des Coqs ? demanda Archytas. Il était là aussi ?

— Sieben ? Oui, il est arrivé pour le souper. Il a l'air vieux. Je ne pense pas que les femmes se pressent autour de lui aujourd'hui. Il est chauve comme un caillou et maigre comme un clou.

— Tu crois que Druss acceptera de se battre à nos côtés ? lui demanda Diagoras. Ça ferait quelque chose à raconter aux enfants.

— Non. Il ne veut plus se battre. Il est trop fatigué. Et cela se voit. Mais je l'aime bien. En tout cas, ce n'est pas un vantard. Il a bien les pieds sur terre. À le voir, on ne croirait pas qu'il a été le sujet de tant de chansons et de ballades. Il paraît que Gorben ne l'a jamais oublié.

— Si ça se trouve, il est venu avec toute sa flotte rien que pour une réunion d'anciens combattants, le railla Archytas. Il faudrait peut-être que tu soumettes cette idée au général, comme ça on pourra tous rentrer chez nous.

— Ce n'est pas bête, concéda Certak en ravalant sa colère. Mais si nos régiments se séparent, nous serons privés de ta charmante compagnie, Archytas. Et je ne sais pas si je pourrais le supporter.

— Moi oui, affirma Diagoras.

— Moi, ce que je ne supporte pas, c'est de partager ma tente avec des chiens enragés comme vous, rétorqua Archytas. Mais contre mauvaise fortune, bon cœur.

— Ouaf, ouaf, aboya Diagoras. Je me trompe ou nous venons d'être insultés, Certak ?

— Oui, mais par une personne sans intérêt, répondit-il.

— En revanche, ceci est une insulte, fit Archytas en se levant.

Un vacarme soudain de l'autre côté de la tente vint couper court à la querelle. Le rabat de la tente fut relevé et un jeune soldat passa la tête à l'intérieur.

— Les feux sont allumés, annonça-t-il. Les Ventrians ont débarqué à Penrac.

Les quatre guerriers se précipitèrent sur leurs armures.

Archytas se tourna vers les autres tout en bouclant son plastron.

— Cela ne change rien, déclara-t-il. C'est une question d'honneur.

— Non, répondit Certak. C'est une question de mourir. Ce que tu sauras bien faire, espèce de porc prétentieux.

Archytas lui décocha un sourire dépourvu d'humour.

— Nous verrons bien, dit-il.

Diagoras abaissa les protections de son casque de bronze et les fixa sous son menton. Tel un conspirateur, il se pencha vers Archytas.

— Juste au cas où, face de bouc. Si tu le tues – ce qui est fort peu probable – je te trancherai la gorge dans ton sommeil. (Il accompagna la phrase d'un grand sourire et tapa Archytas sur l'épaule.) Tu vois, moi, je ne suis pas un gentilhomme.

Le camp était en pleine effervescence. Tous les feux d'alerte brûlaient depuis la côte jusqu'aux montagnes de Skeln. Comme prévu, Gorben avait débarqué dans le sud. Abalayn l'attendait là-bas avec vingt mille hommes, soit deux fois moins de troupes que l'empereur ventrian. Penrac était à cinq jours de cheval ; il fallait faire vite. Des messagers furent envoyés en toute hâte. On repliait déjà les tentes. Les marmites étaient entassées rapidement dans des chariots. Les hommes couraient dans le chaos le plus total.

Au petit matin, il ne restait plus que six cents guerriers à l'entrée de la Passe de Skeln. Le gros de l'armée descendait dans le sud pour renforcer Abalayn.

Le comte Delnar, Protecteur du Nord, rassembla ses hommes juste après l'aube. Archytas était à ses côtés.

— Comme vous le savez, les Ventrians ont débarqué, déclara le Comte. Nous devons rester ici, au cas où ils enverraient une petite force harceler le nord. Je sais que la plupart d'entre vous auraient préféré aller à Penrac, mais, pour des raisons évidentes, quelqu'un doit rester en arrière pour protéger la plaine sentranne. Ce camp ne nous sert plus à rien, il faut que nous allions dans la passe elle-même. Des questions ?

Il n'y en eut aucune. Delnar dispersa les troupes et se tourna vers Archytas.

— Je ne sais pas pourquoi on t'a laissé derrière, lui dit-il. Mais une chose est sûre : je ne t'aime pas, mon garçon. Tu es un fauteur de troubles. Et je pense que ce talent aurait été le bienvenu à Penrac. Mais qu'il en soit ainsi. Si tu me poses le moindre problème, tu le regretteras.

— Je comprends, seigneur Delnar, répliqua Archytas.

— Alors essaie également de comprendre ceci : tu es mon aide de camp, et en tant que tel, tu vas devoir travailler pour moi et faire passer mes ordres exactement comme je te les donne. Or, je me suis laissé dire que tu étais quelqu'un d'une arrogance exceptionnelle.

— Ce n'est pas très juste, seigneur.

— Peut-être. Et j'ai du mal à comprendre pourquoi, étant donné que ton grand-père était marchand et que ton titre de noblesse ne remonte qu'à deux générations, à peine. En vieillissant, tu réaliseras que c'est ce que fait un homme qui compte, pas ce qu'a fait son père.

— Merci pour vos conseils, mon seigneur. Je saurai m'en souvenir, répondit Archytas avec froideur.

— Ça m'étonnerait. Je ne sais pas ce qui te motive, et à vrai dire, je m'en fiche. Nous allons rester ici environ trois semaines, ensuite je serai débarrassé de toi.

— À vos ordres, mon seigneur.

Delnar le renvoya d'un geste, et porta son regard sur la frondaison des arbres au bout du champ, à l'ouest. Deux hommes arrivaient à pieds dans leur direction. Delnar serra la mâchoire en reconnaissant le poète. Il rappela Archytas.

— Monsieur ?

— Tu vois les deux hommes qui approchent, là-bas ? Va à leur rencontre et fais-les venir dans ma tente.

— À vos ordres. Vous les connaissez ?

— Le grand, c'est Druss la Légende. L'autre est le Maître des Sagas, le poète Sieben.

— J'ai entendu dire que vous le connaissiez très bien, dit Archytas, ne faisant aucun effort pour dissimuler la méchanceté des propos.

— Ça ne ressemble pas trop à une armée, déclara Druss en s'abritant les yeux du soleil qui passait au-dessus des pics de Skeln. Ils sont à peine quelques centaines.

Sieben ne répondit pas. Il était épuisé. La veille, Druss en avait eu assez de chevaucher le grand hongre qu'il avait emprunté à Skoda. Il l'avait laissé chez un éleveur dans une petite ville à cinquante kilomètres à l'ouest, déterminé à arriver à pied à Skeln. Sur le coup – avec le recul, Sieben était persuadé d'avoir été frappé d'une crise de débilité aiguë – il avait accepté de faire la route avec lui. Il se souvenait vaguement avoir pensé que cela lui ferait du bien. À présent, et même si Druss portait les deux bardas, le poète avait du mal à suivre le pas du géant : il ne sentait plus ses jambes, ses chevilles et ses poignets étaient gonflés et sa respiration saccadée.

— Tu sais ce que je crois ? dit Druss.

Sieben fit non de la tête et se concentra sur les tentes.

— Je pense que nous sommes arrivés trop tard. Gorben a débarqué à Penrac, et l'armée est partie. Enfin, ce fut un voyage agréable. Tu vas bien, poète ?

Sieben acquiesça, le visage grisâtre.

— On ne le dirait pas. Si tu n'étais pas debout à côté de moi, je jurerais que tu es mort. J'ai vu des cadavres en meilleure santé.

Sieben le regarda. C'était la seule réponse qu'il pouvait se permettre avec ce qui lui restait de forces. Druss gloussa.

— Tu as perdu ta langue, hein ? Rien que pour cela, ça valait le coup de venir.

Un jeune officier assez grand venait à leur rencontre, prenant soin d'éviter les flaques de boues et autres souvenirs que les chevaux avaient laissés derrière eux la veille au soir.

Il s'arrêta devant les deux hommes et fit une révérence élaborée.

— Bienvenue à Skeln, dit-il. Est-ce que votre ami est malade ?

Non, il marche toujours comme ça, répondit Druss en examinant le soldat de la tête aux pieds.

Il bougeait avec aisance et confiance, mais quelque chose, dans ses yeux verts et ses traits, dérangeait le guerrier à la hache.

— Le comte Delnar m'a demandé de vous conduire à sa tente. Je me nomme Archytas. Et vous êtes ?

— Druss. Lui c'est Sieben. On te suit.

L'officier partit à vive allure, que Druss ne fit plus l'effort de suivre sur les cent derniers mètres. Le chemin était en pente et il avança lentement au côté de Sieben. La vérité était que lui aussi était fatigué. Ils avaient marché une bonne partie de la nuit, essayant de se prouver à l'un et à l'autre qu'ils étaient encore jeunes.

Delnar renvoya Archytas et resta assis derrière sa petite table pliante sur laquelle étaient étalés divers papiers et messages. Sieben, malgré la tension palpable, se laissa tomber sur le petit lit de Delnar. Druss souleva une carafe de vin pour la porter à ses lèvres, et but trois grandes gorgées.

— Il n'est pas le bienvenu ici – et par conséquent, toi non plus, déclara Delnar, tandis que Druss reposait la carafe.

Le guerrier à la hache s'essuya la bouche avec le revers de sa main.

— Si j'avais su que tu étais là, je ne lui aurais pas demandé de m'accompagner, répondit-il. J'ai vu que l'armée était déjà partie.

— Oui. En direction du sud. Gorben a débarqué. Vous pouvez nous emprunter deux chevaux si vous le voulez. L'important, c'est que vous soyez partis avant le coucher du soleil.

— Je suis venu pour que les troupes pensent à autre chose qu'à l'attente, fit Druss. Ils n'ont plus besoin de moi. Je vais donc me reposer un ou deux jours, puis je repartirai vers Skoda.

— J'ai dit que vous n'étiez pas les bienvenus, contra Delnar.

Les yeux du guerrier se posèrent sur le comte. Son regard était glacial.

— Écoute-moi bien, dit Druss aussi doucement que possible, je sais pourquoi tu es dans cet état. À ta place, je serais pareil. Mais je ne le suis pas. Je suis Druss. Je vais où je veux. Je te dis que je vais rester ici, alors je vais rester ici. Je t'aime bien, mon garçon. Mais si tu me cherches, je vais te tuer.

Delnar acquiesça et se frotta le menton. La situation ne devait pas empirer. Il avait espéré que Druss repartirait, mais il ne pouvait pas le forcer. Il serait ridicule que le Comte du Nord demande à des guerriers drenaïs d'attaquer Druss la Légende. Surtout qu'il avait été invité dans le camp par le Seigneur des Armées. Delnar n'avait pas peur de Druss, parce qu'il n'avait pas peur de mourir. Sa vie s'était arrêtée six ans plus tôt. Depuis lors, sa femme, Vashti, l'avait trompé à maintes reprises. Trois ans auparavant, elle lui avait donné une fille, une enfant adorable qu'il chérissait, même s'il doutait d'en être le père. Vashti s'était enfuie à la capitale peu de temps après, laissant l'enfant à Delnoch. Le Comte avait appris qu'elle vivait en ce moment avec un marchand ventrian du riche quartier ouest. Il prit une grande respiration apaisante et affronta le regard de Druss.

— Alors restez, dit-il. Mais je ne veux pas le voir.

Druss opina du chef. Il baissa les yeux vers Sieben. Le poète s'était endormi.

— Cela n'aurait jamais dû interférer dans notre relation, déclara Delnar.

— Cela arrive, fit Druss. Sieben a toujours eu un faible pour les belles femmes.

— Je ne devrais pas le haïr. Mais c'est le premier dont j'ai été au courant. C'est l'homme qui a détruit mes rêves. Tu comprends ?

— Nous partirons demain, annonça Druss d'un ton las. Mais allons faire un tour dans la passe. J'ai besoin de respirer un peu.

Le comte se leva et mit son heaume et sa cape rouge. Ils traversèrent le camp et gravirent la pente rocailleuse qui montait jusqu'à l'entrée de la passe. Celle-ci faisait près de deux kilomètres de long et se rétrécissait au milieu, formant un goulot de cinquante mètres de large. De l'autre côté, la pente redescendait vers une plaine où une rivière coulait en direction de la mer, à cinq kilomètres de là. Depuis le goulot, on pouvait apercevoir la mer entre les montagnes, où se réverbérait le soleil par fragments dorés et bleus. Le vent d'est frais vint rafraîchir le visage du guerrier.

— C'est un bon endroit pour se défendre, dit Druss en scrutant la passe. Au centre, une armée serait obligée d'avancer par colonnes et leur nombre ne serait plus un avantage.

— De plus, elle serait contrainte de gravir la pente à la charge, fit remarquer Delnar. Je suis sûr qu'Abalayn espérait que Gorben débarque ici. Nous l'aurions immobilisé dans la baie. Ses troupes auraient crevé de faim et notre flotte aurait pu attaquer ses navires.

— Il est trop malin pour ça, répondit Druss. Tu ne trouveras pas de guerrier plus rusé que lui.

— Tu l'aimais bien ?

— Il a toujours été honnête avec moi, déclara Druss d'une voix neutre.

Delnar acquiesça.

— On dit qu'il est devenu un tyran.

Druss haussa les épaules.

— Il m'a confié une fois que c'était la malédiction des rois.

— Et il avait raison, commenta Delnar. Tu sais que ton ami Bodasen est toujours l'un de ses principaux généraux ?

— Cela ne m'étonne pas. C'est un homme loyal doublé d'un bon stratège.

— J'ai le sentiment que tu dois être content de ne pas participer à cette bataille, mon ami, dit Delnar.

Druss acquiesça.

— Je dois avouer que les années que j'ai passées au sein des Immortels ont été excellentes. J'ai beaucoup d'amis parmi eux. Mais tu as raison. Je n'aimerais pas avoir à me battre contre Bodasen. Nous sommes des frères d'armes, et je l'aime vraiment beaucoup.

— Rentrons au camp. Je vais te faire apporter de la nourriture.

Le comte salua la sentinelle à l'entrée de la passe, et les deux hommes retournèrent dans le camp. Delnar l'accompagna jusqu'à une tente blanche et souleva le battant pour le laisser entrer. À l'intérieur, se trouvaient quatre personnes. En voyant le comte entrer après le géant, elles se mirent aussitôt au garde-à-vous.

— Repos, dit Delnar. Voici Druss, un vieil ami. Il va rester un petit peu avec nous. J'aimerais que vous l'accueilliez comme il se doit. (Il se retourna vers Druss.) Je crois que tu connais déjà Certak et Archytas. Le vieux loustic à la barbe noire se nomme Diagoras.

Druss aima bien son apparence ; il avait le sourire facile et amical, et une lueur dans ses yeux sombres qui trahissait son humour. Encore mieux, il avait ce que les soldats appellent « la touche de l'aigle », et Druss sut aussitôt qu'il s'agissait d'un guerrier-né.

— Ravi de vous rencontrer, monsieur. Nous avons beaucoup entendu parler de vous.

— Et voici Orases, ajouta Certak. C'est une nouvelle recrue. Il vient de Drenan.

Druss serra la main du jeune homme, notant la graisse au milieu de celle-ci et la douceur de la poignée. Il avait l'air assez gentil, mais à côté de Diagoras et Certak, il ressemblait à un enfant maladroit.

— Désirez-vous manger ? s'enquit Diagoras une fois que le comte fut parti.

— Avec grand plaisir, grommela Druss. Mon estomac est persuadé qu'on m'a tranché la gorge.

— Je vais vous chercher ça, fit rapidement Orases.

— Je pense qu'il est un peu impressionné, Druss, expliqua Diagoras comme Orases sortait de la tente en courant.

— Cela arrive. Et maintenant, si vous me proposiez de m'asseoir ?

Diagoras gloussa et tira une chaise. Druss la renversa pour s'asseoir. Les autres firent pareil et l'atmosphère se détendit. *Le monde rajeunit*, pensa Druss. Il aurait préféré ne pas venir.

— Puis-je voir votre hache, monsieur ? demanda Certak.

— Certainement, répondit Druss en retirant Snaga de son fourreau huilé.
Dans les mains du vieil homme, l'arme semblait ne rien peser, mais quand il la passa à Certak, celui-ci poussa un grognement.

— Les lames qui ont châtié la Bête du Chaos, souffla Certak en faisant tourner l'arme dans ses mains, avant de la rendre à Druss.

— Il ne faut pas croire tout ce qu'on raconte, fit Archytas d'un ton moqueur.

— Est-ce que c'est vrai, Druss ? s'enquit Diagoras, avant que Certak ne puisse répondre.

— C'était il y a très longtemps. Mais je n'ai fait qu'entailler légèrement sa peau.

— Est-ce vrai qu'ils sacrifiaient une princesse ? demanda Certak.

— Non. Deux enfants. Mais parlez-moi plutôt de vous, dit Druss. Où que j'aille, les gens me posent toujours les mêmes questions, et cela a tendance à m'ennuyer.

— Si ça vous ennuie à ce point, critiqua Archytas, pourquoi emmenez-vous toujours le poète dans vos aventures ?

— Comment cela ?

— Il me semble étrange qu'un homme aussi modeste que vous soit toujours en compagnie d'un Maître des Sagas. Même si c'est bien pratique.

— Pratique ?

— Eh bien, c'est lui qui vous a créé, non ? Druss la Légende. La gloire et la fortune. À tous les coups, n'importe quel guerrier avec un tel compagnon de route deviendrait une légende, non ?

— C'est fort possible, répondit Druss. De mon temps, j'ai connu bien des hommes dont les exploits sont aujourd'hui oubliés, et qui mériteraient de faire partie de chansons ou de contes. Je n'y avais jamais pensé auparavant.

— À quel point la grande saga de Sieben est-elle exagérée ? s'enquit Archytas.

— Oh, ferme-la, intervint sèchement Diagoras.

— Non, fit Druss en levant la main. Vous ne savez pas comme cela fait du bien. À chaque fois on me parle de ces histoires, et dès que j'essaie d'expliquer qu'elles sont – disons – enjolivées, on ne me croit pas. Pourtant, c'est vrai. Ces histoires ne parlent pas de moi. Elles sont basées sur la réalité, mais ont grandi. J'étais la graine ; elles sont devenues l'arbre. Je n'ai jamais rencontré de princesse de toute ma vie. Mais pour répondre à ta première question, je n'ai jamais emmené Sieben avec moi dans mes quêtes. Il m'a suivi. Je crois qu'il s'ennuyait et qu'il voulait voir le monde.

— Mais avez-vous tout de même tué le garou dans les montagnes de Pelucide ? s'enquit Certak.

— Non. J'ai simplement tué beaucoup d'hommes dans des batailles.

— En ce cas, pourquoi avez-vous laissé les poèmes se propager ? demanda Archytas.

— Si j'avais pu l'empêcher, je l'aurais fait, lui confia Druss. Les premières années de mon retour ont été un vrai cauchemar. Mais depuis je m'y suis habitué. Les gens croient à ce qu'ils ont envie de croire. La vérité n'y change rien. Les gens ont besoin de héros, et s'ils n'en ont pas, ils s'en inventent.

Orases revint avec un grand bol de ragoût fumant et une miche de pain.

— J'ai manqué quelque chose ?

— Pas vraiment, fit Druss. Nous papotions.

— Druss nous avouait que ses légendes n'étaient que des mensonges, déclara Archytas. C'était des plus instructifs.

Druss partit dans un rire franc en secouant la tête.

— Je vous le disais à l'instant, dit-il à l'attention de Diagoras et Certak, les gens croient ce qu'ils ont envie de croire, et n'entendent que ce qu'ils ont envie d'entendre. (Il jeta un regard à Archytas, qui serrait ses lèvres.) Mon garçon, il fut un temps où ton sang aurait depuis longtemps éclaboussé les parois de cette tente. Mais j'étais jeune et impétueux. Aujourd'hui, je ne tire aucun plaisir à tuer les chiots. Mais je suis toujours Druss, aussi, à l'avenir, ne la ramène pas trop en ma présence.

Archytas se força à rire.

— Tu ne me fais pas peur, vieil homme, dit-il. Je ne pense pas que…

Druss se leva brusquement et lui balança un revers de la main en plein visage. Archytas fut projeté en arrière avec sa chaise et tomba au sol en gémissant. Son nez était cassé, il pissait le sang.

— Effectivement, tu ne penses pas, affirma Druss. Et maintenant, Orases, passe-moi le ragoût avant qu'il ne refroidisse.

— Sois le bienvenu à Skeln, Druss, fit Diagoras en souriant.

Druss resta dans le camp pendant trois jours. Sieben s'était réveillé dans la tente de Delnar en se plaignant d'une douleur à la poitrine. Le médecin du régiment l'avait ausculté et expliqué ensuite à Druss et Delnar que le poète souffrait de spasmes cardiaques.

— C'est grave ? demanda Druss.

Les yeux du chirurgien étaient sombres.

— S'il se repose une ou deux semaines, il devrait aller mieux. Le seul danger serait que son cœur s'arrête soudainement – et ne reparte pas. Ce n'est plus un jeune homme, et le voyage jusqu'ici a été dur pour lui.

— Je vois, répondit Druss. Merci. (Il se tourna vers Delnar.) Je suis désolé, mais nous sommes obligés de rester.

— Ce n'est pas grave, mon ami, répondit le comte en agitant la main. Malgré ce que j'ai dit à votre arrivée, vous êtes les bienvenus. Mais dis-moi, que s'est-il passé entre toi et Archytas ? J'ai l'impression qu'une montagne lui est tombée dessus.

— Son nez a heurté ma main, grogna Druss.

Delnar sourit.

— Il est vrai que c'est un personnage assez méprisable. Mais méfie-toi quand même de lui. Il est suffisamment bête pour te défier.

— Non, pas assez, fit Druss. Il est peut-être idiot, mais il ne désire pas mourir. Même un chiot sait qu'il doit se cacher quand le loup arrive.

Au matin du quatrième jour, alors que Druss était assis aux côtés de Sieben, une sentinelle avancée arriva à toute allure dans le camp. En quelques minutes, ce fut le chaos général et les hommes se précipitèrent sur leurs armures. En entendant le vacarme, Druss sortit de la tente. Un jeune soldat passa devant lui en courant et Druss l'attrapa par la cape. L'homme fut stoppé net.

— Que se passe-t-il ? s'enquit Druss.

— Les Ventrians sont ici ! cria le soldat se dégageant pour partir vers la passe.

Druss poussa un juron et lui courut après. Arrivé au goulot, il s'arrêta et regarda de l'autre côté du cours d'eau.

Des rangs de soldats en armures dorées, aux lances étincelantes, remplissaient la vallée d'une montagne à l'autre. L'armée de Gorben était là. Au centre de la masse se dressait la tente de l'empereur, et tout autour étaient amassés les Immortels, dans leur tenue noir et argent.

Des soldats drenaïs dépassèrent Druss qui d'un pas lent s'approcha de Delnar.

— Je t'avais dit qu'il était malin, déclara Druss. Il a dû envoyer une force symbolique à Penrac, sachant que vous enverriez aussitôt l'armée au sud.

— Oui. Et maintenant, qu'allons-nous faire ?

— Il ne te reste pas beaucoup de solutions, affirma Druss.

— Comme tu dis.

Les guerriers drenaïs se répartirent le long du passage le plus étroit de la passe, sur trois rangs. Leurs boucliers ronds étincelaient sous le soleil du matin et leurs heaumes à queue de cheval blanche flottaient au vent.

— Combien d'entre eux sont des vétérans ? s'enquit Druss.

— La moitié. Je les ai tous positionnés en première ligne.

— Combien de temps faudra-t-il pour qu'un messager parvienne à Penrac ?

— Il est déjà parti. L'armée devrait être de retour dans dix jours.

— Tu penses tenir dix jours ? demanda Druss.

— Non. Mais comme tu le faisais remarquer, il n'y a pas d'alternative. D'après toi, que va faire Gorben ?

— D'abord, il va vouloir parlementer pour exiger ta reddition. Demande plusieurs heures de réflexion. Ensuite, il enverra les Panthiens. C'est un groupe sans discipline, mais ils battent comme des diables. Tu devrais les repousser.

Leurs boucliers en osier et leurs lances ne sont pas de taille face aux armures drenaïes. Après cela, il va tester ses troupes…

— Les Immortels ?

— Non, pas avant la fin, quand vous serez fatigués.

— Ce n'est pas une vision très optimiste, fit Delnar.

— C'est la merde, lui accorda Druss.

— Est-ce que résisteras avec nous, guerrier à la hache ?

— Tu pensais que j'allais partir ?

Delnar se mit à rire.

— Pourquoi pas ? Moi, j'aimerais bien pouvoir.

Sur la première ligne drenaïe, Diagoras rengaina son épée et essuya sa main moite sur sa cape rouge.

— Ils sont assez nombreux, dit-il.

À côté de lui, Certak acquiesça.

— Voilà un euphémisme magistral. J'ai l'impression qu'ils pourraient nous piétiner.

— On va être obligés de se rendre, pas vrai ? souffla Orases dans leur dos, en clignant des yeux pour chasser la sueur.

— Mon petit doigt me dit que c'est peu probable, déclara Certak. Même si j'avoue que j'aimerais bien.

Un cavalier sur un étalon noir franchit le cours d'eau et galopa en direction de la première ligne de défense drenaïe. Delnar se fraya un chemin au milieu de ses troupes, Druss à ses côtés.

Le cavalier portait l'armure argent et noir d'un général des Immortels. Il tira sur les rênes de sa monture en arrivant au niveau des deux hommes qui l'attendaient. Puis il se pencha sur le pommeau de sa selle.

— Druss ! s'exclama-t-il. C'est toi ?

Druss étudia les traits émaciés du Ventrian et ses cheveux noirs parsemés d'argent qui pendaient en deux tresses.

— Bienvenue à Skeln, Bodasen, répondit le guerrier à la hache.

— Je suis navré de te trouver ici. Je comptais chevaucher jusqu'à Skoda pour te rendre visite dès que nous aurions pris Drenan. Comment se porte Rowena ?

— Bien. Et toi ?

— En pleine forme. Et de ton côté ?

— Je n'ai pas à me plaindre.

— Et Sieben ?

— Il dort dans une tente.

— Il a toujours su éviter les batailles, fit Bodasen en se forçant à sourire.

Et c'est ce qui se prépare ici, à moins que le bon sens ne prévale. Qui est votre chef ? demanda-t-il à Delnar.

— C'est moi. Quel message apportez-vous ?

— Rien de très compliqué. Demain matin, mon empereur va franchir cette passe. Il trouverait courtois de votre part que vous vous retiriez de son chemin.

— Nous allons y réfléchir, répondit Delnar.

— Je vous conseille d'y réfléchir sérieusement, fit Bodasen en tournant bride. À bientôt, Druss. Prends soin de toi !

— Toi aussi.

Bodasen éperonna son étalon noir et repartit vers la rivière et les rangs des Panthiens.

Druss attira Delnar à l'écart.

— Cela ne sert à rien de rester toute la journée à les regarder, fit-il. Pourquoi ne dis-tu pas à tes hommes de se reposer un peu ? La moitié n'a qu'à aller chercher des couvertures et du bois pour le feu.

— Tu penses qu'ils ne nous attaqueront pas aujourd'hui ?

— Non. Ils n'ont aucune raison de le faire. Ils savent que nous ne recevrons pas de renforts pendant la nuit. Demain viendra bien assez tôt.

Druss repartit lourdement jusqu'au camp, et passa voir comment allait le poète. Sieben dormait. Druss tira une chaise et regarda le visage marqué du poète. Une fois n'est pas coutume, il caressa sa tête chauve. Sieben ouvrit les yeux.

— Oh, c'est toi, dit-il. Qu'est-ce que c'est que tout ce raffut ?

— Les Ventrians nous ont bien eus. Ils sont de l'autre côté de la montagne.

Sieben jura entre ses dents. Druss gloussa.

— Ne bouge pas, poète. Je te raconterai tout dès que nous les aurons mis en déroute.

— Les Immortels sont là aussi ? s'enquit Sieben.

— Évidement.

— Formidable. Merci pour la balade dont tu m'avais parlé. « Quelques discours, c'est tout. » Et dans quoi on se retrouve ? Une guerre !

— J'ai vu Bodasen. Il a l'air d'aller bien.

— Merveilleux. Peut-être qu'une fois qu'il nous aura tués, nous pourrons tous boire un coup ensemble et parler du bon vieux temps.

— Tu prends les choses trop à cœur, poète. Repose-toi. J'enverrai des hommes te chercher tout à l'heure pour te porter dans la passe. Je sais que tu n'aimerais pas manquer l'action, pas vrai ?

— Est-ce que tu ne pourrais pas leur demander plutôt de me porter jusqu'à Skoda ?

— Plus tard, sourit Druss. De toute façon, je dois y aller.

Le guerrier à la hache remonta rapidement la côte et s'assit sur un rocher au goulot de la passe pour regarder le camp ennemi.

— À quoi penses-tu ? demanda Delnar en le rejoignant.

— Je me souvenais de ce que m'avait dit un vieil ami, il y a longtemps.

— À savoir ?

— La meilleure des défenses, c'est l'attaque.

Bodasen descendit de selle devant l'empereur et s'agenouilla, face contre terre. Puis il se releva. De loin, le Ventrian ressemblait à ce qu'il avait toujours été : un homme puissant, à la barbe noire et à l'œil vif. Mais à y regarder de plus près, on s'apercevait que sa barbe et ses cheveux étaient fortement teints en noir, que son visage était maquillé à outrance, afin de lui redonner des couleurs, et que son regard scrutait les ombres à la recherche de la moindre traîtrise. Ses partisans, même ceux qui, comme Bodasen, le servaient depuis des dizaines d'années, avaient appris à ne plus le regarder en face ; quand ils s'adressaient à lui, ils fixaient le griffon doré sur son plastron. Personne ne pouvait l'approcher muni d'une arme, et cela faisait des années qu'il n'avait plus accordé d'audience privée. Il portait son armure en permanence – même, d'après la rumeur, pendant son sommeil. Des esclaves goûtaient sa nourriture, et il avait pris l'habitude de porter des gants en cuir souple, de peur qu'on n'ait répandu du poison sur le pourtour de ses gobelets en or.

Bodasen attendit la permission de parler, levant rapidement les yeux afin de lire l'expression de l'empereur. Gorben avait l'air maussade.

— C'était Druss ? s'enquit-il.

— Oui, mon seigneur.

— Alors, même lui s'est retourné contre moi.

— C'est un Drenaï, mon seigneur.

— Tu essaies de me contredire, Bodasen ?

— Non, sire. Bien sûr que non.

— Bon. Je veux que l'on m'amène Druss pour qu'il soit jugé. Il faut répondre à une telle traîtrise de manière expéditive. Tu me comprends ?

— Oui, sire.

— Les Drenaïs vont-ils nous laisser passer ?

— Je ne pense pas, sire. Mais cela ne prendra pas longtemps pour déblayer le chemin. Même avec Druss dans leur camp. Dois-je donner l'ordre de monter le camp ?

— Non. Qu'ils restent en rang encore un peu. Que les Drenaïs voient leur puissance et leur force.

— Oui, sire.

Bodasen recula.

— M'es-tu toujours loyal ? demanda brusquement l'empereur.

Bodasen avait la bouche sèche.

— Comme je l'ai toujours été, seigneur.

— Et pourtant, Druss était ton ami.

— Quand bien même, sire. Je vous l'apporterai enchaîné. Ou s'il tombe pendant la défense, je vous ramènerai sa tête.

L'empereur acquiesça, et tourna son visage peinturluré vers l'entrée de la passe.

— Je les veux tous morts. Tous morts, soupira-t-il.

Dans les brumes fraîches qui précédèrent l'aube, les Drenaïs formèrent leurs rangs serrés. Chaque guerrier portait un bouclier rond et une épée courte. Ils avaient mis leurs sabres au côté, car vu leur formation, une épée longue pouvait s'avérer aussi mortelle pour un camarade que pour un ennemi leur fonçant dessus. Les hommes étaient nerveux ; ils vérifiaient en permanence les attaches de leurs plastrons, s'apercevaient que les jambières de bronze étaient trop serrées, pas assez, bref que ça n'allait pas. Ils retirèrent leurs capes et les roulèrent, puis les posèrent derrière eux, contre les parois de la montagne. Druss et Delnar savaient tous les deux que c'était le moment le plus éprouvant pour le courage des soldats. Gorben pouvait faire n'importe quoi. La balle était dans son camp. Tout ce que les Drenaïs pouvaient faire, c'était attendre.

— Tu penses qu'il attaquera dès que le soleil sera levé ? s'enquit Delnar.

Druss secoua la tête.

— Je ne crois pas. Il va laisser la peur nous travailler au corps pendant une bonne heure. Quoique – avec lui, on n'est jamais sûr de rien.

Les deux cents hommes en première ligne partageaient les mêmes émotions, à différents degrés. La fierté : ils avaient été choisis parce qu'ils étaient les meilleurs ; la peur : ils allaient être les premiers à mourir. Certains avaient des regrets. Beaucoup n'avaient plus écrit chez eux depuis des semaines, d'autres encore avaient quitté des amis ou des proches sur des paroles amères. Les pensées fusaient.

Druss se rendit au centre de la première ligne, faisant signe à Diagoras et Certak de se positionner de chaque côté de lui.

— Laissez-moi juste un peu plus d'espace, leur conseilla-t-il. Que je ne vous mette pas un coup de hache.

Le rang s'écarta très vite. Druss relâcha ses épaules puis s'étira les muscles du dos et des bras. Le ciel s'éclaira. Druss jura. C'était un désavantage pour les défenseurs – qui étaient déjà en sous-nombre – d'avoir le soleil dans les yeux.

De l'autre côté du cours d'eau, les Panthiens à la peau noire aiguisaient leurs lances. Ils ne montraient aucun signe de peur. Les peaux d'ivoire qui leur faisaient face n'étaient pas nombreux. Ils allaient s'enfuir comme un troupeau de gazelles devant un feu de prairie. Gorben attendit que le soleil monte au-dessus des pics et donna l'ordre d'attaquer.

Les Panthiens se levèrent ; un cri de haine monta de leur gorge, et le son se répercuta dans la passe submergeant les défenseurs.

— Écoutez ! gronda Druss. Ce n'est pas un cri de courage que vous entendez. C'est un hurlement de terreur.

Cinq mille guerriers se ruèrent vers la passe. Leurs pieds martelaient le sol rocheux comme un roulement de tambour.

Druss renifla et cracha. Puis, il se mit à rire. Le son était riche et généreux, ce qui provoqua une série de gloussements autour de lui.

— Par les dieux, que tout cela me manquait, cria-t-il. Approchez, bande de veaux ! hurla-t-il aux Panthiens. Dépêchez-vous un peu !

Au centre de la deuxième ligne de défense, Delnar sourit et dégaina son épée.

Quand l'ennemi ne fut plus qu'à cent mètres, ceux de la troisième ligne regardèrent Archytas. Celui-ci leva son bras. Les soldats lâchèrent leurs boucliers et se penchèrent pour ramasser des javelots. Chacun en avait cinq à ses pieds.

Les Panthiens étaient presque sur eux.

— Maintenant ! hurla Archytas.

Des bras jaillirent vers l'avant, et deux cents hampes mortelles furent lancées sur la masse noirâtre.

— Encore ! gronda Archytas.

Les premiers rangs de la horde qui avançait vers les Drenaïs disparurent en criant, et furent piétinés par ceux qui les suivaient. La charge ralentit ; les Panthiens trébuchaient sur les corps de leurs camarades tombés. Les parois de la montagne, qui se rétrécissaient comme le verre d'un sablier, ralentirent encore l'attaque.

Et ce fut le choc.

Une lance fondit sur Druss. Il la bloqua avec les lames de sa hache, et d'un mouvement du poignet, ramena la hache vers le bas, assénant un coup circulaire à l'assaillant qui transperça son bouclier en osier et sa chair. L'homme grogna quand Snaga lui ouvrit la cage thoracique. Druss dégagea son arme, para une nouvelle attaque, et enfonça sa hache dans le visage de son adversaire. À ses côtés, Certak bloqua une lance avec son bouclier et enfonça son glaive de manière experte dans la poitrine noire en face de lui. Une lance lui déchira le haut de la cuisse, mais il ne sentit pas la douleur. Il contre-attaqua d'un coup d'estoc, et son ennemi s'écroula sur la pile de cadavres qui s'amoncelaient en première ligne.

À présent, les Panthiens devaient sauter par-dessus les corps de leurs camarades pour tenter désespérément de percer les défenses. Le sol de la passe devenait glissant à cause du sang, mais les Drenaïs ne cédaient pas d'un pouce.

Un grand guerrier laissa tomber son bouclier et escalada la pile de cadavres, lance dressée. Il sauta sur Druss. Snaga s'enfonça dans sa poitrine, mais son poids fit partir Druss à la renverse, lui arrachant la hache des mains. Un deuxième attaquant lui sauta dessus. Druss dévia la lance avec ses gantelets métalliques, et balança un direct dans la mâchoire du Panthien. Le guerrier s'écroula mais Druss l'attrapa au vol, le saisissant par le cou et l'aine afin de le lancer de l'autre côté des morts, en pleine tête des ennemis qui continuaient d'avancer. Il se tourna de trois quarts pour récupérer sa hache dans le cadavre.

— Allez, mes garçons, gronda-t-il. Il est temps de les renvoyer chez eux !

Il sauta sur le mur de cadavres et tailla de droite et de gauche, créant une ouverture dans les rangs des Panthiens. Diagoras n'en croyait pas ses yeux. Il poussa un juron. Et sauta à son tour, pour l'aider.

Les Drenaïs se mirent en marche, gravissant les marches de corps, l'épée sanglante, l'œil sombre.

Au centre, les Panthiens durent d'abord se remettre de l'attaque du fou à la hache, mais à peine avaient-ils essayé de reformer leurs rangs que les autres Drenaïs leurs fondirent dessus.

La peur se répandit dans leurs rangs comme la peste.

Quelques minutes plus tard, ils repartaient vers la vallée.

Druss ramena les troupes en position. Son gilet était couvert de sang, et sa barbe mouchetée de rouge sombre. Il souleva son maillot et extirpa une serviette avec laquelle il s'essuya le visage. Il souleva son heaume noir et argent pour se gratter la tête.

— Eh bien, mes garçons, lança-t-il d'une grosse voix qui résonna contre la roche, quel effet ça fait d'avoir gagné sa paie ?

— Ils reviennent ! cria quelqu'un.

La voix de Druss coupa court à la panique qui pointait.

— Évidemment qu'ils reviennent, gronda-t-il. Ils n'ont pas encore compris qu'ils avaient perdu. Premier Rang, reculez, Deuxième Rang avancez. Distribuons la mort !

Druss resta en première ligne, Diagoras et Certak à ses côtés.

Lorsque le soleil se coucha, ils avaient repoussé les quatre attaques, et n'avaient perdu que quarante hommes – trente morts et dix blessés.

Les Panthiens avaient perdu plus de huit cents hommes.

La nuit fut macabre. Les Drenaïs étaient assis autour de petits feux de camp, les flammes projetaient des ombres inquiétantes sur le mur de cadavres qui était encore dans la passe ; les corps semblaient se tortiller dans les ténèbres.

334

Delnar donna l'ordre à ses hommes de ramasser tous les boucliers en osier qu'ils pourraient trouver, ainsi que tout javelot ou lance utilisable.

Vers minuit, la plupart des vétérans étaient déjà endormis, mais les autres, pour qui le combat du jour était encore trop frais dans leurs esprits, s'assirent par petits groupes pour parler à voix basse. Le poète avait assisté à une partie de l'action depuis son lit, mais s'était endormi tout l'après-midi.

Diagoras, Orases et Certak étaient assis en compagnie d'une demi-douzaine de soldats lorsque Delnar vint se joindre à eux.

— Comment vous sentez-vous ? leur demanda le comte.

Ils sourirent. Que pouvaient-ils répondre ?

— Permission de poser une question, monsieur ? demanda Orases.

— Certainement.

— Comment Druss a-t-il pu rester en vie aussi longtemps ? Je veux dire, il ne se défend pas, si je puis m'exprimer ainsi.

— C'est une bonne remarque, dit le comte en retirant son heaume.

Il passa ses doigts dans ses cheveux et apprécia le vent frais qui soufflait sur son visage.

— La réponse est contenue dans ta question. Il ne se défend pas. Sa terrible hache tue plus qu'elle ne blesse. Pour abattre Druss, il faut être prêt à mourir. Non, pas seulement prêt. Il faut attaquer Druss en sachant pertinemment qu'il va te tuer. Et la plupart des gens préfèrent vivre. Tu comprends ?

— Pas vraiment, monsieur, admit Orases.

— Sais-tu quel est le seul guerrier que personne ne souhaite affronter ? demanda Delnar.

— Non, monsieur.

— Le baresark, qu'on appelle aussi le berserk, un homme que la frénésie de meurtre rend insensible à la douleur et insouciant pour sa vie. Il jette son armure et attaque ses ennemis, les taillant en pièces jusqu'à ce que lui-même soit tué. Une fois, j'ai vu un baresark qui avait perdu un bras. Le sang giclait de son moignon, et il a dirigé le jet vers ses adversaires pour les aveugler ; puis il a continué le combat jusqu'à ce qu'il soit vidé de son sang.

» Personne ne souhaite affronter un tel adversaire. Et Druss est encore plus terrible qu'un berserk. Il en a toutes les vertus, mais il garde son contrôle. Il pense clairement. Et si on ajoute à cela sa force prodigieuse, il devient une formidable machine de destruction.

— Mais, dans une mêlée, il peut toujours y avoir un coup chanceux, déclara Diagoras. On peut glisser sur une flaque de sang. Il peut mourir comme n'importe qui.

— Oui, admit Delnar. Je ne dis pas que cela ne lui arrivera pas, je dis simplement que les chances sont de son côté. Ceux qui se sont battus à ses côtés aujourd'hui n'ont pas eu le temps d'étudier sa technique, mais d'autres ont eu la chance de voir un échantillon de la Légende. Il garde toujours l'équilibre, il est toujours en mouvement. Ses yeux ne s'arrêtent jamais. Il a une incroyable vision périphérique. Il arrive à sentir le danger, même en plein chaos. Aujourd'hui, un brave guerrier panthien s'est jeté sur sa hache pour la lui arracher des mains. Un deuxième guerrier le suivait. L'un d'entre vous a-t-il vu la scène ?

— Moi oui, fit Orases.

— Mais tu n'en as rien retiré. Le premier Panthien est mort pour que Druss perde sa hache. Le deuxième était là pour l'occuper pendant que le reste de leur troupe faisait une percée. S'ils étaient passés, nos forces auraient été divisées et repoussées contre les parois de la montagne. Druss s'en est aussitôt aperçu. C'est pour cela, alors qu'il aurait pu se contenter d'assommer son assaillant et récupérer sa hache, qu'il l'a jeté dans la brèche qui se formait. Réfléchissez un instant : en l'espace d'une seconde, Druss a senti le danger, a établi un plan d'action et l'a exécuté. Plus encore. Il a récupéré sa hache et a mené la bataille dans le camp adverse. C'est ce qui les a fait rompre le combat. Druss avait bien estimé le meilleur moment pour les attaquer. Tel est l'instinct du guerrier-né.

— Mais comment a-t-il su que nous le suivrions ? demanda Diagoras. Il aurait pu se faire tailler en pièces.

— Il avait confiance en vous. C'est pour cela qu'il vous a demandé, à Certak et toi, de rester à côté de lui. Et ça, c'est un compliment. Il savait que vous réagiriez aussitôt et que les autres risquaient de vous suivre.

— Il vous l'a dit ? s'enquit Certak.

Le comte gloussa.

— Non. D'une certaine manière, Druss serait aussi surpris que vous d'entendre cela. Il ne réfléchit pas à ses actes. Comme je vous l'ai dit, c'est instinctif. Si nous survivons à cette guerre, vous en apprendrez davantage.

— Et vous pensez que nous avons une chance ? l'interrogea Orases.

— Si nous restons forts, mentit Delnar en finesse, se surprenant lui-même.

Les Panthiens revinrent insidieusement dans la passe à l'aube, où les Drenaïs les attendaient, l'épée dégainée. Mais ils n'attaquèrent pas. Sous les yeux ébahis des défenseurs, ils vinrent retirer les corps de leurs camarades.

C'était une scène étrange. Delnar donna l'ordre à ses soldats de reculer d'une vingtaine de pas, afin de leur laisser un espace pour travailler. L'attente reprit. Delnar rengaina son épée et vint retrouver Druss en première ligne.

— Qu'en penses-tu ?

— Je crois qu'ils font de la place pour les chariots, répondit Druss.

— Les chevaux n'arriveront jamais à franchir notre ligne de défense. Ils seront obligés de s'arrêter devant nous, fit remarquer le comte.

— Jette un coup d'œil en bas, grommela le guerrier à la hache.

De l'autre côté du cours d'eau, l'armée ventrianne s'était écartée pour laisser passer les chariots en bronze étincelant des Tantriens. Des lames de faux meurtrières avaient été fixées aux énormes roues. Chaque chariot était tiré par deux chevaux. Il y avait à bord un conducteur et un lancier.

Pendant une heure, l'évacuation des cadavres continua, tandis que, dans la vallée, les chariots formaient une ligne. Une fois que les Panthiens furent repartis, Delnar donna l'ordre à une trentaine d'hommes munis des boucliers en osier qu'ils avaient ramassés la veille de s'avancer. Les boucliers furent étalés en ligne en travers de la passe et aspergés d'huile.

Delnar posa une main sur l'épaule de Druss.

— Fais reculer ta ligne cinquante mètres derrière les boucliers. Quand ils passeront à l'attaque, romps la formation, sur la droite et la gauche, et mettez-vous à l'abri derrière les rochers. Dès qu'ils seront passés, nous mettrons le feu aux boucliers. Avec un peu de chance, cela devrait les arrêter. La deuxième ligne attaquera les chariots, pendant que la tienne retiendra l'infanterie qui devrait suivre.

— Cela me paraît une bonne idée, déclara Druss.

— Si cela ne fonctionne pas, nous n'aurons pas d'autre essai, répondit Delnar. Druss sourit.

Sur toute la rangée des chariots, les auriges rabaissaient des capuchons sur les yeux des chevaux. Druss mena ses deux cents hommes en avant, abrités derrière un mur de boucliers en osier. Diagoras, Certak et Archytas étaient avec lui.

Les deux cents conducteurs firent claquer leurs fouets au-dessus de la tête des chevaux pour les lancer au galop ; le tonnerre des sabots résonna jusque dans la passe.

Juste avant que les chariots ne soient sur eux, Druss donna l'ordre de rompre les rangs. Les hommes coururent se mettre à l'abri sur les contreforts, de chaque côté de la passe. L'ennemi continua sa cavalcade vers la deuxième ligne. Des torches enflammées furent jetées sur le tapis de boucliers en osier, et l'huile prit feu. Une fumée noire monta aussitôt du sol en tourbillonnant, suivie presque aussitôt par des flammes vacillantes. La brise emporta la fumée vers l'est, brûlant les narines dilatées des chevaux encapuchonnés. Ils hennirent de terreur et essayèrent de s'enfuir, ignorant les coups de fouet des conducteurs.

La confusion fut immédiate. La deuxième ligne de chariots percuta la première, des chevaux tombèrent, des véhicules se retournèrent, projetant dans les airs des hommes qui hurlaient avant de s'écraser sur le sol rocailleux.

Au milieu du chaos ambiant, les Drenaïs passèrent à l'attaque, enjambant les flammes pour tomber sur les lanciers ventrians dont les lances étaient inutiles au corps à corps.

Gorben, de son point d'observation à huit cents mètres de là, donna l'ordre à une légion d'infanterie de se jeter dans la mêlée.

Druss et ses deux cents soldats reformèrent la ligne de défense en travers de la passe, emmêlant leurs boucliers afin de contenir la deuxième attaque. Ils opposaient un mur de lames face à l'infanterie en armure argentée.

Broyant le crâne d'un homme avant d'en éventrer un deuxième, Druss recula d'un pas pour jeter un rapide coup d'œil de chaque côté.

La ligne tenait bon.

Un plus grand nombre de Drenaïs tombèrent dans cette attaque que la veille, mais il restait toujours ridicule en comparaison des pertes qu'avaient subies les Ventrians.

Une poignée de chariots réussirent à faire demi-tour et traversèrent en trombe la défense drenaïe, renversant au passage leurs propres troupes d'infanterie, anxieux de fuir la passe.

La bataille continua dans le sang, heure après heure ; on se battait sauvagement des deux côtés, sans quartier.

L'infanterie ventrianne continua son offensive, mais plus la nuit approchait, plus ses tentatives manquaient de conviction et de poids.

Furieux, Gorben intima l'ordre à leur général d'avancer de nouveau dans la passe.

— Il faut que tu fasses une percée, ou je te jure que tu me supplieras pour que je te tue, menaça-t-il.

Le général tomba dans l'heure, et avec le crépuscule l'infanterie s'éloigna la tête basse pour franchir le cours d'eau.

Sans prêter attention aux danseurs qui jouaient devant lui, Gorben conversait à voix basse avec Bodasen, allongé sur un divan couvert de soie. L'empereur portait son armure intégrale, et son garde du corps panthien, un colosse aux muscles impressionnants, se tenait derrière lui. Ce dernier avait servi de bourreau à Gorben ces cinq dernières années. Il tuait à mains nues, parfois en étranglant lentement ses victimes, parfois en enfonçant les yeux des infortunés prisonniers dans leurs orbites, avec ses pouces. Toutes les exécutions se faisaient en présence de l'empereur, et pas une semaine ne passait sans qu'une telle scène macabre n'ait lieu.

Une fois, le Panthien avait tué un homme en lui écrasant le crâne entre ses mains, sous les applaudissements de Gorben et sa cour.

Bodasen en était malade. Mais il était pris dans la toile qu'il avait contribué à tisser. Au fil des ans, l'ambition lui avait fait gravir les échelons du pouvoir. Aujourd'hui, il était à la tête des Immortels et était, après Gorben, l'homme le plus puissant de Ventria. Mais sa place était risquée. La paranoïa de Gorben était telle qu'aucun de ses généraux ne survivait longtemps ; et Bodasen commençait à sentir les yeux de l'empereur se poser trop souvent sur lui.

Cette nuit-là, il avait invité Gorben dans sa tente, avec la promesse de le divertir. Mais l'empereur était d'une humeur revêche, et Bodasen essayait de faire attention où il mettait les pieds.

— Tu étais sûr que les Panthiens et les chariots ne passeraient pas, pas vrai ? demanda Gorben.

La question était chargée de menaces. S'il répondait par l'affirmative, l'empereur lui demanderait pourquoi il n'avait pas exprimé son opinion plus tôt. Après tout, n'était-il pas le conseiller militaire de l'empereur ? À quoi servait un conseiller qui ne conseillait pas ? S'il répondait par la négative, son jugement militaire serait remis en cause.

— Nous avons livré bien des batailles ces dernières années, mon seigneur, répondit-il. Dans la plupart, nous avons subi des revers. Et vous avez toujours dit : « Si nous n'essayons pas, nous ne réussirons jamais. »

— Tu penses que nous devrions envoyer mes Immortels ? s'enquit Gorben.

Jusqu'alors, l'empereur les appelait « tes » Immortels, pensa Bodasen. Il s'humecta les lèvres et sourit.

— Il est évident qu'ils pourraient nettoyer la passe rapidement. Les Drenaïs se battent bien. Ils sont disciplinés. Mais ils ne sont pas de taille face aux Immortels. Il n'y a que vous qui puissiez prendre cette décision, mon seigneur. Vous êtes le seul à maîtriser divinement la stratégie. Les hommes comme moi ne sont que de pâles reflets de votre grandeur.

— Où se trouvent donc les hommes capables de penser par eux-mêmes ? déclara sèchement l'empereur.

— Je dois être honnête avec vous, sire, répondit rapidement Bodasen. Vous n'en trouverez pas.

— Pourquoi ?

— Vous cherchez des hommes capables de penser aussi vite que vous, et votre perspicacité remarquable. De tels hommes n'existent pas. Vous avez un don unique, sire. Les dieux n'accordent ce genre de sagesse qu'à une personne toutes les dix générations.

— Tu dis vrai, apprécia Gorben. Mais ce n'est pas facile d'être un homme à part, séparé des autres à cause de ses talents divins. Tu sais, on me déteste, murmura-t-il en jetant un regard aux sentinelles à l'entrée de la tente.

— Il y aura toujours des jaloux, sire, dit Bodasen.

— Es-tu jaloux de moi, Bodasen ?

— Oui, sire.

Gorben se mit sur le côté, les yeux étincelants.

— Continue.

— Toutes ces années, je vous ai servi en vous aimant, seigneur ; et toutes ces années j'ai essayé de vous ressembler. Ainsi j'aurais pu mieux vous servir. Il faudrait être idiot pour ne pas être jaloux de vous. Mais il faudrait être fou pour vous haïr, sous prétexte qu'on ne peut pas devenir ce que vous êtes.

— Bien dit. Tu es un homme honnête. L'un des rares en qui je peux avoir confiance. Ce n'est pas comme Druss, qui avait promis de me servir et qui se met aujourd'hui en travers de mon destin. Je veux le voir mort, général. Je veux qu'on m'apporte sa tête.

— Il en sera fait comme vous l'exigez, sire, annonça Bodasen.

Gorben se renfonça dans son divan. Il passa en revue la tente et ce qu'elle contenait.

— Tes quartiers sont plus somptueux que les miens, dit-il.

— Seulement parce qu'ils sont remplis de vos cadeaux, sire, improvisa Bodasen à la hâte.

Le visage et l'armure noircis à l'aide d'un mélange de poussière et d'huile, Druss traversa en silence le petit ruisseau en compagnie d'une cinquantaine d'hommes, profitant d'une nuit sans lune.

Priant pour que les nuages ne s'écartent pas, Druss les mena en file indienne vers la rive est. Il tenait sa hache dans une main, et un bouclier noirci de l'autre, devant lui. Une fois de l'autre côté, Druss s'accroupit au milieu du petit groupe et désigna deux sentinelles qui somnolaient près d'un petit feu. Diagoras et deux acolytes s'échappèrent du groupe, dague à la main, et se rapprochèrent d'elles. Les sentinelles moururent sans un bruit. Druss et les soldats se rapprochèrent du petit feu et délogèrent des torches qui avaient été fixées à la hâte sur leurs boucliers en osier.

Druss enjamba les corps et alluma sa torche. Puis, il courut vers la tente la plus proche. Ses hommes l'imitèrent, passant d'une tente à l'autre, jusqu'à ce que les flammes montent à plus de dix mètres dans le ciel nocturne.

Et ce fut le chaos. Des hommes sortirent de leurs abris de toile en hurlant, pour tomber sous les coups des épées drenaïes. Druss bondit en avant, et se fraya un chemin rouge sang au milieu des Ventrians en pleine panique. Il avait les yeux rivés sur la tente devant lui ; un griffon était visible dans l'éclat des flammes gigantesques. Juste derrière lui venaient Certak et une dizaine de guerriers portant des torches. Il arracha le rabat de la tente et passa la tête à l'intérieur.

— Bordel, grogna-t-il, Gorben n'est pas là ! Quelle guigne !

Il mit le feu à la soie et donna l'ordre à ses hommes de se regrouper pour repartir vers la rivière. Il n'y eut aucun effort pour essayer de les arrêter tant la confusion régnait au milieu du camp. Les Ventrians couraient dans tous les sens, certains tout nus, d'autres allant chercher de l'eau dans leurs casques afin de former une chaîne humaine pour éteindre le brasier porté par le vent.

Un petit groupe d'Immortels, l'épée à la main, se planta devant Druss alors qu'il courait vers la rivière ; Snaga jaillit et le premier fut abattu. Un autre mourut d'un revers d'épée de Diagoras, qui lui trancha la gorge. La bataille fut brève et sanglante ; les Drenaïs avaient l'avantage de la surprise. Druss fonça sur le groupe et, d'un grand coup de taille, se débarrassa d'un ennemi, enchaînant avec un deuxième coup circulaire qui s'enfonça profondément dans l'épaule d'un autre.

Bodasen sortit de sa tente en courant, l'épée à la main, sans prendre le temps d'enfiler son armure. Il réunit rapidement un petit escadron d'Immortels autour de lui et se précipita à travers les flammes jusqu'au lieu du combat. Un guerrier drenaï se dressa sur son chemin. Celui-ci essaya de toucher Bodasen au corps. Le Ventrian para le coup et lui asséna une riposte fulgurante qui lui ouvrit la gorge. Bodasen enjamba le cadavre et mena ses hommes au contact.

Druss tua deux hommes de plus et hurla aux Drenaïs de se replier.

Des bruits de pas derrière lui le forcèrent à se retourner pour affronter les nouveaux arrivants. Comme ils avaient les flammes dans leur dos, Druss ne pouvait pas voir leurs visages.

Non loin de lui, Archytas se débarrassa d'un ennemi et vit que Druss était isolé.

Sans réfléchir, il courut à son secours, en direction des Immortels. Au même moment, Druss les chargea. Snaga se leva et retomba, hachant indifféremment dans l'armure et l'os. Diagoras et Certak le rejoignirent, suivis de quatre Drenaïs. La bataille fut rapide. Un seul Ventrian réussit à s'échapper, en se jetant sur la droite. Il fit une roulade et se redressa derrière Archytas. Le grand Drenaï fit volte-face et l'attaqua. Archytas sourit en entendant leurs épées s'entrechoquer. L'homme était vieux. Il avait l'air de savoir se servir de son épée, mais il n'était certainement pas de taille pour le jeune Drenaï. Leurs épées scintillèrent dans les flammes ; parade, riposte, contre-attaque, estoc, et fente. Son adversaire esquiva et se laissa tomber à genoux, roulant sur le sol ; d'un geste fluide, il enfonça son épée dans les parties d'Archytas.

— Tu as la vie pour apprendre, mon garçon, siffla Bodasen en retirant son épée.

Bodasen vit que d'autres Immortels les avaient rejoints. Gorben voulait la tête de Druss. Il la lui apporterait cette nuit.

Druss dégagea sa hache d'un cadavre et partit à toutes jambes vers la rivière, et la sécurité toute relative de la passe.

Un guerrier se dressa sur son passage. Snaga siffla dans les airs, pulvérisant l'épée de l'homme. Coup de taille en revers : les lames s'enfoncèrent dans ses côtes. Druss reprit sa course, mais l'homme l'attrapa par les épaules. Dans la lueur des flammes, Druss vit que c'était Bodasen. Bien que mourant, le général des Immortels tentait de ralentir le Drenaï en agrippant son gilet. Druss lui asséna un coup de pied, qui l'envoya rouler sur le sol.

Bodasen tomba et regarda les silhouettes de Druss et de ses compagnons traverser la rivière.

La vue du Ventrian se troubla. Il ferma les yeux. Un sentiment de lassitude l'enveloppa comme une couverture. Des souvenirs défilèrent dans son esprit. Il entendit le grondement sourd de la mer, et revit le navire corsaire qui allait les éperonner. Porté par le passé, il se revoyait aborder l'ennemi en compagnie de Druss.

Bon sang ! Il aurait dû réaliser que Druss ne changerait jamais.

Il aurait dû attaquer. Il fallait toujours attaquer.

Il cligna des yeux pour éclaircir sa vision. Druss était arrivé sain et sauf de l'autre côté de la rivière, et repartait avec sa petite troupe derrière leurs lignes.

Bodasen essaya de bouger, mais la douleur était trop forte. En douceur, il palpa la blessure sur son flanc. Ses doigts poisseux touchèrent ses côtes ; il avait une artère sectionnée qui pissait le sang à gros bouillons.

C'était la fin.

Plus de peur. Plus de folie. Il n'aurait plus à ramper devant le fou peinturluré.

D'une certaine manière, il se sentit soulagé.

Après sa bataille au côté de Druss sur le navire corsaire, sa vie n'avait plus été qu'une longue suite de déceptions. À ce moment précis, il s'était senti en vie, debout avec Druss, face…

Aux premiers rayons de l'aube, on emmena son corps aux pieds de l'empereur. Gorben pleura.

Autour d'eux, le camp était en ruines. Les généraux de Gorben se tenaient en silence derrière le trône, inquiets. Gorben recouvrit le cadavre de son propre manteau et s'essuya les yeux sur une serviette blanche. Puis, il porta son attention sur l'homme agenouillé devant lui, entre deux Immortels.

— Bodasen mort. Ma tente détruite. Mon camp en flammes. Et c'est toi, toi, misérable, qui étais l'officier de garde. Une dizaine d'hommes se sont infiltrés dans mon camp, pour tuer mon général, et tu es toujours en vie. Explique-toi !

— Mon seigneur, j'étais assis à côté de vous dans la tente de Bodasen – vous m'en aviez donné l'ordre.

— C'est donc ma faute si le camp a été attaqué !

— Non, sire…

— Non, sire… parodia Gorben. Je ne crois pas non plus. Tes sentinelles dormaient. Maintenant elles sont mortes. Tu ne penses pas qu'il serait de bon ton que tu les rejoignes ?

— Sire ?

— Rejoins-les, t'ai-je dit. Prend ta dague et tranche-toi les veines.

L'officier dégaina sa dague d'apparat, la retourna, et s'enfonça la lame dans le ventre. L'espace d'un moment il ne bougea pas, puis il se mit à hurler et à se tortiller de douleur. Gorben dégaina son épée, et trancha la tête de l'homme.

— Même ça, il était incapable de le faire correctement, déclara-t-il.

Druss rentra dans la tente de Sieben et jeta sa hache sur le sol. Le poète était réveillé, mais regardait les étoiles en silence. Le guerrier s'assit sur le sol, et sa grosse tête s'affaissa contre sa poitrine ; il regarda ses mains, serrant et desserrant les poings. Le poète perçut son désespoir. Il lutta pour se redresser, mais ressentit aussitôt une douleur fulgurante dans la poitrine, comme un coup de poignard. Il grogna. Druss se redressa légèrement en levant la tête.

— Comment te sens-tu ? demanda Druss.

— Bien. J'en déduis que l'assaut a échoué ?

— Gorben n'était pas dans sa tente.

— Qu'est-ce qui ne va pas, Druss ?

La tête du guerrier s'affaissa une nouvelle fois et il resta muet. Sieben sortit du lit et alla s'asseoir à ses côtés.

— Allez, mon vieux, raconte.

— J'ai tué Bodasen. Il a surgi de l'ombre et je l'ai abattu.

Sieben passa son bras autour des épaules de Druss.

— Que puis-je dire ?

— Tu pourrais me dire pourquoi – pourquoi il a fallu que ce soit moi.

— Je n'ai pas la réponse. J'aimerais bien en avoir une. Mais tu n'as pas franchi les océans pour aller le tuer, Druss. C'est lui qui est venu ici. Avec une armée.

— Je n'ai jamais eu beaucoup d'amis dans ma vie, déclara Druss. Eskodas est mort chez moi. J'ai tué Bodasen. Et je t'ai amené ici, où tu risques de mourir pour un tas de cailloux et une passe dont personne ne se souvient plus. Je suis fatigué, poète. Je n'aurais pas dû venir.

Il sortit de la tente. Puis, il plongea ses mains dans un baril d'eau et se lava le visage. Son dos lui faisait mal, surtout sous la clavicule où il avait pris un coup de lance des années plus tôt. Une veine gonflée à la jambe droite le gênait également.

— Je ne sais pas si tu peux m'entendre, Bodasen, murmura-t-il en regardant les étoiles, mais je suis désolé d'avoir dû te tuer. À la bonne époque, tu étais un ami, avec qui j'aurais volontiers franchi les montagnes.

Il retourna dans la tente, pour trouver Sieben endormi sur la chaise. Il le souleva en douceur et le mit au lit, sous d'épaisses couvertures.

— Tu es épuisé, poète, dit-il.

Il chercha son pouls. Les pulsations étaient irrégulières, mais fortes.

— Reste avec moi, Sieben. Je vais te ramener chez nous.

Quand les rayons de l'aube baignèrent les sommets des montagnes, Druss descendit lentement la pente rocailleuse pour reprendre sa place en première ligne.

Pendant huit jours affreux, Skeln se transforma en charnier, jonché de cadavres en décomposition. Une odeur de putréfaction avait envahi la passe. Gorben y envoyait légion sur légion, mais elles se faisaient toutes repousser. La bande de défenseurs diminuait, mais tenait bon, soudée par le courage indomptable du guerrier à la hache, dont les talents effrayants semaient le désarroi chez les Ventrians. D'aucuns disaient que c'était un démon, d'autres un dieu de la guerre. On se remémora les anciens contes.

Le Guerrier du Chaos foulait de nouveau le sol, par l'intermédiaire des histoires qu'on se racontait autour des feux ventrians.

Seuls les Immortels restaient imperméables à la peur. Ils n'ignoraient pas qu'il leur incomberait bientôt de nettoyer la passe, et savaient que cela n'allait pas être facile.

La huitième nuit, Gorben céda devant la demande pressante de ses généraux. Le temps jouait en leur défaveur. Il fallait absolument qu'ils empruntent ce passage, autrement l'armée drenaïe risquait de leur tomber dessus, et ils seraient pris au piège dans cette maudite baie.

L'ordre fut donné, et les Immortels affûtèrent leurs épées.

À l'aube, ils se levèrent en silence pour former une ligne noir et argent de l'autre côté du cours d'eau, regardant d'un air glacial les trois cents hommes qui se tenaient entre eux et la plaine sentranne.

Les Drenaïs étaient à bout de forces, les yeux creusés.

Abadaï, le nouveau général des Immortels, s'avança et dégaina son épée en guise de salut à l'intention des Drenaïs, ainsi que le voulait la coutume de ce régiment. La lame s'abaissa et la ligne se mit en marche. À l'arrière, trois tambours battaient la triste mesure, et toutes les épées des Immortels jaillirent de leurs fourreaux à l'unisson.

La crème de l'armée ventrianne marchait lentement vers les Drenaïs, et leurs visages étaient sombres.

Druss, qui à présent portait un bouclier, les regardait avancer. Ses yeux bleus glacés n'exprimaient rien. Il avait la mâchoire serrée et sa bouche ressemblait à un trait fin. Il étira les muscles de ses épaules et prit une grande inspiration.

C'était l'épreuve finale. La journée des journées.

Le fer de lance du destin de Gorben face à la résolution des Drenaïs.

Il savait que les Immortels étaient de sacrément bons guerriers, mais aujourd'hui, ils ne se battaient plus que pour la gloire.

Les Drenaïs, en revanche, étaient des hommes fiers, et les fils d'hommes fiers, issus d'une race de guerriers. Ils se battaient pour leurs maisons, leurs femmes, leurs fils, et ceux à naître. Pour un pays libre, et le droit d'agir à leur guise, de mener leur vie comme ils l'entendaient, et ainsi accomplir la destinée d'une race libre. Egel et Karnak s'étaient battus pour ce rêve, et d'autres encore, trop nombreux pour être cités, au fil des siècles.

Derrière le guerrier à la hache, le comte Delnar regardait les lignes ennemies. Il était impressionné par leur discipline et, d'une façon légèrement détachée, les admirait. Il reporta son attention sur Druss. Sans lui, ils n'auraient jamais tenu aussi longtemps. Il était comme l'ancre d'un navire pris dans la tempête, maintenant la proue face au vent, lui permettant d'affronter les éléments en furie sans se briser sur des rochers ou chavirer sous la force des vagues. Les hommes puisaient leur courage dans sa simple présence. Car il était un être constant dans un monde en perpétuel changement – une force colossale qu'on savait pouvoir durer.

Maintenant que les Immortels étaient presque au contact, Delnar sentit la peur se répandre au sein des troupes. La ligne de défense bougea comme une pression plus intense s'exerçait sur les boucliers. Le comte sourit.

C'est le moment de prendre la parole, Druss, pensa-t-il.

— Venez mourir, fils de putes ! Je suis Druss, et voici l'heure de votre mort !

Rowena cueillait des fleurs dans le petit jardin derrière la maison quand elle ressentit la douleur sous ses côtes, qui la transperça jusque dans le dos. Ses jambes se dérobèrent et elle tomba dans les fleurs. Depuis le pré, Pudri aperçut sa chute et courut vers elle, appelant Niobe, la femme de Sieben, à l'aide. Ensemble, ils la portèrent inconsciente à l'intérieur de la maison. Pudri lui introduisit de la poudre de digitale dans la bouche et versa de l'eau dans un gobelet. Il pressa celui-ci contre ses lèvres et lui pinça le nez, la forçant à avaler.

Mais cette fois, la douleur ne passa pas. On porta Rowena au premier étage pour la coucher. Niobe alla chercher le médecin du village à dos de cheval.

Pudri s'assit sur le lit aux côtés de Rowena. Les rides sur son visage sombre trahissaient son angoisse.

— Je t'en prie, ma dame, ne meurs pas, souffla-t-il, les larmes aux yeux. Je t'en supplie.

Rowena sortit de son corps en flottant et ouvrit ses yeux spirites pour contempler avec tristesse la matrone étendue sur le lit. Elle vit les rides et les cheveux gris, ainsi que les cernes sous ses yeux. Était-ce bien elle ? Cette enveloppe fatiguée était-elle la Rowena qu'on avait emmenée de force en Ventria des années auparavant ?

Et le pauvre Pudri, si rabougri, si vieux. Pauvre Pudri, si fidèle.

Rowena sentit la Source l'appeler. Elle ferma les yeux et pensa à Druss.

Sur les ailes du vent, la Rowena du passé s'éleva au-dessus de la ferme, goûtant la douceur de l'air, savourant la liberté des êtres nés pour voler. Le paysage défila sous ses yeux, vert et fertile, tacheté de champs de maïs doré. Les rivières devenaient des rubans de satin, les mers des lacs ondulants, les gens dans les villes ressemblaient à des insectes qui s'affairaient sans but.

Le monde rapetissa pour devenir un plateau serti de gemmes bleues et blanches, puis une pierre comme entourée par la mer, et enfin un petit joyau. Elle pensa une nouvelle fois à Druss.

— Oh, pas tout de suite ! supplia-t-elle. Laissez-moi le voir encore une fois. Rien qu'une fois.

Des couleurs défilèrent devant ses yeux, et elle tomba, tourbillonnante, au milieu des nuages. La terre sous elle était verte et dorée ; les champs de maïs et les prairies de la plaine sentranne, riche et verdoyante. À l'est, on aurait dit qu'un géant avait jeté son manteau sur le paysage morne et gris, dont les montagnes de Skeln sortaient à peine des plis. Elle se rapprocha et plana au-dessus de la passe pour regarder les armées engagées dans le combat.

Druss ne fut pas dur à trouver.

Comme toujours, il se tenait au cœur du carnage, et sa hache tuait tout sur son passage.

Elle ressentit une grande tristesse, un regret si profond qu'il lui blessa l'âme.

— Au revoir, mon amour, dit-elle.

Elle tourna son visage vers le Ciel.

Les Immortels se jetèrent contre la ligne drenaïe, et le son de l'acier qui s'entrechoquait couvrit les roulements de tambour insistants. Druss enfonça Snaga dans un crâne, puis fit un pas de côté pour éviter un coup d'estoc mortel, éviscérant son agresseur. Une lance lui entailla le visage et la lame d'une épée s'enfonça profondément dans son épaule. Il fut forcé de faire un pas en arrière. Il enfonça ses talons dans le sol et sa hache ensanglantée taillada les rangs noir et argent devant lui.

Progressivement, le nombre des Immortels obligea la ligne de défense drenaïe à reculer.

Un coup violent brisa le bouclier de Druss en deux. Le guerrier à la hache s'en débarrassa, et saisit Snaga à deux mains, balançant un coup semi-circulaire sur ses ennemis dans une gerbe de sang. En lui, la colère se transformait peu à peu en rage.

Ses yeux luisaient, et une force nouvelle vint apaiser ses muscles fatigués et endoloris.

Les Drenaïs avaient déjà reculé de vingt mètres. Encore une dizaine et la passe s'élargissait. Ils ne pourraient pas tenir.

La bouche de Druss ressemblait au rictus d'une tête de mort. De chaque côté, la ligne se pliait en arc, mais le guerrier à la hache était inamovible. Les Immortels se concentrèrent sur lui, mais furent abattus avec une facilité déconcertante.

Druss sentit sa force.

Et il se mit à rire.

C'était un son effroyable, qui glaça le sang de ses ennemis. Druss asséna un grand coup de hache dans la tête de l'Immortel barbu qui se trouvait devant lui. Ce dernier fut catapulté contre ses compagnons. Le guerrier à la hache bondit en avant, et enfonça Snaga dans la poitrine du guerrier le plus proche. Puis il donna des grands coups de gauche et de droite. Les ennemis s'écartèrent devant lui, ce qui ouvrit un espace entre les rangs. Druss hurla sa rage au ciel et chargea dans la masse. Certak et Diagoras le suivirent.

C'était suicidaire, pourtant les Drenaïs venaient ainsi de former une percée dans les rangs adverses, Druss en pointe.

Il était impossible d'arrêter le géant à la hache. On se jetait sur lui de chaque côté, mais sa hache ressemblait à une traînée de vif-argent. Un jeune soldat, nommé Eericetes, qui n'avait été accepté qu'un mois auparavant, vit Druss fondre sur lui. La peur monta telle de la bile dans sa gorge. Il laissa choir son épée et se retourna, poussant l'homme qui était derrière lui.

— Recule, cria-t-il. Reculez tous !

Les hommes le laissèrent passer, mais le cri fut repris par d'autres, pensant qu'il s'agissait d'un ordre donné par les officiers.

— Reculez jusqu'à la rivière !

L'ordre retentit dans les rangs des Immortels qui firent volte-face et retournèrent dans leur camp.

Depuis son trône, Gorben regarda avec horreur ses hommes franchir le cours d'eau, désorganisés et hébétés.

Ses yeux scrutèrent la passe, où le guerrier à la hache brandissait Snaga dans les airs.

La voix de Druss flotta jusqu'à lui, répercutée par les parois de la passe.

— Et votre légende, bande de fils de putes !

Abadaï, qui saignait d'une blessure profonde au front, s'approcha de l'empereur et tomba à genoux, tête baissée.

— Comment est-ce arrivé ? demanda Gorben.

— Je ne sais pas, sire. Nous étions en train de les repousser, et soudain le guerrier à la hache est devenu fou ; il nous a chargés. Nous les tenions. Vraiment. Mais je ne sais d'où, le cri de la retraite a retenti, et cela a été le chaos.

Dans la passe, Druss affûta rapidement les lames de sa hache.

— Nous avons battu les Immortels, fit Diagoras en tapant Druss sur l'épaule. Par tous les dieux de Missael, on a battu ces foutus Immortels !

— Ils vont revenir, mon garçon. Très vite. Tu ferais bien de prier pour que l'armée arrive vite.

Une fois que Snaga fut aussi tranchante que d'habitude, Druss s'inquiéta de ses blessures. Sa coupure au visage lui faisait un mal de chien, mais le sang ne coulait plus. Son épaule lui posait plus de problème, aussi la banda-t-il du mieux qu'il put. S'ils passaient la journée, il la recoudrait cette nuit. Il souffrait de petites entailles aux jambes et aux bras, mais elles s'étaient déjà cautérisées.

Une ombre tomba sur lui. Il leva la tête. Sieben était là, avec un plastron et un heaume.

— De quoi ai-je l'air ? s'enquit le poète.

— Ridicule. Qu'est-ce que tu penses faire ?

— J'essaie de me fondre dans la masse, Druss, mon vieux. Et n'essaie pas de m'en empêcher.

— Pour rien au monde.

— Tu ne vas pas me traiter d'imbécile ?

Druss prit son ami par les épaules.

— Nous avons passé de belles années ensemble, poète. Les meilleures dont j'aurais pu rêver. Il n'y a que peu de trésors dans la vie d'un homme. L'un d'entre eux est de savoir qu'un ami se tient à ses côtés quand l'heure est grave. Et, soyons honnêtes, Sieben… Je ne crois pas que cela puisse être pire.

— Maintenant que tu m'en parles, mon cher Druss, j'ai bien l'impression que la situation est désespérée.

— Bah, il faut bien mourir un jour. Quand la mort viendra pour toi, poète, crache-lui dans l'œil.

— Je ferai de mon mieux.

— Comme toujours.

Les tambours résonnèrent de nouveau, et les Immortels se regroupèrent. À présent, il y avait de la rage dans leurs yeux, et ils regardaient les défenseurs avec mépris. On ne les repousserait pas cette fois. Pas même Druss. Et encore moins les deux cents misérables guerriers drenaïs.

Au premier choc, la ligne de défense fut repoussée. Même Druss, qui avait besoin de plus d'espace pour balancer sa hache, n'en trouvait qu'en reculant. Il fit un pas en arrière. Puis un autre. Encore un autre. Pourtant, il continuait de se battre comme une machine, sanglante et ensanglantée. Snaga faisait jaillir des gerbes de sang, montant et retombant avec une impitoyable efficacité.

Plusieurs fois, il réussit à rallier les Drenaïs. Mais les Immortels venaient de plus en plus nombreux, enjambant les cadavres, l'œil sombre et la mine résolue.

Tout à coup, la ligne drenaïe céda et la bataille dégénéra en escarmouches ; de petits groupes de guerriers formaient des cercles de boucliers au milieu de la marée noire et argentée qui se déversait dans la passe.

La plaine sentranne était ouverte aux conquérants.

La bataille était perdue.

Mais les Immortels étaient impatients de gommer de leur mémoire la défaite qu'on leur avait infligée. Ils bloquèrent le chemin vers l'ouest, bien déterminés à tuer les défenseurs jusqu'au dernier.

De son poste d'observation sur une des collines occidentales, Gorben jeta son sceptre de rage, et se tourna vers Abadaï.

— Ils ont gagné. Pourquoi n'avancent-ils pas ? Leur soif de sang leur fait bloquer le passage !

Abadaï n'en croyait pas ses yeux. Avec le temps comme ennemi, les Immortels faisaient sans le savoir le jeu des défenseurs. Le goulot de la passe était à présent engorgé de guerriers, et le reste de l'armée de Gorben attendait derrière eux pour se déverser dans la plaine.

Druss, Delnar, Diagoras et une dizaine d'autres avaient formé des anneaux d'acier près de rochers saillants. À cinquante pas sur la droite, Sieben, Certak et une trentaine d'hommes étaient encerclés ; ils se battaient avec fureur. Le visage du poète était gris, et la douleur grandissait dans sa poitrine. Il laissa tomber son épée et escalada un grand rocher, puis dégaina un de ses couteaux de lancer dissimulé dans ses manches.

Certak para un coup d'estoc, mais une lance lui transperça le plastron, déchirant ses poumons. Du sang reflua dans sa bouche, et il tomba. Un grand Ventrian sauta sur le rocher. Sieben lança sa lame. Elle se planta dans l'œil de l'attaquant.

Une lance fendit les airs et se ficha dans la poitrine de Sieben. Étrangement, au lieu de lui faire mal, elle ôta la douleur qu'il avait au cœur. Il chuta du rocher et fut englouti par la horde noire et argentée.

Druss le vit tomber – et se mua en berserk.

Il sortit des rangs. Sa silhouette géante se fraya un chemin à travers les guerriers devant lui, les fauchant comme du blé. Delnar colmata le cercle derrière lui, éviscérant un lancier ventrian et bloquant son bouclier contre celui de Diagoras.

Bien qu'entouré par des Immortels, Druss continua d'avancer. Une lance s'enfonça dans son dos. Il fit volte-face et trépana le lancier. Une épée rebondit sur son heaume et lui entailla la joue. Une deuxième lance lui transperça le flanc et un plat d'épée s'écrasa contre sa tempe. Il attrapa l'un de ses assaillants puis le souleva, lui assénant un vicieux coup de tête. L'homme s'effondra. Le cercle d'ennemis se referma sur le guerrier à la hache. Il utilisa le bouclier du soldat ventrian qu'il venait d'assommer et se laissa tomber au sol. Une pluie de coups d'épées et de lances fondit sur lui.

Un cor retentit.

Druss essaya de se relever, mais reçut un coup de pied à la tempe et sombra dans les ténèbres.

Il se réveilla en poussant en cri. Son visage était couvert de bandages et son corps n'était qu'une plaie. Il essaya de s'asseoir, mais une pression sur son épaule l'en empêcha.

— Repose-toi, guerrier. Tu as perdu beaucoup de sang.

— Delnar ?

— Oui. Nous avons gagné, Druss. L'armée est arrivée juste à temps. Maintenant, repose-toi.

Les derniers moments de la bataille revinrent à l'esprit de Druss.

— Sieben !

— Il est vivant. À peine.

— Conduis-moi à lui.

— Ne sois pas bête. Tu devrais être mort. Ton corps a été transpercé une dizaine de fois. Si tu bouges, les blessures vont se rouvrir et tu vas te vider de ton sang.

— Conduis-moi à lui, bordel !

Delnar jura et aida le guerrier à la hache à se relever. Il appela un aide, qui le prit par le côté gauche. Ensemble ils portèrent le géant blessé dans la tente, au chevet de Sieben, le Maître des Sagas, qui dormait.

Ils l'aidèrent à s'asseoir, et sortirent. Druss se pencha, regardant les pansements sur la poitrine de Sieben et la tache de sang au centre qui s'étendait progressivement.

— Poète, l'appela-t-il doucement.

Sieben ouvrit les yeux.

— Mais rien ne peut donc te tuer, guerrier à la hache ? souffla-t-il.

— Apparemment, non.

— Nous avons gagné, dit Sieben. Et je te ferai remarquer que je ne me suis pas caché.

— Je n'en attendais pas moins de toi.

— Je suis affreusement fatigué, Druss.

— Ne meurs pas. Je t'en prie, ne meurs pas, fit le guerrier.

Les larmes lui piquaient les yeux.

— Il y a des choses que même toi tu ne peux avoir, mon vieux. Mon cœur ne sert plus à rien. Je ne sais même pas comment j'ai pu vivre si long-temps. Mais tu avais raison. Ce furent de belles années. Pour rien au monde je ne voudrais les changer. Prends soin de Niobe et des enfants. Et débrouille-toi pour que des maîtres de sagas me rendent justice. Tu me le jures ?

— Oui, évidemment.

— J'aurais bien voulu être l'auteur d'une telle saga. Quelle apothéose...

— Oui. Comme tu dis. Écoute, poète. Je ne suis pas doué pour les mots... mais je tiens à te dire que tu as été comme un frère pour moi. Le meilleur ami que j'aie jamais eu. Le meilleur. Poète ?... Sieben ?

Sieben regardait le plafond de la tente sans le voir. Son visage serein avait presque retrouvé un semblant de jeunesse. Les rides disparaissaient devant Druss. Le guerrier se mit à trembler. Delnar s'approcha pour fermer les yeux de Sieben, et le couvrir d'un drap. Puis, il aida Druss à retourner dans son lit.

— Gorben est mort, Druss. Ses propres hommes l'ont tué pendant la déroute. Notre flotte a bloqué les Ventrians dans la baie. À l'heure où je te parle, un de leurs généraux est en train de parlementer avec Abalayn. Nous avons réussi. Nous avons tenu la passe. Diagoras veut te voir. Il a survécu à la bataille. Tu te rends compte ! Même le gros Orases est toujours avec nous. J'aurais parié à dix contre un qu'il ne survivrait pas.

— Donne-moi à boire, s'il te plaît, murmura Druss.

Delnar revint avec un verre d'eau fraîche. Druss la but lentement. Diagoras entra dans la tente, portant Snaga. La hache avait été nettoyée du sang, et polie ; elle brillait de mille éclats.

Druss la contempla, mais ne la prit pas. Le jeune homme aux yeux noirs sourit.

— Vous avez réussi. Je n'avais jamais rien vu de tel. Je ne croyais pas que ce serait possible.

— Il n'y a rien d'impossible, dit Druss. N'oublie jamais ça, mon garçon.

Les larmes montèrent aux yeux du guerrier à la hache et il tourna la tête. Un moment plus tard, il les entendit sortir. Alors seulement, il permit à ses larmes de couler.

··· SAGIM · CANALE ···

Achevé d'imprimer en juillet 2004
sur rotative Variquik
à Courtry (77181)

Imprimé en France

Dépôt légal : octobre 2002
N° d'impression : 7717